독서가
마음의 병을
치유한다

독서가
마음의 병을
치유한다

체험형 독서치료 이야기

김정근 · 김경숙 · 김은엽 외 지음

한울
아카데미

독서치료의 방법에 대하여

바야흐로 우리 사회는 치유의 계절을 맞고 있는 듯하다. 내가 관계하고 있는 독서치료 분야만 해도 프로그램 현장에서 놀라운 반응을 일으키고 있다. 이는 사람들의 가슴에 쌓인 상처가 워낙 깊다는 사실의 반증이기도 할 것이다. 한편 책 몇 권을 읽고 엄청난 효과를 보는 과정을 지켜보면 책의 치유하는 힘을 확인하게 되기도 한다. 지금은 시중에 좋은 치유서가 다양하게 나와 있어 누구나 쉽게 구해볼 수 있다는 점에서 가히 치유서의 전성시대라고 부를 만하다.

생활 속에서는 상처가 늘 생기기 마련이다. 언짢고 마음 아픈 일 없이 하루라도 무사히 넘어가기는 어렵다. 가끔은 깊은 상처가 나기도 하며 그런 일이 반복적으로 지속되기도 한다. 이런 일이 있을 때 마땅하게 호소할 곳이 없다는 것도 문제다. 부모, 형제, 친구나 동료에게 하소연을 해보아도 돌아오는 것은 "참아라", "별것 아니다", "자꾸 생각하지 마라", "시간이 지나면 다 낫는다"라는 식의 대답이다. 문제는 이런 방식이 과연 제대로 된 처방이 될 수 있는가 하는 것이다. 사실 아무런 도움이 되지 않는다고 할 수 있다. 당사자에게는 직면한 일이 무척 아픈 현실이며, 시간이 약이 되지도 않는다.

이런 환경에서 마음의 병이 깊어지다가 장애를 일으켜 환자가 되기도 한다. 그렇다고 이런 일로 정신과 병의원을 찾기에는 정신과라는 곳이 아직 거리감이 있다. 독서치료를 비롯한 대안적 요법이 사회적인 호응을 얻는 이유가 여기에 있는 듯하다.

내가 부산대학교에 위치한 '책읽기를 통한 정신치료 연구실'(책정연)을 활동 공간으로 삼아 이 책의 공저자 및 주변의 또 다른 젊은 연구자들과 더불어 학교 내외의 다양한 그룹을 대상으로 독서치료 프로그램을 적용하고 그 경험을 바탕으로 문헌을 생산해온 지도 어느새 10년 가까이 되었다. 그동안 구성원 단독으로 또는 여럿이 함께 펴낸 책이 일곱 권에 이르렀다. 전문가를 위해 집필한 학술논문과 일반인을 위해 게재한 칼럼 역시 수없이 많다. 이는 무대를 대학원으로 잡고 이미 학위를 받은 사람들과 아직 대학원 과정 중에 있는 사람들을 중심으로 활동을 펼친 덕분이다. 이처럼 독서치료를 실천하는 한편, 연구개발의 결과를 문서화해 보고하는 과정에서는 언제나 독서치료의 '방법'이 과제로 떠올랐다. 구체적으로는 프로그램을 어떻게 적용하는 것이 가장 적합한가가 고심의 대상이었다.

우리는 이 과정을 통해 자연스럽게, 그러나 여론과 상식의 벽을 뛰어넘어야 하는 쉽지 않은 과정을 거쳐, 책이 중심이 되고 참여자의 변화와 치유 체험을 존중하는 독서치료 프로그램을 지지하고 발전시켰다. 이는 다른 말로 프로그램 진행자의 이론과 기법의 위치를 상대적으로 낮추고 책과 참여자의 위치를 상대적으로 높인다는 의미였다. 프로그램의 설계를 '의도적으로' 그렇게 한다는 것이었다. 지금 이 방법은 우리뿐 아니라 독서치료의 실수요자를 직접 상대하는 도서관, 학교, 사회복지시설, 사찰, 성당, 교회 같은 대인 서비스기관에서도 선호하고 있다. 이 현상은 학계에서 '체험형(experience-oriented)' 독서치료라고 규정되기도 했다.

독서치료라면 책이 중심이 되는 것이 당연하지 않느냐는 의문을 제기할 수 있지만 한국적인 현실에서는 반드시 그렇지는 않았다. 책과 참여자의 진정한 만남 속에서 생성되는 변화와 치유 체험을 목적으로 삼지 않는 '이상한' 독서치료 프로그램도 있었다. 이와 같은 프로그램에서는 이론과 기술이 강조되었다. 독서치료의 역사가 어떻고, 유형이 어떻고, 원리와 목적과 가치가 어떻고, 과정과 방법이 어떻고 하는 식이었다. 이 계통에서 운영되는 한 프로그램에서는 치유서 읽기가 애초부터 배제되는 일도 있었다. 프로그램의 전체 과정에서 치유서가 설 자리가 별로 없었던 것이다. 그 대신 진행자가 칠판 앞에서 이론과 기술을 강의하면 참여자는 열심히 듣고 지식으로 소화하는 구조였다. 이 방법은 각종 민간 자격증 과정에서 독서치료의 가수요자라 할 수 있는 일부 그룹의 요구를 수용해 프로그램을 운영할 때 집중적으로 적용하는 모형으로, 주로 부업 지망생을 대상으로 활용하는 방법이다. 이 현상은 학계에서 '지식형(knowledge-oriented)' 독서치료라고 규정되기도 했다.

최근에는 독서치료의 '방법'과 관련해 깊은 의미를 갖는 책 한 권을 접하게 되었다. 이 책은 사실 정신의학 분야의 성과물이지만 독서치료의 방법을 고심하는 나의 입장에서는 책의 내용에 크게 공감할 수 있었으며 막강한 지지자를 얻은 기분이었다. 저자는 오래전 한국전쟁을 전후해 국내와 미국에서 정신의학을 공부하고 대학교수와 임상의로서 평생을 살아온 이동식(李東植) 박사였으며 책의 제목은 조금 특이하게 『도정신치료입문(道精神治療入門)』(한강수, 2008)이라고 되어 있었다.

이 책은 1920년생인 저자가 88세에 펴낸 저작이다. 책에서 저자는 자신이 젊은 날에 훈련받았던 서양식 정신의학을 동양사상, 특히 불교사상과 접목시키고 있다. 저자의 필생의 사업인 정신의학의 현실적합화 작업이 높은 경지에서 실천되고 있다는 점이 인상적이었다. 저자 자신의 토착적 방법으로 내담자를 직접 치료한 사례를 풍부하게 소개해 더 실감나게 읽을 수 있다는 점 또한 마음에 와 닿았다.

이 책에서 저자는 내 입장에서 보면 참으로 놀랄 만한 이야기를 하고 있었다. 특히 정신치료의 방법과 관련한 부분이 그랬다. 임상경험이 풍부한 저자는 정신치료가 이론과 기법에 빠져서는 안 된다는 지론을 펼쳤다. 어디까지나 목표는 치료경험이 되어야 하며 이론이나 기법은 경험을 하기 위한 수단에 지나지 않는다는 것이었다. 이는 달을 보아야지 달을 가리키는 손가락에 집착하면 안 된다는 의미다. 여기서 달은 현실이자 경험인 반면 손가락은 개념에 속한다. 정신장애는 감정의 문제이므로 치료 과정에서 개념에 얽매이지 말라는 것이 저자의 간절한 충고였다. 이 원리를 그는 불교 참선의 핵심적인 가르침인 직지인심 견성성불(直指人心 見性成佛)에서 찾고 있었다. 요컨대 머리로 하는 구차한 설명보다 가슴으로 하는 공감과 공감적인 응답이 치료의 요체라는 주장이다(이동식, 2008: 5~6, 157).

위에서도 말했지만 내가 지난 10년 가까운 세월 동안 주변의 젊은 연구자들과 더불어 고심했던 것도 바로 이 부분이었다. 독서치료에서 치료적 경험이 중요하지 과정에 대한 설명이 그렇게 문제가 되는 것일까. 그것도 치유서를 도외시할 정도로 말이다. 이 의문이 언제나 가슴속에 있었다. 그런데 지금 이 의문은 현실의 위력 앞에서 해결이 나버렸다. 프로그램을 적용하고 그 결과를 기록해 보고하는 구체적인 현실 속에서 답이 나온 것이다. 무엇보다 참여자의 반응이 최종적인 답이 되었다. 이제는 우리 자신뿐 아니라 많은 개인과 단체가 '체험형'을 채택하고 긍정적으로 평가하는 단계에 이르렀다. 시간이 턱없이 많이 걸렸다는 아쉬움이 있지만 문제 자체는 일단 해결되었다. 이 단계에서 이동식 박사의 경험과 충고를 접한 것은 큰 위로와 격려가 되었다.

하지만 문제 되는 것이 하나 더 있었다. 바로 독서치료에서 '지식형'을 버리고 '체험형'을 채택했을 때 부닥치는 난관이었다. 진행자의 위치를 '의도적으로(intentionally)' 낮추고 참여자와 치유서의 위치를 '의도적으로' 높여 그 두 요소 사이에서 불꽃 튀는 만남이 이루어지고 개인의 변화와 치유 체험이 유도되는 구조에서는 독서의 방법 자체가 크게 문제되었다. 특히 독서라면 '느끼기' 위해서보다 '알기' 위해서 하는 것으로 교조적으로 강조하는 주지주의적 풍토에서는 더욱 그랬다. 그런데 역설적으로 체험형의 구조에서는 '알기' 위해서 독서를 하면 안 된다. 아주 안 된다기보다는 그렇게 하면 효과가 반감된다. 해결의 대상이 감정의 문제이기 때문이다.

그렇다면 독서치료에서는 어떻게 책읽기를 해야 하는가? 치유서는 어떻게 읽는 것이 효과적인가? 그동안 여러 차례 시도했지만 이를 설명해내기란 결코 쉽지 않았다. 그래서 이번에는 다음과 같은 비유를 통해 이해를 시도해 보고자 한다. 이 대목의 아이디어는 이 책의 제2부에서도 소개하고 있는 『사랑에 대하여』[1]에서 빌려왔다.

다음은 『사랑에 대하여』에 나오는 한 대목이다. 어떤 사람이 숲을 걷는데 숲은 어떻게 관찰해야 하는지를 의식하고, 어떤 모습에 주목해야 할 것인가를 고심하며, 어떤 소리에 귀 기울여야 하고 이끼의 부드러움은 어떻게 느껴야 하며 나무껍질을 만지면 어떤 느낌이 오는지를 적어놓은 지침서를 들고 간다면 얼마나 우스꽝스럽고도 멍청해 보일 것인가.[2] 그런데 지금 대한민국에서는 말하자면 이런 식으로 독서를 하고 있다. 이것이 과연 웃을 일인가 울 일인가. 지금 우리 사회에서는 무언가를 많이 '아는 것'이 무조건 중요하다. 그래야 시험을 치르고 시험에 합격할 수 있다. 풍토가 그렇게 되어 있다. 그러나 숲은 그렇게 걷는 것이 아니라고 했다.

> 숲은 그냥 산책하는 것이다. 푸르게 우거진 숲이 저기 있다. 당신이 숲속을 걷기 좋아하고 모든 감각이 열려 있기만 하다면 그것으로 숲속을 걷기 위한 준비는 완벽하게 끝난 것이다. …… 풀밭에 누워 초원의 냄새를 하나하나 세세히 인지하고, 하늘에 흘러가는 구름을 보며, 두 손으로 나무껍질을 쓰다듬는다. 축축한 흙을 손가락 사이로 흘려 보기도 하며, 자신을 잊고 그 느낌 속으로 몰입하기도 한다. 햇빛과 비와 바람에 대한, 세상에 대한 사랑이 이런 감각적인 경험을 거쳐 개발되는 것이다.[3]

---

1) 페터 라우스터, 『사랑에 대하여』, 전영애 옮김(아침나라, 1999).
2) 같은 책, 30쪽.
3) 같은 책, 30, 32쪽.

바로 이것이다. 우리는 독서를 이렇게 해야 한다. 적어도 치유서 읽기는 이렇게 해야 하는 것이다. 무엇을 '알기' 위해서가 아니라 '느끼기' 위해서 책읽기를 하는 경우도 있어야 한다는 말이다. 왜냐하면 치유서는 그 코드가 사람의 이성에 맞추어져 있기보다 감성에 맞추어져 있기 때문이다.

앞에서 언급한 이동식 박사는 자신의 책에서 이렇게 말하고 있다. "지금 여러분들은 말에 걸려 있다. 말에! 생각에! 응? 말을 듣고 말의 뜻을 얻고 나면, 그다음에는 말을 잊어버리면 도에 쉽게 가까워진다." 이는 『보조법어(普照法語)』에 나오는 '득의망언 도이친(得意忘言 道易親)'(뜻을 얻고 말을 잊으매 도와 친하기 쉽다)을 원용한 것이다(이동식, 2008: 144). 치유서 읽기와 관련해 의미심장한 말이다.

치유서 읽기는 모름지기 숲속을 거닐 때처럼 '느낌'이 존중되며 '뜻을 얻으면 말을 잊어버리는' 방식으로 해야 한다. 책을 읽을 때는 이성의 기능보다는 감성의 기능을 사용해야 한다. 마음을 묶지 말고 풀어놓아야 하는 것이다. 애를 써서 무엇을 많이 '알고' 많이 '기억'한다고 해서 치유 효과가 생기거나 높아지는 것은 결코 아니기 때문이다. 이 점에서 기존의 독서 방식은 반성의 여지가 있다.

이 책은 앞에서 제시한 체험형 독서치료와 '느낌'이 존중되는 독서의 의미를 자세하게 설명하는 한편, 이를 기반으로 한 독서치료 프로그램을 실행하기 위한 안내서로 꾸며졌다. 제1부에서는 체험형 독서치료의 원리와 실행 방법, 그리고 적합한 독서법에 대해 학술적이고도 실용적인 차원에서 다루었다. 제2부에서는 체험형 독서치료를 위한 상황별 자료목록을 소개하고 타이틀마다 초록을 만들어 붙였다. 따라서 관심 있는 개인과 단체가 새로운 프로그램을 시도할 때 또는 기존의 프로그램을 개선하려고 할 때 도움이 될 것이다. 제3부에서는 체험형 독서치료 과정을 거친 사람들의 진솔한 체험기를 소개했다. 지식형 프로그램에서는 진정한 의미의 체험기가 나올 수 없다. 처음부터 이론과 기법이 목적이기 때문이다. 제대로 된 체험기는 체험형 프로그램을 통해 자연스럽게 생산된다. 제3부에 실린 다양한 필진의 체험기는 독자들의 흥미를 끌기에 충분할 것이다.

이 책은 여러 층위의 의미에서 공동 작업의 결실이다. 제1부만 해도 나의 단독 작업이라기보다는 책정연의 큰 테두리 내에서 그동안 축적되어온 공동 사고의 결과를 집대성해낸 측면이 강하다. 제2부는 평소 치유서 발굴 작업에 관심이 많은 김경숙이 맡아서 집필했다. 이 목록 역시 단독 작업이라기보다는 책정연의 구성원들이 평소에 검토하고 새로 넣기도 하고 빼어버리기도 한 일상적 작업의 결과를 새로 정리해낸 것이다. 간략하고 깔끔한 초록은 김경숙이 이번에 새로 만들어 달았다. 제3부는 내가 그동안 대학생과 대학원생을 대상으로 운영해온 정규 교과목의 결실로, 강의가 다 끝난 학기말에 수강생들이 제출한 학기논고를 바탕으로 했다. 여러 참여자의 수고스런 글쓰기와 편집 과정을 거쳐 지금의 형태를 이루게 되었다. 그들은 기꺼이 이 책의 기획에 참여해주었다. 최종 편집 과정에서 김은엽을 제외한 다른 사람들에 대해서는 이름이나 사건의 장소, 상황같이 개인의 프라이버시와 관련이 있는 사항을 모두 감추거나 변형했다. 혹시 호기심 많은 독자가 어떤 글의 필자를 알겠다고 추측하더라도 아마 대체로 틀렸을 것이다. 이런 독자는 호기심을 버리고 내용에 집중해주기 바란다. 제3부를 전체적으로 편집하고 통합해내는 작업은 과감하게 자신의 글에 대한 익명성을 포기하고 책 만들기에 참여한 김은엽이 담당했다. 결과적으로 이중 삼중의 공동 작업의 결실이 쌓여 지금 이 책이 만들어진 것이다.

마지막으로 도서출판 한울에 감사한다. 김종수 사장, 윤순현 과장의 특별한 관심이 아니었다면 아마도 이 책은 세상의 빛을 보지 못했을 것이다. 그리고 편집부의 정성도 잊을 수 없다. 그들 때문에 이 책의 아름다운 모습이 가능했다.

2009년 봄

저자들을 대표하여 김정근

제2부 독서치료를 위한 상황별 자료목록

제3부 나의 독서치료 체험기

제1부

체험형 독서치료란 무엇인가

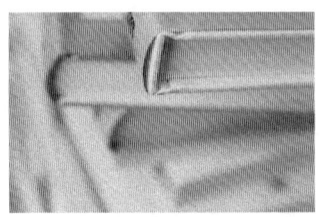

이 책은 '체험형' 독서치료와 '느낌'이 존중되는 독서의 방법을 자세하게 설명하고 그것에 기반을 둔 독서치료 프로그램 실행을 위한 안내서로 꾸며졌다. 제1부에서는 '체험형' 독서치료의 원리와 실행방법, 그리고 적합한 독서법에 대해 학술적이며 동시에 실용적인 차원에서 다루었다.

지식형 독서와 체험형 독서

치유서를 읽는 방법과 관련하여

김정근

1. 들어가며

문헌정보학 분야에 오래 몸담아오면서도 정작 '독서교육'을 나 자신의 일로 생각한 적은 별로 없었다. 나의 당면 과제는 언제나 따로 있다고 생각했으므로 '독서교육'은 가깝지만 먼 이웃 동네의 일쯤으로 여겼고, 따라서 응당 나 아닌 다른 사람들이 맡아서 하는 것으로만 여기고 있었던 듯하다. 그 때문에 자세하고 깊게 들여다볼 생각을 못했던 것 같다. 이는 문헌정보학과 (다른 학과도 마찬가지다) 운영의 특성이라고 할 수 있는 전공 영역의 분담 문제와 관련이 있으므로 그 속사정은 조금 복잡하다. 여기서 복잡한 내용까지 들어갈 필요는 없다. 다만 나의 경우는 다른 외부적 요소 때문이라기보다 스스로 자제력을 발휘해 정해진 전공 영역을 크게 벗어나지 않는 범위 내에서 주로 활동하다 보니 다른 영역이 눈에 잘 들어오지 않았으며, 그 범위를 뛰어넘어 다른 분야에 손을 대는 일이 현실적으로 쉽지 않았다. 익숙한 테두리 안에 머물지 않고 이웃의 분야인 독서 영역에 뛰어들려면 약간의 위험

요소도 감수할 각오를 해야만 했다. 그러나 지금 생각하면 좀 더 일찍 모험을 감행하지 못한 것이 아쉽기도 하다. 독서교육은 그만큼이나 중요한 영역이다.

나 자신의 과제에 '독서교육'을 포함시켜 생각하기 시작한 것은 학문 생활의 아주 늦은 시기에 독서치료에 관심을 가지면서부터였다. 교수 정년을 5년 앞둔 시점인 2000년에 안식년을 얻었는데 그 기회에 독서치료라는 새로운 영역에 눈을 뜨게 된 것이 독서 문제 전반을 조금이나마 살피는 계기가 되었다. 그러므로 독서 문제와 관련한 생각과 경험을 얻게 된 것은 주로 2000년 이후라고 할 수 있다.[1]

지금 우리 사회에서는 독서의 과제를 독서교육(reading education), 독서클리닉(reading clinic), 독서치료(bibliotherapy) 세 갈래로 구분해 논의를 진행하고 있다.[2] 이 구분은 실천적으로 의미가 있으며 관련자들이 독서 논의를 구체적으로 전개하는 데 도움이 되는 접근이다. 이 가운데 독서교육은 오랫동안 독서 논의의 중심에 있어왔다. 지금 우리 사회의 여러 계통에서 전개하고 있는 독서운동의 중심에도 독서교육이 위치하고 있다. 말하자면 독서의 중요성을 강조하고 어떻게 책을 좋아하고 독서를 즐기게 만들 것인가를 강구하며 독자의 수준이나 흥미에 맞추어 읽을거리를 제시하는 것 등이 이 갈래에서 담당하는 일이다. 한편 독서클리닉과 독서치료는 비교적 근래에 들어 사람들이 관심을 가지기 시작한 분야다. 독서클리닉은 읽기에서 지진, 부진, 장애 현상이 있는 경우를 돌보는 갈래이며, 독서치료는 마음의 상처나 심리적 장애가 있는 경우를 대상으로 한다. 이 글은 독서교육을 중심에 놓고 필요에 따라 다른 갈래에 대해서도 언급할 것이다. 그 과정에서 치유서 읽기의 방법이 자연스럽게 드러날 것이다.

---

1) 나의 독서치료 입문기는 다음 두 글에 부분적으로 소개되어 있다. 「스캇 펙(M. Scott Peck)을 아십니까?」, ≪국회도서관보≫, 2004년 4월호; 「독서치료에서 '상황'이란 무엇인가?」, ≪출판저널≫, 2004년 8월호.

2) 한윤옥, 「독서치료를 위한 상황별 독서목록의 기초적 요건에 관한 연구: 상황설정 및 분류체계와 관련하여」, ≪한국문헌정보학회지≫, 37권 1호(2003. 3), 9쪽.

오늘날 우리 사회의 독서교육은 이론적인 면에서나 실천적인 면에서 매우 큰 혼란을 겪고 있다. 나의 눈에는 그렇게 비친다. 그 때문에 오늘날의 독서교육을 과연 참다운 독서교육이라고 할 수 있는가 하는 의문이 자주 든다. 독서라는 표현이 들어가 있기는 하지만 또 하나의 교과목 공부가 아닌가 하는 의구심이 들기도 한다. 자연스럽게 독서교육에서 도서관과 사서의 역할은 무엇인가 하는 질문을 던지게 되며, 도서관이 또 하나의 독서학원일 필요가 있을까 하는 의문이 생기기도 한다. 전자는 곧 독서의 본질 및 방법론과 관련된 의문이며, 후자는 곧 독서교육에서 도서관의 차별성 있는 지위를 묻는 질문이다.

2. 맹목적인 지식형 독서의 문제점

우리 사회의 독서교육은 아무래도 기준을 잘못 세우고 있는 것 같다. 기준이 잘못 세워져 있으니 줄이 제대로 서질 리가 없다. 이 때문에 활동은 많지만 성과는 적으며 사람들이 우왕좌왕하게 된다. 교육청과 학교도 혼란을 겪고 있는 것 같고,3) 사교육시장은 말할 것도 없으며,4) 도서관과 사서 측에서도 확실한 대안을 내놓고 있는 것 같지 않다.5) 사람들의 관심은 부쩍 높아졌는데도 기준이 애매하고 확실하지 않으니 큰일이다.

무엇이 문제인가? 독서의 방법을 좀 더 분화시켜 강구하지 않고 무턱대고

---

3) 이연옥, 「학교독서교육정책에 대한 비판적 고찰」, ≪한국도서관정보학회지≫, 37권 3호(2006. 9).

4) 이연옥, 「독서의 사교육화 현상에 관한 연구」, ≪한국도서관정보학회지≫, 35권 3호(2004. 9); 이연옥, 「사교육시장의 독서교육 무엇이 문제인가」, 『독서교육 무엇이 문제인가: 2007 독서의 달 세미나』(한국도서관협회, 2007), 99~124쪽.

5) 김수경, 「독서의 본질과 독서 프로그램 운영」, ≪한국도서관정보학회지≫, 37권 3호(2006. 9).

지식적인 기준 하나만을 적용하는 것이 지금 우리가 경험하는 모든 혼란의 출발점이다. 지식적으로 '학습'하는 독서와 정서적으로 '체험'하는 독서는 서로 다르다. 어떤 책은 지식이나 능력을 향상시키며 어떤 책은 감동과 공감, 깨우침을 주어 사람을 변화시킨다. 나는 편의상 전자를 '지식형' 독서, 후자를 '체험형' 독서라고 일컫는다. 이 두 가지를 구분하는 접근이야말로 독서의 본질을 살리는 길이다. 최근에 찾아낸 몇 가지 사례를 통해 이를 설명해보려고 한다.

내가 위치한 지역에서는 다음과 같은 문제를 통해 독서의 성과를 측정하기도 했다.

> <김동인의 『감자』에 대한 문항>
> 문제: 복녀는 얼마에 팔려갔습니까?
>
> <박상률의 『나는 아름답다』에 대한 문항>
> 문제: 머리가 아닌 온몸으로 세상을 껴안고 살 수 있는 사람이 아름다운 사람이라고 말했던 사람은 누구입니까?

독서가 잘 되었는가를 이런 식으로 평가했던 것이다. 참으로 어안이 벙벙해진다. 무슨 말을 해야 할까. 이런 식으로 문제가 출제되는 것을 보면 지금 우리 사회의 한편에서 독서교육이라는 이름으로 어떤 일이 벌어지고 있는지를 훤히 알 수 있다. 김동인과 박상률의 작품을 이처럼 지식형으로 읽는 것은 적절하지 않다. 복녀가 팔려나간 금액이나 누군가의 이름을 기억하는 것은 전혀 중요하지 않다. 그것을 기억해 어디에다 사용할 것인가? 이 두 작품은 애초부터 어떤 지식을 전달하기 위해 생산된 것이 아니다.

이 두 작품은 모름지기 체험형으로 읽어야 한다. 단편적인 지식을 기억하기 위해 노력하지 말고 그저 스토리의 흐름을 따라 읽으면서, 또는 함께 흐르면서 독자 자신의 삶을 반추할 수 있어야 한다. 작품들은 삶의 한 단면을 그리고 있으며 이를 통해 삶의 진실을 드러내고 있다. 독자는 거기에 자신과 이웃의 삶을 비추어보기만 하면 되는 것이다. 따라서 10명의 독자가 이 작품을 읽었다고 했을 때 모두 똑같은 반응을 보이는 것은 적절하지 않다. 오히려 사람마다 환경과 성장의 배경이 다르고 경험이 다르기 때문에 열 가지의 서로 다른 반응이 나와야 한다.

구하면 찾는다고 했던가. 나는 이 난감한 문제와 관련해 최근 하나의 탈출구를 찾게 되었다. 작품의 지은이들이 작품을 왜 생산하며 어떻게 읽혀지기를 바라는가를 알아보고 싶은 마음이 생겼고, 이를 아는 것이 비밀의 열쇠를 쥐는 일이라는 데 생각이 이르렀다. 그러던 중 마침 몇 개의 그럴듯한 증언을 확보하게 되었다. 나는 이제 다소 안도감을 느끼며 이야기의 핵심으로 들어갈 수 있게 되었다.

먼저 작가 이외수를 살펴보자. 이외수가 쓴 『꿈꾸는 식물』이라는 작품의 끝부분에 실려 있는 「작가가 말하는 작품세계」는 독서의 방법과 관련해 의미심장한 대목을 담고 있다. 함께 읽어보기로 하자.

한 줄의 시(詩), 한 악장의 심포니, 또는 한 폭의 그림 따위들은 결단코 설명되어지거나 해석되어져서는 안 되며 다만 느껴지는 것이라고 나는 언제나 고집하며 살아왔다. 따라서 그 잘나빠진 고교입시나 대학입시용 참고서에서 만해 한용운 선생의 「복종」이나 라이너 마리아 릴케의 「가을날」 등이 조잡한 이론가들의 녹슨 칼끝에 난도질당해 있는 것을 보면 차라리 나는 혐오감 때문에 죽고 싶다는 생각까지 들 정도였다. 시란 표본실의 청개구리가 아닌 것이다. 배를 가르고 내장을 드러내고 허파가 어떠니 콩팥이 어떠니 왈가왈부해봤자 더욱 시에 대한 눈이 멀어져 갈 뿐이다.[6]

---

6) 이외수, 「작가가 말하는 작품세계」, 『꿈꾸는 식물』(동문선, 초판 1978; 3판 2001), 291쪽.

어떤가? 핵심을 말하고 있지 않은가? 아마 이보다 더 상식에 맞고 정확한 독서이론은 없을 것이다. 여기에 무슨 말을 더 보탤 수 있을까. 이외수의 이 글은 독서교육에 관한 최고의 해답이다. 그렇지만 EBS 강좌 같은 데서는 지금도 모든 작품을 무조건 난도질하고 배를 가르고 단편적인 지식을 거론하며 왈가왈부 야단법석이다. 참으로 한심하기 짝이 없는 행태다. 이런 것을 과연 교육이라고 묵인하며 넘어가야 하는지 부끄러운 생각이 든다. 내친김에 이외수의 글을 조금 더 읽어보자.

> 도대체 시를 이해하려 든다는 것부터가 무모하다. 시가 감상되어지는 것이라는 기초적 상식을 버리고서는 도저히 시에 근접할 수가 없는 것이다. ……나는 소설을 쓸 때 언제나 그것을 염두에 둔다. 따라서 내 소설 또한 감상되어지기를 바라며 결코 설명되어지기를 바라지 않는다. ……가급적이면 읽은 이가 읽은 대로의 느낌만으로 내 졸작들에 대한 모든 것을 대신해주기 바란다. 개새끼 정말 한심한 내용의 글을 썼군, 이라고 말해도 좋고, 엿 먹는 인생, 이것도 글이라고 책으로 만들었냐, 하고 내 책에 똥칠을 해도 좋다. 하지만 뭔가 아픈 느낌이 있다, 라는 표현을 해주는 분이 계시다면 나는 그분을 위해 더욱 아프게 쓰고 싶다.[7]

시인과 작가는 하나같이 이런 입장일 것이다. 그 누가 자신의 작품이 지식적인 분석과 이해의 대상이 되기를 바라겠는가? 창작하는 사람이라면 그 누구도 자신의 작품이 군사교본처럼 읽히기를 바라지 않을 것이다. 작품이 독자의 그릇에 따라 다양하고 자유롭게 받아들여지고 깊이 감상되어 감동과 통찰이 일어나기를 바랄 것이다. 그러고 보면 우리 사회는 지금까지 시인과 작가에게 실로 많은 실례를 해왔다는 생각이 든다. 시인과 작가의 뜻에 반하는 일을 얼마나 많이 저질러왔는가. 우리는 그들의 창작 의도를 얼마나

---

7) 같은 책, 292~293쪽.

무참하게 왜곡해왔는가.

한 가지 사례를 더 들어보자. 이번에는 시인 김용택이다. 김용택의 『시가 내게로 왔다 1, 2』는 엮은이 자신이 시인으로 성장해오는 동안 '사랑하고, 감동하고, 희구하고, 전율한 시들'을 가려 뽑아 싣고, 시편마다 함축미 넘치는 감상문을 적어두었다. 책장을 열면 대체로 한쪽은 감상의 대상이 되는 시의 원문을, 다른 한쪽은 감상문을 싣고 있다. 1권에서는 "오! 환한 목소리, 내 발등을 밝혀주던 그 환한 목소리. 詩였어"라는 헌사를 싣고 있다. 2권에서는 "시여! 꽃잎처럼 날아가라. 사람들의 맨가슴 위로"라고 헌사를 적고 있다.

헌사부터 심상치 않다. 이 헌사는 매우 본질적인 의미를 담고 있다. 김용택에게 시란 모름지기 발등을 밝혀주던 환한 목소리이며 사람들의 맨가슴 위로 날아가 앉게 될 꽃잎인 것이다. 따라서 시는 처음부터 가슴을 향해 '체험'으로 다가서는 것이지 머리를 향해 '지식'으로 오는 것이 아니다. 이제 시인이 시를 어떻게 읽는지 구체적으로 살펴보기로 하자. 우선 엮은이의 방법에 따라 감상의 대상이 되는 정희성의 시 「저문 강에 삽을 씻고」의 일부를 인용한다.[8]

> 흐르는 것이 물뿐이랴
> 우리가 저와 같아서
> 강변에 나가 삽을 씻으며
> 거기 슬픔도 퍼다 버린다
> 일이 끝나 저물어
> 스스로 깊어가는 강을 보며
> 쭈그려 앉아 담배나 피우고
> 나는 돌아갈 뿐이다
> 삽자루에 맡긴 한 생애가

---

8) 김용택, 『시가 내게로 왔다 2』(마음산책, 2004), 18쪽.

이렇게 저물고, 저물어서
샛강바닥 썩은 물에
달이 뜨는구나
(중략)

이제 정희성의 시에 대한 김용택의 감상문을 보기로 하자.9) 감상문의 원문을 역시 그대로 옮겨본다.

아버지는 강변에 둑을 쌓아 논을 만드셨다. 나무뿌리와 커다란 돌들을 굴려 둑을 쌓았다. 구멍이 숭숭 뚫린 흙탕물 묻은 '런닝구', 봄볕에 검게 그을린 팔뚝이 큰 돌을 들어 올리거나 나무뿌리를 괭잇날로 내려칠 때는 붉은 힘살이 꿈틀거렸다. 막강해 보이시던 아버님이 저문 강에 앉아 날카롭게 닳아진 삽날을 씻을 때 나는 번뜩이는 삽날 빛을 보며 산이 우는 소리를 들었다. 삽을 메고 어둑거리는 마을로 들어오시는 아버지가 그립다.

어떤가. 그 어디에 배를 가르는 분석이 있으며 지식으로 뒤범벅된 설명이 있는가 말이다. 그냥 시를 따라 함께 흐르면서 떠오르는 느낌을 진솔하게 표현하고 있을 뿐이다. 그래서 결과적으로 감상문 자체가 또 한 편의 시를 이루고 있다. 자세히 보라. 정희성의 시를 따라 흐르는 동안 독자인 김용택은 떠오르는 영감 속에서 농부였던 자신의 아버지를 회상하며 자신의 시 한 편을 내놓고 있다. 놀랍지 아니한가. 이것이야말로 시를 읽는 방법이다.
이번에는 고전 읽기에서 사례를 구해보자. 『도올논어 1』에 보면 『논어』를 읽는 방법과 관련한 이야기가 나온다. 저자인 도올은 『논어』는 그냥 읽으면 안 된다고 한다. 깨달음의 체험이 있어야 한다는 것이다. 그렇게 말하는 저자는 설명의 방편으로 정자(程子)를 인용한다.

---

9) 같은 책, 19쪽.

요새 사람들은 책을 읽을 줄 모른다. 『논어』를 읽으매, 읽기 전에 '이런 놈'이었는데 읽은 후에도 '이런 놈'일 뿐이라면 그놈은 전혀 『논어』를 읽은 사람이 아니다.

계발(enlightenment)과 각성(renewal of mind)의 책인 『논어』 독법의 핵심을 말하고 있다. 도올의 정자 인용은 계속된다.

『논어』를 읽으매, 어떤 자는 읽고 나서도 전혀 아무 일이 없었던 것과도 같다. 어떤 자는 읽고 나서 그중의 한두 구절을 깨닫고 기뻐한다. 또 어떤 자는 읽고 나서 참으로 배움을 즐기는 경지에 오르기도 한다. 그런데 읽고 나서 자기도 모르게 손으로 춤을 추고 기뻐 발을 구르는 자도 있다.

도올은 『논어』 독법의 핵심은 깨달음의 환희라고 말한다. 그는 『논어』를 함께 읽으며 손으로 춤을 추고 기뻐 발을 동동 구르자고 제안한다.[10]
가톨릭 계통에서 나온 성서 통독 안내서 역시 우리가 관심을 가지는 책읽기 방법과 관련해 중요한 시사점을 던진다. 최안나의 『하느님을 읽는다, 나를 읽는다』를 보면 성서 읽기는 성서에 '관해' 공부를 하는 것이 아니며 독자가 성서 자체를 접하며 깨달음을 얻는 것이 핵심이라고 한다. 저자의 말을 직접 들어보자.[11]

그래서 성서를 통째로, 순서대로 죽 이어 읽기를 말씀드립니다. 한 번 깊이 정독해보자는 것입니다. 학문적인 공부가 아닙니다. 누군가에게 전달해야 하는 의무에서 이해하려고 노력해야 하는 읽기도 아닙니다. 나 자신

---

10) 김용옥, 『도올논어 1』(통나무, 2000), 132~133쪽.
11) 최안나, 『하느님을 읽는다, 나를 읽는다: 성서 통독 안내서』(성서와 함께, 2004), 38~41쪽.

을 위한, 유일하고 독자적인 '나'를 위한 시간 내기입니다. …… 그냥 읽기
입니다. 이 큰 책이 무엇을 말하는지 알아듣고자 집중해서 통째로 읽는
것입니다. 내 인생 안에 있는 구원의 역사를 알아듣는 것입니다. …… 결국
성서를 읽는다는 것은 나를 읽는 것입니다.

한번 생각해보자. 지금 이 시간에도 학교 교실에서, 도서관에서, 사교육
시장의 독서학원 공간에서 시와 소설과 동서양의 고전 작품이 과연 어떤
방법으로 읽히고 있을 것인가를 짐작해보자. 두말할 것도 없이 이 땅의 방
방곡곡에서 시는 표본실의 청개구리처럼 보기 좋게 해부되고 있을 것이다.
끊임없이 김동인의 작품을 들먹이며 복녀의 몸값을 묻고 있을 것이다. 『논
어』와 성서는 철부지 분석가의 달변 앞에서 그 정신이 훼손되고 있을 것
이다.
　우리 사회의 독서교육은 아무래도 기준을 잘못 세우고 있다는 생각을 지울
수 없다. 지식을 중심으로 하는 학습 독서가 모든 독서의 단일 기준이 되다
보니 정작 독서의 본질이 실종되고 만 꼴이다. 이 일을 어찌할 것인가.

3. 지식형 독서와 체험형 독서를 제대로 구분하라

역시 젊은 세대가 희망이다. 근래 젊은 세대의 연구자 가운데 독서교육의
파행을 지적하고 독서의 본질을 규명함으로써 이를 실천적으로 바로 세우려
노력하는 이들이 가끔 눈에 띈다. 이들이 펴낸 논문만도 여러 편이다.[12]
이들의 연구는 지식형 일변도인 독서교육의 맹점을 여러 각도에서 지적하고
있다. 이들의 연구 결과는 앞으로 우리 사회가 독서교육의 혼란을 극복해가
는 과정에서 중요한 지침이 될 것이다.

---

12) 앞의 주 3, 4, 5를 참조하라.

젊은 연구자들의 취지에 동의하면서 나름대로 정리하자면, 독서교육의 난맥과 혼란의 원인은, 앞에서도 잠깐 말했듯이 지식형으로 읽어야 할 책이 따로 있고 체험형으로 읽어야 할 책이 따로 있는데 이런 구분 없이 모든 독서가 지식형으로 진행되고 있다는 데 있다. 물론 경우에 따라서는 절충형도 가능하다.

나는 오랫동안 도서관장서를 연구해왔다. 이는 나의 전공영역이었다. 그간의 연구 활동에서 비롯된 관찰력과 2000년 이래 해온 독서치료 연구의 경험을 살려 생각해보면 독서 방식을 한 가지로 강요하는 것은 무리가 있다. 이야말로 어불성설이다. 무엇보다 책이라고 해서 다 꼭 같지가 않다. 같지 않은 책을 한 가지 방법으로 읽는 것은 무리다. 그러므로 책을 몇 가지 계통으로 나누고 각 계통에 대한 적절한 독서 방법을 강구하는 것이 합리적이다. 이는 지금 만연하고 있는 지식형 일변도의 방법을 반성하고 독서교육에서 새로운 질서를 열어가는 데 지침이 될 수 있을 것이다. 내가 생각하는 책과 독서의 계통과 방법은 다음과 같다.

우선 제1의 독서로서, 우리는 삶의 길을 배우기 위해 독서를 한다. 이는 '마음을 닦는다', '마음을 다스린다', '수신한다', '깨달음을 얻는다', '사람이 된다'는 요구와 관련이 있으며 우리 사회에서 오랫동안 그 중요성이 강조되어온 덕목이다. 이를 위해 사람들은 불서, 사서삼경, 성서를 읽는다. 현각스님 자서전, 『도올 논어』, 이용규 선교사의 『내려놓음』 같은 책이 이 계통에 속한다. 이런 계통의 책의 저자는 일반적으로 고승, 각자, 선구자, 선비, 시인과 작가 등이다. 이 계통에 속하는 책의 예를 조금 더 들어보면 다음과 같다.

- 원효 외, 『초발심자경문』
- 『금강경』
- 『도덕경』
- 『논어』
- 칼릴 지브란, 『예언자』

- 『요한복음』
- 릴케, 『릴케시선』
- 박목월 외, 『청록집』
- 김춘수, 『사색사화집』
- 가브리엘 루아, 『내 생애의 아이들』

이런 계통의 책은 지식형으로 읽어서는 안 된다. 이 책들은 애초에 지식을 전달하기 위해 생산된 책이 아니기 때문이다. 따라서 책의 목적을 살리려면 마음으로 몸으로 읽어야 한다. 어떤 이는 심장으로 읽는다는 표현을 하기도 한다. 느낌이 있고 감동이 있어야 하며 촉발이 있고 공명이 있어야 한다. 인격이 움직이고 인간적 성숙이 따라야 한다. 이런 계통의 책은 모름지기 체험형으로 읽어야 하는 것이다.

다음으로는 제2의 독서로서, 우리는 삶의 도구를 마련하기 위해 독서를 한다. 이는 '지식', '정보', '능력', '실력'에 대한 요구와 관련이 있다. 이 역시 우리 사회에서 오랫동안 사람들의 집착이 강하게 작용해왔던 덕목이다. 이를 위해 사람들은 인문과학, 사회과학, 자연과학을 탐구한다. 학교 교과서도 부분적으로 이 계통에 속하며, 학년이 높아질수록 지식을 요구하는 경향이 짙어진다. 이 계통의 책의 저자는 일반적으로 학자, 과학자, 대학교수, 연구자 등이다. 이 계통에 속하는 책의 예를 들어보면 다음과 같다.

- 이기문, 『국어어휘사연구』
- 임재해, 『설화작품의 현장론적 분석』
- 이기백, 『한국사신론』
- 윤내현, 『고조선연구』
- 새뮤얼 헌팅턴, 『문명의 충돌』
- 김용옥, 『동양학 어떻게 할 것인가』
- 박동서, 『한국행정론』

- 김동춘, 『한국 사회 노동자 연구』
- 토머스 쿤, 『과학혁명의 구조』
- 김정근, 『한국의 대학도서관 무엇이 문제인가』

이 계통의 책은 지식형으로 읽는 것이 일리가 있다. 가령 이기백의 『한국
사신론』이나 박동서의 『한국행정론』이라면 지식형으로 소화하는 것이 적절
하지 않겠는가. 이런 책을 읽고 나면 지식이 늘고 정보력이 강화되어야 한다.
이런 책을 체험형으로 읽는 것이 오히려 이상하지 않을까? 따라서 이 계통의
책은 지식형으로 읽는 것이 대체로 책의 저작 목적에 부합된다.

마지막으로 제3의 독서로서, 우리는 상처를 치유하기 위해 독서를 한다.
사람들은 지금까지 독서라면 으레 제1, 제2의 독서만을 생각해왔으나 근래
들어 제3의 독서를 구분해서 생각하게 되었다. 가령 공공도서관 같은 데서
통상 운영하는 어린이, 청소년, 주부 대상의 독서 모임과는 별도로 독서치료
모임을 만들어 운영하는 것을 보면 그간의 변화를 읽을 수 있다. 그 사이에
독서 영역의 분화가 일어난 것이다. 이 계통의 독서는 '마음상함', '상처',
'치유', '성장'의 요구와 관련이 있다. 제3의 독서는 지금까지처럼 산업과
생산에 함몰된 인간형을 지양하고 정신복지형을 지향하며, 성취와 성공 지향
의 인간형을 극복하고 행복한 인간형에 눈을 돌린다. 동시에 이 계통의 독서
는 지난날 독자를 사로잡곤 하던 톨스토이, 카네기, 법정, 신영복, 김동길,
안병욱 같은 저자들의 초월적이며 연역적인 교양주의와는 일정하게 구분이
된다. 이 계통은 제1, 제2의 독서와는 판이하다. 말하자면 인간을 귀납적으로
이해하고, 아픈 마음을 어루만지며, 장애를 뛰어넘도록 도움을 준다. 이 계통
의 책의 저자는 일반적으로 정신과 의사, 심리치료사, 상담사, 시인과 작가
등이다. 이 계통에 속하는 책의 예를 들어보면 다음과 같다.

- 니콜 파브르, 『상처받은 아이들』
- 이희경, 『마음속의 그림책』

- 이훈구, 『미안하다고 말하기가 그렇게 어려웠나요』
- 이경수·김진세, 『마흔의 심리학』
- 메리 파이퍼, 『내 딸이 여자가 될 때』
- W. 휴 미실다인, 『몸에 밴 어린 시절』
- 김정일, 『이런 부모가 자식을 정신병자로 만든다』
- 수잔 포워드, 『흔들리는 부모들』
- 이무석, 『30년 만의 휴식』
- M. 스캇 펙, 『아직도 가야 할 길』

그동안 독서치료 모임을 기획하고 진행에 참여해온 개인적 경험에 비추어 보거나 젊은 연구자들의 연구 결과에 따르면[13] 이 계통의 책은 당연히 체험형으로 읽어야 한다. 독자가 책을 읽는 동안 심리적 문제들이 자연스럽게 자극되어 의식의 표면으로 떠오르도록 '놓아두어야' 한다. 그래서 독자는 자신도 잘 모르는 사이에 내면과 만나 문제와 그 원인을 찾아내어 해결할 수 있도록 유도되어야 한다. 치유에 '관한(about)' 지식이 쌓인다고 해서 치유 효과가 일어나는 것은 결코 아니다.

물론 구체적인 독서 상황에서 이 책은 지식형으로 저 책은 체험형으로 읽어야 한다고 도식적으로 정리를 하기는 어렵다. 가령 이기백의 『한국사신론』을 체험형으로 읽는 것도 얼마든지 가능하다. 이를테면 책을 읽으면서 억울한 단종과 함께 원통해할 수도 있고, 길고 긴 역사의 흐름 속에서 우리 민족의 저력을 확인하고 감동을 느낄 수도 있다. 그러나 그런 측면이 있다는 것뿐이지 역사서를 전적으로 체험형으로 읽어서는 곤란하지 않겠는가. 역사서에서는 어디까지나 사실을 기반으로 한 지식이 중요한 요소이기 때문이다. 한편 칼릴 지브란의 『예언자』를 지식형으로 읽어서 안 될 것도 없다. 이

---

13) 김정근 외, 『독서치료 사례 연구』(한울, 2007). 특히 책에 포함되어 있는 김순화, 김수경, 김은엽의 사례 연구를 참조하라.

책에 담긴 내용을 지식적으로 파악하고 기억하는 것은 독자의 느낌체계를 풍부하게 만드는 데 도움이 될 것이다. 그러나 여기서는 시인의 영혼에 담긴 진실을 느끼고 내면화하는 것이 더욱 중요하며 전적으로 내용을 기억하는 것은 그다지 의미가 없다고 보아야 할 것이다.

사실 가만히 '놓아두면'[14] 독자들은 알아서 길을 찾게 되어 있다. 오히려 인위적인 '지도', '교육'의 요소가 끼어들면 해로울 수 있다. 그런데도 지식형 일변도의 교육적 조작이 무차별적으로 적용되기 때문에 상황이 걷잡을 수 없이 꼬이고 있는 것이다.

4. 나오며: 도서관과 사서의 역할

적어도 도서관에서의 독서교육은 앞에서 내가 제시하는 방안을 수용해야 할 것이다. 적어도 도서관 기반, 사서 주도의 독서교육에서는 제1의 독서는 대체로 체험형으로, 제2의 독서는 대체로 지식형으로, 제3의 독서는 다시 대체로 체험형으로 이루어져야 한다. 말하자면 독서교육 방법의 분화를 제안하는 것이다.[15] 그러나 도서관의 현실이 이 제안을 받쳐줄 것인가 하는 의문이 든다. 만성적인 사서 인력의 부족, 담당 사서 개인의 준비도, 문헌정보학 교육과정에서 독서교육의 부실 등이 걱정된다.

그러나 사정은 다 어렵다. 그나마 도서관과 사서만이 이런 제안을 수용할 수 있다. 지금 우리 현실에서 이런 제안을 교육청과 학교가 따르겠는가? 사교육시장이 긍정적으로 받아들이겠는가? 스스로 물어보면 대답은 자명해

---

14) '놓아둠'의 원리는 다니엘 페나크, 『소설처럼』, 이정임 옮김(문학과지성사, 2004)과 고미숙, 『공부의 달인, 호모 쿵푸스』(그린비, 2007)에 잘 규명되어 있다.

15) 이와 관련한 나의 초기 생각은 다음 글에 나타나 있다. 김정근, 「독서교육을 생각한다」, ≪도서관계≫, 2007, 1~2호.

진다. 당연히 아무도 반갑다고 하지 않을 것이다.

교육청과 학교가 이 제안을 따르기에는 무엇보다 인식의 벽이 가로놓여 있는 것 같다. 교육 관료는 일반적으로 성과주의가 강하다. 그들은 아무래도 지식형 수험독서에만 관심이 있다. 대중에게 독서의 다른 면도 보도록 설득할 수 있는 지적이고 논리적인 배경이 약하다. 그렇기 때문에 대중의 요구 앞에 굴복하고 영합한다. 그 구체적인 예가 바로 일부 교육청이 운영하는 독서교육 지원시스템이다. 교육 관료와 동일한 행정 체계에 속하는 학교와 교사는 이의를 제기한다 하더라도 그 목소리가 미약하다. 더군다나 교사 개인은 독서교육에 관한 한 전반적으로 무력감에 빠져 있는 것이 현실이다. 사교육시장은 자신들의 이해관계에 반하기 때문에 이런 제안에 당연히 적극적으로 반대할 것이다. 그들은 체험형에 비해 지식형이 비즈니스 모형으로 적절하다고 여기고 있다. 그러니 일이 제대로 돌아갈 수 없다.

따라서 이 어려운 일을 떠맡고 나설 수 있는 최후의 보루는 그나마 도서관과 사서다. 이들은 다른 직업군에 비해 힘은 미약하지만 독서교육의 조건에서 상대적으로 유리한 측면을 지니고 있다. 우선 독서교육에 관한 한 학교 교사의 환경보다 덜 경직되어 있다. 당장 성과에 급급할 필요는 없기 때문이다. 이런 면에서 보자면 사서의 입장이 사교육시장에 속한 사람들보다 유리하다고 할 수 있다. 또한 사서는 독서교육에 관한 한 직업적 사명도 갖고 있다.

이 대목에서 문득 이런 생각이 떠오른다. 우리나라에 한때 지방자치제도가 명목만 남고 운영은 중단되었던 적이 있었다. 높은 가치를 지녔음에도, 정치적인 사정 때문에 막 맹아기에 접어든 지방자치제도가 갑자기 폐기되었던 것이다. 그런 상태가 군사정권하에서 수십 년간 지속되었다. 이는 학문 세계에도 영향을 미쳤다. 현실이 없으니 학문도 사라져버렸던 것이다. 대학의 법학과와 행정학과에서마저 지방자치제도에 대한 연구가 뜸해졌다. 하지만 그런 와중에서도 극소수의 연구자가 미래를 기약하며 꾸준히 연구를 계속했고 1990년대에 들어와 마침내 제도가 현실 속에서 되살아났을 때 이 연구는 빛을 보게 되었다. 그리고 그 소수자들은 새로운 환경에서 희소가치를 충분히 누릴 수 있었다.

사서직이 이런 소수자의 역할을 담당하면 어떨까? 현실에서 어려운 싸움을 해나가면서 더욱 큰 미래를 기약하는 작업을 지금부터 시작하면 어떨까? 지금 당장 빛이 나든 말든 환경이 허락하는 한, 독서의 방법을 계통에 따라 분화시켜 적용하면서 꾸준히 독서의 본질을 지키고 독자를 보호하는 운동을 전개하면 어떨까 하는 것이다.

이를 위해 독서의 본질을 규명하고 본질적인 독서를 구현하기 위한 독서방법 개발에 집중하는 '도서관 기반, 사서 주도의 독서교육학회' 같은 조직을 만드는 것도 도움이 될 것이다. 물론 이 같은 실천적 과제를 가진 학회에 학계와 현장이 함께 참여한다면 그 효과는 더욱 커질 것이다.

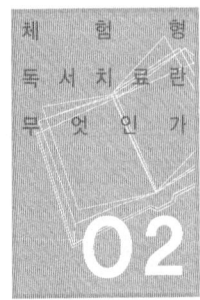

체험형 독서치료란?

김정근

1. 들어가며

지금 우리 사회에서 실천되고 있는 독서치료의 현실을 들여다보면 여전히
부족하기는 하지만 예전에 비해 약간 성장하고 변화했음을 확인할 수 있다.
2000년대 초기의 준비기와 이륙기에 불가피하게 따랐던 혼란과 불안의 요소
가 어느 정도 가신 느낌도 든다. 우후죽순처럼 경쟁적으로 생겨나는 다양한
프로그램 가운데 어느 것이 진정으로 수요자에게 도움이 되는지도 좀 더
분명하게 드러나고 있으며, 이에 따라 도서관의 선택 사항도 분명해지는
듯하다.

아울러 독서치료 관련 활동가들의 인식 또한 한층 깊어지고 있다. 이는
관련 용어의 정리라는 형태로 나타나고 있다. 이것은 앞으로 독서치료에
전략적으로 접근하기 위한 매우 중요한 성과다.

이와 관련한 저간의 사정을 조금 자세히 들여다보자. 사교육시장을 중심으
로 하는 비즈니스 색채가 농후한 독서치료 프로그램들은 대체로 독서치료에

관한 '지식'의 전달에 관심이 많으며 민간자격증을 매개로 활동의 축이 돌아 간다. 이를 학계에서는 지식형이라고 일컫는다. 한편 도서관이나 복지시설 같은 대인 봉사기관을 중심으로 하는 비영리적 독서치료 프로그램들은 대체로 사람의 치유와 변화의 '체험' 자체에 무게 중심을 둔다. 이를 학계에서는 체험형이라고 일컫는다.[1]

도서관은 태생적으로 체험형일 수밖에 없다. 지식형은 전혀 적절하지 않다. 도서관은 지역 주민에 대한 대인 서비스를 떠나서는 의의를 찾을 수 없기 때문이다. 전국의 도서관이 투명한 눈을 가지고 체험형에 눈을 돌리기 시작한 것은 독서치료의 다음 단계를 위한 중요하고도 발전적인 전기라고 할 수 있다.

이 글에서는 내가 주변의 젊은 연구자들과 더불어 참여하고 있는 책정연에서의 경험을 살려 지금 우리 사회와 도서관계에서 주목의 대상이 되고 있는 체험형 독서치료의 위상을 설명하고 그 특성을 밝히고자 한다. 글을 전개하는 과정에서 체험형의 실행과 관련한 약간의 노하우도 아울러 전달할 것이다.

2. 체험형 독서치료의 위상과 특성

1) 국내 독서치료의 흐름

지금 우리 사회에는 다양한 독서치료 그룹이 활동하고 있다. 그룹에 따라 상담학을 기반으로 삼기도 하고 아동학이나 유아교육학을 배경으로 삼기도 한다. 그 가운데는 문헌정보학 연구자와 도서관 사서도 한몫을 하고 있다. 이 가운데 독창성이 있는 연구물을 생산하면서 동시에 독서치료의 적용과

---

1) 김정근 외, 『체험적 독서치료』(학지사, 2007); 김정근 외, 『독서치료 사례 연구』.

실천에서 활발한 활동을 벌이고 있는 대표적인 세 그룹을 소개하면 다음과 같다. 이들의 활동을 검토하는 것은 우리나라에서 구현되고 있는 독서치료의 갈래와 성격을 이해하는 데 도움이 될 것이다.

다양한 독서치료 활동그룹 가운데 첫 번째로 꼽을 수 있는 그룹은 대전지방법원의 가사조정위원인 이영애를 중심으로 하는 신성회(일명 가족의 정신건강을 위한 모임)다. 1991년에 활동을 시작한 신성회는 우리나라에서 가장 오래된 독서치료 그룹이다. 상담학을 기반으로 한 신성회는 주로 가정생활과 정신건강에 중점을 두고 활동해왔으며, 활동가들 스스로 책을 통해 치유를 경험하고 그 경험을 확장해 모임을 인도해왔다. 이와 같이 자신의 상처를 바탕으로 상처 입은 다른 사람을 도와주는 이를 '상처 입은 치유자(wounded healer)'라고 한다. 이런 사람은 사변으로 흐르지 않고 실천적이며 효과적으로 치유 모임을 이끌 수 있는데, 신성회 활동에는 바로 이 상처 입은 치유자 정신이 잘 녹아 있다.

신성회 활동은 여러 가지 면에서 주목할 만하다. 활동가들은 출판 시장에서 구할 수 있는 자원을 폭넓게 활용하고, 유용한 자가치유서(self-help books for healing)를 발견하며, 자조모임을 구성하고, 대화식으로 모임을 진행한다. 이 모든 것이 신성회 활동의 뚜렷한 특징이다.

신성회 인도자들은 주로 번역된 치유도서를 활용하고 있지만 서양의 독서치료 프로그램을 적용하는 면에서는 비교적 초연하다. 서양에서 활용하는 방법을 무턱대고 숭앙하거나 추구하지 않는다. 그들은 지금 이 사회를 사는 마음 아픈 사람들에게 걸맞게 독서치료를 적용하는 데 관심을 기울인다. '이 땅에서 이 시대를 살아가는' 가정과 이웃의 문제가 해결되도록 도와주려 한다는 점에서 그들의 활동은 다분히 토착적이다.

그리고 이들은 독서치료로 치유할 수 있는 문제와 치유할 수 없는 문제를 구분해 독서치료로 치유할 수 없는 문제는 다른 전문가나 기관에 의뢰하기도 한다. 이처럼 상업적이지 않고 봉사정신을 바탕으로 한다는 점 또한 우리 사회에서 쉽게 찾아볼 수 없는 특징이다.

신성회의 주요한 활동내역은 이 그룹의 초기 멤버들이 펴낸 『책읽기를 통한 치유』(홍성사, 2000), 『치유가 일어나는 독서모임』(죠이선교회, 2007) 두 권의 책에 집중적으로 드러나 있다. 이 책들의 내용은 독창적이다. 서양을 어설프게 흉내 내지 않고 현학과 관념에 찌들어 있지 않으며 저자들의 목소리가 책 속에 살아 있다는 것이 큰 장점이다.[2]

두 번째 그룹은 초등 및 유아교육학을 전공한 김현희를 중심으로 움직이는 한국독서치료학회다. 그룹 멤버들 또한 주로 아동학과 유아교육학 전공자들로 이루어져 있다. 이 그룹은 학회의 형태로는 2003년에 출발했지만 그 이전에도 이미 상당한 수준의 활동을 벌이고 있었으며 그 활동의 성과로 개론서인 『독서치료』(학지사, 2001)를 내놓은 적도 있다. 학회 출범 이후인 2004년에는 이 책의 개정판을 내기도 했다. 어린이 독서치료를 위한 매뉴얼 성격의 『독서치료의 실제』(학지사, 2003)도 이 학회의 산물이다.

이 그룹은 주로 어린이를 대상으로 하는 독서치료 문헌을 생산하고 어린이 대상 독서치료사를 양성하는 일에 집중하고 있다. 이 그룹이 지금까지 배출한 민간 자격증을 갖춘 독서치료사의 수 또한 적지 않다. 대상이 어린이인만큼 활용하는 자료는 주로 어린이 문학에서 구하는 것으로 알려져 있다.

세 번째 그룹은 부산대학교 명예교수인 김정근이 이끄는 '책읽기를 통한 정신치료 연구실'(줄여서 책정연)이다. 이들은 문헌정보학의 관점에서 독서치료에 접근하며 도서관을 기반으로 지역사회 정신보건에 기여하고자 한다.

2001년에 그룹 단위 활동을 시작한 책정연은 그동안의 연구와 실천 활동을 통해 몇 가지 특징을 갖추게 되었다. 그 한 가지는 책읽기 자체를 통한 치유의 '체험'을 무엇보다 중요하게 여긴다는 것이다. 활동가들은 신성회의 경우처럼 상처 입은 치유자의 길을 지향한다. 이는 사교육시장 같은 데서 인기 있는 지식 중심의 '기획 독서', '학습 독서', '기능 독서'를 경계한다는

---

2) 신성회는 그동안 수많은 활동가를 배출했다. 그 가운데 이영애, 이소라, 성은실, 노현미의 활동이 특히 돋보인다.

말이기도 하다. 그 원리는 체험을 중요하게 여기는 참선이나 요가와 같다.

이 그룹은 자가치유서를 활용하는 그룹 테라피 형식을 선호한다. 이때 중심이 되는 것은 역시 책이며 참여자의 책읽기 행위가 적극적으로 장려된다. 활동가들은 독서치료사라는 표현을 가급적 삼가고 대신 치료 모임의 진행자 또는 인도자 정도의 표현을 즐겨 사용한다. 이들은 도서관 사서, 학교 교사, 복지관의 사회복지사가 일정 정도의 훈련을 거치면 좋은 진행자가 될 수 있다고 여긴다.

책정연의 활동은 『독서치료 사례 연구』(한울, 2007), 『체험적 독서치료』(학지사, 2007) 두 권의 책에 잘 드러나 있다. 충남대학교의 이소라는 "이들의 연구는 기존의 독서치료이론의 힘을 빌리기보다는 자신들이 독서치료 그룹의 일원이 되어 체험한 것을 기초로 독서자료를 선별하는 특이한 방법을 택하고 있다. 이러한 연구 활동의 결과 현상학적 방법에 의한 질적 연구물들을 많이 생산하고 있다"라고 평가한다.[3]

2) 도서관 환경에 적합한 독서치료의 방법

그동안 관련자들 사이에서는 도서관 환경에 적합한 독서치료의 형식과 내용을 모색하는 작업이 꾸준히 이루어져 왔다. 나와 책정연 역시 이 같은 흐름에 속하는 사람들이다. 우리는 지난 10년 가까운 기간을 함께 활동하며 독서치료의 다양한 내용과 방법을 스스로 체험하기도 했고 이를 참여자들에게 적용해 반응을 살피고 기록을 남기는 과정도 겪어왔다. 그 결과 어느 정도 확신을 가지고 도달한 결론이 체험형 프로그램이다. 체험형 독서치료 프로그램은 이제 우리 그룹 내부에서만 활용되는 것이 아니라 시험 기간을 거쳐 외부로 '시판'되는 단계에 진입했다.

---

3) 이소라, 「독서치료의 개념과 상담자의 역할」, ≪교육연구논총≫(충남대학교), 27권 2호(2006), 46쪽.

하나의 예로서 책정연 사람들이 공동으로 진행하는 그룹 테라피 과정을 검토해보면 이들이 도서관이나 복지시설 같은 서비스 기관을 통해 그동안 발전시킨 친화적인 독서치료 프로그램의 구성 요소가 사실적으로 드러난다.

　　독서치료(bibliotherapy)는 '책읽기를 통한 마음 치료'라고 정의할 수 있다. 상황에 맞는 책읽기를 통해 마음 어딘가에 잠복해 있는 상처의 근원을 인식하고 그 상처가 완화되거나 치유되는 경험을 하는 것이 독서치료의 과정이다. 교육과정은 책읽기에 관심이 있는 사람들이 상황별로 주어진 매체를 읽고 상호 토의를 할 수 있도록 편성되어 있다. 우리 일상에서 만나게 되는 다양한 문제들을 여러 가지 상황으로 구분해 상황별로 매체를 읽고 독서치료의 역동적인 원리, 즉 동일시, 카타르시스, 통찰을 경험함으로써 독서치료에 대한 마인드를 함양한다. 수업은 토의식으로 진행함으로써 참여자 모두 상호 교감을 통해 독서치료를 체험할 수 있도록 하는 데 초점이 맞추어져 있다. 토의식 수업을 진행하므로 수업을 대비한 독서가 반드시 선행되어야 한다.[4]

여기서 자주 등장하는 키워드는 상황과 매체다. 매체는 실제 프로그램 운영 때 치유서라고 부르기도 한다. 참여자, 진행자, 진행 방법 역시 독서치료 프로그램에서 빼놓을 수 없는 또 다른 구성 요소다.

(1) 상황과 매체

마음을 다치는 일은 누구에게나 일어난다. 어른에게도 일어나고 어린이에게도 일어난다. 우리는 이를 생활 속의 상처라고 한다. 생활 속에서는 언제 어디서나 상처를 입게 된다. 상처를 입는 일은 가정, 학교, 직장, 동네 그 어디서나 일어난다.

---

4) 부산대학교 평생교육원 독서치료사 과정 안내문.

마음을 다친다는 것은 구체적으로 어떤 일로 인해 마음상함이 일어나는 반응 전반을 가리킨다. 그래서 마음상함은 일상생활에 걸림돌이 될 뿐만 아니라 자신과 불특정 다수를 향해 폭력적인 형태로 표출되기도 하며 심한 경우에는 정신장애로 발전하기도 한다. 따라서 응어리진 마음상함 또는 마음의 상처는 그 진원지를 파악해 최소화하는 과정이 필요하다.[5]

독서치료에서 상황이란 마음의 상처 부위를 말하는 것으로 우리 사회에서 흔히 볼 수 있는 비교적 일반성이 있는 상처를 의미한다. 특수한 부위의 상처는 정신과 의사 같은 더욱 훈련된 전문가의 몫이다. 상처의 부위는 나이와 사회적 위치에 따라 다르게 나타날 수도 있고 그와는 상관없이 비슷한 형태로 나타날 수도 있다.

상황이 상처의 부위를 가리킨다면 매체 또는 치유서는 일종의 처방이다. 그래서 독서치료 과정에서는 사람들의 상한 감정(wounded emotion)과 아픈 마음(hurt mind)을 돌보아줄 수 있는 자료를 활용한다. 즉, 아픈 마음을 달래고 상처를 치유하며 장애를 넘어서고 성숙한 인격으로 발전하기 위해 인간을 귀납적으로 이해할 수 있는 자료를 선택하는 것이다. 인간 내면의 문제, 특히 상처를 인식하고 이를 자연스럽게 드러내어 치유하는 데 도움이 되는 책이 치유서가 된다. 잘 선정된 치유서는 독자에게 동일화-카타르시스-통찰의 연쇄반응을 불러일으키며 독자의 마음을 가볍게 만든다.[6]

치유서는 픽션도 될 수 있고 논픽션도 될 수 있다. 상황에 부합하고 효과를 낼 수 있다면 보통 구분하지 않고 적용한다. 일반적으로 어른을 대상으로 하는 프로그램에서는 논픽션 자가치유서(self-help books for healing)를 상대적으로 많이 활용한다. 문헌 조사를 해보면 자가치유서의 활용 면에서 우리보다

---

5) 「마음의 상처, 책에서 치유의 길을 발견하다!: 상황별 독서치료목록 두 번째」(부산대학교 도서관, 2007), 4쪽에 유사한 입장이 드러나 있다. 이 입장과 관련해 배르벨 바르데츠키, 『따귀 맞은 영혼』, 장현숙 옮김(궁리, 2002)을 참고하면 도움이 될 것이다.

6) 「마음의 상처, 책에서 치유의 길을 발견하다!: 상황별 독서치료목록 두 번째」, 4쪽.

앞서는 외국의 사례도 많이 발견된다. 효과 면에서 자가치유서의 우수성을 증명해 보이는 연구 결과도 다수 나와 있다. 독서치료 활동에서 자가치유서를 활용하는 것은 이미 보편적인 현상이며 자가치유서에 대한 의존도를 좀 더 높일 필요가 있다는 주장도 나오고 있다. 일종의 '자가치유서 운동(self-help book movement)'이 일어나고 있는 것이다.

그중에서도 미국의 존 파덱(John T. Pardeck)은 자가치유서 운동의 선두에 서 있는 사람이다. 사회복지학 교수인 그는 사회복지 실천의 한 기법으로 독서치료의 도입을 적극 주장한다. 그의 저서 가운데 *Using Bibliotherapy in Clinical Practice: A Guide to Self-Help Books* (Greenwood Press, 1993)는 쉽게 잘 쓰인 책으로 정평이 나 있다. 파덱 교수는 이 책에서 자가치유서가 다른 어느 매체보다 중요하다고 강조한다. 파덱 교수의 입장은 특히 지금 막 활기를 더해가고 있는 우리 사회의 독서치료 활동 관련자들에게 매우 중요한 시사점을 던진다.

다음에 제시하는 상황과 매체의 보기는 체험형 독서치료 프로그램 운영에 관심이 있는 개인이나 기관에 도움이 되도록 책정연 구성원들이 공동으로 발전시킨 것이므로 관심 있는 개인이나 기관이 선택적으로 활용하면 도움이 될 것이다. 체험형 독서치료 프로그램을 운영하는 현장에서는 통상 주 1회 12주 프로그램을 적용한다.

상황과 매체(치유서)[7]

· 1회 상황: 오리엔테이션

- 체험형 독서치료, 프로그램 진행방법, 참여자의 역할 등 소개

- 마음의 상처에 대한 이해

· 2회 상황: 말하기의 치유력

- 매체: 오한숙희, 『수다가 사람 살려』(웅진닷컴, 2004)

· 3회 상황: 어른들의 무지와 몰이해

  - 매체: 이호철, 『학대받는 아이들』(보리, 2001)

  - 관련 자료: 명창순, 『울어도 괜찮아』(푸른책들, 2006)

· 4회 상황: 성장의 아픔

  - 매체: 이희경, 『마음속의 그림책』(미래M&B, 2000)

  - 관련 자료: <추적 60분> "명문대생 그는 왜 부모를 살해했나?"(비디오 시청); 공지희, 『영모가 사라졌다』(비룡소, 2003)

· 5회 상황: 부모

  - 매체: 수잔 포워드, 『흔들리는 부모들』(사피엔티아, 2000)

  - 관련 자료: 박경태, 『엄마, 내 생각도 물어줘!』(시공주니어, 2005)

· 6회 상황: 결혼과 이혼

  - 매체: 브루스 피셔·로버트 앨버티, 『다시』(친구미디어, 2004)

  - 관련 자료: 에밀리 멘데스 아폰테, 『난 이제 누구랑 살지?』(비룡소, 2003)

· 7회 상황: 가난

  - 매체: 신경숙, 『외딴방』(문학동네, 1999)

  - 관련 자료: 김중미, 『종이밥』(낮은산, 2002)

· 8회 상황: 학교

  - 매체: 김혜련, 『학교종이 땡땡땡』(미래M&B, 1999)

  - 관련 자료: 구자행, 『버림받은 성적표』(보리, 2005)

· 9회 상황: 자아 찾기

  - 매체: 버지니아 M. 액슬린, 『딥스』(샘터, 2002)

  - 관련 자료: 야마나카 히사시, 『내가 나인 것』(사계절, 2003)

· 10회 상황: 정신건강의 이해

  - 매체: 김형경, 『사람풍경』(예담, 2006)

  - 관련 자료: 최훈동, 『마음의 문을 열어주는 정신의학 이야기』(한울, 2001)

· 11회 상황: 여자와 남자

  - 매체: 언니네 사람들, 『언니네 방 1, 2』(갤리온, 2006~2007)

  - 관련 자료: 고은명, 『후박나무 우리 집』(창작과비평사, 2002)

· 12회 상황: 가부장사회

  - 매체: 이하천, 『나는 제사가 싫다』(이프, 2000)

  - 관련 자료: 심윤경, 『나의 아름다운 정원』(한겨레출판, 2002)

· 13회 상황: 자아존중감

  - 매체: 롤프 메르클레, 『자기 사랑의 심리학』(21세기북스, 2007)

  - 관련 자료: 맥스 루케이도, 『너는 특별하단다 1, 2』(고슴도치, 2004)

· 14회 상황: 성폭력

  - 매체: 이금이, 『유진과 유진』(푸른책들, 2004)

  - 관련 자료: <돌로레스 클레이본>(비디오 시청)

· 15회 상황: 감정/화

  - 매체: 브랜다 쇼샤나, 『마음의 불을 꺼라』(정신세계사, 2006)

  - 관련 자료: 미셸린느 먼디, 『화가 나는 건 당연해!』(비룡소, 2003)

· 16회 상황: 상실감

  - 매체: 존 제임스·러셀 프리드먼, 『슬픔이 내게 말을 거네』(북하우스, 2004)

  - 관련 자료: 존 제임스·러셀 프리드먼·레슬리 랜던 매뮤스, 『우리 아이가 슬퍼할 때』(북하우스, 2004)

· 17회 상황: 대인공포증

  - 매체: 이시형, 『대인공포클리닉』(이다미디어, 2002)

  - 관련 자료: J. S. 잭슨, 『수줍어도 괜찮아』(비룡소, 2007)

· 18회 상황: 용서

  - 매체: 프레드 러스킨, 『용서』(중앙M&B, 2003)

  - 관련 자료: 캐럴 앤 모로우, 『절대 용서할 수 없어』(비룡소, 2005)

· 19회 상황: 죽음
- 매체: 메리 다피츠, 『정오에서 해질녘까지』(성바오로, 2003)
- 관련 자료: <BBC 인체대탐험 7: 영원한 순환>(비디오 시청); 오츠카 아츠
코, 『세상에서 가장 아름다운 이별』(글로세움, 2006)
· 20회 상황: 치유와 성숙
- 매체: 스캇 펙, 『아직도 가야 할 길』(열음사, 2007)
- 관련 자료: 스캇 펙, 『거짓의 사람들』(비전과리더십, 2007)

(2) 참여자

독서치료 프로그램에서 참여자의 위치는 특별하다. 무엇보다 참여자의
목적이 특수하다고 할 수 있다. 첫째, 독서치료 프로그램의 참여자는 단순히
지식을 습득하려고 이 프로그램에 참여하지 않는다. 무언가를 배우기 위해
학교나 학원에 가는 입장과도 다르다. 그는 '학교적인' 지식이 필요한 것이
아니다. 독서치료 프로그램의 참여자는 기본적으로 무엇을 더 많이 '알기'
위해 수고를 하는 사람이 아닌 것이다. 그는 한마디로 정보와 지식을 위해
책읽기를 하지 않는다.

둘째, 독서치료 프로그램의 참여자는 수양을 목적으로 삼는 사람도 아니
다. 불량한 마음씨를 수신적이고 교훈적인 방법으로 극복하려는 것도 아니
며, 단순히 교양을 넓히기 위해 교양강좌에 참여하는 것도 아니다. 그렇다고
깨달음을 얻기 위해 몸을 부지런히 움직이는 사람도 아니다. 기도회에 나가
고 법회에 참석하는 입장도 아닌 것이다. 그러므로 그에게는 수신과 수양을
위한 독서가 일차적인 관심이 아니다.

---

7) 김순화 외, 『초등학생의 정신건강과 자아발달을 돕는 체험형 독서치료』(울산광역
시교육청, 2007), 6~8쪽.

위의 두 가지 경우가 다 아니라면 독서치료 프로그램 참여자의 입장은 무엇인가? 지식적인 입장도 아니고 수신적인 입장도 아니라면 제3의 입장이 있다는 것인가? 답은 바로 치유적인 입장이다. 독서치료 프로그램에 참여하는 사람은 마음아픔을 치유하고자 하는 목적을 지니고 있다. 지식으로도 해결되지 않고 수양으로도 해결되지 않는 마음의 밑바닥에 깔려 있는 응어리(complex)를 풀고자 하는 의도를 갖고 있는 것이다.

따라서 제3의 입장을 갖고 있는 독서치료 프로그램의 참여자는 특별한 방법으로 책읽기를 해야 한다. 즉, 심장으로 몸으로 책읽기를 해야 하는 것이다. 치유서를 읽을 때 이성을 맹렬히 동원하는 것을 별로 권장하지 않는다. 이른바 '학습형'은 곤란하다는 의미다. 오히려 감성적 접근이 장려된다. 이 방식이 바로 위에서 말한 체험형 독서로, 지식형과 대비되는 형식이다.[8]

우리는 선이나 요가를 익힐 때 논리와 머리로 접근하지 않고 느낌과 몸으로 접근한다. 몸의 자세와 호흡법과 명상이 중요하기 때문에 내면의 소리에 귀를 기울이는 몰입의 상태가 권장된다. 이것이 바로 체험형이 취하는 방법이다. 독서치료에서 참여자가 실천하는 독서의 방법 또한 이와 같다고 할 수 있다. 그러므로 독서치료는 교육(intellectualization)을 해서는 안 된다. 단지 체험(experience)할 뿐이다.

(3) 진행자

진행자는 지식적인 내용을 가르치는 사람이 아니다. 이는 참여자가 그러한 지식을 배우러 오는 사람이 아니기 때문이다. 참여자가 변화와 치유를 경험하기를 원하므로 진행자는 당연히 수요자의 요구에 따라 정신 과정의 촉진자가 되어야 한다.

동시에 진행자는 프로그램의 기획자로서 모임이 자연스럽게 흐를 수 있도록 조정하는 기술을 발휘해야 한다. 독서치료 모임의 주체는 어디까지나

---

8) 김정근 외, 『독서치료 사례 연구』, 38쪽.

참여자와 치유서다. 따라서 진행자는 참여자가 능동적이고 적극적으로 치유서를 만나 내적 반응을 일으킬 수 있도록 돕는 역할을 맡는다. 독서치료 모임의 공간에서 진행자는 참여자와 치유서의 조우 관계를 충분히 보장해주기 위해 스스로 어느 정도 뒤로 물러서는 '의도된(intentional)' 소극성을 자임하게 된다.9)

(4) 진행 방법

그러므로 도서관이나 복지관 같은 서비스 기관에서 적용하는 독서치료 프로그램은 체험형으로 진행하는 것이 바람직하다. 지식형으로 진행하면 목적이 손상되기 쉽다. 독서치료 활동에서 변화와 치유라는 목적이 거부되면 독서치료라는 활동 자체의 의미가 사라지고 만다. 그렇게 되면 지역 주민에 대한 진정한 봉사라고 할 수 없을 것이다.10)

따라서 참여자와 치유서 간의 조우 관계를 중요시하는 체험형 독서치료 프로그램에서는 독서치료를 위한 전략을 세우는 일이 상대적으로 덜 중요하므로 독서치료에 '관한' 지식이 비교적 덜 강조되는 편이다. 독서치료 프로그램의 진행자는 참여자의 동기와 요구를 항상 기억할 필요가 있다. 참여자의 동기와 요구가 독서치료의 역사, 독서치료의 과정, 발문의 유형, 독서치료를 위한 자료 선정, 독서치료의 절차, 매체의 활용 기법 같은 지식의 습득에 있지 않음을 늘 상기해야 한다.

진행자는 참여자를 준비시킨다. 참여자가 책과 능동적으로 조우하고 적극적인 자세로 집중하고 몰입함으로써 내적 변화와 치유의 경험을 할 수 있도록 구조적인 장치를 강구해야 한다. 다음에 소개하는 내용은 책정연이 관계하는 독서치료 현장에서 진행자가 참여자를 준비시키는 사례 가운데 하나다.11)

---

9) 같은 책, 40쪽.
10) 김정근 외, 『체험적 독서치료』, 47~51쪽.

첫째, 다음과 같이 치유적 책읽기를 하도록 안내한다.

· 선정된 치유서를 한꺼번에 또는 몇 차례에 나누어 집중하며 통독한다.

· 읽으면서 떠오르는 생각과 느낌에 주목한다.

· 이때 책의 내용을 지식적으로 자세하게 기억하려고 노력할 필요는 없다.
  마음으로부터의 공감과 몰입이 중요하다.

둘째, 다음과 같이 치유적 글쓰기를 하도록 안내한다.

· 처음 치유서를 손에 들었을 때의 느낌을 적는다.

· 읽을 때 '나'에게 와 닿는 메시지의 강도를 적는다.

· 읽는 과정에서 '나'의 내면에 일어나는 생각과 감정의 파장을 적는다.
  다 읽고 났을 때 정리되는 생각과 감정을 솔직하게 적는다.

· '나' 자신에 대한 새로운 이해, 주변 사람들에 대한 새로운 해석을 적는
  다. 읽고 나서 떠오르는 얼굴, 같은 책을 읽기를 권하고 싶은 사람, 선물하
  고 싶은 상대를 적는다.

· 위의 내용을 메모 형식 또는 서술하는 문장으로 적는다.

셋째, 다음과 같이 치유적 말하기를 하도록 안내한다.

· 모임에 참여했을 때 준비해온 '치유적 글쓰기'를 바탕으로 입을 연다.

· 이때 '나'를 남김없이 한껏 열어 보이며 표현한다. 망가지고 부서진다는
  느낌이 들어도 상관없다.

· 다른 참여자의 발언에 귀를 기울인다. 그의 말이 약이 된다.

· 다른 참여자들과 서로 마주보며 토의한다. 의사소통은 약이 된다.

---

11) 같은 책, 40쪽.

3. 나오며

독서치료 프로그램의 효과는 곧 독서치료 프로그램을 평가하는 기준이기도 하다. 프로그램 참여자들이 어떤 치유적인 효과를 얻게 되는가가 중요하다는 의미다. 이때 우리는 그 효과를 얻는 과정이 지식적인가, 아니면 체험적인가를 주의 깊게 살필 필요가 있다.

독서치료에 관한 한 지식적인 요소는 부분적으로 필요할지언정 큰 의미는 없다. 선이나 요가의 수요자에게 지식이 큰 의미를 갖지 못하는 것과 같은 이치다. 그들에게 중요한 것은 자세, 호흡, 마음챙김과 같이 체험과 관련한 부분이다. 그 결과 참여자는 몸과 마음의 이완과 해방감을 얻게 되는 것이다. 독서치료 역시 책읽기를 통한 사람의 변화와 치유 체험이 핵심 요소다.

다행히 2000년대에 들어서는 책읽기를 통한 사람의 변화와 치유의 체험을 다룬 간행물을 심심치 않게 볼 수 있다. 이 분야가 성장했음을 보여주는 한 단면이다. 재미있고 유익한 체험기를 생산하고 있다는 점에서 신성회의 활동은 주목할 만하다. 이영애가 쓴『책읽기를 통한 치유』(홍성사, 2002)는 이 분야의 선구적 텍스트가 되었다. 그 뒤에 출간된『치유가 일어나는 독서모임』(죠이선교회, 2007) 역시 좋은 체험기의 전범을 보여주고 있다. 책정연 역시 체험기를 생산하는 그룹이다. 이 그룹이 내놓은『독서치료 사례 연구』(한울, 2007)와 이 그룹이 참여하고 있는『체험적 독서치료』(학지사, 2007)에도 진정성 어린 체험기가 실려 있다.

위의 간행물 외에도 체험형 독서치료 프로그램의 결과물로 생산된 체험기는 꽤 많다. 경기도립 성남도서관, 경기도립 중앙도서관 평택분관, 용인시립도서관, 울산 남부도서관, 울산 중부도서관, 울산 울주도서관, 경남 양산도서관, 부산 남구도서관, 부산 금정도서관, 부산 연산도서관, 부산 구덕도서관 등은 좋은 체험기의 산지다.

체험기는 생산자 자신들을 위한 기념물일 뿐만 아니라 독서치료 분야의 발전을 보여주는 이정표이기도 하다. 선의 체험기가 그 분야의 진전을 알리는 표지 역할을 하듯이 독서치료의 체험기 역시 이 분야의 성장을 알리는 신호가 된다. 이런 점에서 체험기를 생산하지 못하는 독서치료 프로그램은 문제가 있다고 볼 수도 있다. 이러한 체험기들에 담긴 증언을 읽고 있으면 우리 사회의 독서치료 영역이 비로소 제 자리를 잡아간다는 느낌이 든다.

그렇다면 활동의 결과물로서 체험기들이 생산되어 나오는 현 시점에서 독서치료의 다음 단계는 무엇인가?

이제까지 체험형 독서치료를 실천해온 프로그램들에서는 일반적인 성인을 위한 프로그램, 일반적인 어린이 대상의 프로그램을 마련해 제공해왔다. 일반성이 있는 프로그램을 반복적으로 제시하는 데 그쳤던 것이다. 이는 재고의 여지가 있다. 지금은 그럴 단계를 이미 지났으므로 프로그램들을 좀 더 분화하고 특화할 필요가 있다. 그래야 다음 단계를 수월하게 지향할 수 있다.

독서치료 프로그램을 분화하고 특화하기 위한 구체적인 방법 가운데 하나는 지역 주민의 생활 세계로 좀 더 다가서는 것이다. 이를테면 자녀를 둔 부모를 위한 독서치료, 청소년의 자아성장을 위한 독서치료, 학교폭력 피해자를 위한 독서치료, 결혼을 앞둔 미혼 남녀를 위한 독서치료, 중년 여성을 위한 독서치료, 아름다운 노년과 생의 마무리를 위한 독서치료, 가부장 사회와 독서치료, 가정폭력 문제와 독서치료, 성인아이 문제와 독서치료, 주부 우울증 문제와 독서치료, 화·분노 문제와 독서치료, 용서 문제와 독서치료 등으로 독서치료 프로그램을 특화해가는 것이 하나의 방법이다.

이와 같은 시도에서 반드시 필요한 조건은 바로 책의 가용성이다. 지금 출판 시장에서는 치유서로 활용할 수 있는 책이 풍부하게 유통되고 있다. 관련자들은 이 점에 주목해야 한다. 지금은 어느 면에서 치유서의 전성시대라고 할 수 있다. 이는 체험형 독서치료에 관심이 있다면 반드시 유의할 대목이다.

체험형 독서치료의 다음 단계

김정근

1. 들어가며

이제 우리 사회에서 독서치료는 더 이상 특별하지 않다. 도서관에서도 점점 그렇게 인식되어가고 있다. 지금 추세대로라면 독서치료는 앞으로 전통적인 독서교육과 더불어 도서관의 명품 브랜드로 빛을 내며 발전해갈 듯하다.

2000년대 전반, 내가 속한 지역의 일부 도서관은 선구적으로 독서치료 프로그램을 위한 기초 작업에 착수해 도서관 내에 치유서 코너를 새로 만들고 치유서 목록을 책자로 제작해 배포했다. 당시 치유서 목록을 담은 작은 책자들의 타이틀이 상당히 인상적이었다. 「마음 아픈 이들을 위한 자가치유 도서목록」(울산 남부도서관), 「마음 아픈 이들은 남구도서관으로 오세요!」(부산 남구도서관) 이런 식이었다. 그때 나는 속으로 이를 반기면서도 한편으로는 이같이 과감한 타이틀을 내걸기에는 시기상조가 아닌가 하는 생각을 하기도 했다. 과연 도서관에서 '마음 아픈 이들'을 이처럼 자신 있게 초청해도 되는 것인지 자신이 없었던 것이다.

물론 도서관이 사람의 마음아픔에 관심을 갖는 것은 매우 바람직한 일이다. 그런 문제에 대해 부분적으로나마 사회적인 책임을 지려는 자세는 도서관의 임상성과 서비스 능력 제고를 위해 반드시 필요한 일이었다. 그런데 막상 도서관 현장에서 독서치료 열기가 뿜어져 나오고 당시로서는 지나치다 싶을 정도로 파격적인 표현을 사용하는 것을 보자 개인적으로 고무되고 기쁘면서도 마음 한구석으로는 염려가 되었다. 주머니에 있는 현금을 사용할 때는 마음이 놓이지만 가불을 해서 사용할 때는 불안한 마음이 드는 것과 마찬가지로 이러다가 실천 과정에서 펑크가 나면 어쩌지, 하는 걱정이 되었던 것이다.

2000년대 후반에 들어와서도 비슷한 치유서 목록들이 계속 등장했다. 「마음의 상처, 책에서 치유의 길을 발견한다!」(부산대학교 도서관), 「마음의 상처, 독서로 치료하세요」(양산도서관) 역시 표현의 과감성 면에서는 더하면 더했지 덜하지는 않았다. 그런데 이번에는 반가운 마음만 있을 뿐 염려스러운 마음은 생기지 않았다. 펑크가 날지도 모른다는 생각이 조금도 들지 않았던 것이다. 왜였을까?

그 몇 년 사이 지역의 도서관들은 과감한 도전을 감행했고 그 결과 책을 통한 치유의 효과를 드러내는 데 성공했다. 도서관들은 책을 통해 주민의 아픈 마음을 어루만지고 달래며 통증을 완화시키는 데 능력을 발휘해 독서치료 프로그램을 제시하는 도서관마다 크고 작은 성공 사례를 만들어냈다. 사서진은 지역 주민과 더불어 기대 이상의 감동, 변화, 치유의 효과를 증명해 보였다. 이는 지역의 사서들이 독서치료라는 새로운 아이디어를 수용하고 실천하는 역량을 갖추고 있음을 증명하는 것이었다. 이처럼 이미 결과를 확인한 나로서는 어떤 표현 때문에 더 이상 화들짝 놀랄 필요가 없었다.[1]

---

1) 내가 속한 지역에서 지금까지 선구적인 독서치료 프로그램을 제시한 도서관은 울산 남부도서관(김순화 팀장, 김미숙 사서, 우귀녀 사서, 이기명 사서 외), 울산 중부도서

이 글에서는 이렇게 시작한 도서관 기반의 독서치료가 지금은 어느 지점에 이르러 있으며 다음 단계는 무엇인가를 짚어보려고 한다. 이는 총론의 단계 이후에 드러날 각론의 단계를 살펴보는 작업이 될 것이다.

2. 독서치료의 현 단계

나는 우리 사회의 독서치료 발전 단계를 '이륙기'라고 지칭한 적이 있다. 비행기에 빗댄 표현이었다. 이륙기는 비행기가 활주로를 떠나 비스듬하게 하늘을 향해 날아올라 정상 궤도에 이르기까지의 단계를 말한다. 당시 나는 비행기의 이륙에는 특별한 위험이 따른다는 관점에서 당시 독서치료 활동에서 관찰되던 세 가지 초기적 함정을 지적한 바 있다. 첫째, 수입학의 함정이었다. 외국 문헌에 맹목적으로 의존하는 태도는 문제가 있다는 것이었다. 이같은 태도를 지니면 자칫 우리 현실을 경시하고 무시할 수 있다. 문헌에 나타나는 외국의 사례를 우리 현실에 직접 대입하는 것은 때로 적절하지 않다. 하지만 실제로 그런 오류를 범하는 경우가 많았다. 둘째, 경계 혼란의 함정이었다. 이는 당시 처한 단계에서 독서치료가 할 수 있는 일과 할 수 없는 일을 조심스럽게 구분할 필요가 있다는 취지였다. 또한 맹신과 과신에 근거한 공격적 접근이 가져올 수 있는 위험에 대한 경고이자 독서치료를 적용하는 과정에서 성과 위주의 조급함이 유발할 수 있는 사고에 대한 우려

관(김순화 팀장, 이기명 사서), 울산 울주도서관(김정자 관장, 곽임수 팀장), 울산 동부도서관(우귀녀 사서), 경남 양산도서관(박현영 사서), 부산 연산도서관[김경숙 사서(책주연 지원)], 부산 남구도서관[김수경 사서(책주연 지원)], 부산 금정도서관 [김수경 사서(책주연 지원)], 부산 구덕도서관(조윤희 사서, 박경자 사서), 부산 시민도서관[신주영 사서, 김수경 사서(책주연 지원)], 부산 재송어린이도서관(우덕숙 사서, 최정미 사서), 부산대 도서관(장영남 사서, 황은주 사서, 김수진 사서, 신주영 사서, 김경숙 사서) 등이다.

이기도 했다. 당시 나는 독서학원을 중심으로 이루어지던 독서치료 행태에 대해 많은 염려를 하고 있었다. 셋째, 목적 상실의 함정이었다. 이는 모름지기 치유의 '체험'을 중심으로 진행되어야 하는 독서치료가 현실에서는 치유에 관한 '지식'의 보급에만 관심이 쏠려 있는 현상에 대한 우려였다. 이 역시 사교육시장의 독서치료 행태에 대한 염려에서 나온 지적이었다.[2]

우리 사회의 독서치료는 여전히 이륙기를 크게 벗어나지 못하고 있는 것으로 판단된다. 전반적으로 보아 수입학의 위험이 아직도 상존하고 있고, 경계 혼란의 굴절된 행태도 여전하며, 치유에 '관한' 기능적 지식이 사교육시장을 중심으로 활개를 치는 것도 과거와 크게 다르지 않다. 이는 우리 사회의 독서치료 활동이 이륙기를 지나 정상 궤도에 무사히 진입하기 위해 반드시 극복해야 할 과제들이다.

한편 이 같은 파행적인 흐름이 기승을 부리는 가운데서도 다행스러운 국면이 전개된 부분이 있었다. 토착적이고도 실사구시적인 입장을 취하고 독서치료의 교육적이고도 발달적인 기능을 살리며 특히 치유서를 통한 치유 체험을 강조하는 또 하나의 흐름이 대응적으로 생겨난 것이다. 특히 고무적인 사실은 도서관의 독서치료 활동이 이쪽 배를 타고 있다는 것이다.[3]

그렇다면 그동안 도서관은 어떻게 올바른 선택을 할 수 있었을까? 첫째, 도서관은 지역의 주민을 직접 상대하는 서비스 기관이라는 입장이 현실주의적이고 실사구시적인 길을 걷는 데 유리한 조건이 되었다. 지역 주민은 마음

---

2) 김정근, 「독서치료에서 '진정성'의 요소」, ≪도서관≫, 60권 2호(2005. 12), 170~173쪽.

3) 여기서 우리는 대전에 위치한 신성회의 선구적인 활동에 주목할 필요가 있다. 독서치료 방법론의 측면에서 신성회와 도서관 측은 같은 길을 걷고 있다. 신성회 활동과 관련해 다음의 자료를 참고하면 도움이 될 것이다. 김정근, 「추천사」, 이영애 외, 『치유가 일어나는 독서모임』(쬬이선교회, 2007), 16~19쪽. 이 책에 실린 이소라의 「나의 이야기」는 특히 인상적이다. 체험형 독서치료의 진수를 보여준다. 이 책의 88~99쪽을 참고하기 바란다.

치유의 '체험'이 필요하지, 치유에 관한 '지식'이 필요한 것은 아니다. 그들이 독서치료의 역사, 독서치료의 과정, 발문의 유형, 독서치료를 위한 자료 선정, 독서치료의 절차, 치료사의 자질, 매체의 활용 기법 같은 지식을 습득해 무엇을 할 것인가? 이 문제에 대한 올바른 판단은 도서관 기반의 독서치료가 힘을 받을 수 있는 조건이 되었다.[4] 둘째, 치유서에 대한 사서진의 민감성이 도서관의 올바른 선택에 한몫을 했다. 특히 2000년을 전후해 급속히 발전하고 있던 논픽션 자가치유서(non-fiction self-help books for healing) 시장에 대한 사서진의 직업적 이해는 상업성이 배제되고 진정성이 있는 도서관 중심의 프로그램 개발에 일조했다. 지금 시중에 쏟아져 나와 있는 논픽션 자가치유서는 정신과 의사, 심리치료사, 카운슬러 계통에서 필진을 동원하는 경우가 많다. 따라서 치유서를 잘만 활용하면 큰 성과를 거둘 수 있는 조건이 마련되었다. 정신분석학, 임상심리학, 상담학 분야에 의존할 필요가 과거에 비해 상대적으로 많이 줄어든 것이다. 전문 지식의 대중화 작업이 치유서의 생산이라는 형태로 이루어지고 있는 현실은 독서치료의 독자성을 한층 강화시키는 조건이 되기도 했다.[5]

그동안 독서치료 활동이 엎치락뒤치락 기복이 심한 가운데서도 관련자들의 인식수준은 한층 높아졌다. 그리고 이는 용어의 정리라는 형태로 나타나게 되었다. 이는 독서치료에 전략적으로 접근하기 위한 매우 중요한 성과다. 사교육시장을 중심으로 하는 비즈니스 색채가 농후한 독서치료 프로그램들은 대체로 독서치료에 관한 지식의 전달에 관심이 많으며 민간자격증을 매개로 활동의 축이 돌아간다. 이를 학계에서는 지식형이라고 부른다. 한편 도서관이나 복지시설 같은 대인 봉사기관을 중심으로 하는 비영리적 독서치료

---

4) 김정근, 「독서치료 프로그램의 운영: 사서와 도서관 기반의 접근을 생각하며」, ≪경기도사서연구회지≫, 9권 1호(2004. 12), 21~28쪽.

5) 필자의 다음 글들을 참고하면 도움이 될 것이다. 「자가치유서(self-help books)의 발견」, ≪출판저널≫, 2005년 4월; 「치유서란 무엇인가?」, ≪도서관문화≫, 2004년 9월.

프로그램들은 대체로 치유와 변화의 체험 자체의 공유에 무게 중심을 둔다. 이를 학계에서는 체험형이라고 부른다.[6)

도서관은 태생적으로 체험형으로 갈 수밖에 없다. 지식형은 적용하기가 어려우며 도서관 환경에서는 지식형이 유용성이 떨어지는 것 또한 사실이다. 이는 도서관이 지역 주민에 대한 대인 서비스를 떠나서는 존재할 수 없기 때문이다. 전국의 도서관이 밝은 인식을 가지고 체험형으로 눈을 돌리기 시작한 것은 독서치료가 다음 단계로 나아갈 수 있는 중요한 근거가 되고 있다.

3. 독서치료의 다음 단계

독서치료의 다음 단계는 무엇인가? 아마도 이류기를 무사히 통과하고 정상적인 궤도에 진입해 발전을 거듭하는 일일 것이다. 도서관의 입장에서 보면 체험형을 더욱 굳건하게 정착시켜 주민 밀착형을 완성하는 작업이 될 것이다. 도서관 측에서는 이 사실에 혼란이 있어서는 안 된다.

그렇다면 체험형을 완성하는 빠른 길은 무엇일까? 첫째, 도서관들은 현재 제시하고 있는 「마음 아픈 이들을 위한 자가치유서 도서목록」, 「마음 아픈 이들은 남구도서관으로 오세요!」, 「마음의 상처, 책에서 치유의 길을 발견하다!」, 「마음의 상처, 독서로 치료하세요」 같은 슬로건에 담긴 체험형의 정신을 계속해서 살려나가야 한다. 이같이 현실주의적이고 실사구시적인 입장을 굳건하게 견지함으로써 지역 사회 속으로 깊이 파고들어야 한다. 이와 관련해 경남 양산도서관의 독서치료목록에 실린 '지친 당신의 마음을 책으로 치유하세요'라는 제목의 안내문을 그대로 옮겨보고자 한다. 이 글을 통해

---

6) 한윤옥 외, 『체험적 독서치료』(학지사, 2997). 특히 3~9쪽에 실린 「책이 나오기까지」를 참고하라.

사서진의 굳은 의지와 높은 준비도를 확인할 수 있을 것이다.

  지친 당신의 마음을 책으로 치유하세요.[7]

  현대를 살아가는 우리는 직장과 학교 또는 가정에서 많은 상처를 받으며 살아가고 있습니다. 그리고 배우자, 부모, 자녀, 친구들과의 관계 속에서, 말을 통해서, 또는 생로병사로 인해 상처를 받게 됩니다. 마음속의 응어리는 반드시 밝은 곳으로 끄집어내어 치유해야 합니다. 가만히 놓아둔다면 이 상처들은 나의 정신과 육체를 더욱더 아프게 합니다.
  여기 당신의 아픔을 덜어줄 '독서치료'가 있습니다. 독서치료(bibliotherapy)는 '책읽기를 통한 마음 치유'라고 정의할 수 있습니다. 자신의 상황에 맞는 책읽기를 통해 마음 어딘가에 잠복해 있는 상처의 근원을 인식하고 그 상처가 완화되거나 치유되는 경험을 하는 것이 바로 독서치료의 과정입니다. 그래서 마음의 상처와 이해를 위한 책을 읽다 보면 어느샌가 가벼워진 자신의 마음을 느낄 수 있을 것입니다.
  여기에 소개된 도서 외에 다양한 독서치료 관련도서가 각 자료실 '독서치료코너'에 비치되어 있으며, 독서치료 학습동아리, 독서치료 평생교육강좌, 독서치료 독후감공모 등 다양한 프로그램을 운영하고 있습니다.
  당신의 지친 마음을 편안하게 안아줄 양산도서관으로 당신을 초대합니다.

  둘째, 도서관들은 총론에만 머물지 말고 각론으로 넘어가야 한다. 지금 도서관들은 일반적인 독서치료 프로그램에 머물러 있다. 복수의 상황을 포함하는 일반적인 프로그램을 반복적으로 제시하는 데 그치고 있는 것이다. 그럴 단계는 이미 지났다. 이제는 각 도서관에서 프로그램을 분화하고 특화

---

7) 「마음의 상처, 독서로 치료하세요」(양산도서관, 2006)에 실린 안내문.

할 필요가 있다. 그래야 도서관과 참여자가 지루함을 떨치고 새로움을 유지하며 함께 깊어지고 진화해갈 수 있다.[8]

각론으로 넘어가려면 독서치료 프로그램을 지역 주민의 생활 세계로 좀더 밀착시켜 세분화해야 한다. 가령 자녀를 둔 부모를 위한 독서치료, 청소년의 자아성장과 독서치료, 학교폭력 문제와 독서치료, 결혼을 앞둔 미혼 남녀를 위한 독서치료, 중년 여성을 위한 독서치료, 나이듦과 생의 마무리를 위한 독서치료, 가부장 사회와 독서치료, 가정폭력 문제와 독서치료, 성인아이 문제와 독서치료, 우울증과 독서치료, 화·분노 문제와 독서치료, 용서 문제와 독서치료 등으로 분화해가자는 것이다.[9]

다음에서는 '나이듦과 생의 아름다운 마무리를 위한 독서치료 과정'을 독립된 12주 프로그램으로 제시했다. 이는 생활 세계와 가까운 주제 하나를 선택해 세분화 작업을 시도해본 것이다. 도서관들의 새로운 기획에 참고가 되기를 바란다.

나이듦과 생의 아름다운 마무리를 위한 독서치료 프로그램(안)

· 1회

<자료>

- 박완서, 『너무도 쓸쓸한 당신』(창비, 1998)
- 박완서, 『친절한 복희씨』(문학과지성사, 2007)

· 2회

---

8) 일반적인 독서치료 프로그램에 대한 다양한 실험은 김순화 외, 『독서치료 사례 연구』에 잘 나타나 있다.

9) 이 리스트는 독서치료 활동가 김수경 박사와의 대화를 통해 작성된 것이다. 좀 더 자세한 내용은 김수경, 「주부의 마음상함과 독서치료 프로그램 적용에 관한 연구」(부산대학교 대학원 박사학위 논문, 2006), 243~244쪽을 참고하라.

<자료>

- 헬렌 니어링, 『아름다운 삶, 사랑 그리고 마무리』, 이석태 옮김(보리, 1997)

- 박혜란, 『나이듦에 대하여』(웅진닷컴, 2001)

·3회

<자료>

- 유경, 『마흔에서 아흔까지』(서해문집, 2005)

- 고광애·유경, 『마흔과 일흔이 함께 쓰는 인생노트』(서해문집, 2007)

·4회

<자료>

- 고광애, 『아름다운 노년을 위해』(아침나라, 2000)

- 고광애, 『실버들을 위한 유쾌한 수다』(바다, 2003)

·5회

<자료>

- 메리 다피츠, 『정오에서 해질녘까지』, 남학우·김효성 옮김(성바오로, 2003)

- 능행, 『섭섭하게, 그러나 아주 이별이지는 않게』(도솔, 2005)

·6회

<자료>

- 제니퍼 S. 홀더·잰 앨드리지 클랜튼, 『아름다운 이별』, 손희승 옮김(지식의 날개, 2004)

- 니나 엘리스, 『백년의 나이테를 읽다』, 박주영 옮김(지식의날개, 2007)

·7회

<자료>

- 미치 앨봄, 『모리와 함께한 화요일』, 공경희 옮김(세종서적, 1998)

- 최화숙, 『아름다운 죽음을 위한 안내서』(월간조선사, 2004)

· 8회

<자료>

- 람 다스, 『성찰: 나이듦과 변화 그리고 아름다운 마무리』, 강도은 옮김(씨 앗을뿌리는사람, 2002)
- 최일남, 『아주 느린 시간』(문학동네, 2000)

· 9회

<자료>

- 엘리자베스 퀴블러 로스·데이비드 케슬러, 『상실수업』, 김소향 옮김(이레, 2007)
- 엘리자베스 퀴블러 로스·데이비드 케슬러, 『인생수업』, 류시화 옮김(이레, 2006)

· 10회

<자료>

- 엘리사벳 퀴블러 로스, 『인간의 죽음』, 성염 옮김(분도출판사, 1997)
- 알폰스 데켄, 『죽음을 어떻게 맞이할 것인가』, 오진탁 옮김(궁리, 2002)
- <BBC 인체대탐험 7: 영원한 순환>(KBS, 영상자료, 2000)

· 11회

<자료>

- 로버트 버크만, 『무슨 말을 하면 좋을까』, 모현 호스피스 옮김(성바오로, 2003)
- 마리아의작은자매회, 『'죽이는' 수녀들의 이야기』(성바오로, 2003)

· 12회

<자료>

- 김열규, 『메멘토 모리, 죽음을 기억하라』(궁리, 2001)
- 스캇 펙, 『끝나지 않은 여행』, 김영범 옮김(열음사, 2003)

한편 우리 사회에서 이슈가 되고 있는 다문화가정의 갈등, 재소자 문제, 시설청소년 문제 등에도 독서치료가 각론적으로 개입할 수 있다.

4. 나오며

이제 이야기를 마무리할 시점에 이르렀다. 여기서는 도서관 기반의 독서치료 활동에 대한 한국도서관협회의 후원 및 촉진자 역할에 대해 언급함으로써 도서관 현장의 지속적이고 적극적인 대응 노력을 유도하고자 한다. 한국도서관협회는 독서치료 보급에 선도적인 역할을 하고 있으며 새로운 흐름에 민감하게 반응함으로써 매번 나를 놀라고 감동하게 한다.

한국도서관협회는 누구보다 먼저 독서치료의 중요성을 간파했다. 일차적으로 산하의 독서문화위원회(위원장 황금숙 교수. 2006년까지는 '독서진흥위원회'라는 명칭이었으며 위원장은 한윤옥 교수였음)와 협력해 기본도구 생산에 진력했다. 그 결과 「독서치료를 위한 상황별 독서목록: 성인편」(2004. 12), 「독서치료를 위한 상황별 독서목록: 청소년·어린이편」(2005. 12), 「독서치료를 위한 상황별 독서목록: 증보편」(2007. 2)을 세상에 내놓았다. 이 세 편의 목록은 전국의 도서관과 유관 기관에 배포되었다. 나중에 이는 다시 한 권의 단행본으로 일반 출판사에서 출간되기도 했다.[10] 이로써 개별 도서관이 독서치료 프로그램을 시작할 수 있는 기본적인 조건이 마련되었다.

2006년에는 협회가 주관하는 9월 독서의 달 기념 세미나의 주제를 '지역사회의 정신보건 문제와 독서치료'(대전광역시 한밭도서관, 2006. 9. 22)에 할애했다. 이 자리에서는 당시까지 진행된 체험형 독서치료의 발전 단계가 김정근, 이영애, 황금숙, 장계숙, 유영아 등의 발표를 통해 한밭도서관 강당에 모인 전국의 도서관인들 앞에서 소개되기도 했다.[11] 이로써 비즈니스 모형인

---

10) 김정근 외, 『체험적 독서치료』.

지식형은 도서관의 모형이 되기에 적절하지 않으며 서비스 모형인 체험형이 야말로 도서관 모형이 되기에 적합하다는 인식이 한층 더 깊어졌다.

독서치료의 보급과 진흥을 위한 협회의 노력은 여기에서 그치지 않았다. 2006년에는 '자아성장을 위한 체험형 독서대학'을 개설해 체험형 독서치료 의 보급에 나섰다. 이 독서대학은 지역에 위치한 사서와 주민의 편의를 도모 하기 위한 장치로, 서울에 앉아서 하는 것이 아니라 지역을 찾아가는 형식을 취했다. 첫해인 2006년에는 경기도 과천과 대구에서 사서과정과 일반인과정 이 운영되었으며 그 결과는 보고서 형태로 출간되었다.[12] 2007년에는 대전 과 전남 광주에서 같은 과정이 운영되었으며 역시 그 결과가 보고서로 출간 되었다.[13] 2008년에는 경남 김해시와 강원도 원주시에서 지역 도서관과 협 력해 찾아가는 독서대학을 열었다. 그 결과 역시 보고서 형태로 출간되었 다.[14] 이처럼 지역을 찾아가는 독서치료 과정은 앞으로 한동안 지속될 전망 이다.

이는 보통 일이 아니다. 새로운 아이디어에 대한 지속적이고 치밀한 후원 과 촉진자 역할을 하기가 좀처럼 쉽지 않기 때문이다. 따라서 지역의 사서진 과 도서관들은 자신들에게 주어지는 기회를 적극적으로 활용할 것을 권하는 바다.

지금까지 도서관의 다양한 프로그램은 일종의 건강 식단이었다. 이 때문에 지역 주민의 꾸준한 사랑을 받을 수 있었다. 그러나 아무리 건강 식단이라

---

11) 「지역사회의 정신보건문제와 독서치료: 2006년 9월 독서의 달 기념 세미나」(한국 도서관협회, 2006).

12) 「자아성장을 위한 체험형 독서치료: 2006년도 독서대학 자료집」(한국도서관협회, 2006).

13) 「자아성장을 위한 체험적 독서치료: 2007년도 독서대학 자료집」(한국도서관협회, 2007).

14) 「책읽기를 통한 마음의 상처 치유하기: 2008년도 독서대학 자료집」(한국도서관협 회, 2008).

하더라도 꾸준히 메뉴를 개선해야 한다. 지금 단계에서는 도서관의 메뉴 개선을 위한 품목으로 독서치료만한 것이 없다. 체험형 독서치료를 도입한다면 징소리 같은 깊은 울림으로 지역 주민의 생활공간 속으로 파고 들어갈 수 있을 것이다. 또한 그렇게 했을 때야말로 도서관에 대한 지역 주민의 사랑은 배가될 것이다.

제2부

독서치료를 위한 상황별 자료목록

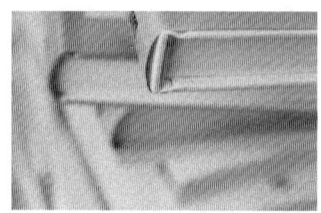

제2부에서는 '체험형' 독서치료를 위한 상황별 자료목록을 소개하고 매 타이틀에 초록을 만들어 붙였다. 관심 있는 개인과 단체가 새로운 프로그램을 시도할 때 또는 기존의 프로그램을 개선하려고 할 때 도움이 될 것이다.

상처의 근원

김경숙

1. 성장의 아픔

① 『개밥바라기별』(황석영, 문학동네, 2008)

1960년대에 청소년기를 보낸 작가의 자전적 성장소설이다. 세상으로 나가 세상과 부딪치면서 자아가 변화하고 성장하는 모습을 통해 삶을 어떻게 껴안을 것인지에 대한 물음을 던지고 있다. 학교나 사회의 외적인 모습은 변했지만 본질은 변하지 않은 지금, 기성세대는 물론 혼돈 속에 있는 청소년에게 강렬한 메시지를 전달한다.

② 『나쁜 아이』(메리 매크라켄, 홍한별 옮김, 양철북, 2004)

도벽, 습관적 무단결석, 파괴적이고 법에 저촉되는 행동 등 비행을 일삼던 정서장애아가 치료보조교사의 지속적인 관심과 사랑으로 정서적 장애를 극복해가는 과정을 기록한 책이다. 아이가 문제를 겪고 있으면 그 상처가 가족들에게 영향을 미치며 아이의 변화 또한 가족의 삶까지 변화시킨다는 사실을 보여주고 있다.

③『내 영혼이 따뜻했던 날들』(포리스터 카터, 조경숙 옮김, 아름드리미디어, 2003)

다섯 살에 부모를 잃은 '어린 나무'가 체로키족 인디언인 할아버지와 할머니 밑에서 체로키식 교육을 받으며 성장하는 과정을 그린 자전적 성장소설이다. 백인들의 인디언 강제 이주 정책으로 산 속에서 살게 된 조부모 내외는 '어린 나무'에게 산의 일부가 되어 산 속에서 살아가는 방법을 가르쳐준다. 죽음조차도 자연스런 삶의 순리라는 사실과 인간에게 영혼이 왜 필요한지, 진정한 사랑이 무엇인지를 스스로 배우고 깨닫도록 한다. 상대적으로 풍부한 물질문명의 혜택을 누리면서도 만족할 줄 모르는 현대인에게 제시되는 인디언들의 삶의 지혜와 철학이 감동적이다.

④『마린을 찾아서』(유용주, 한겨레신문사, 2002)

열네 살 때부터 가난과 삶의 질곡을 온몸으로 겪은 저자의 자전적 성장소설이자 노동일기다. 삶의 바닥에서 관찰한 시대의 아픔과 개인의 성장 과정이 진술하고 힘 있는 필체로 그려져 있어 동시대를 살지 못한 사람에게도 지은이의 체험이 생생하게 전달된다.

⑤『사랑을 선택하는 특별한 기준 1, 2』(김형경, 푸른숲, 2003)

소설 형식을 빌어 우리 안에 있는 콤플렉스와 무의식을 조명한다. 무의식 속에 억압되어 있던 유년기의 상처를 확인하고 껴안는 과정을 정신분석을 통해 보여줌으로써 자기정체성에 대한 탐구와 삶에 대한 의지를 일깨운다.

⑥『사춘기가 인생을 결정한다』(김현정, 팝콘북스, 2007)

십여 년 동안의 청소년 상담 경험을 바탕으로 엮은 '대한민국 사춘기 성장 보고서'다. 십대들의 솔직한 고백과 고민을 통해 사춘기 아이들의 성장통,

자기정체성의 혼란, 심리상태를 엿볼 수 있다. 이 책은 아이들의 답답한 마음 속 외침을 듣고 그 마음을 따뜻하게 어루만지면서도 아이들이 현명하게 대처할 수 있도록 조언을 해준다.

⑦『상처받은 아이들: 유년기의 상처를 말하고, 이해하고, 극복하기』(니콜 파브르, 김주경 옮김, 동문선, 2003)

정신분석가인 저자는 어른들이 간과하고 있는 유년기 아이들의 상처를 임상사례를 통해 섬세하게 소개한다. 저자는 어른 자신이 고통 속에 빠져 있거나 반항적인 태도를 취함으로써 문제가 곪아가도록 내버려두어서는 안 된다고 지적한다. 부모가 반항심, 억눌린 분노, 내적인 파괴성을 내면에 간직한 채 느끼고 생각하는 것들은 자신도 모르는 사이에 아이에게 그대로 전달되기 때문이다.

⑧『아들 심리학』(댄 킨들론·마이클 톰슨, 문용린 옮김, 아름드리미디어, 2007)

35년 동안 수많은 소년들과 실시한 상담과 적극적인 상호작용을 통해 소년들의 내면세계에 대한 깊은 통찰을 제공한다. '남자다워야 한다'는 문화적 고정관념 때문에 자신들의 고통을 반항과 분노, 폭력과 침묵으로 표출하는 소년들의 겉모습 뒤에 감춰진 슬픔과 두려움, 외로움 같은 심리적 혼돈과 고통을 짚어내고 있다. 소년들의 정서적 고통을 이해하고 치유를 위한 방법론을 모색하는 한편 정서적 결핍을 채워줄 대안을 제시한다.

⑨『외딴방』(신경숙, 문학동네, 2001)

열여섯에서 스무 살까지 작가의 '생활'을 고백성사처럼 그려내고 있는 성장소설이다. 열악한 환경 속에서 문학에의 꿈을 키워나가던 저자의 글은 담담하면서도 상처를 치유하는 힘을 지니고 있다.

2. 어른들의 몰이해

① 『나의 아름다운 정원』(심윤경, 한겨레신문사, 2002)

1977년부터 1981년 사이를 살아가는 한 가족의 이야기를 중심으로 어린 소년의 해맑은 체험을 담은 성장소설이다. 난독증을 앓는 소년은 1980년이라는 시대상황이나 어른들의 세계와는 무관하게 나름대로 유년의 기억을 더듬는다. 어린 소년 동구의 눈에 비친 포악한 할머니와 연민의 대상인 어머니, 무력한 아버지, 귀여운 동생 영주, 아름답고 천사 같은 박 선생님에 대한 따뜻한 내면의 언어를 잔잔하고 아름답게 그려낸다.

② 『달의 제단』(심윤경, 문이당, 2004)

쿨하지 않은 감성을 지닌 작가가 의고투 내간체 문장을 군데군데 배치하면서 얽히고설킨 우리 인생사를 들여다본 소설이다. 명분이나 종가의 전통을 내세워 가문의 위상을 지키려는 할아버지와 서자 의식에서 벗어나지 못한 채 정체성 확립에 어려움을 겪는 손자 사이의 갈등이 그려진다. 온전히 받아들여지는 경험을 가지지 못한 근원적 아픔을 지닌 사람이 세상과 어떻게 관계를 맺는지에 대해, 타인에 대한 이해가 없는 사람이 타인에게 어떤 파괴적인 영향과 폐해를 끼치는지에 대해 생각할 거리를 던진다.

③ 『마음속의 그림책: 부모에게 상처받은 아이들의 호소문』(이희경, 미래 M&B, 2000)

고등학교 상담교사인 저자가 상처받은 아이들의 마음을 미술치료를 통해 들여다본 기록이다. 나무그림, 물고기 가족화, 동그라미 가족화, 가족에 대한 상징적 표현, 안경으로 본 세상, 양서를 활용한 인성자료 등을 통해 아이들이 상처받는 근원이 부모와 가정임을 여과 없이 보여준다.

④『미안하다고 말하기가 그렇게 어려웠나요』(이훈구, 이야기, 2001)

2000년 발생한 명문대생의 부모 살해사건을 심리학적 관점에서 다룬 책이다. 심리학 교수인 저자는 이은석과의 면담과 21권의 일기, 주변인들과의 면담 등을 통해 이 사건이 심각한 심리적 폭력과 학대의 소산이라는 결론을 내리고 있다. 한 사람의 성장에서 외형적 성취보다 더 중요하고 본질적인 것은 가정 내에서의 따뜻한 관심과 사랑임을 일깨워준다.

⑤『아버지가 변해야 가족이 행복하다』(사이토 사토루, 이규은 옮김, 종문화사, 2002)

저자가 30년간 정신과 임상의사로 일하면서 겪은 경험을 바탕으로 아버지의 역할에서부터 가족관계에 대해 문제를 제기한다. 저자는 부모의 역할을 품에 안기(holding), 자식들의 행동에 한계 설정하기(limit setting), 자식 떼어놓기(detachment)로 구분한다. 이 가운데 두 번째, 세 번째 역할에 대해서는 아버지의 역할과 관련지어 설명하고 있다. 또한 가정에서 진정한 아버지의 부재로 인해 생기는 가정 내 폭력과 소통불능, 중년이혼, 섭식장애, 학교폭력, 성 비행에 대해 다루고 있다.

⑥『어머니가 변해야 가족이 행복하다』(사이토 사토루, 송진섭 옮김, 종문화사, 2002)

가족 내의 위장되고 거짓된 가족상을 파헤친다. 알코올 의존증, 섭식장애, 성인아이, 자녀를 사랑하지 못하는 부모 등 가족 사이에 실제로 일어나는 일을 다룸으로써 가정 내에서의 부모와 어머니의 역할, 진정한 가족관계에 대해 의문을 던진다. 『아버지가 변해야 가족이 행복하다』와 함께 읽으면 좋을 책이다.

⑦『이런 부모가 자식을 정신병자로 만든다』(김정일, 박영률출판사, 2002)

자식을 정신병자로 만드는 부모는 일찍 죽은 부모, 이혼한 부모, 정신적으로 문제가 있는 부모라고 저자는 이야기한다. 이러한 부모로부터 고통받고 있는 사람들을 온라인상에서 공개 상담한 사례와 자녀교육에 대한 저자의 생각을 담았다. 단정적이고 직설적인 저자가 건네는 조언의 핵심은 세상은 부모가 죽거나 이혼했다고 봐주지 않으므로 정확한 현실인식을 바탕으로 더 이상 징징거리지 말고 자신의 개성을 발휘해 자기답게 살라는 것이다. '정신병은 열심히 살라는 신호'라는 표현은 저자의 낙관적인 철학을 단적으로 보여준다.

⑧『학대받는 아이들』(이호철, 보리, 2001)

수십 년간 초등학교에서 아이들을 가르치면서 '삶을 가꾸는 글쓰기와 그림 그리기'를 진행해온 저자는 아이들의 상처와 목소리를 책에 그대로 담았다. 자유로운 글쓰기를 통해 아이들이 마음의 응어리와 상처를 표현하도록 한 것이다. 이 책에는 아이들을 있는 그대로 긍정하는 저자의 아이들에 대한 사랑이 드러나 있다. 무심코 던지는 말 한마디나 정서적 학대도 아이들에게는 큰 상처가 될 수 있다는 사실을 통해 학대에 대한 인식을 새롭게 조명한 책이다.

⑨『흔들리는 부모들』(수잔 포워드, 한창환 옮김, 사피엔티아, 2000)

성장기 자녀들에게 독이 되는 부모의 유형에 대해 제시하고 그러한 부모의 부정적인 영향에서 벗어나 심리적 치유를 하거나 독립하는 방법을 자세하게 소개한다. 저자는 흔들리는 부모의 유형으로 하느님 같은 부모, 의무를 다하지 않는 부모, 컨트롤만 하는 부모, 알코올 중독자인 부모, 잔인한 말로 상처를 주는 부모, 폭력을 휘두르는 부모를 제시한다. 부모와의 문제에서 해결되지 않는 상처를 가진 사람들이라면 이 상처를 자식에게 대물림하지 않기 위해 반드시 읽어야 할 책이다.

3. 가정폭력, 성폭력

① 『가정 폭력 치유 교과서』(폴 헥스트롬, 이남종 옮김, 글샘, 2008)

아내를 학대하는 가정폭력 행위자였던 저자는 분노를 조절하지 못해 살인 미수에 직면했으나 전문가의 도움을 받아 치유와 회복을 경험하게 된다. 자신의 경험을 바탕으로 쓴 이 책에서 저자는 가정폭력의 정의에서부터 가정 폭력의 파괴적인 영향, 건강한 관계 세우기까지 두루 설명하고 있으며 이를 통해 가정폭력의 악순환에서 벗어날 수 있는 방법을 제시한다.

② 『나는 인생을 믿는다: 고통받는 소녀에서 당당한 여성으로』(사미라 벨릴, 용경식 옮김, 마음산책, 2003)

자신의 고통스러운 체험을 정면으로 다룬 기록이다. 아버지의 구타와 욕설, 어머니의 강요로 가출을 한 저자는 불량배에 의해 끔찍한 성폭력을 당한 뒤 처음엔 수치심과 협박으로 인해 침묵을 선택했다. 그녀의 부모조차 그녀의 보호막이 되어주지 못했으며 성폭력을 당한 미성년을 보호해준다는 단체의 변호사도 그녀를 죄인으로 몰아간다. 자살을 꿈꾸던 10대 소녀가 자신의 삶을 긍정하기까지 자신의 내면, 외부의 편견 및 몰이해와 처절하게 투쟁한 과정을 기록한 책이다. 저자는 29세에 발간한 이 책을 통해 '성폭력 사건을 단지 한 개인에게 일어난 불행한 사건으로 국한시켜서는 안 된다'는 메시지를 던진다.

③ 『아주 특별한 용기: 피해자와 가족, 상담자를 위한 안내서』(엘렌 베스·로라 데이비스, 이경미 옮김, 동녘, 2000)

성폭력은 심리적으로, 신체적으로, 또한 사회적으로 약자의 위치에 있는 사람이 공격대상이 될 수 있는 치명적인 폭력이다. 수십 년 동안 성폭력 치료 워크숍을 개최하고 강연을 해온 저자가 성폭력 피해자 50명의 생생한 육성과 자신의 전문가적 지식 및 비전을 바탕으로 성폭력 피해 여성과 주변인들의 포괄적인 인식을 유도하기 위해 쓴 글로, 성폭력 피해자들 스스로 과거에서 벗어나 힘찬 미래로 나아갈 수 있는 구체적인 방법, 실천적인 제안, 내면의 힘과 용기를 획득하는 치유과정과 변화를 깊이 있게 다루고 있다.

④『유진과 유진』(이금이, 푸른책들, 2004)

유치원 시절에 원장으로부터 성추행을 당한 큰 유진과 작은 유진이 중학교 때 같은 반이 되면서 상처를 극복하는 과정을 그린 성장소설이다. 성폭력을 당한 사람의 주위 사람, 특히 가족이 그 문제에 어떻게 대처하는가에 따라 피해 당사자의 상처가 자연스럽게 치유되기도 하고 피해 당사자에게 또 다른 상처를 주기도 한다는 사실을 일깨워준다.

⑤『이야기해, 그리고 다시 살아나』(수잔 브라이슨, 여성주의 번역모임 '고픈' 옮김, 인향, 2003)

저자는 성폭력 같은 외상(trauma)을 겪고 살아남은 생존자들이 부서진 자아를 다시 맞추려면 자신의 외상을 다시 기억해내고 그 기억을 정면으로 통과해야 한다고 주장한다. 외상 증언을 통해 다른 사람들과 신뢰를 바탕으로 한 유대관계를 다시 맺게 되고 공동체 속으로 다시 들어갈 수 있다는 것이다. 철학자인 저자는 10년에 걸친 자신의 회복과정을 기록한 글과 다양한 접근을 통해 성폭력이라는 외상에 대한 사유의 궤적을 보여준다.

⑥『저는 오늘 꽃을 받았어요: 가정폭력과 여성인권』(정희진, 또하나의문화, 2001)

저자는 여성 폭력 문제에 대한 10여 년간의 상담과 연구를 바탕으로 한국 사회의 '아내 폭력' 문제를 여성 인권의 시각에서 다루었다. 저자는 아내 폭력을 가족 해체의 문제로 보는 기존의 가족 중심적인 시각에 문제를 제기하면서 아내 폭력은 가족 유지라는 차원이 아니라 여성 개인의 인권 차원에서 접근해야 한다고 주장한다. 아내 폭력의 실제 사례와 가정폭력 피해자들에게 필요한 정보를 담고 있다.

⑦『폭력의 기억, 사랑을 잃어버린 사람들』(앨리스 밀러, 신홍민 옮김, 양철
북, 2006)

정신과 의사로서의 경험을 토대로 폭력의 기억으로 인해 평생을 고통 속에
보내야 했던 문호들의 삶과 작품을 독특한 시각으로 분석함으로써 아동학대
의 파괴적인 힘을 다룬다. 저자는 '무조건' 부모를 공경해야 한다는 제5계명
과 부모에 대한 원망을 금기시하는 도덕적 규범이 아동학대의 폐해를 조장한
다고 분석한다. 진실하고 절실한 감정을 부정하는 것이 개인과 사회에 미치
는 영향에 주목하고 있으며, 근본적인 원인에 대한 접근 없이 무조건 가해자
를 용서해야 한다고 강요하는 기존의 심리치료에 의문을 제기한다. 저자는
내면화된 부모와 헤어짐으로써 삶을 긍정하고 자신을 존중할 수 있다고 이야
기한다.

4. 나이듦

①『나이듦에 대하여』(박혜란, 웅진닷컴, 2001)

여자의 나이듦과 몸의 변화에 대해 여성학자가 풀어놓은 글이다. 중년에
들어서면서 질병으로 인해 비로소 몸의 중요성을 새롭게 인식하게 된 저자는
일상 속에서 나이듦의 의미를 통찰력 있게 드러낸다. 세월과 함께 누구에게
나 찾아오는 나이듦은 외면하고 무시해야 하는 것이 아니라 자연스럽게 받아
들이며 사랑해야 하는 것이라고 이야기한다. 늙음이 추함이고 악함이고 약함
이라는 고정관념이 확고한 우리 사회의 여성들에게 위로와 공감을 불러일으
키는 책이다.

② 『나이 먹는 즐거움』(박어진, 한겨레출판, 2008)

나이 오십에 퇴직으로 인한 우울증을 앓으며 갱년기로 진입한 저자는 나이 드는 게 겁나지 않을 왕언니의 모델을 찾다가 스스로 나이 든 여성의 색다른 모델이 되기로 결심한다. 이 책은 쉰셋에 신입사원으로 새로 시작한 저자의 갱년기 극복기로, 저자는 '행복한 후반전'을 맞이하기 위한 방법으로 몇 가지 원칙을 제시한다. 나이듦, 가족, 여성 등을 주제로 50대 여성의 현실과 그 이후의 노년의 삶에 대한 이야기를 유쾌하게 풀어낸다.

③ 『또 다른 나라』(메리 파이퍼, 공경희 옮김, 모색, 2000)

'노년'이라는 미지의 땅에 대한 심리학자의 안내서다. 저자는 노년을 '또 다른 나라'라고 표현한다. 자녀는 부모와 조부모와는 다른 '타임존'에서 살았으므로 그들의 언어는 물론 그들의 감정을 읽어내기가 무척 어렵다. 그리고 부모를 이해하고자 노력할 시간도 없이 바쁘다. 저자는 노년의 변화를 수용하면서 자녀와 부모가 서로 교류할 때 서로의 성장을 도울 수 있으며 용기 있고 위엄 있게 늙어가는 방법을 배울 수 있다고 말한다. 노년의 아름다움에 대해 이야기하면서 노인들을 이해하고 바람직한 관계를 맺기 위한 구체적인 방법을 제안한다.

④ 『마흔과 일흔이 함께 쓰는 인생 노트』(고광애·유경, 서해문집, 2007)

나이듦과 죽음에 대해 노년상담가 고광애와 죽음준비교육의 중년강사인 유경의 대화를 엮은 글이다. 큰 주제를 정하고 그 주제에 대해 각각 글을 쓰고 다시 돌려보고 토론하는 과정을 거쳐 완성되었다. 마흔과 일흔의 소통을 통해 나이듦의 지혜와 아름다운 이별을 위한 준비와 성찰을 담았다.

⑤ 『마흔의 심리학』(이경수·김진세, 위즈덤하우스, 2007)

마흔에 접어들면서 심리적 혼란과 신체적 변화로 인해 우울을 경험한 평범한 남성과 정신과 전문의가 진료실 밖에서 나눈 대화를 재구성했다. 정체성의 혼란을 겪는 남성의 일상적인 고민과 경험을 전문가의 심리처방과 함께 싣고 있다. 마흔의 남성들에게는 공감과 위로를 주며 주변 사람들에게는 남성들의 마흔앓이를 이해할 수 있도록 만드는 책이다.

⑥『서드 에이지, 마흔 이후 30년』(윌리엄 새들러, 김경숙 옮김, 사이, 2006)
사회학자인 저자는 200명의 40~50대 성인을 인터뷰해 그들의 삶의 패턴을 살펴보았다. 그리고 그중 50명을 12년간 추적한 뒤 그들을 통해 인생의 2차 성장을 위한 방법론이 될 만한 여섯 가지 원칙을 제시한다. 1부에서는 여섯 가지 원칙을, 2부에서는 그 내용과 사례를 소개한다. 저자는 깊은 통찰을 바탕으로 평가절하된 마흔 이후의 30년을 엄청난 성장 잠재력을 지닌 새로운 미개척지라는 뜻에서 '서드 에이지'라 부른다.

⑦『성찰: 나이듦과 변화 그리고 아름다운 마무리』(람 다스, 강도은 옮김, 씨앗을뿌리는사람, 2002)
미국 하버드 대학교의 교수였던 저자는 인도로 건너가 영적 스승인 마하라지를 만나 영적 탐구자의 길에 들어섰다. 거기에서 리처드 앨퍼트라는 이름을 버리고 람 다스, 즉 '신의 종'이라는 이름을 얻었다. 베스트셀러『지금 여기에 살라(Be Here Now)』에 이어 펴낸 이 책『성찰(Still Here)』에서 그는 자신의 고통과 뇌출혈을 극복한 경험을 바탕으로 나이듦에 대해 통찰한다. 몸의 변화를 받아들이고 사랑하는 일에서부터 병든 자아에서 벗어나기, 지금 이 순간을 사랑하기, 죽음과 죽어가는 것을 사랑하기까지 나이듦과 함께 삶에서 피해갈 수 없는 것들에 대해 깊이 있는 메시지를 전한다.

⑧『어른의 발견』(윤용인, 글항아리, 2008)
딴지일보 기자 출신인 저자는 20대 후반의 청년에서 40대 중반의 어른이 되어가는 과정을 결혼, 부부, 아이, 중년, 생활이라는 5개의 주제를 통해 에피소드 형식으로 다루었다. 40대 중반인 저자는 어른이 되어가는 심리의

반항과 집착, 부딪침과 깨짐, 브라운 운동 등에 대한 자신의 경험적 통찰을 유쾌한 글솜씨로 풀어낸다. 어른이 되어가는 과정에서 필연적으로 맞닥뜨리게 되는 청소년의 성장통 못지않은 삶의 고통을 너무 무겁지 않은 언어로 다룸으로써 현재의 삶을 긍정하고 변화를 여유롭게 받아들이도록 한다.

⑨『우아한 노년』(데이비드 스노든, 유은실 옮김, 사이언스북스, 2003)

인간의 노화와 알츠하이머병의 관계를 연구하는 역학박사의 '수녀연구'의 기록이다. 교육 수준과 생활양식이 비슷한 678명의 가톨릭 수녀들의 삶을 추적 조사한 저자는 성공적인 노화의 비밀을 밝혀내기 위해 이 연구를 시작했다. 인류에게 가장 비참한 질병 중 하나인 알츠하이머병과 노년의 건강에 관해서도 이야기한다.

⑩『융, 중년을 말하다』(대릴 샤프, 류가미 옮김, 북북서, 2008)

자신과 직면함으로써 중년의 위기를 극복하고 '개성화'로 나아가는 심리적 발달과 치유과정을 융 학파의 정신분석가가 소설 형식으로 풀어쓴 책이다. 융은 중년의 위기를 마음이 더욱 적절한 균형을 찾으려고 시도할 때 발생하는 일종의 자기치유의 과정으로 본다. 한 남성의 정신분석과정이라는 틀 안에서 융 심리학의 중요한 개념, 즉 의식과 무의식을 포괄하는 자기(self), 페르소나, 그림자, 아니마와 아니무스, 콤플렉스, 적극적 명상, 투사, 성격 유형, 개성화 등을 자세히 다룬다.

⑪『인생의 두 번째 고비, 우울증』(다카하시 요시토모, 나경인 옮김, 북스, 2007)

정신과 의사인 저자는 마음의 균형을 잃어버린 중년들에게 고립에서 벗어나 심리적 시야를 넓히고 삶의 활력을 되찾을 수 있는 방법을 제시한다. 스트레스, 불면증, 우울증 등으로 인해 중년의 위기에 처한 사람들에게 휴식을 취하고, 삶의 짐을 점검하고, 필요한 것만 남긴 채 나머지는 버리고, 자신을 있는 그대로 받아들이라고 조언한다. 그리고 세상의 가장 큰 힘은 자신을 사랑하는 마음이며 믿음이라고 덧붙인다.

⑫ 『정오에서 해질녘까지』(메리 다피츠, 남학우·김효성 옮김, 성바오로, 2003)

가톨릭 수녀인 저자는 '인생의 오후'인 중년 이후의 삶과 도전을 희망적으로 다룬다. 성인의 위기 또는 성인의 전환기에 처한 중년의 발달과제를 통찰하는 한편, 정서적·신체적 문제, 신체의 변화와 관리를 다루고 있으며, 삶의 고통과 죽음이라는 문제를 노년기의 영성과 관련지어 조명한다.

5. 학교

① 『교사와 학생 사이』(하임 G. 기너트, 신홍민 옮김, 양철북, 2003)

저자는 학생을 미성숙하지만 독립된 한 개인이자 인격체로 전제하며 교사들은 학생을 지적·정서적으로 가르치고 지도하고 존중해야 한다고 말한다. 이 책은 교사와 학생이 매일 교실에서 부딪치는 문제와 상황을 인격적으로 처리하는 방법, 심리적인 문제들을 해결할 수 있는 기술, 바람직한 의사소통의 방법을 제시한다.

② 『나쁜 교실』(야마와키 유키코, 김현희 옮김, 웅진주니어, 2007)

심리상담가의 오랜 상담 경험을 바탕으로 따돌림에 관한 아홉 가지 유형을 소개하고 아이들의 심리 메커니즘을 분석한다. 반 전체가 가담함으로써 공동의 놀이가 되고 죄책감은 반감되는 집단따돌림은 학교폭력의 가장 잔인한 형태로, 자살이나 정신이상을 불러올 정도로 후유증이 심각하다. 청소년 4명 중 1명꼴로 집단괴롭힘을 경험하는 현실에서 아이들을 어떻게 지켜나갈 것인가에 대한 현실적이고 친절한 대안을 제시한 책이다.

③『버림받은 성적표: 고등학생, 우리들이 쓴 시』(구자행, 보리, 2005)

고등학교 국어교사인 저자가 아이들과 삶을 가꾸는 글쓰기를 하고서 그 글을 모아 해마다 엮은 문집 중에서 좋은 시들을 뽑아 엮은 책이다. 3부로 나누어 고등학생들의 일상, 가난하지만 따뜻한 식구들이나 땀 흘리며 살아가는 이웃 사람들의 이야기, 전쟁이나 차별로 고통받는 세상 사람들 이야기를 담았다.

④『사랑의 매는 없다』(앨리스 밀러, 신홍민 옮김, 양철북, 2005)

어른에게서 받은 물리적 폭력과 정신적 학대는 감성적 기억이라는 형태로 어린이 몸속에 저장되며 이는 성인이 되었을 때 겪는 모든 정신질환의 원인이 된다고 한다. 그리고 이러한 경험을 자신도 모르게 다른 사람에게 전가하려는 충동에 사로잡힌다고 한다. 아동학대와 체벌의 부정적인 결과에 대한 사례와 함께 어린 시절 학대와 체벌을 받고 자란 사람들의 상처 치유와 극복에 대해 이야기한다.

⑤『새로 쓰는 청소년 이야기 1, 2』(또하나의문화 동인, 또하나의문화, 1997)

이 책은 우리의 교육 현실을 제대로 바라보고 청소년과 기성세대의 거리를 좁히는 한편, 청소년과 기성세대 간의 소통을 시도하려는 의도에서 출간되었다. 1권「아이들이 없다」에서는 집과 학교를 벗어나려는 청소년들의 이야기와 함께 학교 현장에서 청소년들과의 대화를 통해 의사소통의 장을 열어가는 교사의 이야기를 담았다. 2권「틈새내기」에서는 청소년들의 삶의 자리를 변화시키려는 어른들의 고민과 실험이 연극대본, 상담 프로그램, 교육 프로그램, 일기와 반성문, 청소년 카페공간 디자인물 등을 통해 소개된다.

⑥『얘들아, 너희가 나쁜 게 아니야』(미즈타니 오사무, 김현희 옮김, 에이지 21, 2005)

12년간 야간고등학교에 근무하며 방과 후 밤거리 순찰을 돌면서 비행

청소년 수천 명을 선도해온 한 교사의 감동 어린 이야기들을 담고 있다. 저자는 아이들에게 문제가 있는 것이 아니라 그들을 어둠 속으로 내몬 어른들에게 문제가 있으며 아이들은 그 피해자일 뿐이라고 말한다. 아이들은 모두 '아름다운 꽃을 피우는 씨앗'이므로 어른들이 제대로 물을 주고 정성껏 가꾼다면 아름다운 꽃을 활짝 피울 거라는 믿음으로 아이들에게 진정 필요한 것을 주는 저자의 인간애가 인상적이다.

⑦ 『학교를 거부하는 아이, 아이를 거부하는 사회』(조혜정, 또하나의문화, 1996)

의미 있는 움직임이 전개되는 현장을 찾고 그 움직임 속에서 희망적인 대안을 찾는 현장연구를 통해 우리 사회의 교육현실을 조명한 책이다. 이 책에서는 많은 아이들이 제도교육에서 이탈하고 있는 현실에서 실험교육과 대안교육이 부재하다는 사실을 지적한다. 또한 수업문화뿐 아니라 유흥문화, 낭만적 사랑, 성 문제, 영상문화 등 청소년들을 둘러싼 환경 및 청소년들의 일상적 삶도 그들의 언어로 담았다. 저자는 교육 문제의 핵심은 경쟁에서 이기는 아이를 기르는 것이 아니라 탈근대적 흐트러짐 속에서 자신을 존중하며 살아갈 수 있는 사람을 기르는 데 있다고 말한다.

⑧ 『학교종이 땡땡땡』(김혜련, 미래M&B, 1999)

현직교사가 《여성신문》에 '지금 교실에선'이라는 제목으로 연재한 교육에세이를 한데 묶었다. 이 책은 방황하는 아이들과 분노하는 교사들의 교육현장을 그대로 담고 있다. 아이들에게 따뜻한 관심을 보임으로써 일상의 좌절이나 열등감, 왕따, 외모콤플렉스 등에 시달리는 아이들에게 균형 잡힌 시각을 제공한다.

6. 가부장사회

① 『나는 제사가 싫다: 30년 동안 가부장제와 맞서 싸운 한 여성작가의 외침』
(이하천, 이프, 2000)

30년 동안 가부장제와 맞서 싸운 저자는 무조건 제사를 지내지 말자고
주장하는 것이 아니라 해월 최시형 선생의 향아설위(向我設位)에 남녀평등의
개념을 접목시킨 새로운 제사 형식을 도입하자고 주장한다. 가부장제에 대한
비판과 함께 내면적 언어의 발달, 동물사랑, 자녀교육에 대해 이야기한다.

② 『남자의 탄생: 한 아이의 유년기를 통해 보는 한국 남자의 정체성 형성과
정』(전인권, 푸른숲, 2003)

저자는 유년기에 가족과 학교 안에서 겪은 사건들을 반추하며 한국 남자들
의 정체성을 결정지은 한국 특유의 가족문화와 한국 사회의 구조적 특징을
지닌 인간형으로서 '동굴 속 황제'를 제시한다. 이 황제는 머리로는 자유와
평등 같은 민주주의적 가치를 신봉하면서도 몸은 어린 시절 습득한 아버지의
권위와 질서에서 벗어나지 못하는 딜레마에 빠진 인간으로, '권위주의와 자
기애(narcissism)의 동굴에 갇혀 주위를 제대로 살펴보지 못하는 사람'이다.
남성의 시각으로 우리 사회의 가부장문화와 남성의 정체성에 대해 솔직하게
성찰했다는 점이 돋보인다.

③ 『여자의 탄생: 대한민국에서 딸들은 어떻게 '여자다운 여자'로 만들어지
는가』(나임윤경, 웅진지식하우스, 2005)

개인적 체험과 심리학적 지식을 바탕으로 대한민국 여성들이 어떻게 길러
졌는지를 탐구하는 책이다. 이 책은 부모는 여자아이를 어떻게 키웠고 어떤
사람이 되길 바랐으며 자신은 어떤 장난감을 가지고 놀았는가, 선생님들은
여자인 자신에게 무엇을 가르쳤으며 세상은 자신에게 무엇을 요구했는가라
는 의문에서 시작한다. 저자는 생물학적인 측면을 제외한 남녀의 특징은

가부장적 한국 사회와 같은 일정 상황에서 '만들어진 내용'에 불과하다는 입장이다. 즉 미리 성별을 구분해놓고 여성은 여성성을, 남성은 남성성을 갖도록 키워지는 것이지 남녀의 특징이 선천적인 것은 아니라고 주장한다.

④『장남과 그의 아내: 33쌍과의 인터뷰』(김현주, 새물결, 2001)

심층면접을 통해 두 남녀의 만남에서부터 혼수와 집 마련, 동거와 분가, 부부관계와 고부관계에 이르기까지 한국 사회 장남부부의 실상과 문제점을 철저한 상황분석으로 세심하게 읽어낸다. 이 책은 우리 사회에서는 가족 내에서의 책임과 의무를 수행해야 하는 주체가 장남과 결혼한 여성이라는 문제의식에서 출발한다. 저자는 효도라는 명목으로 억압을 하기보다는 부모와 자녀 간에 서로 존중하고 진정한 애정에서 비롯되는 관계의 넉넉함과 자율성을 가져야 한다고 강조한다.

7. 여자와 남자

①『그 남자가 원하는 여자, 그 여자가 원하는 남자』(김성묵, 김영사, 2003)

두란노아버지학교 운동본부장으로 활동하는 저자는 일상생활에서 부부가 주로 겪는 갈등과 오해의 상황을 사례 중심으로 실감나게 풀어냈다. 대중적이고 보수적인 시각에서 쓰인 글이다.

②『남자, 그 잃어버린 진실』(스티브 비덜프, 박미낭 옮김, 젠북, 2007)

가족 부양에 대한 중압감을 가지고 있으면서도 가족과 공동체, 심지어 자신과도 소외된 채 살아가는 남자들의 내면의 고통을 따뜻한 시선으로 바라본다. 남성들에게 진정한 남자다움은 무엇인지, 남성이 어떻게 변해야 하는지 문제를 제기한다. 또한 자신의 조언뿐만 아니라 다른 목소리도 함께 제공함으로써 균형감을 유지한다. 남성들에게 남성운동이란 호흡하는 것만큼이나 자연스러운 일이라고 저자는 말한다. 남자에 대한 새로운 관점을 제시함으로써 건강하고 자유로운 남성성의 재발견을 돕는 책이다.

③『남자, 여자를 해석하다』(허브 골드버그, 진성록 옮김, 부글북스, 2007)
심리치료사가 쓴 남녀관계와 사랑에 대한 책이다. 남성들을 위한 책으로 여자들이 남녀관계를 어떻게 해석하고 이해하고 반응하는지, 남자들이 여자와의 관계를 어떻게 보는지를 밝힌다. 또한 남자들의 인간관계 프리즘과 맹점, 자멸적인 행동, 자기방어적인 행동, 그리고 행동유형이 형성되는 과정을 분석하는 한편, 여성의 내면 깊숙한 곳에 있으면서 인간관계의 바탕을 이루는 요소들을 파헤친다. 왜곡이나 환상 없이 건강한 남녀관계를 가꿔가는 데 필요한 지침도 제공한다.

④『남자는 왜 화를 잘 내고, 여자는 왜 따지기를 좋아할까?』(바톤 골드스미스, 최수희 옮김, C.Song, 2007)
관계전문가이자 심리치료사인 저자가 자신의 경험을 바탕으로 쓴 정서운동, 감성훈련 지침서다. 저자는 배우자와의 관계에서 감성적 일치를 이루기 위해 깊은 대화를 나누는 방법과 심도 있는 유대관계를 이루기 위한 직접적인 방법에 대해 설명한다. 또한 하루에 10분을 투자해 할 수 있는 52개의 감성훈련을 제시한다.

⑤『아주 작은 차이』(알리스 슈바르처, 김재희 옮김, 이프, 2001)
독일 여성운동의 대모인 저자가 여성의 성과 사랑에 대해 페미니스트의 입장에서 서술한 책이다. 다양한 계층의 독일 여성들의 이야기를 다루었지만 시대와 공간을 뛰어넘어 우리 사회의 상황과도 크게 다르지 않다는 사실이 놀랍다. 아주 작은 생물학적인 차이를 이유로 사회문화적으로 크게 차별하는 사회의 편견과 권력과 제도의 힘을 돌아보게 만든다. 10여 명의 여성이 일상의 고통과 문제를 통해 자신의 삶을 돌아보며 솔직한 고백을 하는 데 이어

가사노동, 모성본능의 신화, 사랑과 성에 대해 근본적인 의문을 제기한다. 남성과 여성이 진정한 소통을 위해 함께 읽어야 할 책이다.

⑥『언니네 방 1, 2』(언니네 사람들, 갤리온, 2006~2007)

여성의 시각으로 세상을 바라보고 이야기하며 함께 놀고 일하고 공부하는 사이버 커뮤니티인 언니네(www.unninet.net) 방에 쌓여온 수만 개의 글 중에서 추려낸 여성들의 이야기다. '언니네'의 '자기만의 방'은 여자들만의 내밀한 이야기와 솔직한 욕망을 거침없이 드러내는 장이자 여성들이 글쓰기를 통해 마음의 상처를 치유하고 지혜를 나누는 장이다. 여자들만의 진실을 드러냄으로써 여성 자신의 삶에 더 가깝게 다가설 수 있는 계기를 마련한다.

⑦『여자를 미워하는 남자, 그 남자를 사랑하는 여자』(수잔 포워드·조안 토레스, 서현정 옮김, 명상, 2003)

여성 혐오자와의 결혼생활을 경험하거나 그런 관계에서 고통받은 여성들을 상담해온 저자는 문제의 남녀관계를 파악하고 이해하는 것이 자기비하와 자책감에서 벗어나는 데 큰 힘이 된다고 말한다. 이 책은 다양한 사례 분석과 효과적인 훈련기법을 다루고 있다. 1부에서는 여성 혐오자와의 만남부터 혼란과 고통의 상황으로 넘어가는 과정까지를 다양한 사례를 통해 분석한다. 2부에서는 배우자와의 관계를 개선하는 구체적인 기법과 실제 과정을 소개한다. 상대방과 자신에 대한 가상 질문 및 대답과 함께 자신의 기분을 통제하는 방법, 아픔을 극복하고 실제 상황에 대처하는 방법 등을 제시하는 자가치유서다.

8. 생활 속의 상처

① 『가족: 진정한 나를 찾아 떠나는 심리여행』(존 브래드쇼, 오제은 옮김, 학지사, 2006)

미국에서 <브래드쇼의 가족(Bradshaw On The Family)>이라는 제목으로 방영된 텔레비전 시리즈의 내용을 보강한 책이다. 모든 문제의 핵심은 가족이라는 인식에서 출발해 우리 각자가 어떻게 가족체계 안에서 진짜 자기를 잃어버리게 되었는지, 우리의 가족체계가 어떻게 오늘날의 중독사회를 만들게 되었는지 이야기한다. 이 책에서 저자는 자존감을 강화하기 위한 새로운 방법과 역기능가정에서 손상된 잃어버린 어린 시절의 자신을 회복하는 방법을 제시한다.

② 『내적 불행』(마사 하이네만 피퍼·윌리엄 J. 피퍼, 김미정 옮김, 푸른역사, 2008)

저자들은 원하는 삶을 살지 못하도록 방해하고 결심한 것을 끝까지 밀고 나가지 못하게 만드는 내면의 힘을 '내적 불행'이라 부른다. 내적 불행은 아이들의 성장발달을 방해하고, 무의식 속에서 우리를 교묘히 조종하며, 사람과의 관계를 파괴하고, 건강, 일 등 인생 전반에 걸쳐 부정적인 영향을 미친다. 이 책에서는 어린 시절 부모의 양육방식이 미친 영향과 내적 불행의 원인을 분석하면서 내적 불행을 극복하고 건강을 지키는 방법, 행복하고 친밀한 관계 맺기 등 균형 잡힌 삶을 살기 위한 구체적인 방법을 제시한다.

③ 『따귀 맞은 영혼』(배르벨 바르데츠키, 장현숙 옮김, 궁리, 2002)

비난이나 배척, 거절, 따돌림, 무시같이 스스로 가치가 깎인 듯한 느낌이 들게 만드는 반응들로 인해 일상에서 겪는 마음상함을 다룬다. 이 책에서는 마음상함의 이면에는 무슨 일이든 자신과 관련된 것으로 받아들이는 당사자의 태도, 남이 나에게 해를 입히려 한다고 믿는 '투사', 타인의 확신을 자기

것으로 고스란히 받아들이는 '내사', '미해결 과제(게슈탈트)' 등의 기제가 작용하고 있다고 본다. 자신의 감정과 직접 대면하는 연습을 통해 과거의 상처받은 경험을 두려움 없이 바로 대할 수 있을 때 새로운 시각으로 사물을 대할 수 있으며, 남과 공감하고 남을 이해해야 자신의 감정에만 매몰되는 것을 막을 수 있다고 저자는 이야기한다.

④『마음을 치유하는 하트밴드』(로라 슐레징어, 이순주 옮김, 문학수첩, 2006)

심리학자이자 라디오 상담 프로그램의 진행자인 저자는 불행한 어린 시절로 인해 고통받고 있는 사람들에게 더 이상 피해의식에 머물러서는 안 되며 어린 시절의 불행에서 벗어나 어린 시절을 정복해야 한다고 이야기한다. 이 책은 구체적인 상담사례를 통해 어렸을 때 받은 정신적 공격의 진실을 받아들이도록 만들며, 자신만의 독특한 대처방식과 그 방식이 자신의 일상적인 생각과 행동에 끼치는 영향을 이해시킴으로써 행복한 삶으로 가는 해법을 제시한다.

⑤『상처받은 영혼』(프랭크 페레티, 오현미 옮김, 진흥, 2003)

저자는 자신이 과거에 겪었던 실제 고통을 열어 보임으로써 조롱과 따돌림, 집단 학대 등이 사람을 얼마나 극한 상황으로 몰아넣을 수 있는지 보여준다. 그리고 모든 사람의 내면에 숨겨져 있는 상처받은 영혼을 치유할 수 있는 길을 예리한 통찰력으로 제시한다.

⑥『식구: 우리가 사랑하는 이상한 사람들』(김별아, 베텔스만, 2005)

저자는 가족을 '상처인 동시에 구원'이라고 말한다. 가장 가까운 사이이면서도 소통하지 못하고 서로를 깊이 감싸주지 못하는 가족의 이야기를 41개의 이야기로 풀어낸다. 현실적인 문제, 가족의 위기와 해체, 여성의 정체성에 대해서도 함께 고민할 수 있는 생생한 글이다.

⑦ 『트라우마: 가정 폭력에서 정치적 테러까지』(주디스 허먼, 최현정 옮김, 플래닛, 2007)

성폭력 및 가정폭력 피해자와 20여 년 동안 함께해온 저자의 연구 및 임상작업의 결과물이다. 또 다른 외상을 경험한 사람들, 특히 참전군인, 정치 폭력 피해자들과 함께한 경험도 담고 있다. 1부에서는 심리적 외상 연구의 역사를 추적하고 외상이 파괴한 인간의 심리에 대해 설명하는 한편, 외상후 유증을 개념화한 역사를 비판하고 이에 대한 새로운 개념화를 시도한다. 2부에서는 다양한 치료 사례를 통해 치료적 관계와 치료과정, 집단치료에 대해 설명한다. 저자는 외상 피해자에게 가장 필요한 지원은 안전감의 회복이며 외상을 재구성하는 단계에서는 '애도'가 중요하다고 말한다. 마지막으로 자기 삶을 통제할 수 있는 힘을 회복함으로써 사회적인 '연결'을 복구하도록 제안한다.

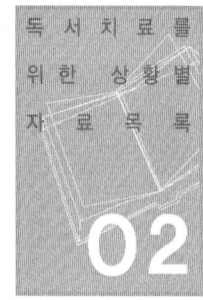

독서치료를
위한 상황별
자료목록

02

돌봄과 치유

김경숙

1. 강박증

① 『강박증 이제 안녕: 강박사고와 강박행동을 스스로 극복할 수 있는 방법』
(에드나 B. 포아 외, 박형배 옮김, 하나의학사, 2000)

끊임없는 스트레스와 불안에 취약한 구조를 가진 사람들은 강박증을 가질
수 있다고 저자는 말한다. 자신의 문제를 이해하라는 조언으로 시작하는
이 책은 강박 증상을 자세히 분류하는 한편, 3주간의 자조치료 훈련프로그램
과 약물치료를 소개한다. 또한 수년간 강박증으로 고통받은 사람들이 단기간
실제로 치료받은 수기를 소개함으로써 강박증 환자나 치료자들에게 희망을
준다. 환자나 전문가 모두를 위한 실용서다.

② 『공중그네』(오쿠다 히데오, 이영미 옮김, 은행나무, 2005)

이쑤시개만 봐도 오금을 못 펴는 야쿠자 보스, 병원 원장인 장인어른의
가발을 벗겨버리고 싶은 충동에 시달리는 정신과 의사, 걸핏하면 공중그네에

서 추락하는 베테랑 곡예사, 자신의 작품 줄거리를 기억하지 못해 전전긍긍하는 인기 작가 등 강박증에 시달리는 현대인의 모습을 위트와 풍자로 그린 소설이다. 가볍지 않은 강박증이라는 주제를 아주 유쾌하게 다루는 주인공 정신과 의사의 처방이 일품이다.

③『나는 왜 나를 피곤하게 하는가』(권준수, 올림, 2000)

강박증이란 신경증의 일종으로 본인이 원하지 않는데도 마음속에 어떤 생각이나 장면 또는 충동이 반복적으로 떠올라 이로 인해 불안을 느끼고 그 불안을 없애기 위해 반복적으로 일정한 행동을 하는 질환이다. 저자는 강박증 클리닉을 운영한 경험을 토대로 현대 한국인의 정신세계를 강박증이라는 프리즘을 통해 들여다본다. 한국인의 대표적인 강박 증상이라고 할 수 있는 조급증을 비롯해 일류병, 평등 강박증, 영어 강박증, 다이어트 강박증, 신체이형증, 인터넷 중독 등 일상생활에서 흔히 나타나는 강박증을 다룬다. 또한 '뇌의 딸꾹질'이라고 비유되는 강박증의 원인을 분석하면서 정신치료, 약물치료, 인지행동치료 등 강박증 치료법을 사례와 함께 소개한다.

④『내 아이에게 틱과 강박증이 있대요!: 투렛증후군 환자와 가족을 위한 희망보고서』(앙엘라 숄츠·아리베르트 로텐베르거, 박진곤 옮김, 부키, 2006)

틱과 강박, 투렛증후군(자신도 모르게 몸의 일부를 움직이거나 이상한 소리를 내는 증세)을 앓고 있는 아이의 부모와 의사가 쓰고 엮은, 환자들에 대한 용기와 희망의 보고서다. 책에서 저자들은 투렛증후군 환자들에게 병에 대해 의연하고 당당하라고 조언한다. 최신의 연구 성과와 더불어 저자들의 체험에 근거해 투렛증후군 발병 원인을 분석하고 적절한 치료법 및 대처법을 제시한다.

⑤『달빛 아래서의 만찬』(아니타 존스턴, 노진선 옮김, 넥서스, 2003)

저자는 섭식장애에 시달리는 여성들에게서 각기 근본 원인은 다르지만 환경에 적응하지 못한 채 매사를 타인과 다른 방식으로 보는 부적응자로 살아간다는 공통점을 발견한다. 저자는 음식에 대해 집착하는 원인이 자신이 어떤 권력을 갖는 것에 대한 두려움 때문이라고 본다. 또한 여성이 권력을 두려워하는 것은, 이를 절대적 권력이 아닌 상대적 권력, 즉 약자 위에 군림하는 권력으로 보기 때문이라고 분석한다. 저자는 이런 여성들에게 자신의 중심부를 향한 여행을 통해 다른 사람들로부터 받아들였던 자신에 대한 낡은 인식을 버리고 자신의 진정한 생각, 감정과 욕구를 찾도록 하는 내면의 목소리에 귀 기울여야 한다고 역설한다.

⑥『살아 있는 죽음, 강박증 1, 2』(김선인, 한솜, 2002)

강박증 경험자이자 다음카페 '강박증학술회'의 대표 운영자인 저자는 강박증의 원인과 치료법에 대한 연구를 10여 년째 계속하고 있다. 저자는 강박증 유발요인을 '순간 포착 심리'라 명명하며, 강박증은 어떤 순간을 느끼고자 하는 본능과 관련되어 있다고 본다. 살아 있는 죽음 같은 강박증에 대한 저자의 독창적인 이론과 그에 대한 치료법, 어린이 환자를 위한 강박증 우화, 성인을 위한 실화를 바탕으로 한 실화소설 등을 소개하고 있다.

⑦『지나친 책임감을 벗어라』(엘리자베스 슈룸프·하이디 베르디, 손영미 옮김, 문학과학사, 2003)

이 책은 자신의 적재능력을 고려하지 않은 채 습관적으로 의무와 과제를 짊어지고 끊임없이 자신과 남을 걱정하는 사람들을 다룬다. 이 책에서는 지나친 책임감 때문에 남의 짐을 떠맡고 남의 욕구만 따를 경우 자신의 내면의 목소리를 듣지 못하는 비싼 대가를 치르게 된다고 충고한다. 또한 지나친 책임감이 우리 일상에서 어떤 모습으로 나타나는지, 그 원인이 무엇인지, 우리의 몸은 어떤 반응을 보이는지, 파트너 관계와 대인관계에서의 지나친 책임감이 어떤 결과를 초래하는지, 지나친 책임감에서 어떻게 벗어날 것인지에 대해 이야기한다.

2. 상실감

①『꽃피는 고래』(김형경, 창비, 2008)

부모의 죽음이라는 가장 큰 상실을 경험한 소녀가 또 다른 상실을 경험한 주변 사람들과의 관계에서 상실을 온몸으로 겪으면서 그 과정을 통과하는 과정을 그린 성장소설이다. 저자는 상실 앞에서 무기력하고 절망하는 우리들에게 깊이 애도하는 과정을 거쳐야만 성숙할 수 있음을 주인공 니은이를 통해 보여준다. 삶에서 피할 수 없는 상실에 직면한 사람들에게 위로와 치유의 메시지를 준다.

②『모든 것을 잃어도 잃을 수 없는 것』(정찬호·채정호·조현주, 나들목, 2003)

정신과 전문의들이 상실의 아픔을 겪고 있는 사람들의 내면을 진지하게 들여다보고 상실을 극복해가는 방법을 제시한 책이다. 이 책에서는 사물이든 사람이든 애착대상의 상실에서 생기는 아픔은 정직하게 아픔을 직시하고 치유하는 과정을 거쳐야만 다음 단계로 나갈 수 있다고 말한다. 치유과정을 자세하게 다루고 있는 이 책은 상실을 받아들이고 자신과 비슷한 상실의 아픔을 겪고 있는 사람과 함께 상실 극복을 위한 여정을 떠날 수 있도록 실질적인 행동 지침을 제시하는 자가치유서다.

③『상실: 결별과 부재의 슬픔을 다독이는 치유 에세이』(조앤 디디온, 이은선 옮김, 시공사, 2006)

사랑하는 사람의 갑작스런 죽음 뒤에 찾아오는 상실의 슬픔에 대해 저널리스트이자 작가가 쓴 애도의 글이다. 상실의 고통에 수반되는 비통함은 경험하기 전에는 아무도 모르는 '곳'이라고 한다. 남편이 돌아올지도 모른다는 생각에 사로잡혀 신발을 버리지 못한 저자는 사망 전후 시간을 되돌리며 이야기를 재구성하고 있으며 함께한 시간을 추억하는 과정에서 끝없는 부재와 공허, 무의미와 맞닥뜨리며 상실을 인정해간다. 상실로 인해 극심하게 고통받는 심리를 작가 특유의 섬세한 문체와 지적인 논리로 기록했다.

④『상실 수업』(엘리자베스 퀴블러 로스·데이비드 케슬러, 김소향 옮김, 이
레, 2007)

누구나 상실을 겪지만 슬픔에 온전히 자리를 내어주는 사람은 많지 않다.
죽음을 연구한 정신의학자와 제자는 일상에서 겪는 상실을 회피하거나 억압
하거나 우회하는 것이 습관화된 우리에게 충분히 슬픔을 풀어놓아야 할 이유
를 설득력 있게 제시한다. 저자는 병상에서 죽음과 싸워가면서도 상실로
고통받을 남겨질 사람에게 전하는 메시지를 남겼다. 30분 동안 울어야 할
울음을 20분 만에 그치지 말 것, 눈물이 전부 빠져나오게 둘 것, 슬픔의
가장 밑바닥에까지 발을 디뎌볼 것을 강조하는 저자는 모든 상실은 '끝남'의
의미가 아니라 '아직도 계속되는 삶'의 명백한 증거라고 이야기한다.

⑤『슬픔이 내게 말을 거네: 내 안의 슬픔을 치유하는 방법』(존 제임스·러셀
프리드먼, 장석훈 옮김, 북하우스, 2004)

상실감치유연구소를 운영한 경험을 토대로 저자들은 익숙한 행동방식이
변화하거나 끝남으로써 생기는 모순된 감정을 상실감이라 칭하며, 죽음, 이
혼, 건강상의 변화 같은 부정적인 사건 외에 이사, 입학, 결혼 등의 상황에서
도 상실감이 생길 수 있다고 말한다. 상실에 대처하는 잘못된 통념을 나열하
면서, 상실감을 해소하기 위한 일시적인 에너지 분출은 감정의 마비나 회피
를 가져올 뿐이라고 충고한다. 한편 상실그래프와 관계그래프를 그림으로써
상실의 고통을 치유의 요소로 바꾸는 방법을 설득력 있게 제시한다.

⑥『애도: 상실과 마주하고 상실과 더불어 살아가기』(베레나 카스트, 채기화
옮김, 궁리, 2007)

상실과 애도에 대한 독일어권의 고전이다. 애도는 상실의 체험에 반드시
필요한 정신과정이다. 저자는 상실을 겪은 후 대부분 건너뛰는 그 지점으로

눈길을 돌려 상실과 연관된 감정을 면밀하게 살피는 한편, 그렇게 해야만 하는 이유를 다양한 사례를 통해 밝히고 있다. 또한 애도과정의 전 단계를 안내하는 꿈을 통해 우리의 무의식이 상실을 해소하는 데 어떻게 기여하는지를 알려준다.

⑦ 『우리 아이가 슬퍼할 때』(존 제임스·러셀 프리드먼·레슬리 랜던 매뮤스, 홍현숙 옮김, 북하우스, 2004)

상실의 아픔을 겪고 있는 아이들이 상실감을 다루는 방법을 『슬픔이 내게 말을 거네』와 같은 맥락에서 알려준다. 가르쳐주지 않아도 적절하게 상실의 슬픔을 표현하는 아이들에게 어른들은 "슬퍼하지 마라", "상실감을 다른 것으로 대체해라", "슬픔은 혼자 견뎌라", "시간이 흐르면 상처는 치유된다", "다른 사람을 생각해서 강해져라"라는 식으로 강요하며 슬픔에 대한 잘못된 통념을 심어준다. 아이들의 감정의 앙금을 찾아내고 정리하는 방법, 이를 치유의 요소로 바꾸는 방법을 사례를 들어 구체적으로 제시한다.

3. 수치심, 대인불안

① 『당당하게 살자: 수줍음을 극복하는 법』(머레이 B. 스테인·존 R. 워커, 이훈구 옮김, FKI미디어, 2002)

남 앞에서 얼굴이 빨개지고 즉흥 인사말을 못하며 남이 옆에 있으면 불안해하는 증상을 보이는 수줍음은 대인공포증, 대인기피증, 자폐적인 생활 같은 형태로 나타난다. 이 책은 수줍음증 치료의 권위자인 저자들이 치료경험을 바탕으로 수줍음증을 자가진단하고 교정할 수 있는 다양한 방법을 소개한 자가치유서다. 모든 치료법이 모든 사람에게 효과가 있는 것은 아니므로 융통성 있게 치료법을 선택하고, 인내심을 가지며, 반복연습으로 생활 속에 다른 사람들이 들어오도록 만들라고 저자들은 조언한다.

② 『대인공포 클리닉』(이시형, 이다미디어, 2002)

대인공포클리닉에서 환자를 진료한 경험을 바탕으로 신경정신과 전문의가 쓴 자가치유서다. 대인공포에 대한 다양한 사례와 함께 심리적 원인, 대처방법, 극복방안에 대해 다룬다. 저자는 의식적인 노력으로 성격을 개조할 것이 아니라 자기 성격을 자신의 일부로 받아들이라고, 자기 성격의 장점을 찾아내어 적극 활용하라고 조언한다.

③ 『대인공포증 치료 상, 하』(이시형, 풀잎, 2005)

대인공포증의 여러 증상과 원인 그리고 치료과정을 자세히 담았다. 이 책은 대인공포증에 대한 이론 및 치료기법을 소개하는 한편, 저자가 개발하고 시행한 '대인공포증 집단치료' 과정에서 의사와 환자들이 나눈 대화를 녹취해 실었다. 치료기법에 대한 이론적 배경과 실제 치료기간인 8주간의 치료적 대화가 자세히 실려 있으므로 이 책을 읽고 실제로 적용한다면 치료의 가능성을 발견할 수 있을 것이다.

④ 『부끄러움』(버나도 카두치, 김종우·이선영 옮김, 황금가지, 2007)

연구와 임상경험을 바탕으로 부끄러움에 대해 깊이 있게 다룬 책이다. 이 책은 부끄러움을 타는 사람이 스스로 자신의 상황을 돌아볼 수 있도록 구성되어 있다. 일상생활에서의 부끄러움의 정체를 밝히고 셀프테스트를 소개하는 한편, 부끄러울 때 나타나는 증상을 신체적 증상, 심리현상, 자기 정체성 관점에서 다룬다. 또한 부끄러움을 극복하는 방법과 대응전략을 제시하면서 개인 차원이 아닌 통합적·문화적 관점에서 부끄러움을 폭넓게 이해하고 대처하는 방법도 다루고 있다.

⑤ 『부끄러움』(이호영, 청년의사, 2002)

저자는 부끄러움이란 본질적으로 자기를 평가하고 성찰할 때 느끼는 감정으로 진정한 자기를 아는 데 도움이 되는 감정이라고 말한다. 이 책에서는 저자 자신도 가지고 있는 부끄러움의 정서를 여러 측면에서 다룬다. 저자는 부끄러움이라는 감정은 인간이 예외 없이 타고난 감정이라고 분석하면서 각 개인이 이를 표현하거나 숨기거나 또는 스스로 방어하는 모습을 다양하게 보여준다. 한편 부끄러움을 인격에 긍정적으로 수용하지 못하고 이를 부정하거나 외부로 전가시키는 등 잘못 관리하는 현상도 진단한다. 또한 중독현상의 심리적인 근원인 수치심을 다루면서 지나친 수치심을 건전한 부끄러움으로 전환시키는 방법도 제시한다.

⑥ 『사회공포증의 이해와 극복하는 방법: 수줍음의 비밀』(프랭클린 쉬넬러, 오동재·오강섭 옮김, 하나의학사, 2001)

이 책에서는 사회적 상황을 자기 멋대로 잘못 해석하면서 긴장하게 되는 주관적인 병이 사회공포증이라고 정의한다. 인지적 왜곡상태로 인해 생기는 사회공포증을 제대로 이해하고 사회공포증에서 벗어날 수 있는 방법을 제시하고 있는 이 책은 사회공포증과 인간의 두려움을 설명하는 한편, 사회적 불안에 대해 상세하게 다룬다. 또한 사회적 불안의 원인을 생물학적·심리적·사회학적·문화적인 영역으로 구분해 설명한다. 단계별 자기 치료뿐만 아니라 인지행동치료, 약물치료 등도 사례 중심으로 깊이 있게 다루고 있어 실질적인 도움을 받을 수 있는 자가치유서다.

⑦ 『수줍음과 사회불안의 극복』(리차드 스윈슨·마틴 안토니, 최병휘 옮김, 시그마프레스, 2005)

불안장애 분야의 권위 있는 임상가이자 연구자인 저자들이 발표불안, 면접불안, 필기불안, 대화불안 같은 사회불안 증상을 극복하기 위한 기초적인 전략을 상세히 설명한 자가치유서다. 이 책은 자기평가를 통해 스스로 문제를 파악하고 치료전략을 선택하도록 만드는 한편, 불안을 유발하는 부정적인 사고를 변화시킬 수 있는 인지치료적 방법을 제시한다. 저자들은 수줍음과 사회불안을 극복하기 위해 꼭 실천해야 하는 전략으로 노출을 강조한다. 또한 사회적 상황이나 수행상황에 직면한 사람들이 두려움을 극복할 수 있는 방법도 소개한다.

⑧『수줍음의 심리학』(파우스토 마나라, 안기순 옮김, 티비, 2007)

수줍음은 보통 고질적이거나 비정상적이거나 여성의 미덕으로 잘못 인식되고 있지만 이는 본래 매우 인간적인 본성이며 치료하기보다는 소중히 다뤄야 하는 감정이라고 저자는 이야기한다. 또한 수줍음을 제대로 다루기 위해서는 타인의 시선이 두려워 애써 무시해온 자신의 기준과 아름다움에 대한 기준을 다시 세우는 용기, 즉 자기존중이 필요하다고 말한다. 수줍음의 기원부터 다루는 이 책은 수줍음을 숨기기 위해 사람들이 사용하는 마음의 다양한 '보형물'을 진료 사례를 통해 소개한다. 수줍음에 대해 건강한 시각과 위안을 제공하는 책이다.

4. 우울증

①『검정개 블래키의 우울증 탈출기』(베브 아이스베트, 김은령 옮김, 명진, 2003)

이 책에서는 우울증을 몰고 오는 검정개를 '블래키'라고 부른다. 이 책은 때와 장소를 가리지 않고 불쑥 우리 삶에 나타나서 일상을 흔드는 우울증을 다루는 방법을 짧고 명쾌한 문장과 삽화로 다룬다. 우울증의 신호, 증상, 원인에서부터 콤플렉스를 극복하고 삶의 주도권을 찾는 방법까지 재치 있게 풀어낸다. 누구에게나 찾아오는 '마음속의 감기'인 가벼운 우울증을 다루는 데 도움이 되는 책이다.

②『남성 우울증: 남자도 우울하다』(아치볼트 하트, 조현주·현명호·김정미 옮김, 학지사, 2006)

저자는 스트레스나 왜곡된 가치관, 피할 수 없는 상실 때문에 겪는 남성의 덜 심각한 수준의 우울증도 큰 아픔과 고통을 유발한다는 것에 주목한다. 남성은 독특한 방식으로 우울증을 경험하며 남성의 '감추어진 우울증'은 가족 전체, 특히 배우자를 황폐하게 만든다고 말한다. 남성의 자아 무력감, 남성 우울증의 원인과 증상, 남성 우울증의 가면, 남성의 정서, 남성 우울증의 치료, 상실을 슬퍼하는 방법까지 남성 우울증에 대한 폭넓은 이해와 치유메시지를 담고 있다.

③『왜 나만 우울한 걸까?』(김혜남, 중앙M&B, 2003)

우울을 몸으로 체험한 정식분석 전문의인 저자는 전문용어를 사용하지 않으면서 여러 가지 사례와 함께 수용적인 태도로 우울증에 대한 이야기를 풀어낸다. 우울은 피해갈 수 없으며 우울할 자격이 따로 있는 것이 아니므로 성공한 사람도 우울을 겪을 수 있다고 말한다. 그러므로 항상 밝고 유쾌한 사람에게 특별히 주눅 들 필요도 없다고 격려한다.

④『우울의 늪을 건너는 법: 우울증은 나의 인생을 어떻게 바꾸었나』(홀거 라이너스, 이미옥 옮김, 궁리, 2003)

20년 이상 고통받던 우울증의 늪에서 빠져 나와 새 삶을 살게 된 건축가의 담담하면서 치열한 자기고백이다. 우울증을 일으키는 발병인자는 무엇이며 우울증이 진행되는 과정에서는 어떤 요소들이 영향을 미치는지, 또한 이 질병으로부터 빠져나오기 위해 어떤 길을 걸었는지에 대해 밝힌다. 저자는 흔히 한 가지 생각에만 사로잡혀 있는 우울증 환자들이 우울증을 다른 식으로 생각함으로써 헛된 환상으로부터 빠져나올 수 있음을 보여준다. 그리고 우울증은 환자 자신이 살고자 하는 의지를 가져야 나을 수 있으며 완치되지 않더라도 병과 더불어 살아갈 수도 있다고 이야기한다.

⑤『우울증, 내 안의 파란 열정』(로렌 도켓, 이수빈 옮김, 현실문화연구, 2006)

우울증을 경험한 여성들의 목소리를 담은 책이다. 공허감과 단절감, 무기력감은 어떤 것인지, 우울증이라는 진단을 받을 때면 어떤 기분이 들고 우울증에 걸리면 어떤 증상이 나타나는지, 그 고통과 어떻게 마주해야 하는지, 그리고 어떻게 해야 우울증에서 벗어날 수 있는지, 그때의 안도감과 기쁨은 어떠한지 이야기한다. 많은 여성은 다른 사람이 자신과 똑같은 일을 겪고 있고 그들 역시 자신과 똑같은 감정을 느끼고 있다는 걸 알게 되는 순간 자신도 우울증에서 회복되리라는 희망이 생겼다고 말한다. 저자는 우울증에 빠졌을 때는 무엇보다도 자신의 감정을 아주 구체적으로 이야기하는 게 첫 번째 할 일이라고 충고한다. 우울증에 빠져 있는 여성들에게 공감을 불러일으키면서 격리와 고립에서 벗어날 수 있는 길을 제시해주는 책이다.

⑥『우울증 스스로 극복하기』(폴 호크, 김희수·박경애 옮김, 사람과 사람, 2005)

수십 년간 우울증 환자를 대상으로 상담하고 치료한 저자 자신의 경험을 살려 우울증을 스스로 극복할 수 있는 방법을 제시한다. 실수와 죄의식은 별개이며 동정심을 악용하는 정서적 협박에는 결코 굴복하지 말라고 저자는 이야기한다. 저자가 활용한 상담기법의 핵심은 어떻게 해서 자기 자신을 우울하게 만드는가, 어떻게 해서 우울증을 지속시키는가, 어떻게 해야 우울증을 예방할 수 있는가, 이 세 단계였다. 인지-정서-행동치료요법으로 우울증을 완벽하게 극복한 사람들의 실제 사례를 토대로 쉽게 우울증에서 벗어나 자기감정을 관리할 수 있도록 만드는 자가치유서다.

⑦『우울증에 반대한다』(피터 D. 크레이머, 고정아 옮김, 플래닛, 2006)

정신의학자인 저자는 우울증을 단순히 '마음의 감기' 정도로 보는 사회 일반의 오해와 편견이 우울증 환자들을 더 깊은 절망의 나락으로 떨어뜨리고 있으며 또한 우울증을 창조성과 감수성의 원천으로 간주하는 문화적 인식이 우울증의 적극적인 치료를 막고 있다고 주장한다. 저자는 자신의 진료경험을 토대로 의학, 생물학, 통계학 등 과학 영역의 최신 연구 결과에서부터 문학, 철학, 미술 등 예술과 철학에 이르기까지 다양한 영역을 인용하고 분석함으로써 우울증이 얼마나 심각하고 치명적인 질병인지를 밝힌다. 우울증에 대한 통념에 반박하기 위해 해부학, 생물학, 통계학 등에서 축적된 최근 연구 결과들을 철저하게 제시하면서 우울증은 삶을 위협하는 '생리학적' 결과를 가져오는 '의학적' 질병임을 주장한다. 우울증의 의미를 깊이 탐구하는 책이다.

⑧『우울한 현대인에게 주는 번즈 박사의 충고』(데이비드 D. 번즈, 박승룡 옮김, 문예출판사, 1998)

비판적이고 왜곡된 방식으로 생각하는 우울증 환자들에게 인지요법을 적용함으로써 우울증을 극복하고 행복감과 자기존중을 고양하는 방법을 제시하고 있다. 먼저 우울증에 이르게 만드는 사고의 오류 열 가지와 자기존중법을 알려주며 우울증 환자의 특징인 분노와 죄의식의 원인 및 그런 느낌에 대처하는 법을 다룬다. 또한 승인, 사랑, 완벽주의, 업적과 자기가치의 동일시 등 우울증의 다양한 원인을 분석하는 한편, 그 원인들의 비논리성을 파헤친다. 우울해질 때 기분을 효과적으로 다루는 법과 문제를 가능한 한 빨리 역전시킬 수 있는 효과적인 전략을 세우는 데 유용한 자가치유서다.

⑨『한낮의 우울: 내면의 어두운 그림자 우울에 관한 모든 것』(앤드류 솔로몬, 민승남 옮김, 민음사, 2004)

저자의 개인적인 경험과 지적인 탐구를 바탕으로 '자아를 변질시키고 마침내는 애정을 주고받는 능력까지 소멸시키는' 우울증에 대한 모든 것을 이 책에 담았다. 저자는 우울증을 비교문화적인 측면에서 다루면서 '천재의 증후'와 '신의 저주'라는 대접을 번갈아 받았던 우울증의 역사와 더불어 문화적 현상으로서의 우울을 언급한다. 다양한 환자 및 의학 전문가들의 의견을 제시하는 한편, 약물의 종류 및 약물작용 방식부터 명상에 이르기까지 다양한 치료법을 소개하며, 자살, 약물 중독, 불안, 유전자, 스트레스와 우울증의 관계, 우울증이 야기하는 인간관계와 성격의 변화에 대해서도 깊이 있게 다룬다. 그리고 절망을 딛고 일어난 사람들의 실화를 통해 치유와 회복이라는 희망을 보여준다.

5. 성인아이, 중독

① 『당신의 그림자가 울고 있다: 융 심리학이 밝히는 내 안의 낯선 나』(로버트 A. 존슨, 고혜경 옮김, 에코의서재, 2007)

저자는 융 심리학 이론을 토대로 우리가 평소 무시하고 억압해온 그림자의 중요성을 역설한다. 저자는 인간 내면에 숨어 있는 어두운 존재인 그림자를 발견하고 수용하는 일은 심오한 단계의 영적 수행이며 이는 온전한 자기 자신이 되는 과정이므로 그 자체로 의미가 있다고 말한다. 역사, 신화, 종교, 문학 작품 속에 등장하는 사례를 풍부하게 제시함으로써 그림자의 존재와 의미를 탐구한다. 그리고 그림자와의 대면을 통해 모순과 갈등을 극복하고 완성된 삶에 이르는 과정을 보여준다.

② 『상처받은 내면아이 치유』(존 브래드쇼, 오제은 옮김, 학지사, 2004)

가족치료사이자 내면아이 치료전문가인 저자는 자신의 내면아이 치료 워크숍의 진수를 소개한다. 저자는 상처받은 감정을 치료하기 위해 사람들의 성장발달 시기로 접근한다. 그는 각 발달단계에서 사랑과 의존이 받아들여지지 않고 충족되지 않을 경우 상처받은 내면아이를 품은 채 성인으로 성장하는 경향이 있다고 분석한다. 이 책에서 저자는 '놀라운 아이(wonder child)'가 어떻게 그 경이로움을 잃어버리게 되었으며 어린 시절의 상처가 성인이 된 지금의 인생을 어떻게 파멸시키는지 살핀다. 그리고 어린 시절의 각 발달단계에서 건강하게 제대로 성장하기 위해서는 무엇이 필요한지 점검한다. 스스로 내면아이를 돌보고 변화시키고 치유할 수 있는 새로운 방법을 제시한다.

③ 『아직도 아물지 않은 마음의 상처』(찰스 셀, 정동섭·최민희 옮김, 두란노,
1992)

역기능가정에서 자라난 성인아이의 상처와 치유에 대해 기독교적 가치관
에서 다룬 책이다. 우울증, 수치심, 억압된 분노 등 생활의 어떤 영역을 다스
리는 데 어려움을 겪고 있는 사람들에게 자신이 느끼는 감정의 근원과 상처
를 받게 된 과정을 깨닫게 해주는 한편, 상처에서 벗어나는 방법에 대해
실제적인 지침을 제시해준다.

④ 『알콜 중독 상담』(산드라 윌슨, 이관직 옮김, 두란노, 2002)

목회상담학 교수이자 역기능가정의 성인아이들을 전문적으로 상담하는
신경정신과 의사가 쓴 성인아이 상담을 위한 지침서다. 알코올 중독자가
통제하는 가정에서 성장한 경험이 개인의 성격과 삶의 양식에 어떻게 상처를
입히고 영향을 끼치는지 설명하고 이를 회복하기 위한 구체적인 방안을 제시
한다.

⑤ 『원만한 정서생활을 가로막는 몸에 밴 어린 시절』(W. 휴 미실다인, 이종
범·이석규 옮김, 가톨릭출판사, 2006)

정신과 의사인 저자는 풍부한 상담 경험을 바탕으로 몸에 밴 어린 시절이
성인이 된 이후에도 어떻게 영향을 미치는지를 '내재적 과거아' 이론을 통해
밝힌다. 현실에서 문제가 되는 정서장애는 대부분 부모의 잘못된 양육방식에
의해 발생하며 이는 대물림된다고 한다. 한편 정서적 문제의 특성과 치료방
법에 대해서도 이야기한다.

⑥ 『위장된 분노의 치유』(최현주, 규장, 1998)

성인아이임을 고백한 목회자가 역기능가정의 고리를 끊고 순기능가정을 이루게 된 이야기를 솔직하게 기록했다. 술 문화에 관대했던 어린 시절의 기억에서부터 성인아이적 특성을 지니고 있던 자신의 사례를 소개하면서 역기능가정은 대물림되므로 문제에 대한 인식뿐만 아니라 고리를 끊으려는 의지도 중요하다고 강조한다. 독서치료의 중요성에 대해서도 언급한다.

⑦ 『잃어버린 자아의 발견과 치유: 역기능 가정에서 자란 성인아이의 발견과 치유를 위한 안내서』(C. L. 휘트필드, 김용교·이인출 옮김, 글샘, 2000)

저자는 어린 시절 무의식적으로 받은 부모나 사회로부터의 영향으로 인해 자신의 진정한 자아인 내재아(child within)가 부정될 때 거짓된 자아가 형성되고 피해의식과 정서적인 장애를 갖게 된다고 말한다. 중독증과 완벽주의, 지나친 수치심, 친밀감 결여 같은 문제의 근원을 살펴보는 한편, 억압된 내재아를 회복하고 치유하는 과정을 자세히 다룬다. 회복가능성을 진단하는 체크리스트부터 내적 평안을 얻게 되는 변화의 단계까지 제시한 자가치유서다.

6. 화·분노

① 『굿바이 화』(피터 뱅크아트, 이정아 옮김, 폴라북스, 2007)

35년간 화를 잘 내는 남성들을 연구해온 심리치료사가 쓴 남성들의 화에 대한 책이다. 화는 육체적으로나 정신적으로 삶을 천천히 파괴시키므로 단순히 화를 조절하는 데만 매달리지 말고 자신의 마음을 깊이 들여다봄으로써 자신의 고통뿐만 아니라 세상의 고통까지 어루만져야 한다고 저자는 이야기한다. 화의 실체, 용서의 필요성, 화를 긍정적으로 해소할 수 있는 치유법 등 화를 다스리는 실질적인 방법을 제시한다.

② 『내 안의 화 다스리기』(베티 퍼킨스, 박윤정 옮김, 휴먼앤북스, 2003)

일상에서 우리를 힘들게 하는 화, 질투, 갈등, 스트레스 등 다루기 힘든 유·무형의 존재를 저자는 '사자'에 비유한다. 저자는 화가 날 때면 원인을 밖에서 찾지 말고 자신의 내면으로 시선을 돌리라고 충고한다. 마음속에 쌓여 있는 화, 분노, 불만 등의 감정적 잡동사니들을 청산하고 내면을 치유하며 타인과의 관계를 원만하게 맺기 위한 구체적인 방법들로 저자는 삼켜두었던 울음의 표출, 전하지 못한 생각의 표현, 억눌렀던 부정적 감정의 표출, 자신의 모든 부분을 인정하기, 자신과 타인에 대한 용서 등을 제시한다. 내면의 평화를 찾고 편안한 인간관계를 회복하기 위한 실질적이고도 구체적인 방법을 제공한다.

③ 『너, 화났구나』(일리안 화이트하우스·워윅 퍼드니, 구승준 옮김, 한문화, 2007)

한 살부터 일곱 살까지 '작은 화산' 같은 아이들의 화를 다루는 기술을 담고 있는 책이다. 저자들은 화내는 아이를 위해 부모가 해야 할 첫 번째 행동은 아이의 화에 공감해주는 것이라고 말한다. 또한 많은 부모들이 오해하는 것처럼 아이가 결코 부모를 곤란하게 만들기 위해 화를 내는 것은 아니라고 강조한다. 그러므로 아이를 힘과 권위로 제압하려 해서는 안 되며 부모도 존경심을 가지고 아이를 대해야 한다고 충고한다. 일상생활에서 벌어지는 상황에 대해 구체적이고 유용한 지침을 제시하는 실용서다.

④ 『똑똑하게 화를 다스리는 법』(전겸구, 21세기북스, 2007)

분노 관리 워크숍을 통해 정리된 11개의 분노 관리 원리를 제시하면서 실제적인 변화를 이끄는 효과적인 대처법을 소개한다. 저자는 '화는 선택이다'라는 명제 아래 상대방의 입장에서 바라보는 법, 자기도 모르게 품고 있던 비합리적인 당위적 기대를 합리적으로 바꾸는 법, 똑똑하게 화를 다스리기 위해 통제할 수 있는 상황과 통제할 수 없는 상황을 구분하는 법 등

화를 다루는 실질적인 방법을 제시한다. 또한 반복적으로 되풀이되는 분노의 원인과 그 악순환을 끊는 방법, 분노의 빈도를 줄이기 위한 자기 존중감 육성법, 적절한 분노 표현법 등을 소개한다.

⑤『마음의 불을 꺼라: 일상의 상처와 분노에 대처하는 심리기술』(브렌다 쇼샤나, 김우종 옮김, 정신세계사, 2006)

우리들이 행복하게 살아가는 데 걸림돌이 되는 분노라는 감정은 우리 내면 곳곳에 작용해 우울증, 공격, 위선, 자기파괴, 복수심 등 다양한 모습으로 드러난다. 사회적인 문제가 되기도 하는 일상적인 화의 위험을 경고하면서 화에 효과적으로 대처하는 법을 알려주고 있다.

⑥『분노의 기술: 내면의 폭풍 잠재우기』(매튜 맥케이·피터 로저스·주디스 맥케이, 정동섭 옮김, 이너북스, 2008)

인간관계와 건강에 큰 영향을 미치는 분노를 다룬 자가치유서다. 분노에 대한 잘못된 믿음, 분노가 건강과 대인관계에 미치는 영향, 도로상에서의 분노, 부모와 자녀 사이의 분노, 배우자 구타 등의 주제를 폭넓게 다룬다. 사람들은 왜 분노를 선택하는지, 누구에게 책임이 있는지, 스트레스와 분노를 어떻게 관리해야 하는지 등에 대해 분석하면서 실제로 적용할 수 있는 방법들을 제시하고 있다.

⑦『화: 화가 풀리면 인생도 풀린다』(틱낫한, 최수민 옮김, 명진, 2002)

종교와 종파를 넘어 모든 종교인이 함께 수행하는 명상공동체인 플럼 빌리지를 세운 저자가 '마음의 상처에서 생겨 끝내 습관이 되고 마는' 화에 대해 이야기한다. 저자는 '마음의 씨앗'이며 함부로 떼어낼 수 없는 신체장기처럼 화도 우리의 일부이므로 억지로 참거나 제거하려 애쓰지 말고 화를 울고 있는 아기라고 생각하면서 보듬고 달래라고 충고한다. 화가 날 때는 남을 탓하거나 자신을 책망해서는 안 되며 자신의 마음을 다스리는 것이 가장 시급한 일이라고 저자는 조언한다. 화를 다스림으로써 작은 행복들을 되찾을 수 있는 방법을 알려준다.

⑧『화, 분노에서 벗어나기』(론·팻 포터-에프론, 석태기 옮김, 눈과마음, 2004)

저자들은 자기 테스트와 실제 사례를 통해 분노의 열 가지 유형과 분노에서 벗어날 수 있는 방법을 자세히 소개한다. 부정적인 분노에 대한 대안으로 건강한 분노에도 주목한다. 분노를 삶의 일부이자 관심을 기울여 다루어야 할 문제가 있음을 알리는 신호로 받아들이고, 분노가 전하는 메시지에 귀 기울이며, 문제가 종료되면 그 문제에 매달리지 않음으로써 분노에서 벗어나라고 조언한다. 건강하고 생산적으로 분노를 표출하는 기술까지 제공하는 자가치유서다.

⑨『화의 심리학』(비벌리 엔젤, 김재홍 옮김, 용오름, 2007)

화와 학대, 여성, 인간관계 문제를 다루는 심리치료사가 쓴 심리분석서로 화와 분노에 대해 명쾌한 해답을 제시한다. 화가 우리 삶에 미치는 영향과 화가 부정적으로 변하는 과정을 보여준다. 또한 사람들의 분노성향을 공격적, 수동적, 수동공격적, 투영공격적 네 가지 유형으로 분석하는 한편, 부정적인 분노성향을 긍정적인 분노성향으로 승화시키는 과정을 아홉 가지 단계별로 안내한다. 풍부한 상담사례와 함께 화를 극복하고 승화시키는 방법 및 화의 최종적인 대처법인 용서에 대해서도 다룬다.

7. 결혼과 이혼

①『결혼의 심리학』(가야마 리카, 이윤정 옮김, 예문, 2006)

정신과 의사로서의 임상경험과 현대인의 '마음의 병'에 대한 통찰을 바탕으로 각종 미디어에서 폭넓게 활동을 하고 있는 저자는 결혼에 대한 여성들의 심리적 딜레마를 예리하게 짚어준다. 저자는 결혼은 개인의 선택의 문제라는 인식을 기반으로 개인적인 영역의 결혼에 대해 고찰하면서 여러 가지 관점에서 결혼을 바라본다. 생생한 사례들과 더불어 여자들이 결혼을 선택할 때 부딪히는 현실적인 문제는 물론 불안이나 두려움 같은 심리적 문제까지 다루는 결혼에 대한 안내서다.

② 『결혼의 적들: 위기의 부부 심리학』(세르주 헤페즈·다니엘 로페르, 조정훈 옮김, 마고북스, 2004)

저자들은 부부의 위기가 단순한 의견 차이나 현실적 갈등 때문에 일어나는 것이 아니며 부부갈등의 깊숙한 곳에는 개인의 무의식이나 부부 사이에 체결된 암묵의 계약, 서로 다른 가족신화 등 더욱 복잡한 심리적인 문제들이 도사리고 있다고 분석한다. 또한 우리의 삶에서 무엇보다 중요한 것은 견고하고 안정된 자아의 다양한 양상을 즐길 줄 아는 것이라고 강조한다. 부부 사이에서도 상대의 자아변화에 따라 관계를 끊임없이 다시 정리하는 작업이 필요하다는 것이다. 이 책은 부부관계의 내적인 발전이 개인의 변화와 발전에 어떤 이로움과 풍요로움을 부여하는지 분석하는 한편, 부부갈등에서 어떻게 빠져 나올 수 있는지에 대한 해답을 제시한다.

③ 『결혼하면 행복한가요?』(김선희, 넥서스, 2004)

부부치료전문가인 저자가 사랑과 결혼의 의미에 대해 다룬 책이다. 부부 700여 쌍의 심리평가 자료와 실제 상담사례들을 통해 부부갈등의 원인과 해결책을 탐구한다. 부부갈등으로 상처 입은 이들에게 새로운 시선으로 상황을 관찰할 수 있는 힘을 부여하면서 짚을 것은 짚되 그냥 지나쳐야 할 것은 놓아줄 수 있는 여유와 너그러움을 가지라고 조언한다. 부부와 결혼의 의미, 부부갈등의 회복법과 화해의 메시지를 전한다.

④『남자의 결혼, 여자의 이혼』(김혜련, 또하나의문화, 2000)

저자는 이혼이라는 사회현상을 결혼제도와 사회구조의 산물로 인식한다. 따라서 우리 사회가 결혼을 모든 사람이 마땅히 해야 할 자연스럽고 당연한 통과의례로 받아들이거나 이혼자를 특수한 소수의 문제 집단으로 치부하거나 이혼을 통해 드러나는 결혼의 문제를 은폐, 축소, 왜곡하는 것에 대해 근본적인 문제의식을 제기한다. 이 책에서 저자는 가부장사회에서 이혼의 경험이 갖는 의미를 이혼여성의 입장에서 해석하는 한편, 이혼여성에게 주어진 조건을 개선시키고자 한다. 이혼을 경험한 여성들의 살아 있는 목소리를 담았다.

⑤『남편과 아내 사이』(김준기, 메가트렌드, 2007)

부부클리닉을 운영하고 있는 정신과 전문의의 부부탐구서다. 저자는 부부 사이에서 발생하는 인간의 감정에 관해 몇 가지 과학적 원칙을 제시한다. 또한 부부문제 상담으로 축적된 풍부한 사례를 통해 부부갈등의 원인을 개인의 성격 및 가치관, 뇌화학반응 등의 관점에서 분석한다. 행복한 결혼생활을 위해 쿨하게 부부 싸움하는 방법과 정서적인 의사소통을 하는 방법 등 일상 속에서의 구체적인 방법들을 제안한다.

⑥『다시: 이혼한 사람들을 위한 셀프 리빌딩』(브루스 피셔·로버트 앨버티, 이경미 옮김, 친구미디어, 2004)

이혼 후 회복 프로그램인 '리빌딩 세미나'를 25년 넘게 운영해온 심리치료사와 결혼 및 가족 문제 전문 상담가가 이혼 후 자신을 찾아가는 여정에 오른 사람들을 위해 쓴 자가치유서다. 이 책은 이혼 후에 겪는 감정과 태도 변화를 19단계로 나누어 소개하고 각 단계에서 부딪치는 문제에 대한 실질적인 해법을 제시한다. 자신의 심리상태와 자신을 둘러싸고 있는 현실을 제대로 인식하고 인간관계의 패턴을 직시함으로써 다시 건강한 관계를 맺으며 살 수 있도록 용기와 희망을 회복하는 데 도움을 주는 책이다.

⑦『두 번째 스무 살: 여자 나이 마흔, 그 주홍빛 서글픔과 쪽빛 희망의 이야기』
(희정 외, 이프, 2007)

이 책에서는 여성의 나이 마흔을 새롭게 탄생하는 부활의 나이로 해석한
다. 책 제목도 여성에게 주어진 모든 의무사항을 치르고 제2의 인생을 사는
나이라는 의미에서 붙여진 것이다. 이 책에서는 가부장사회에서 한국여성
들이 마흔 살이 되기까지 일상의 관계로 인해 또는 결혼제도의 폭력성으로
인해 겪는 아픔과 체험을 진술하게 그리고 있다. 삶의 껍질을 벗고 상처를
직시하고 '나'를 찾기 시작한 여성들의 치유와 소통을 위한 글이 담겨 있다.

⑧『뜨겁게 사랑하거나 쿨하게 떠나거나』(미라 커센바움, 김진세 옮김, 고려
원북스, 2007)

심리치료사가 머물지도 못하고 떠나지도 못한 채 40년을 불행하게 보낸
자신의 어머니를 지켜보면서 선택과 실행을 하지 못하는 사람들을 위해 전략
을 제시한 책이다. 저자는 양가감정에 머물러 있는 동안에는 관계가 개선되
기는커녕 고민하는 데 에너지를 쏟느라 관계가 악화되기만 할 뿐이며 이로
인해 인생을 낭비하게 되고 행복할 기회마저 박탈당한다고 말한다. 따라서
어느 쪽이든 '선택'함으로써 더 행복해질 수 있다고 충고한다. 20여 년간의
임상 경험에 근거해서 파트너와의 모든 문제에 대한 풍부한 실제 사례와
핵심을 찌르는 질문을 통해 개개인이 처한 독특한 상황을 스스로 분석하고
진단하는 방법을 알려주는 자가치유서다.

⑨『사랑 다음에도 사랑은 존재하는가』(다프네 로즈 킹마, 이희 옮김, 학지사,
2007)

부부치료사인 저자는 애정이 끝나는 경험은 우리 자신을 되찾는 기회이자
우리를 특별한 방식으로 바꿔놓은 친밀함에서 물러나 우리가 그 안에서 얻은
것들을 소화할 기회라고 말한다. 그리고 애정이 끝나기도 한다는 사실을
편하게 받아들일수록 이별도 조화롭게 이루어질 것이라고 조언한다. 이 책은

애정을 정리하는 과정에 있거나 이별에 뒤따르는 어렵고 두렵고 낯선 느낌을 겪고 있는 이들을 위해 쓰였다. 애정이 끝나는 합당한 이유와 애정이 끝날 때 일어나는 감정의 단계 및 파경을 이겨낼 응급처치 도구상자를 제공함으로 써 자긍심을 온전하게 유지하면서도 파경을 헤쳐갈 수 있도록 만드는 자가치유서다.

⑩『왜 사랑하기를 두려워하는가: 사랑에 관한 심리학 강의 16장』(한스 옐루 셰크, 김시형 옮김, 교양인, 2007)

30년간 쌓은 부부 상담치료사로서의 경험을 바탕으로 부부 사이의 구체적 인 갈등상황을 예로 듦으로써 관계의 본질과 의사소통의 기술을 제시한 책이 다. 저자는 자신의 마음이 어떤 방식으로 작동하는지 '내면의 그림자'를 들여 다본다면 부부 사이에서 흔히 일어나는 '상처 주고받기'도 자신이 성숙해지 고 관계가 풍요로워지는 기회가 될 수 있다고 말한다. 가정이라는 환상에서 벗어나 현실을 직시하도록 만드는 한편, 부부 사이에 올바른 권력을 행사하 는 법, 싸운 뒤 제대로 화해하는 법, 동등한 부부관계를 만드는 법 등 소통의 기술과 체크포인트를 제공한다.

⑪『우리는 사랑을 배우기 위해 결혼했다』(스티브 비덜프, 김혜정 옮김, 북하 우스, 2001)

자녀양육과 부부관계 전문가인 저자는 삶의 한계를 극복하고 삶을 훨씬 자유롭고 충만하게 만드는 방법을 제시한다. 궁극적으로 자아의 자유, 사랑 으로 가는 여정에 대해 쓴 책이다. 남녀 간의 자연스런 이끌림의 과정, 결혼을 지탱해가는 힘, 건강한 부부관계, 자녀와의 관계, 섹스와 로맨스의 관계 등 행복한 결혼생활을 위한 구체적인 방법들을 설득력 있게 제시한다.

8. 삶과 죽음

① 『단 하루만 더』(미치 앨봄, 이창희 옮김, 세종서적, 2006)

하는 일마다 실패를 거듭하고 알코올 중독에 빠져 가족에게까지 버림받는 처지가 된 주인공이 자살을 결심하고 마지막으로 찾은 옛 고향집에서 돌아가신 어머니의 영혼을 만난다. 하루 동안 혼미한 상태에서 어머니를 만남으로써 어머니의 고통을 이해하고 자신에 대한 어머니의 사랑과 용서를 깨닫게 되는 이야기다. 가장 가까운 사람들과의 관계와 삶의 의미를 생각하게 만드는 책이다.

② 『모리와 함께한 화요일』(미치 앨봄, 공경희 옮김, 세종서적, 1998)

루게릭병을 앓는 모리 교수가 매주 화요일에 제자에게 전하는 메시지는 삶과 죽음의 진정한 가치를 일깨운다. 모리 교수는 신체적으로 무기력해지고 인간으로서 최소한의 프라이버시마저 존중받지 못할 정도로 쇠약해져가면서도 품위를 잃지 않는다. 그는 인생을 의미 있게 살려면 자기를 사랑해주는 사람들을 위해 인생을 바쳐야 하고 자신이 속한 공동체에 헌신해야 하며 자신에게 생의 의미와 목적을 주는 일을 창조해야 한다고 이야기한다. 그가 이야기하는 메시지의 핵심은 바로 사랑이다. 인생에서 가장 중요한 것은 사랑을 나눠주는 법과 사랑을 받아들이는 법을 배우는 것임을 일깨워준다.

③ 『보다 냉정하게, 보다 용기 있게』(어빈 D. 얄롬, 이혜성 옮김, 시그마프레스, 2008)

75세의 저명한 정신과 의사가 멀지 않은 미래의 어느 날 죽을 수밖에 없는 한 인간으로서, 또한 몇 십 년간 죽음의 불안감에 대해 연구하고 환자를 치료해온 사람으로서 내놓은 죽음치유서다. 저자는 죽음을 직접적으로 대면해보는 일은 죽음의 공포를 줄여줄 뿐만 아니라 삶을 더욱 풍요롭게 해줄 것이라고 말한다.

④『사람은 어떻게 죽음을 맞이하는가』(셔윈 B. 뉴랜드, 명희진 옮김, 세종서적, 2003)

40여 년간 무수한 죽음을 지켜보아 온 의사가 수많은 환자와 자신의 가족이 질병으로 죽어가는 과정을 관찰한 소중한 기록이다. 신화적 요소를 배제한 채 죽음의 과정을 직접 겪었거나 옆에서 지켜본 사람들의 직간접적인 경험담을 임상적·생물학적 차원에서 사실적으로 소개한다. 심장질환, 알츠하이머, 에이즈, 암 등 우리 모두에게 흔한 질병이자 죽어가는 과정을 상세하게 살필 수 있는 특징적 요소를 가지고 있는 여섯 가지 질병을 예로 들어 죽음은 생명의 자연스런 과정이며 이 사실을 이해한다면 불필요한 공포와 과장된 고통에서 벗어날 수 있다고 이야기한다. 그리고 우리가 살아온 삶 속에서 죽음의 존엄성도 찾을 수 있다고 말한다.

⑤『섭섭하게, 그러나 아주 이별이지는 않게』(능행, 도솔천, 2005)

죽음을 선고받은 사람들의 마지막을 도와주는 일을 10년 이상 해온 비구니 스님이 만난 수많은 환자와 가족들의 이야기를 담았다. 저자는 세상을 떠나는 사람들이 아름답게 이별할 수 있도록 불교계 최초의 독립형 호스피스 정토마을을 세워 사람들이 삶을 마무리하고 아름답게 죽음을 맞이할 수 있도록 돕고 있다. 저자는 삶을 사랑하듯 죽음도 사랑해야 하며 삶과 죽음의 질은 자기 스스로 선택하는 것이라고 이야기한다.

⑥『아름다운 죽음을 위한 안내서』(최화숙, 월간조선사, 2004)

호스피스 간호사가 말기 환자들과 마지막 순간을 함께하며 어떻게 죽음을 인지하며 받아들이는지 관찰한 내용을 생생하게 보여준다. 호스피스에 가입해서부터 임종을 돕기까지의 과정을 소개하며, 영의 세계가 있음을 보여주는 말기 환자의 사례도 소개한다. 또한 아름다운 죽음을 준비하는 자세나, 말기 환자의 가족이나 자원봉사자들이 환자를 돕는 방법이나 자세에 대해 현실적인 방안을 제시한다. 자연의 일부인 삶과 죽음, 인간의 본질에 대해 생각하게 만드는 책이다.

⑦『인생 수업』(엘리자베스 퀴블러 로스·데이비드 케슬러, 류시화 옮김, 이레, 2006)

죽음을 연구해온 정신의학자인 저자는 자신의 연구의 핵심은 삶의 의미를 밝히는 데 있다고 말한다. 제자와 함께 죽음을 앞둔 사람들 수백 명을 인터뷰한 뒤 살아 있는 사람들에게 해주고 싶은 이야기와 그들이 말하는 인생의 진실을 이 책에 담았다. 삶의 본질과 궁극적 의미를 묻는 우리에게 저자는 삶의 마지막 순간에 간절히 원하게 될 것, 그것을 지금 하라고 말한다.

⑧『죽음의 수용소에서』(빅터 프랭클, 이시형 옮김, 청아, 2005)

나치의 강제수용소에서도 삶의 의미를 잃지 않고 인간 존엄성의 승리를 보여준 정신의학자의 자전적인 체험이 담긴 글이다. 저자는 그 체험을 바탕으로 인간을 자유와 책임의 존재로 파악한 독자적인 실존분석법을 제시하는 한편, 그 치료이론을 바탕으로 로고테라피(Logotherapy)를 주장한다. 인간 존재의 모든 비극적인 요소에도 불구하고 어떻게 하면 삶을 긍정할 수 있는지 이야기하는 그의 치료법은 우리나라에서는 '의미치료'라는 이름으로 알려져 있다.

⑨『'죽이는' 수녀들의 이야기: 호스피스 활동사례 모음』(마리아의작은자매회, 성바오로, 2003)

수십 년간 호스피스 활동을 해온 마리아의작은자매회 수도자들의 다양한 체험이 녹아 있는 책이다. 임종을 앞둔 사람에게는 자기 자신과 화해하고 세상과 아름답게 이별할 수 있도록 도움을 주며, 남은 사람들에게는 삶과 죽음 역시 자연의 일부라는 인식을 갖게 만드는 한편, 삶에 대한 의지를 일깨워준다.

9. 일상의 벽

① 『나르시시즘의 심리학』(샌디 호치키스, 이세진 옮김, 교양인, 2006)

임상경험과 정신분석이론을 토대로 나르시시즘을 통찰한 책이다. 나르시시즘은 다른 사람들로부터 자신을 고립시키고 현실을 제대로 보지 못하게 만들며 개인이 소망하는 어떤 형태의 목표로도 나아갈 수 없게 가로막는 장벽이다. 1부에서는 진정한 자존감이 결여된 나르시시스트들의 특징적인 생각과 행동방식을 다룬다. 2부에서는 나르시시즘은 모든 인간이 좀 더 완전한 인간이 되기 위해 유년기 초반에 거치는 정상적인 단계라는 사실을 이야기한다. 3부에서는 나르시시스트들이 끼칠 수 있는 해악에 맞서 자신의 자아를 보호하기 위한 생존전략을 살펴본다. 4부에서는 나르시시즘이 특별히 문제가 될 수 있는 특정 상황들을 깊이 있게 다룬다.

② 『나를 망가뜨리는 내 안의 말썽쟁이 길들이기』(폴린 월린, 박미낭 옮김, 젠북, 2007)

오랜 상담 경험을 통해 저자는 우리 자신뿐만 아니라 다른 사람들과의 관계에서 문제를 불러일으키는 주범, 즉 '내면의 말썽쟁이'에 주목한다. 저자는 누구나 가지고 있는 내면의 말썽쟁이에 대해 인식하는 것이 이를 길들이는 첫 단계라고 주장한다. 테스트를 통해 우리 자신이 얼마나 말썽쟁이에게 휘둘리고 있는지, 말썽쟁이의 영향과 말썽쟁이에게 사로잡히는 순간은 언제인지 인식하도록 한다. 또한 말썽쟁이의 활동을 부추기는 사회적·생리적·개인적인 요소가 무엇인지 분석하는 한편, 말썽쟁이를 길들이고 이성적이며 합리적인 존재로 거듭날 수 있는 방법에 대해 저자의 체험과 사례들을 토대로 체계적으로 설명한다. 자기파멸적인 행동과 습관에서 벗어날 수 있는 방법을 제시하는 책이다.

③『도대체 내가 왜 이러지?: 행복해지기 위한 자기발견의 지침서』(이자벨 피이오자, 남윤지 옮김, 여성신문사, 2004)

사람들은 마음의 상처를 어떻게 받아들이고 표현해야 할지 몰라 상처를 그대로 안고 살아가거나 기생감정들로 이를 대체해버리는 경우가 많다. 이 책은 정서적·심리적 문제에 부딪혔지만 누군가에게 선뜻 도움을 청하기가 쉽지 않을 때 또는 문제의 근원을 몰라 답답할 때 자신의 내면의 소리를 듣고 정서를 표출하며 나쁜 정서로부터 스스로를 해방시키는 방법을 가르쳐 준다. 정서에 대한 기본적인 개념에서부터 올바른 정서 표현을 가로막는 기생감정, 정서 표현의 단계들을 쉽게 풀어내고 있으며, 다양한 상황에서 어떻게 정서를 관리해야 하는지 조언한다. 자신과 타인의 마음을 열어줄 마법의 열쇠는 '판단하지 않는 것'이라고 저자는 이야기한다.

④『불안의 심리』(프리츠 리만, 전영애 옮김, 문예출판사, 2006)

독일 심리학의 고전으로, 사랑받지 못한 사람들의 고통을 따뜻하게 감싸 안으면서 고통을 치유하는 방법을 알려주는 책이다. 저자는 불안에 대한 손쉬운 처방을 내리기보다 수많은 임상경험을 바탕으로 불안의 유형을 인성에 따라 헌신에 대한 불안, 자기 자신이 됨에 대한 불안, 변화에 대한 불안, 필연성에 대한 불안으로 고찰함으로써 읽는 이가 자신과 타인을 이해하도록 만든다. 이 책은 불안을 직시하게 만듦으로써 불안이 고통으로 끝나는 것이 아니라 우리 존재의 일부이자 발전의 원동력이 되기도 한다는 사실을 보여준다. 저자의 인문학적 소양과 함께 사람들을 고통에서 풀어주려는 애정과 통찰이 묻어나는 글이다.

⑤『사람풍경』(김형경, 예담, 2006)

오랫동안 정신분석과 심리학 서적을 섭렵한 저자의 경험과 철학이 고스란히 녹아 있는 심리에세이다. 크게 세 부분으로 나누어진 이 책은 우리 내면을 돌아볼 수 있는 스물일곱 꼭지의 키워드를 설득력 있게 풀어낸다. 첫 번째 파트에서는 삶에서 가장 중요한 사랑, 분노, 우울, 불안 등 인간의 감정에 대해 다룬다. 두 번째 파트에서는 그 감정들을 다루는 방법, 즉 의존, 중독, 질투 등을 다룬다. 세 번째 파트에서는 적극적으로 노력해서 성취해야 하는 긍정적인 가치, 즉 자기애, 자기존중, 인정과 지지, 용기 등을 다룬다.

⑥『샘에게 보내는 편지』(대니얼 고틀립, 김명희·이문재 옮김, 문학동네, 2007)

전신마비, 우울증 등으로 고통받으면서 사람들의 마음을 바라보고 치유하며 살아온 심리학자가 자폐증 진단을 받은 손자 샘에게 건넨 사랑과 상실에 대한 32통의 편지를 담았다. 인생의 상실을 겪는 세상의 '샘'에게 삶에 대한 용기와 의지를 북돋우는 책이다.

⑦『우리는 사소한 것에 목숨을 건다』(리처드 칼슨, 강미경 옮김, 창작시대, 2001)

주위에 있는 사람, 관계, 물건, 자연 등 일상적으로 마주치는 많은 것들과의 관계에 대해 새로운 관점과 시각을 제공하는 책이다. 완벽을 추구하는 이들에게는 삶의 여백을 일깨워주고 삶을 너무 쉽게 생각하는 이들에게는 삶이 만만치 않음과 자신의 존재가치를 일깨워준다. 일상이 지닌 다양함과 조화로움에 대해 생각하게 만든다.

⑧『천 개의 공감』(김형경, 한겨레출판, 2006)

『사람풍경』에 이은 저자의 두 번째 심리에세이다. 한겨레 상담코너 '형경과 미라에게' 게시판을 통해 진행된 대화를 기초로 저자가 전하고픈 치유메시지를 담았다. 책은 4개의 파트로 구성된다. 1부 '자기알기'에서는 정신분석적 심리치료를 통해 마음의 문제를 해결해가는 과정을 설명한다. 2부 '가족관계'에서는 생애 초기의 가족관계에서 우리의 성격과 생존법이 형성된다는 내용을 다룬다. 3부 '성과 사랑'에서는 생애 초기 배운 사랑의 역량을 성인이 된 후의 사랑에 그대로 적용하는 문제에 대해 다룬다. 4부 '관계 맺기'에서는 개별적인 감정의 문제들을 해결하면서 타인과 어울려 사는 법을 모색한다.

⑨『피해의식의 심리학』(야야 헤릅스트, 이노은 옮김, 양문, 2005)
자기계발과 자아발견을 위한 프로그램을 제공하고 있는 생체역학 신체심리치료사가 피해의식에 관해 깊이 통찰한 내용을 담은 책이다. 개인의 성장과 발전을 가로막는 피해의식이란 무엇이며, 어떻게 형성되어 부정적인 자기 평가로 이어지는지, 우리 삶에 어떤 영향을 미치는지를 깊이 있게 다룬다. 또한 피해의식에서 벗어나는 방법에 대해서도 자세히 다룬다. 저자가 말하는 첫 번째 방법은 모든 치유의 핵심인 '자기긍정과 건강한 자기애'다.

소통과 성장

김경숙

1. 관계와 소통

① 『5가지 사랑의 언어』(게리 채프먼, 장동숙 옮김, 생명의 말씀사, 2005)

결혼생활과 인간관계에 관한 전문가인 저자는 다섯 가지 사랑의 표현방식으로 인정하는 말, 함께하는 시간, 선물, 봉사, 육체적인 접촉을 든다. 이 책은 결혼생활에서 사랑을 갈망하면서도 서로 다른 표현방식으로 인해 소통하지 못하는 현실에 주목하고 있으며 상대방에게 효과적으로 사랑을 전달하기 위해서는 배우자가 이해할 수 있는 제1의 사랑의 언어를 사용해야 한다고 주장한다.

② 『그들은 협박이라 말하지 않는다』(수잔 포워드, 김경숙 옮김, 서돌, 2005)

25년 이상 심리상담가로 활동해온 저자는 인간관계에서 자신의 요구를 관철시키기 위해 상대방에게 두려움, 의무감, 죄책감을 느끼게 만드는 무리한 감정적·정서적 요구를 '감정적 협박'이라고 정의한다. 감정적 협박은 특별한 사람이 아닌 보통 사람들, 특히 부모나 배우자 또는 사랑하는 사람들 사이에서 많이 발견되는 현상이라고 한다. 이 책은 인간관계에서 감정적 협박이 이루어지는 이유와 과정을 분석함으로써 감정적 협박자들을 이해하도록 만드는 한편, 그에 대처할 수 있는 용기와 힘을 제공한다.

③『나를 위한 심리학: 인간관계의 모든 답은 나에게 있다』(이철우, 더난, 2007)

이 책의 저자는 인간관계를 이해하려면 자신을 제대로 파악할 필요가 있다고 말한다. 따라서 저자는 자기개념에서부터 셀프 모니터링에 이르기까지 다양한 방식을 통해 사람들이 스스로를 어떻게 인식하고 있는지, 타인에게 스스로를 어떻게 드러내는지 살핀다. 스스로도 몰랐던 자신을 확인할 수 있는 심리 법칙들과 심리테스트를 통해 자신에 대해 품고 있는 이미지인 자기개념을 측정하고 자신의 장단점을 파악하도록 만든다. 행복한 인간관계를 맺기 위해 대인관계에서 자신을 드러내는 전략과 전술을 사회심리학적 관점에서 구체적으로 제시한다.

④『대화의 기술』(폴렛 데일, 조영희 옮김, 푸른숲, 2002)

저자는 말하는 방식 역시 몸을 단련하는 것처럼 헌신과 훈련이 필요하다고 말한다. 또한 여성들이 주위에서 자신의 의견을 말하기보다는 남을 먼저 배려하고 순종하라는 얘기를 들어와서 그런 성향을 자신도 모르게 지니게 된 것처럼, 반대로 단호하게 말하고 행동하는 법도 배울 수 있다고 주장한다. 이 책에는 공격적이지 않으면서 단호한 의사표현 기술을 통해 자신에 대한 존경심을 기르고 자신감을 키우는 10단계 프로그램이 제시되어 있다. 자기 평가테스트를 통해 다양한 상황에서 자신의 의사 표현 능력이 어떠한지를 구체적으로 분석하며 분석한 결과를 바탕으로 자기 성격이나 취향에 따라 적용할 수 있는 훈련방법을 제공한다.

⑤『대화의 심리학』(마이클 니콜스, 정지현 옮김, 씨앗을뿌리는사람, 2006)

정신분석학자와 가족치료 전문가로서 20년간 쌓은 경험을 바탕으로 소통과 대화에 대한 해법을 제시한 책이다. 저자는 대부분의 갈등이 서로에게 귀 기울이지 않는 데서 출발함에 주목하고 진정한 대화를 가능케 하는 동력으로서 '듣기'의 근본적이고 본질적인 의미를 탐구한다. 저자는 감정을 섞어 방어적인 태도를 보이는 행동이 인간관계에서의 이해를 가로막는다고 분석하면서 감정적인 반응을 완전히 참기는 어렵지만 불안과 오해, 갈등을 일으키는 요인을 찾아내 억제하고 감정이입을 활용하면 관계를 개선시킬 수 있다고 이야기한다. 또한 자신의 반응에 책임을 진다면 서로를 이해할 수 있다고 충고한다.

⑥『부모와 아이 사이』(하임 G. 기너트, 신홍민 옮김, 양철북, 2003)

부모와 자녀 간의 바람직한 대화법을 기술적으로 설명하고 있는 자녀교육의 고전이다. 대화의 기술 이면에 흐르는 부모와 아이 사이의 심리적 흐름과 감정적 교감에 대해 자세히 다루고 있다.

⑦『소통의 기술』(하지현, 미루나무, 2007)

정신과 전문의인 저자는 국내외의 많은 연구와 실험의 사례를 소개함으로써 한국 문화와 한국인의 성향에 맞는 소통의 기술을 제시한다. 인간관계에 존재하는 심리적 필터를 완전히 없애는 것은 불가능하지만 필터의 기능을 잘 알고 적절히 이용한다면 현실에서 최선의 소통을 할 수 있다고 저자는 이야기한다. 인간과 인간이 관계를 맺는 소통의 원칙을 다루고 있으며 진심이 통하는 소통에 이르기 위해 실천해야 할 사항들을 제시한다.

⑧『수다가 사람 살려』(오한숙희, 웅진닷컴, 2004)

풍부한 현장경험을 바탕으로 이끌어낸 '오한숙희식 수다'는 신뢰와 지지가 있는 환경에서 자신의 언어로 자신의 이야기를 하는 것을 의미한다. 수다가 치유로 나아가는 단계를 억압 - 왜곡 - 발설 - 소통 - 연대의 단계로 체계화하는 한편, 다양한 사례와 활용방법을 소개한다.

⑨ 『친밀함』(이무석, 비전과리더십, 2007)

한 사람의 성장이나 대인관계에서 자양분이 되는 친밀함에 대해 통찰한 책이다. 1부에서는 가족과도 친밀한 관계를 맺지 못하는 30대 전문직 여성을 정신분석함으로써 자기 속에 있는 어린아이로부터 성숙해가는 과정을 그린다. 2부에서는 친밀함을 방해하는 요소들을 정신분석적으로 해부한다. 있는 그대로의 자신과 친밀해지는 법, 주변 사람들과 친밀해지는 법을 쉬우면서도 설득력 있는 언어로 제시한다.

2. 사랑

① 『가장 사랑하는 사람이 가장 아프게 한다 2』(김정일, 두리미디어, 2007)

사랑과 이별에 관한 정신과 전문의의 심리에세이다. 저자의 개인적 체험과 다양한 커플의 사례를 통해 현실에서 접할 수 있는 사랑의 다양한 모습을 담았다. 저자는 사랑을 제2의 부모를 만나는 과정이라고 말한다. 저자 스스로도 사랑의 아픔에 사로잡혀 인생을 파괴적으로 산 나날이 많았음을 고백하면서 사랑의 속성과 사랑을 이루기 위해 필요한 것, 시작보다 끝이 아름다운 사랑에 대해 이야기한다.

② 『강한 여자의 낭만적 딜레마』(마야 스토르히, 장혜경 옮김, 푸른숲, 2003)

융심리학 분석가이자 사이코드라마 치료사인 저자는 똑똑하고 주체적이지만 사랑 앞에서는 극도의 혼란을 겪고 번번이 무너지는 여성들의 딜레마를 설득력 있게 분석한다. 융의 분석심리학적 틀에서 딜레마를 분석한 저자는 이 딜레마의 원인을 '그림자'와 '오이디푸스 콤플렉스'에서 찾는다. 그림자는 성장과정에서 억압되었던 인격의 일부가 무의식속에 자리 잡아 그 사람의 행동에 막대한 영향을 미치는 것이라고 설명한다. 또한 강한 여성의 고통은 내면의 약한 소녀가 강한 여성으로 성장해나가는 마지막 단계로서, 혼자라는 사실을 배우고 난 후에야 진정한 인간관계를 맺을 수 있는 성숙한 인간으로 거듭날 수 있다고 이야기한다. 사랑 앞에서 방황하는 여성과 남성을 위한 심리치유서다.

③ 『나는 왜 사랑을 못하나』(양창순, 예담, 2008)
정신과 전문의가 사랑으로 괴로워하는 사람들을 상담한 경험과 임상사례를 토대로 사랑 앞에서 망설이고 방황하는 사람들을 위한 치유메시지를 담았다. 저자는 사랑은 우리가 근본적으로 지니고 있는 열등감과 불안, 두려움과 공허, 무력감 등을 가장 예민하게 건드리는 촉수이며 사랑을 통해 진짜 자기 자신으로 성장할 수 있다고 말한다. 또한 사랑은 저절로 성장하는 것이 아니며 상대방을 있는 그대로 받아들이는 연습과 훈련을 통해 성숙한 사랑에 이를 수 있다고 조언한다.

④ 『나는 정말 너를 사랑하는 걸까』(김혜남, 중앙M&B, 2002)
20년간의 정신분석 경험을 토대로 정신분석의가 자신도 모르는 사이에 자신을 지배하고 사랑의 운명마저 결정짓는 무의식과 사랑에 대해 통찰한 책이다. 정신분석이란 과거의 충격적 경험과 기억이 반복되어 나타나서 우리를 지배할 때 그 자리에서 벗어나도록 도와주는 하나의 이론적 도구다. 저자는 과거의 상처가 현재에 어떻게 적용되는지를 다양한 치료 사례와 영화, 책의 내용을 토대로 풀어낸다. 자신의 내부에서 사랑을 가로막는 요소를 들여다보고 그 상처도 자신임을 받아들이면서 사랑을 할 수 있는 능력을 키우라고, 사랑을 온몸으로 껴안는 사람이 진정으로 자유롭다고 저자는 이야기한다.

⑤『너무 사랑하는 여자들』(로빈 노우드, 이미영 옮김, 한마음사, 1996)

자신의 사랑을 부당하게 다루는 남성을 사랑하며 성실하지 못하거나 성숙하지 못한 남성과의 연애를 끊지 못하고 집착하는 많은 여성들의 심리를 저자는 '사랑중독'으로 진단한다. 저자는 어린 시절의 경험이 성장하고 나서의 이성 관계에 어떤 영향을 미치는지 이야기한다. 그리고 남성의존증에 걸려 있는 여성들에게 사랑이라는 이름의 자기희생에서 벗어나 이성에게 쏟아왔던 애정과 관심을 자기 자신과 자기 인생에 다시 돌리는 용기를 회복하라고 말한다. 낭만적 사랑에 대한 환상에서 벗어나 대등한 관계에서 주체적인 사랑을 하고자 하는 여성들을 위한 자가치유서다.

⑥『사랑 중독증: 이제 나를 잃지 않고도 사랑할 수 있다』(마샤 R. 비레다, 신민섭 옮김, 학지사, 2005)

사랑하는 사람과의 관계로 인해 고통을 받으면서도 그 관계에 집착하고 그러한 관계를 반복하는 사람들에게 자기가치를 인정하고 자기를 사랑하는 법을 가르쳐주는 자가치유서다. 이 책에서는 우리 삶의 공통된 주제인 사랑에 적용할 수 있는 인지행동치료원리를 단계별로 제시한다. 저자는 사랑중독증에서 벗어나 건강한 관계를 맺게 만드는 출발점은 사고방식의 변화라고 말한다. 또한 이전의 사고와 행동방식을 버리는 한편, 진실한 감정을 수용하고 경험하기를 선택함으로써 자신에 대한 사랑을 발견할 수 있다고 이야기한다.

⑦『사랑에 대하여』(페터 라우스터, 전영애 옮김, 아침나라, 1999)

20년 이상 사랑이라는 심리적 현상을 밝히는 일에 매달려온 심리학자가 깊이 있게 사랑을 통찰했다. 저자는 사랑의 비밀은 영혼의 깨어 있음과 자유라고 이야기한다. 오로지 마음을 열고 주의를 기울임으로써 얻을 수 있는 사랑은 삶의 고귀한 선물이므로 더 이상 전통적인 사고 속으로 물러서지 말고 그 선물을 진정으로 받아들이라고 충고한다. 사랑에 대한 아홉 가지 오해를 푸는 것에서 시작해 사랑의 특징, 사랑의 능력, 사랑의 단계, 사랑의 완성에 이르기까지 쉬우면서도 집중적으로 사랑을 다룬다.

⑧『사랑의 기술』(에리히 프롬, 황문수 옮김, 문예출판사, 2000)

인간이 고립감과 분리감을 극복할 수 있게 만들면서도 각자에게 특성을 허용하고 자신의 통합성을 유지시키는 것이 사랑이라고 저자는 말한다. 그가 말하는 사랑은 수동적 감정이 아니라 활동이다. '빠지는 것'이 아니라 '참여하는 것'이다. 저자는 사랑을 성취하는 중요한 조건은 자신의 '자아도취'를 극복하는 일이라고 보았다. 이는 객관적 대상을 자신의 욕망과 공포에 의해 형성된 상으로부터 분리시킬 수 있는 능력이다. 저자는 정신분석학적 입장에서 사랑 역시 훈련과 인내와 습득이 필요한 능력이라고 통찰한다.

⑨『사랑하는 능력』(프리츠 리만, 조경수 옮김, 대한교과서, 2008)

수십 년의 치료경험을 바탕으로 사랑의 역설과 모순을 포함해 사랑이 가진 능력을 다룬 책이다. 저자는 사랑이란 자신의 결정과 행동을 요구하는 행위라고 말한다. 그는 아이가 발달단계 가운데 가족 내에서 겪는 사랑의 경험과 성숙한 사랑의 가능성 여부를 서로 연관시킨다. 인간의 사랑하는 능력은 원래부터 타고나는 당연한 능력이 아니며 평생 배우고 익혀야 하는 능력인데, 삶에서 가장 결정적인 영향을 미치는 것은 부모로부터 받고 경험하는 사랑이라고 강조한다. 또한 건전한 토대 위에 형성된 사랑은 실존의 불안을 치유하는 힘을 가지고 있음을 가르쳐준다.

⑩『사랑하는 사람을 사랑하는 방법』(조이스 비셀·베리 비셀, 전경자 옮김, 열린, 2004)

관계, 부부역할, 치유 등을 주제로 한 상담교실과 워크숍 프로그램을 운영하는 비셀 부부는 관계와 사랑을 영적 토대 위에서 깊이 탐구한다. 이들은 모든 관계가 내부에서부터, 그리고 자신을 사랑하는 것에서부터 시작한다고 이야기한다. 관계에 대한 두려움을 치유하는 단계를 혼자 남게 되는 것에 대한 두려움 인정하기, 불건전한 자기포기의 과정을 중단하기, 자신의 내면을 들여다보고 더욱 깊은 차원의 책임감 갖기로 구분한다. 관계와 삶 전반에 걸쳐 영적 성장을 위해 가장 중요한 것은 감사와 존중이라는 인식을 기반으로, 자기 자신과 상대방의 마음속으로 들어가는 방법, 자신의 내면에 숨어 있는 영적 능력을 깨닫는 방법 등 사랑을 통해 영적 성장으로 나아가는 길을 제시한다.

⑪ 『여자의 사랑이 남자를 바꿀 수 없다』(파트리시아 들라애, 최내경 옮김, 시공사, 2006)

학자이자 기자인 저자가 관계 속에서 고통받는 사람들을 인터뷰한 뒤 심리학적·사회학적·철학적 지식을 바탕으로 쓴 책이다. 사람들이 지나치게 사랑에 의존하는 이유와 함께 고통을 야기하는 나쁜 사랑의 유형을 살피고, 관계를 계속 유지할 만한 가치가 없는 나쁜 사랑에서 과감하게 벗어날 수 있는 방법을 제시한다. 저자는 사랑하는 사람을 변화시키고 싶어 하는 것은 커다란 폭력이며 부부갈등의 맨 밑바닥에는 유년기의 상처나 사랑의 상처 같은 개인적 상처가 개입한다고 말한다. 즉, 부부갈등의 원인은 배우자의 인격이 아니라 자신의 과거에 복수하려는 당사자의 마음이라는 것이다. 사랑에 대한 현실적이고 깊이 있는 시각을 제시하는 책이다.

3. 용서

① 『용서』(달라이 라마·빅터 챈, 류시화 옮김, 오래된미래, 2004)

티베트 불교의 영적 지도자인 달라이 라마와 캐나다에 있는 동양학연구소의 교수인 빅터 챈이 삶 속에서 실천할 수 있는 가장 큰 마음의 수행인 용서에 대해 통찰한 글이다. 달라이 라마는 모든 사람은 행복을 원하지만 우리 안에 있는 미움과 질투와 원한의 감정이 행복의 길을 가로막는 가장 큰 장애물이 되고 있으며 그 장애물을 뛰어넘는 유일한 길은 용서라고 말한다. 또한 용서는 우리에게 상처를 준 사람들을 받아들이는 일일 뿐만 아니라 그들을 향한 미움과 원망의 마음에서 스스로를 놓아주는 일이기도 하다고 이야기한다. 만물이 서로 의존하고 연결되어 있다는 진리와 더불어 자기 자신에게 베푸는 가장 큰 자비이자 사랑이 용서임을 일깨우는 책이다.

②『용서: 나를 위한 용서, 그 아름다운 용서의 기술』(프레드 러스킨, 장현숙 옮김, 중앙M&B, 2003)

이 책에서는 용서를 '과거를 자유롭게 흘러가도록 놓아주고 현재를 치유하기 위해 자신이 내린 선택'이라고 정의하면서 이 행위를 통해 잃어버렸던 내면의 힘을 되찾을 수 있다고 이야기한다. 다양한 실제 사례를 바탕으로 용서에 대해 깊이 통찰한 고전으로, 용서를 통해 정서적·육체적 건강이 증진된다는 사실을 설득력 있게 보여준다.

③『용서의 과정』(윌리엄 A. 메닝거, 성찬성 옮김, 바오로딸, 2002)

가톨릭 신부 겸 성서교수인 저자는 용서는 단번에 완성되는 단순한 의지의 행위가 아니라 하나의 과정이라고 말한다. 용서는 더 이상 가해자에게 보복하지 않는 것을 의미하며, 용서할 때라야 상처로 인한 자신의 흔적을 똑바로 볼 수 있으며 그동안 자신이 얼마나 많은 에너지를 낭비해왔는지, 스스로를 얼마나 괴롭혔는지 깨달을 수 있다고 조언한다. 한편 저자는 상처를 드러내는 것이 용서의 첫 단계이며 용서는 자책, 희생, 분노, 완성의 단계를 거친다고 분석한다. 에니어그램 이론에 따라 아홉 가지 성격유형을 제시하는 한편 저마다 다른 방식으로 상처를 받는 사람들에게 용서를 위한 다양한 방법을 제시한다.

④『용서의 기술』(루이스 스머즈, 배응준 옮김, 규장, 2004)

인간에 대한 깊은 심리적 통찰력과 수많은 실제 상담을 바탕으로 용서의 문제를 진단하고 실천적 방안을 제시한 책이다. 용서는 상처받은 사람의 내면에서 발생하는 것이므로 상처받은 사람이 상처를 입힌 상대를 용서하려 하더라도 상대는 그 사실을 전혀 모르고 있을 수도 있다고 저자는 말한다. 따라서 해를 입힌 상대가 미안하다고 말할 때까지 기다리는 것은 그 상대에 게 볼모로 잡히는 것일 뿐이다. 자신을 치유함으로써 우리에게 상처를 입힌 상대방과의 관계도 치유할 수 있다고 주장하는 저자는 용서의 필요성과 참평 안을 얻는 용서의 일곱 가지 기술을 설득력 있게 제시한다.

⑤『용서의 기술』(재니스 A. 스프링, 양은모 옮김, 메가트렌드, 2007)

저자는 뉘우치지 않는 가해자를 용서하려고 몸부림치는 사람들에게 '수용'이라는 과정을 제안한다. 그리고 상처받은 쪽에게 진실로 필요한 것은 자포자기나 자기부정이 아니라 용기 있는 행동으로서, 용서를 재구성하기 위한 단계를 받아들이는 것이라고 말한다. 사람들은 자신이 받은 상처에 대해서는 아무런 책임이 없지만 상처에서 회복되는 일은 오로지 자신의 몫이 며 사람에게는 지금까지와는 다르게 행동할 수 있는 능력과 힘이 있다고 저자는 이야기한다. 또한 용서의 과정은 빨리 치를 필요가 없으며 피해자와 가해자 모두 치유의 과정에 참여해야 순수한 용서에 이를 수 있다고 조언한다. 용서에 대한 구체적이고 체계적인 방법을 제공하는 책이다.

⑥『용서하기로 선택하기』(레스 카터·프랭크 미너스, 김형준·박기한 옮김, 북이즈, 2006)

저자들은 나쁜 환경에서 빠져나오는 일은 선택할 수 없더라도 자신의 감정적인 방식과 관계의 방식은 선택할 수 있다고 말한다. 용서는 아무 일도 없었던 듯 정상적인 관계로 돌아가는 척하는 것이 아니라 복수의 요구로부터 벗어나고 관계나 일의 보상에 초점을 맞추는 행동으로부터 자신을 자유롭게 하는 것이라고 말한다. 용서 역시 선택의 문제라고 강조하면서 분노 및 마음의 갈등을 극복하고 치유할 수 있도록 안내하는 '12단계 용서의 과정'을 제시한다.

⑦『잃어버린 기술, 용서』(요한 크리스토프 아놀드, 전병욱 옮김, 쉴터, 2003)
기독교적 가르침에 따라 비폭력과 단순한 삶을 추구하는 국제적 공동체인 브루더호프의 지도자인 저자는 오랜 공동체 생활과 목회자로서의 경험을 토대로 용서와 치유의 메시지를 전한다. 이 책은 범죄와 배반, 학대 그리고 전쟁으로 상처 입은 사람들이 용서의 능력을 경험함으로써 치유된 실제 이야기들을 담고 있다. 용서에 대한 근본적인 문제를 살피고 이를 삶에 적용해보는 방식으로 용서를 학습할 수 있는 부록도 제공하고 있다.

4. 자아 찾기

①『결국은 아름다움이 우리를 구원할거야 1, 2』(현경, 열림원, 2002)
뉴욕 유니언 신학대학 최초의 아시아 여성 종신교수인 저자는 이 책을 참자아를 찾아 떠난 '발칙한 년의 순례기'라 한다. 인간은 어떠한 큰 슬픔이나 상처, 분노와 두려움 가운데 있더라도 이를 큰 기쁨과 치유, 자비와 자유로 바꿀 수 있는 내적인 힘을 지니고 있으며 그 힘은 많은 것을 치유한다고 저자는 이야기한다. 억압받고 있는 이 땅의 여성들에게 치유와 희망을 주는 특별한 메시지와 순례의 과정을 담고 있다.

②『나를 찾는 셀프 심리학: 당신은 누구의 삶을 살고 있나요?』(토니 험프리스, 이한기 옮김, 다산초당, 2008)
저자는 성인이 자신이 원하는 삶을 꾸려가지 못하는 이유는 대부분 자기 자신 안에 있다고 본다. 모든 인간에게는 신성하고 독창적인 자아가 있지만

사회적·문화적·종교적·교육적인 압력으로 인해, 또는 자기 삶에서 중요한 사람들을 만족시키기 위해 진정한 자아를 감추는 법을 익혀왔다고 저자는 말한다. 이 책에서는 참자아가 그림자 자아에 가려지게 된 이유를 살펴보고 자신의 진정한 모습을 찾아가는 여행의 여러 단계에 대해 자세히 다룬다. 온전히 자기 자신이 되어야 하는 이유를 설득력 있게 제시한 자가치유서다.

③『내 딸이 여자가 될 때: 잃어버린 자아를 찾아가는 딸과 여자들의 44가지 사례 연구』(메리 파이퍼, 김영혜·김영재 옮김, 문학동네, 1999)

20년간의 실제 상담 사례를 통해 자아를 지키기 위한 소녀들의 투쟁을 생생하게 그려낸 심리치유서다. 유년기에서 청소년기로 진입하면서 신체적 변화뿐만 아니라 심리적·사회적으로도 많은 변화와 고통을 겪는 소녀들의 자아정체성의 문제를 사회문화적 맥락에서 깊이 있게 다룬다. 발달단계에서 생기는 문제, 즉 가족문제, 부모의 이혼, 우울증 같은 문제나 마른 몸매에 대한 숭배, 약물과 알코올, 섹스와 폭력 같은 사회현상은 공간을 달리하지만 우리 사회, 우리 청소년들에게도 시사하는 바가 크다.

④『동화 밖으로 나온 공주』(마샤 그래드, 김연수 옮김, 뜨인돌, 2002)

빅토리아 공주는 부모님이 정해준 방식에 따라 잘생긴 왕자와 만나 행복한 결혼을 하지만 그 결혼이 파탄에 이르자 자신을 되돌아보는 여행을 시작한다. 여성에게 강요되는 사회규범 속에서 살아가던 공주가 사회적 자아와 내면의 자아 사이에서 갈등하며 진정한 자아를 찾아가는 과정을 그려내고 있다.

⑤『딥스』(버지니아 M. 액슬린, 주정일·이원영 옮김, 샘터, 2005)

엘리트 부모의 몰이해로 인해 마음에 깊은 상처를 안고 세상과의 소통을 단절하고 있던 다섯 살 아이가 놀이치료를 통해 자신 속에 있는 건강하고 강인한 자아를 찾아가는 과정을 감동적으로 그리고 있다. 아이들을 믿고 지지한다면 어른의 시각이나 언어로 개입하지 않아도 아이들이 건강하게 성장해갈 수 있음을 보여준다. 치료자가 가져야 하는 자세에 대해 생각하게 만드는 아동심리치료의 고전이다.

⑥ 『새로운 나를 여는 열쇠』(제프리 E. 영·자넷 S. 클로스코, 최영민·김봉석· 이동우 옮김, 열음사, 2004)

인간의 성장에 필요한 기본적인 요소, 즉 기본적 안전감, 자존심, 타인과의 연대감, 자율성, 현실적 한계, 자기존중감, 자기표현, 현실적 제한 등이 제대로 충족되지 못할 때 생길 수 있는 성격적인 문제들을 열한 가지 인생의 덫으로 제시한다. 저자들은 풍부한 정신분석적 이해와 사례연구를 통해 우리 삶에서 많은 문제를 일으키는 인생의 덫을 설명하는 한편 성격의 무의식적인 문제까지 처리할 수 있는 통합적 치료법을 제시한다. 인간의 성격을 폭넓게 이해하도록 만드는 이 책은 자기파괴적 인생패턴을 바꿔줄 방법들을 깊이 있게 다룬다.

⑦ 『엄마의 마음자세가 아이의 인생을 결정한다: 릴리스 콤플렉스 극복하기』 (한스 요아힘 마츠, 이미옥 옮김, 참솔, 2007)

독일의 정신과 의사이자 심리분석가인 저자는 '릴리스(Lilith) 콤플렉스'라는 용어로 한 개인의 행불행이나 사회적 갈등, 한 사회가 보이는 주요한 병적 현상을 설명한다. 저자는 남성중심사회에서 자신의 욕구를 누를 수밖에 없는 여성 현실을 '이브'에 비유하는 한편, 이에 대칭되는 여성, 즉 자신의 욕망에 충실한 여성을 히브리어 구약 원전에 나오는 아담의 첫 번째 부인인 '릴리스'에 비유한다. 폭음, 다이어트 강박증, 40대 남성의 높은 사망률, 최고 수준의 이혼율, 만혼, 최저 출산율, 일중독, 마마보이 등 여러 가지 사회문제는 릴리스 콤플렉스를 극복하지 못한 엄마들이 잘못된 마음자세로 아이들을 키웠기 때문에 발생했다고 저자는 분석한다. 또한 아이의 엄마가 이브와 릴리스적인 측면을 대통합했을 때 모성애 장애에서 생기는 주요 원인을 차단

할 수 있다고 설명한다. 우리가 맺고 있는 관계들을 새롭게 해석하고 이해할 수 있는 책이다.

⑧ 『참 자기』(제임스 F. 매스터슨, 임혜련 옮김, 한국심리치료연구소, 2000)
손상된 참 자기(real self)로 인해 의미 있고 충만한 삶을 살지 못하는 사람들, 거짓 자기를 가지고 삶의 현실에 피상적으로 적응하면서 자기파괴적 행동을 반복하는 성격장애자들의 이야기를 다룬다. 경계선적 또는 자기애적 성격장애의 원인과 다양한 치료 사례가 소개되어 있다. 참 자기의 중요성을 강조하면서 건강한 참 자기는 어떻게 발달되는지 분석하는 한편 그 발달을 어떻게 촉진시킬 것인지를 제시한다.

5. 자기존중

① 『나는 내가 소중하다』(호르스트 코넨, 한희진 옮김, 북폴리오, 2007)
심리학자이자 인생코치인 저자의 자기사랑의 메시지를 담은 책이다. 자신 밖의 사람이나 자동차, 일 등을 더 많이 살피면서 자기 영혼이 필요로 하는 바를 의식하지 못하거나 외면하고 사는 우리들에게 자기 자신을 지키는 법을 이야기한다. 저자는 자신을 해치는 요인에서 벗어나기 위해 먼저 자신과의 긍정적인 대화, 자기만의 의식을 통해 자신을 정확히 파악하라고 주문한다. 또한 이기주의나 나르시시즘을 가져서는 안 되지만 자기불만을 갖거나 자신을 학대해서도 안 되며 자신을 친절히 대하고 자신의 능력과 가능성을 소중하게 여기는 생활태도로 전환해야 한다고 강조한다. 구체적인 지시와 연습법, 팁과 체크포인트를 제공하는 자가치유서다.

② 『여자의 심리학』(배르벨 바르데츠키, 강희진 옮김, 북폴리오, 2006)
심리치료사인 저자가 십 년 동안 자기애적 인격장애를 치료한 경험을 바탕

으로 쓴 책이다. 저자는 폭식증을 앓고 있는 여성들의 섭식장애가 자신감 부족, 대인관계 장애와도 높은 연관이 있으며 치료의 출발점은 그 환자들 속에 숨은 아이, 즉 '진정한 자아'를 발견하는 것이라고 말한다. 이 책은 '여성적 나르시시즘'이라는 개념을 바탕으로 자신감과 열등감이라는 두 극 사이에서 방황하는 여성들의 심리를 파헤친다. 과거에 해소되지 않은 갈등이 어떻게 현재의 삶을 방해하는지, 그리고 그 갈등은 어떻게 해야 극복할 수 있는지를 보여준다.

③『왜 남과 자신을 비교하는가』(폴 호크, 박경애·김희수 옮김, 사람과 사람, 2001)

임상심리학자인 저자는 '자기'를 '좋거나 나쁘다고 생각할 수 있는 모든 것들의 총합'이라 정의한다. 열등감이나 자기비하, 낮은 자존감, 낮은 자기가 치를 극복하는 방법의 핵심은 자신과 타인을 평가하지 않는 것이라고 말한다. 어느 순간이든 어떤 것이든 자기평가(self-rating)를 하지 않고 자기수용을 해야 열등감을 느끼지 않으며 자기 존중감과 마음의 평화를 얻을 수 있다고 조언한다. 인지 - 정서 - 행동치료의 원리와 기법을 활용해 열등감을 극복하는 방법을 다룬다.

④『자긍심: 건강한 인간관계와 행복의 바탕』(마릴린 소렌슨, 진성록 옮김, 부글북스, 2007)

임상심리학자인 저자는 사람들이 지속적으로 경험하는 고통과 불안의 근원이 낮은 자존감 때문이라고 분석한다. 저자는 자존감이 낮은 가공의 인물을 설정한 뒤 그 인물의 감정과 행동, 반응, 사고과정, 인간관계를 통해 자존감이 낮은 행동을 하는 동기, 고통, 삶에 대한 인식을 보여준다. 자존감테스트에서부터 낮은 자존감의 상태와 그것이 삶에 미치는 영향, 파괴적인 행동유형과 과거의 상처를 치유하는 방법까지 깊이 있게 다룬다. 낮은 자존감을 극복하는 방법으로 두려움과 불안을 직시하기, 홀로 지내는 법을 배우기,

내면의 소리에 귀 기울이고 그 소리를 통제하기를 제시한다.

⑤ 『자기 보살핌』(앨리스 D. 도마·헨리 드레허, 노진선 옮김, 한문화, 2002)

여성건강 프로그램과 집단프로그램을 운영하며 여성들의 심신건강에 대해 연구해온 저자는 여성 자신에게 베풀어야 할 선물로 자기보살핌을 다룬다. 저자는 오랜 임상경험을 통해 여성들이 자신을 보살피지 못하는 가장 큰 원인이 가정과 사회의 교육에 있다고 분석한다. 여성들은 타인을 돌보고 달래고 즐겁게 하는 것이 여성의 역할이라고 교육받아왔으며 이로 인해 자신을 보살피는 일이 이기적이라는 자기파괴적인 믿음 속에서 성장한다는 것이다. 책에서는 '혼자 하는 자기 보살핌'과 '관계 속에서의 자기 보살핌'을 다루는 한편 자기 자신에 대한 긍정적 이미지 제고, 삶의 균형감각 유지, 영적인 성장을 위한 구체적인 방법들을 제시하고 있다.

⑥ 『자기 사랑의 심리학』(롤프 메르클레, 장현숙 옮김, 21세기북스, 2007)

임상치료경험을 통해 저자는 대부분의 심리적인 문제가 자기사랑이 부족한 데서 비롯되며 우리가 안고 있는 정신적 상처가 대부분 남이나 주위 환경에 의해 생긴 것이라기보다 자기 스스로 가해서 생긴 것임에 주목한다. 자기질책이나 자기비난, 자기부정이 얼마나 위험한 일인지 깨닫게 만들고 자기가치감을 회복할 수 있는 자기사랑의 방법이 무엇인지를 설득력 있게 알려주는 책이다.

⑦ 『절망이 아닌 선택』(디오도어 루빈, 안정효 옮김, 나무생각, 2004)

자기비하, 우울증, 자살, 자기기만, 환상 같은 직간접적인 자기증오를 예로 들면서 파괴의 문화에서 벗어나 어떻게 자신에게 관용을 베풀어야 하는지 이야기한다. 관용은 자기증오에 대한 하나뿐인 해독제이며 신경증적인 절망에서 벗어나는 인간의 유일한 선택이자 특권이라고 저자는 말한다. 지금 이 순간의 자신을 있는 그대로 받아들이면서 '내가 존재하는 곳에 나는 존재한다'라는 참된 자아인식을 갖는 과정은 내면에 안정감을 주며 자신을 건전한 성장으로 이끈다고 조언한다. 절망에 대한 대안을 제시한다.

⑧ 『천만번 괜찮아』(박미라, 한겨레출판, 2007)

'형경과 미라에게'라는 인터넷 상담 칼럼을 기반으로 한 치유 메시지를 담고 있다. 원인이 불분명한 자책감과 죄의식으로 움츠러든 사람들에게 깊은 연민과 위로를 전한다. 미혼 남녀의 사랑과 연애문제, 가족관계에 대한 고민, 결혼생활에서의 문제 등 다양한 주제를 이야기하면서 현실적인 도움을 주고자 한다.

⑨ 『행복한 이기주의자』(웨인 다이어, 오현정 옮김, 21세기북스, 2006)

인생에서의 진정한 성공은 스스로 얼마나 행복을 느낄 수 있느냐에 달려 있다고 주장하는 저자는 임상치료경험을 바탕으로 행복을 얻기 위한 즐거운 접근법인 자기사랑법을 제시한다. 저자는 개개인에게는 자신의 감정을 선택할 수 있는 능력이 있으므로 적당한 동기부여와 노력만 있으면 자신이 원하는 것을 이룰 수 있다고 말한다. 오류지대(erroneous zones)는 현재가 아닌 다른 순간에 살고자 하는 노력이므로 현재를 충실하게 사는 것이 행복을 만드는 필수요소임을 강조한다. 행복에서 중요한 것은 타인의 시선이 아닌 자기 스스로 매기는 가치이며 행복한 이기주의자는 자신을 배려할 줄 알기에 타인도 배려할 줄 알고 스스로를 사랑하기에 타인을 사랑하는 법도 아는 사람이라고 이야기한다.

6. 마음의 길

① 『30년 만의 휴식』(이무석, 비전과리더십, 2006)

정신의학 교수인 저자가 행복을 느끼지 못하는 30대 성공주의자 '휴(休)'를 사례로 하여 집필한 책이다. 늘 조급하고 지나치게 성취 지향적이어서 쉴 줄도 모르던 그가 30년 만에 마음의 진정한 쉼을 얻고 자유로워진 이야기를 어린 시절과 무의식을 중심으로 풀어낸다.

② 『거짓의 사람들: 인간 악의 치료에 대한 희망』(스캇 펙, 윤종석 옮김, 비전 과리더십, 2003)

정신과 의사인 저자는 여러 상담 사례를 통해 '악한' 사람들에게서 드러나는 전형적인 특징들을 보여준다. 책에서 저자는 '악'을 나르시시즘과 게으름이라고 규정한다. 따라서 악한 사람이란 나르시시즘의 상태에서 벗어나려는 노력을 하지 않고 거기서 성장이 멈춘 사람이라고 정의 내린다. 저자는 '악'에서 벗어나는 길은 끊임없이 자신을 되돌아보고 정신적 성장을 계속해나가는 것밖에 없다고 말한다.

③ 『노이로제의 이해와 치료』(이동식, 일지사, 2003)

원로 정신과 의사의 초기 저작에 속하는 1974년판 책이 2000년대에 들어와서도 쇄를 거듭하며 발간되고 있다는 사실이 경이롭다. 정신과 의사의 진료수첩이라고 할 수 있는 이 책은 노이로제 환자와 가족을 위한 예방법과 치료법을 다룬다.

④ 『서른 살이 심리학에게 묻다』(김혜남, 갤리온, 2008)

'대한민국 30대를 위한 심리치유 카페'라는 부제가 달려 있다. 정신과 의사인 저자는 이 책에서 임상에서의 치료경험을 살려 서른 살의 삶과 일, 사랑, 인간관계에 대한 심리학적 통찰을 보여준다.

⑤ 『심리의 발견』(빅터 프랭클, 강윤영 옮김, 청아출판사, 2008)

오스트리아 빈 태생의 정신과 의사가 '일상 속의 심리치료'라는 주제로 독자들이 스스로 심리치유를 할 수 있는 방법을 강의 형식으로 전달한다.

현대인들은 자신에게 정신병이 있는 건 아닐까 불안해하며 스트레스를 받는다. 이러한 정신적 스트레스의 이모저모를 체험적·이론적 관점에서 살펴보며, 어떤 자세로 이런 증상에 대처할지 고찰한다.

⑥『정신분석에로의 초대』(이무석, 이유, 2003)

'마음속에 숨겨진 나를 찾아 떠나는 여행'이라는 부제가 달려 있다. 정신의학 교수가 일반인도 읽을 수 있도록 쉽게 써내려간 정신의학 개론서다. 정신의학의 창시자인 프로이트 계통을 집중적으로 소개한다.

⑦『정신의학 이야기』(최훈동, 한울, 2001)

정신과 의사가 신경정신과에 대한 올바른 이해를 돕기 위해 펴낸 계몽서다. 일반 사람들이 스스로 마음의 병을 진단해 현명하게 대처할 수 있도록 쉬운 문장으로 집필했다. 정신과 뇌의 관계, 무의식의 신비, 정신치료의 중요성 등을 설명하고, 신경정신질환 환자들에게 흔히 볼 수 있는 증상을 예로 들어 그 원인과 치료법을 소개한다.

7. 전진

①『그래도 계속 가라』(조셉 M. 마셜, 유향란 옮김, 조화로운삶, 2008)

슬픔과 고통을 겪을 수밖에 없는 삶의 근원적 문제를 할아버지와 손자의 대화를 통해 풀어내고 있다. 대지를 딛고 긴 삶을 이어온 라코타 인디언이 오랜 경험에서 얻은 삶의 지혜를 담고 있다.

②『나는 사랑의 처형자가 되기 싫다』(어빈 D. 얄롬, 최윤미 옮김, 시그마프레스, 2006)

원로 정신과 의사가 자신에게 치료를 받는 과정에서 실존적 고통과 싸워나갔던 열 명의 내담자 이야기를 전한다. 일상의 문제, 이를테면 외로움, 자기비하, 발기불능, 편두통, 강박적 성행동, 비만, 고혈압, 비통함, 소모적인 사랑의 강박관념, 지나친 감정 변화, 우울증 등으로 고통받는 환자들과의 치료적 만남이 감동적으로 소개된다.

③『도정신치료입문』(이동식, 한강수, 2008)

1920년생인 원로 정신과 의사가 88세에 내놓은 저작이다. 젊은 날 서양에서 받은 정신의학적 훈련을 그 뒤에 알게 된 동양사상, 특히 불교사상과 접목시켜 치료에 적용한 사례를 집중적으로 소개한다.

④『아직도 가야 할 길』(스캇 펙, 신승철·이종만 옮김, 열음사, 2007)

'삶은 고해(苦海)다'라는 문장으로 시작하는 이 책은 정신과 의사인 저자가 실제 매일매일 환자를 치료하는 가운데 얻은 통찰을 담고 있다. 이 책은 환자들이 어떻게 자신과 씨름하면서 더 높은 차원으로 성숙해나가는가 또는 이런 씨름에 실패한 환자들은 어떤 길을 걷고 있는가를 관찰하면서 얻은 기록이다. 삶에서 중요한 과제인 훈련과 사랑을 집중적으로 이야기한다.

⑤『아직도 가야 할 길, 그리고 저 너머에』(스캇 펙, 손홍기 옮김, 열음사, 2007)

같은 저자의『아직도 가야 할 길』3부작의 마지막 권이다. 1부에서는 개인과 사회가 가진 병리현상의 근저에 있는 원시적이고 나태한 단순사고를 비판한다. 2부에서는 우리가 훌륭한 삶을 살아가기 위해 끊임없이 되풀이해야 하는 복잡한 선택의 문제를 다룬다. 3부에서는 적절한 지적·감정적 대가를 치르고 났을 때 우리가 어떤 곳에 다다를 수 있는가에 대해 다루고 있다.

⑥『아직도 가야 할 길, 끝나지 않은 여행』(스캇 펙, 김영범 옮김, 열음사, 2007)

같은 저자의『아직도 가야 할 길』3부작의 제2권으로, '삶은 복잡하다'라는 메시지를 전한다. 정신과 의사인 저자는 획일주의적인 사고를 가장 경계한다. 그러므로 공식이나 간단명료한 해답을 찾고 싶은 충동을 포기하고 다차원적으로 사고하며 인생의 신비와 역설 가운데서 기뻐하라고 충고한다.

⑦『진리의 말씀: 법구경』(법정 옮김, 이레, 2005)

『법구경(法句經)』은 불교 초기에 여러 가지 형태로 전해 내려온 시를 모아 엮은 일종의 불교 잠언 시집이다. 모두 423편을 담고 있으며 주제에 따라 26장으로 편집되어 있다. 법정 스님의 유려한 번역이 읽는 재미를 더한다. 생활 속에서 마음이 흔들릴 때마다 읽고 의지할 수 있는 좋은 안식처다.

⑧『한글세대가 본 논어 1, 2』(배병삼 주석, 문학동네, 2002)

『논어』는 공자어록(孔子語錄)이다. 『논어』를 가리켜 흔히들 인간관계론의 보고라고 한다. 이 책은 우리 사회에서 전통적으로 높은 차원의 치유서로서 위치를 점유해온『논어』를 쉬운 우리말로 옮기고 해석했다.

제3부

나의 독서치료 체험기

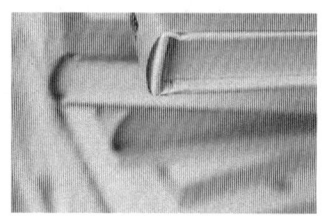

제3부에서는 '체험형' 독서치료 과정을 거친 사람들의 진솔한 체험기를 소개했다. 이른바 '지식형' 프로그램에서는 진정한 의미에서 체험기가 나올 수 없다. 처음부터 이론과 기법이 목적이기 때문이다. 제대로 된 체험기가 생산되는 것은 자연스럽게 '체험형' 프로그램을 통하기 때문이다. 여기 실린 다양한 필진의 체험기 하나하나는 독자의 흥미를 끌기에 충분할 것이다.

내가 만난 독서치료

성남조

1. 들어가며

대학을 졸업한 지 20년이 지난 지금 교육대학원의 첫 학기를 시작하니 고등학교와 대학에 진학한 후 맞이했던 첫 학기가 생각난다. 우리 집은 면(面) 단위의 마을에 있었는데 나는 중학교를 졸업하고 김해시에 소재한 여고에 진학했다. 당시 우리 마을에서 김해시로 가는 버스는 한 시간에 한 대가 있었다. 1981년에 고등학교를 다니기 시작했으니 당시로서는 그나마 교통이 좋은 편이었다. 물론 도로는 비포장이었다. 1학년 1학기, 오전시간에는 차멀미 때문에 수업을 제대로 할 수 없었다. 점심을 먹고 오후시간이 되어서야 정신을 차려 친구들 얼굴도 보고 학교도 살펴보고 수업에 집중할 수 있었다. 친구들은 하얀 피부에 세련된 머리모양을 하고 있었고 이야기하는 것마다 아는 것이 많다고 느껴졌다. 면 출신인 나와는 비교가 되지 않을 정도로 멋진 아이들이라고 생각되었다.

중학교 시절까지만 해도 학교에서 상위권에 속한다고 생각하고 있던 나로서는 그 모든 상황이 적잖이 충격적이었다. 친구들과 잘 지내기보다는 친구들을 관찰하게 되었고 '친구들이 나를 어떻게 생각할까' 하는 마음 때문에 나를 내보이지 못했다. 이렇게 새로운 학교에 적응하기 위한 신고식을 치르고 난 후 2학기부터는 차별미도 극복했고 친구들과도 친해졌다. 그 이후로는 등나무 그늘 아래에서 친구들과 함께 공부하며 아름다운 추억이 많은 여고 시절을 보낼 수 있었다.

대학에 진학하면서는 부산으로 오게 되었다. 2시간이나 버스를 타고 학교로 가 수업에 들어가면 아는 사람 하나 없이 강의를 들어야 했고, 수업과 수업 사이의 빈 시간을 어떻게 보내야 할지 몰라 혼자서 방황하는 1학년 1학기를 다시 맞이하게 되었다. 학교에 잘 적응하지 못해 갈등하면서도 집에서는 부모님이 걱정하실까 봐 학교에 아주 잘 다니고 있는 것처럼 행동하며 1학기를 마쳤다. 다행히 2학기가 시작되고는 학과의 친구들과 친해져 나를 포함한 5명이 그룹이 되어 즐겁게 생활했다. 이렇듯 나는 평소 새로운 환경에 적응하는 속도가 남들보다 많이 느렸다. 지금도 새로운 보직으로 발령을 받으면 많이 긴장하고 적응하기 위해 애를 많이 쓴다.

대학원 첫 수업시간에 평소 찾아뵙지 못한 데 대한 죄송한 마음을 안고 교수님을 뵈었더니 학자로서의 위엄과 당당하신 모습은 20년 전 그대로였다. 반가운 마음과 '독서지도교육론 수업을 어떻게 진행하실까' 하는 기대로 수업에 임했다.

2. 독서의 유형

우리나라는 예로부터 책읽기를 권장했으며 책읽기를 즐겨하는 사람을 존경하며 지식인으로 생각하는 문화가 있어왔다. 이는 조선시대 사농공상(士農工商) 중에서 사(士)를 가장 높은 위치에 두는 신분제도나 1960~1970년대까지 시골에서 글을 읽을 수 있는 사람을 마을의 어른으로 대접했던 문화를 보아도 알 수 있다.

이러한 문화의 영향으로 우리나라 어머니들은 자신은 공부하기를 썩 좋아하지 않으면서도 자녀의 교육문제에 관해서는 세계에서 둘째가라면 서러워할 정도로 열성적이다. 책읽기, 즉 독서에서도 이와 비슷한 경향이 있다. 부모는 책을 가까이 하거나 즐겨 읽지 않으면서 자녀에게는 책읽기를 권하고 심지어 강요하기도 한다. 특히 논술이 대학 진학에서 중요한 변수가 되자 가정은 물론 학교에서도 독서를 강조하며 다양한 형태의 독서교육을 시도하고 있다.

나도 마찬가지로 우리 집 두 아이에게 필요하다고 생각한 책을 읽으라고 강요한다. 아이들의 관심과 흥미는 고려하지 않고 권장도서 목록이나 서평을 보고 책을 구입하거나 도서관에서 대출해 아이들에게 넘기면서 읽으라고 압력을 가한다.

도서관에서는 매년 9월 '독서의 달'에 표어, 포스터, 글짓기 등 독서와 관련된 다양한 행사를 개최해 독서의 중요성을 강조하면서 시민들에게 독서를 권장한다. 부산광역시교육청에서는 '독서지원시스템'을 운영해 학생들에게 독서를 권장하고 있으며, 초·중·고학생용 '필독도서 목록'을 작성, 배포하는 한편 '원 북 원 부산(One Book One Busan)' 운동에 따른 범시민독서릴레이와 독후감 공모전을 벌이는 등 독서 권장을 위한 활동도 활발히 전개하고 있다. 이러한 독서 권장은 독서의 중요성을 인식시킬 뿐만 아니라 책을 좋아하고 독서를 즐기게 만드는 방법을 강구하도록 만든다. 독자의 수준이나 흥미에 맞추어 읽을거리를 제시하는 독서 권장은 평소 내가 알고 있는 독서교육 방법이기도 하다.

우리나라에서는 2006년 한 해에만 4만 5,521종, 1억 1,313만 부의 신간이 발행[1]되었다. 여기서 알 수 있는 것처럼 우리가 접할 수 있는 책의 양은

---

1) "RFID 기술과 출판유통물류", ≪디지털타임스≫, 2007년 10월 8일자, http://www.dt.co.kr/contents.html

엄청나다. 구체적인 권수를 제시하지 않더라도 학문적인 연구, 직업능력 개발, 자기계발 및 성찰 등을 이유로 우리가 읽어야 하는 책의 양은 대단히 많다. 이처럼 많은 책은 필요에 따라 자료의 유형과 성격에 맞게 독서방법을 달리해서 읽어야 한다. 이와 관련해 김정근 교수는 다음과 같이 말한다.

> 독서의 방법에는 지식적으로 '학습'하는 독서와 정서적으로 '체험'하는 독서가 따로 있다. 어떤 책은 읽어서 지식이 늘고 능력이 붙으며, 어떤 책은 읽어서 감동과 공감이 있고 깨우침이 따르며 그것으로 인해 사람이 변할 수 있다. 나는 설명의 편의를 위해 전자를 지식형 독서, 후자를 체험형 독서라고 부른다. …… 지식형 독서는 학습이 대표적인 예가 될 수 있는데 '지식', '정보', '능력', '실력'을 향상시키기 위해 하는 경우다. 체험형 독서는 '마음 다스림'을 위한 것으로 읽는 사람에게 '깨우침'을 주거나 '인격감 각'을 살려주는 독서유형과 '마음상함', '상처', '치유', '성장'과 관련한 독서유형으로 나누어볼 수 있다.[2]

독서방법의 유형을 위에서 인용한 내용과 수업시간 교수님의 말씀에 따라 다시 한 번 정리해보면 다음과 같이 세 가지 유형으로 구분할 수 있다.

우선 '마음을 닦고', '마음을 다스리고', '수신하고', '깨달음을 얻기' 위한, 우리 삶의 길을 배우는 '제1의 독서'가 있다. 이를 위한 책으로는 법정스님의 『무소유』나 『금강경』, 노자의 『도덕경』, 칼릴 지브란의 『예언자』, 릴케의 『릴케시선』같이 시, 수필, 종교서적 등이 있으며 이러한 책들은 마음으로 가슴으로 몸으로 읽어 느낌을 얻고 감동을 받는, 인간적 성숙을 위한 책이다. 우리는 이런 유형의 독서를 가장 보편적으로 실천해왔으며 이는 우리 사회에서 가장 오랫동안 중요성이 강조되어온 덕목이기도 하다. 이런 계통의 책은

---

2) 김정근, 「새삼스레 독서교육의 방법을 생각한다」, ≪제44회 전국도서관대회 논문집≫, 문화관광부·한국도서관협회, 2007, 6~7쪽.

당연히 체험형으로 읽어야 한다.

다음은 '지식', '정보', '능력', '실력'에 대한 요구와 관련이 있는 독서로서 삶의 도구를 마련하기 위한 '제2의 독서'다. 이는 인문과학, 사회과학, 자연과학을 탐구하는 계통에서 필요한 독서유형으로 교과서, 대학교재, 연구서, 백과사전, 연감 같은 책을 들 수 있다. 이 계통은 당연히 지식형으로 읽어야 한다.

마지막으로 '마음상함', '상처', '치유', '성장'과 관련이 있는 독서로서 인간을 귀납적으로 이해하고 아픈 마음을 어루만지고 장애를 뛰어넘도록 도와주는 '제3의 독서'다. 체험형 독서는 '제1의 독서'와 '제3의 독서'로 분화되어왔다. 톨스토이의 『인생론』, 카네기의 『처세술』, 김동길이나 안병욱의 수필집같이 '깨우침'이나 '인간됨'의 교양을 위주로 하는 '제1의 독서'와 '독서치료'로 표현할 수 있는 '제3의 독서'는 구분할 수 있다.

3. 내가 경험한 독서치료

도서관 고유의 업무를 떠나 평생교육 업무를 맡은 지 5년이 되었다. 나보다 먼저 독서치료 과정을 수료한 친구들에게서 독서치료에 대한 이야기를 듣긴 했지만 독서치료는 나에게 완전히 새로운 영역이었다. 첫 시간에 교수님이 독서치료에 관한 이론적인 말씀을 해주셨지만 얼른 귀에 들어오지 않았다. 이희경의 『마음속의 그림책』3)을 읽을 때까지는 독서치료에 대한 이해가 부족해 수업시간에 다른 사람들의 발표와 교수님의 조언을 들으면서 조금씩 이해해나갔다. 그러다 독서치료를 조금 이해하게 되어 재미나게 참여해보려고 하니 어느새 종강시간이 되었다.

내가 참가한 2008년 '독서지도교육론'의 독서치료 목록은 어린아이에서

---

3) 이희경, 『마음속의 그림책: 부모에게 상처받은 아이들의 호소문』(미래M&B, 2000).

부터 청소년, 성인에 이르기까지 연령대별로 상처를 이해할 수 있도록 구성되어 있었다.

독서치료 수업의 치유서 목록

- 영화 <굿 윌 헌팅>(구스 반 산트 감독, 맷 데이먼·로빈 윌리엄스 주연, 1998)
- 니콜 파브르, 『상처받은 아이들: 유년기의 상처를 말하고, 이해하고, 극복하기』, 김주경 옮김(동문선, 2003)
- 이희경, 『마음속의 그림책: 부모에게 상처받은 아이들의 호소문』(미래 M&B, 2000)
- 이훈구, 『미안하다고 말하기가 그렇게 어려웠나요』(이야기, 2001)
- <추적60분> "명문대생, 그는 왜 부모를 살해했나"(KBS, 2000. 7. 23)
- 김혜남, 『서른 살이 심리학에게 묻다』(갤리온, 2008)
- 이경수·김진세, 『마흔의 심리학』(위즈덤하우스, 2007)
- 수잔 포워드, 『흔들리는 부모들: 부모의 역할이 다음 세대의 인생을 좌우한다』, 한창완 옮김(사피엔티아, 2000)
- 배르벨 바르데츠키, 『따귀 맞은 영혼』, 장현숙 옮김(궁리, 2002)
- 드라마 <길모퉁이>(MBC, 2001)
- 이무석, 『(나를 행복하게 하는) 친밀함』(비전과리더십, 2007)
- 이무석, 『(마음의 평안과 자유를 얻은) 30년 만의 휴식』(비전과리더십, 2006)
- 최화숙, 『아름다운 죽음을 위한 안내서: 인생의 마감시간에 우리는 무엇이 되어 만날 것인가』(월간조선사, 2004)
- 영상자료 <인체대탐험 7: 영원한 순환>(KBS, 2002. 9. 8)

- W. 휴 미실다인, 『원만한 정서생활을 가로막는 몸에 밴 어린 시절』,
  이석규 옮김(가톨릭출판사, 2005)
- 스캇 펙, 『아직도 가야 할 길』, 신승철·이종만 옮김(열음사, 2002).
- 스캇 펙, 『거짓의 사람들: 인간 악의 치료에 대한 희망』, 윤종석 옮김
  (비전과리더십, 2003)

『마음속의 그림책』은 '부모에게 상처받은 아이들의 호소문'이라는 부제가 붙어 있는데 학교 상담 선생님인 저자가 부모에게 상처받은 실업계 고등학교 학생들의 사례를 정리한 책이다.

보통의 사람들은 결혼을 하면 부모가 되기 위한 어떤 교육이나 준비 없이 아이를 갖는다. 하지만 부모의 성격, 생각, 인격, 경제적인 여건 등 종합적인 가정형편이 자녀에게 미치는 영향은 무척 크다. 부모의 영향으로 인해 문제아가 된 학생들의 경우를 보니 부모로서의 역할이 정말 중요하다는 생각이 들었다.

이 책을 보면서 우리 아이들에게 나는 어떤 엄마일까 걱정되었다. 어쩌면 교육청에 근무하게 된 후로는 자신의 일만 중요시하는 이기적인 엄마라고 생각할 것 같기도 했고, 자녀를 위해 최선을 다하는 엄마라고는 생각해주지 않을 것 같기도 했다. 그렇지만 엄마가 자신들을 누구보다 사랑하고 잘되기를 바라고 있다는 건 알고 있다고 믿고 싶다.

『흔들리는 부모들』을 읽고 나니 '콩 심은 데 콩 나고 팥 심은 데 팥 난다'는 옛말이 생각났다. 부모가 자식에 대해 갖고 있는 생각이나 행동이 자녀들에게 절대적인 영향을 미치는 사례를 보면서 나와 남편의 성장기는 어떠했나, 두 아이에게 나는 부모노릇을 제대로 하고 있는가 등 여러 가지 생각으로 마음이 복잡했다.

언제부터인가 나는 아들 영현이를 기숙사 생활을 하는 고등학교에 진학시키려고 마음먹게 되었다. 이유인즉 강한 성격의 아버지로부터 벗어나게 해주

고 싶어서였다. 남편은 자신의 생각이나 의견을 상대에게 전달하는 것이 아니라 강요하는 유형이다. 어른인 나도 받아들이기 힘들 때가 많아 갈등을 겪는데 중3의 남자아이로서는 더 견디기가 힘들 것 같아 일찍 독립을 시켜 자유롭게 성장할 수 있도록 도와주고 싶었던 것이다.

영현이는 평소에는 그렇지 않은데 아버지 앞에서는 반대 의견을 잘 내지 못한다. 그렇게 느껴질 때는 마음이 아프다. 남편과 대화를 시도해봤지만 남편은 그 사실을 인정하려 들지 않았다. 남편은 평소에 집안일을 하거나 아이들의 식사를 챙기는 등 아이들에게 잘하는 편이다. 그렇지만 자신의 모든 생각이나 행동이 옳다고 여기고 나와 아이들에게 따라하기를 강요하는 경우가 많다.

남편에게도 이 책을 꼭 읽어보라고 권하고 싶다. 이로 인해 남편이 자신의 성격을 성찰해볼 수 있는 기회를 갖게 되면 좋겠다.

『따귀 맞은 영혼』은 일상생활에서 맺는 인간관계로 인해 발생하는 마찰과 그로 인한 마음상함을 '게슈탈트 심리학'의 입장에서 설명한 책이다. 이 책을 읽으면서 친구, 자식, 남편, 시누이와 시숙, 시어머니 등 주변 사람들과 의견 불일치로 갈등을 겪으며 힘들어했던 일들이 떠올랐다.

마음이 힘들 때 나의 해소법은 내 상황을 잘 알고 있는 친구에게 전화해서 하소연하는 것이었다. 남편이랑 싸우고 난 뒤 '절대 화해하지 않으리라' 마음 먹고 서로 침묵으로 며칠을 지내다 보면 어디 하소연이라도 해야 답답함이 사라질 것 같은 기분이 들었다. 그럴 때면 말을 해도 소문날까 걱정하지 않아도 되는 친구에게 전화를 걸어 싸움의 시작에서 현재 진행상황까지 세세 하게 얘기하곤 했다. 그러면 마음이 한결 후련해졌다. 당시에는 듣는 사람의 입장은 전혀 고려하지 않고 나의 감정에만 이끌려 말을 했는데 그렇게 얘기 를 하고 나면 약간 후회가 되면서도 속은 편했다.

『마흔의 심리학』은 정신과 의사와 기자가 매주 1회씩 만나 40대 남자의 고민과 갈등, 꿈과 희망, 성과 사랑 등에 대해 이야기 나눈 내용을 나, 관계, 고민의 세 영역으로 나누어 엮어놓았다. 책을 읽기 위해 목차를 살펴보다

보니 세 번째 부분인 '40대 남성의 고민은 무엇일까'가 나의 호기심을 끌었다.

처음에는 우울증에 관한 이야기가 나왔다. 내 주변에도 우울증으로 인해 자살을 시도했다가 다행히 지금은 정상적으로 잘 생활하고 있는 사람이 몇몇 있다. 주로 자녀가 다 자라 어머니의 도움을 필요로 하지 않게 되고 남편은 직장일로 바쁜 40~50대 여성들이다.

책의 주인공과 같이 직장에서의 스트레스도 우울증의 원인이 되기에 충분하다. 한때 일 관계로 어려워져 이 일이 아니면 살 수 없나 하고 힘들어했던 기억이 난다. 그럴 때면 또 친한 친구에게 전화를 해서 1시간씩 수다를 떨며 하소연했고 덕분에 스트레스가 많이 해소되었다.

40대는 가정에서나 직장에서 안정된 자리에 있어야 하는 불혹(不惑)의 시기이지만 실제로는 사오정, 오륙도 같은 유행어가 생길 정도로 경제적으로 위기를 겪는 세대다. 또한 배 나오는 것, 머리카락 빠지는 것, 성기능이 저하되는 것 이 세 가지가 40대 남성의 신체적 고민이라고 지적하는 저자의 말에도 공감되었다. 주변의 친구들과 지인들이 한창 이런 문제로 고민하는 모습을 보았기 때문이다. 그런데 이건 비단 남자들만의 문제는 아닌 것 같다. 여자들도 갱년기 증상으로 나이 먹는 것을 받아들이기 힘들어하거나 신체적인 변화에 적응하려고 노력하는 경우가 많다.

『30년 만의 휴식』은 책 제목이 정말 마음에 들었다. 읽으면서 내용이 편안하게 느껴졌고 편집도 내가 좋아하는 스타일이어서 가장 수월하게 읽었던 책이다.

시험 준비로 바쁜 삼촌과 놀고 싶은 욕구가 가득한 조카 사이에 벌어지는 실랑이는 나의 자화상을 보는 것 같았다. 딸아이는 요즘 매일 저녁 줄넘기를 한다. 오빠랑 같이 줄넘기를 하긴 하지만 내가 곁에서 지켜봐 주기를 바라는데 나는 귀찮아서 핀잔을 준 것이 성장하지 못한 삼촌과 똑같다는 생각이 들었다. 오늘 저녁부터 같이 뛰지는 않더라도 함께 나가 딸아이를 격려해줘야지 다짐하게 되었다.

직장생활을 하면서 다른 사람보다 잘한다는 말을 듣고 싶은 것이 모든 사람들의 일반적인 바람이다. 나 역시 그렇다. 지금도 그 욕심을 버리지 못해 마음을 끓이며 일을 한다. 해결되지 않은 일이 있으면 쉬는 날이라도 출근하기 일쑤다. 누군가 압력을 주어서가 아니라 내 스스로 일을 두고 쉴 수가 없기 때문이다. 혼자 결정하기 어려운 상황에서는 선임자의 자문을 구해가면서 일을 하곤 한다. 나 스스로 일 중독인가 의심을 해보기도 했다. 그 단계까지는 아니지만 여하튼 일에 집착하는 것은 사실이다.

『아름다운 죽음을 위한 안내서』를 읽은 뒤에는 평소 죽음을 생각하면서 생활한다면 세상에 나쁜 일 하면서 살아갈 사람은 아무도 없겠구나 하는 생각을 했다. 위급한 상황이 발생할 경우 가족이 가장 먼저 달려와 문제해결을 위해 애쓴다는 사실을 늘 잊지 않는다면 평소에도 가족끼리 싸우고 살지는 않겠지!

이 책의 여러 사례 중에서 '결혼도, 아이 낳은 일도 과분한 은혜였다'는 어느 여교수의 죽음 부분에서는 책상 위에 휴지가 쌓여갔다. 아홉 살, 다섯 살 된 아들을 두고 세상을 떠나야 하는 여교수는 아이들을 돌봐줘야 하는 자신이 오히려 암으로 고통스러워하는 모습을 아이들에게 오래 보이게 되자 나쁜 기억 속의 엄마로 남기 싫어 병원에 입원하고 자신의 주변을 정리하면서 유서도 남겼다. 두 아들에 대한 미안한 마음과 잘 자라주기를 바라는 엄마의 사랑이 넘쳐흘렀다. 그리고 남편이 재혼해 남은 삶을 행복하게 살기를 진심으로 원하는 마음도 느껴졌다.

이 책을 계기로 내가 6개월의 시한부 인생이라면 어떻게 할까라는 생각을 해보았다. 그런 생각만으로 순간 가슴이 답답해지면서 한숨이 나왔다. 나도 유언장을 작성해보고 싶었다. 유언을 쓰려니 제일 먼저 아이들이 걱정되었고 다음으로 남편이 걱정되었다. 내가 없으면 아이들이 힘든 일이 생길 때 누구와 의논할까 싶어 마음이 아파왔다. 다음의 글은 처음으로 써본 유언장이다.

유언장

사랑하는 영현, 정현아!

이 세상 살아가면서 힘든 일이 생기면 꼭 서로 도와야 한다. 아버지가
계시지만 너희 둘이 서로를 위하지 않으면 누가 너희들을 도와주겠니.
그리고 너희들이 열심히 하더라도 뜻한 바대로 되지 않을 때도 많이 있을
거야. 그럴 때면 세상을 원망하거나 좌절하지 말고 긍정적으로 생각하고
또 다른 입장에서도 생각해봐야 한다.

공부를 잘해주면 좋겠지만 잘하지 못하더라도 열심히 해라. 그리고 너
희 둘 다 대학에는 꼭 진학했으면 좋겠다. 너희가 인생을 살면서 대학생활
에서 느껴야 하는 캠퍼스의 낭만과 사랑을 알지 못한다면 엄마는 슬플
것 같다. 그러니 실력에 맞는 대학을 골라 꼭 진학은 했으면 좋겠다. 영현이
는 오빠니까 세상에서 하나밖에 없는 동생을 도와주고, 정현이도 오빠를
잘 따라야 한다.

사랑하는 남편 성호 씨, 우리의 결혼생활을 생각하니 초기에는 마냥
행복했던 것 같고요, 3~10년 사이에는 많이 싸웠던 같아요. 맞벌이 하면
서 영현, 정현이 키우느라 우리 고생 참 많이 했어요. 지금 당신보다 키가
크고 건강하고 멋진 모습의 영현이를 보면서 그때의 고생은 지금의 행복을
위한 거름이었다는 생각이 듭니다. 영현이는 이제 원하는 것을 지원해주기
만 하면 될 것 같습니다. 간섭하기보다는 원하는 것을 도와주면서 결정의
순간에 조언만 해주세요. 이것저것 하라고 주문은 하지 말고요. 알아서
잘하는 아이니까요.

그리고 정현이는 딸이라 정말 걱정입니다. 성인이 될 때까지는 엄마의
도움이 많이 필요한데……. 평소 다정한 아빠이기는 해도 딸아이는 신체적
으로나 정서적으로 당신이 도와줄 수 없는 부분이 많이 있을 것이라…….

당신의 결벽증을 생각하면 재혼을 하지 않을까 걱정됩니다. 내가 없더
라도 당신은 행복하기를 바랍니다. 혼자 아이들 키우고 살림하면서 힘들게

지내는 것은 제가 바라는 바가 아닙니다.

제가 떠난 후의 경제적인 문제는 별로 걱정하지 않습니다. 평소 돈 관리는 당신이 알아서 했으니 제가 따로 관리하고 있는 돈은 아이들의 학비로 사용했으면 합니다.

장례는 절차가 가장 간단한 방법으로 해주세요. 친한 친구들에게만 알리고 부의장을 돌리지는 말아주세요. 그리고 화장해서 우리 영현, 정현이가 힘든 일 있을 때 찾아와서 의논할 수 있는 곳에 있고 싶습니다.

여보 그리고 영현, 정현아, 항상 긍정적으로 세상일을 받아들이고 무엇을 하든 최선을 다해주길 바란다. 다른 사람을 비방하기보다는 사랑으로 이해하면서 살아라.

너희를 사랑하는 엄마가

『아직도 가야 할 길』은 사람이 살면서 경험하게 되는 갈등의 상황을 케이스별로 보여주고 있다. 미국인 저자가 1978년에 출판한 책인데도 현재 내가 살아가면서 느끼는 문제들을 너무 잘 표현하고 있어서 놀라웠다. 특히 주변에서 예민한 사람을 보면서 막연하게 정신에 좀 이상이 있을 것이라고 느꼈던 부분에 대한 용어 정리가 되어 있어서 무척 좋았다.

저자는 삶을 살아가면서 문제를 일으키는 정신장애를 '노이로제(신경증)'와 '성격장애'로 표현하고 있다. 삶의 문제를 대하는 데서 '노이로제(신경증)'인 사람은 너무 책임을 지려고 하고 세상과의 갈등에서는 자신에게 잘못이 있다고 생각하는 한편 자신을 비하하는 경향이 강하다. 반면 '성격장애'인 사람은 응당 감당해야 할 책임을 지지 않으려고 한다. 세상과 대결할 때면 이 세상이 잘못되었다고 치부해버린다. 또한 자신의 행동은 본인 스스로가 아닌 외부에서 오는 힘에 의해 좌우되고 있다고 생각한다.

자식이 공부를 잘하고 모범생이면 자신을 닮았고 문제아이이면 조상 탓이라고 여기는 것처럼 일상생활에서도 '성격장애'와 '신경증'을 가진 사람을 종종 만날 수 있다. 나 자신을 스스로 진단해보니 나는 '신경증'과 '성격장애'

를 모두 가지고 있으나 '신경증'에 좀 더 가까운 편이다. 남편이 기분이 좋지 않은 얼굴을 하고 있거나 사무실의 분위기가 좋지 않으면 눈치를 보면서 '내가 무엇을 잘못했나' 하고 제일 먼저 나를 돌아본다. 그렇지만 그건 큰 문제라고 생각하지 않는다. 나는 우리 가족을 사랑하며 친구나 직장동료들과 우정과 동료애를 나누면서 열심히 살고자 노력하고 있기 때문이다.

4. 나오며

독서치료 수업은 나에게 몇 가지 새로운 사실을 알게 해주었다.

첫째, 독서자료의 새로운 영역인 치유서를 만나게 해주었다. 마음의 상처를 치유하기 위한 독서자료는 옛날에도 있기는 했지만 전체 도서관 장서에서 차지하는 비율은 미미한 수준이었다. 하지만 사회가 다양화되고 사람들이 입는 상처도 다양해지면서 해결방법을 찾으려고 노력하는 사람이 많아짐에 따라 점차 치유서가 주목을 받게 되었다. 이제는 한국도서관협회의 「상황별 독서치료목록」, 신경정신의학회의 권장도서 30선, 구덕도서관의 「나와 가족을 위한 독서치료 프로그램 안내」, 양산도서관의 「마음의 상처, 독서로 치료하세요」 등 독서치료를 위한 자료목록을 담은 연구 자료를 많이 접할 수 있게 되었다.

둘째, 상담학을 기반으로 해서 대전지방법원 가사조정위원인 이영애를 중심으로 조직된 신성회, 아동학 또는 유아교육학을 전공한 김현희를 중심으로 움직이는 한국독서치료학회, 문헌정보학의 관점에서 독서치료에 접근하는 부산대학교 명예교수 김정근이 이끄는 책정연 등 독서치료를 통해 상처받은 마음을 치유하는 다양한 독서치료 그룹이 있다는 사실을 알게 되었다.[4]

---

4) 김정근, 「체험형 독서치료란 무엇인가?」, 《도서관문화》, 49권 3호(2008. 3), 66~80쪽.

셋째, 체험적 책읽기에 공감하게 되었다. 학습적·수험적·기능적으로 지식을 습득함으로써 내용을 자세히 기억하려고 노력하는 형태는 독서치료에 적합한 독서방법이 아니라는 사실을 알게 되었다. 치유서는 책을 읽으면서 떠오르는 생각과 느낌에 주목하고 마음으로부터 공감하고 몰입하는 것이 가장 중요하다. 나는 책을 읽으면서 느끼는 생각과 감정의 파장을 정리한 뒤 독서치료 시간에 다른 참여자들과 토론을 벌임으로써 상처를 치유받기도 했다.

그런데 나는 수업시간에 속마음을 다 내보이지 못했다. 책을 읽으면서 공감했던 마음속의 생각과 입에서 나오는 말이 일치하지 못했던 것이다. 하지만 다른 토론자의 발표 가운데 내가 미처 생각하지 못했던 사례를 들으면서 많은 공감을 하게 되었고 수업에 참여하는 것만으로도 치유되는 경험을 할 수 있었다.

부산광역시 교육청 소속 공공도서관에서는 1년에 300여 개의 다양한 문화 프로그램이 개설된다. 이 중에는 백화점이나 대형마트의 문화센터, 주민센터 같은 지역의 문화기관과 중복되는 프로그램도 많다. 그중에서 가장 도서관답고 도서관에서 잘할 수 있는 영역은 독서 관련 프로그램일 것이다. 특히 독서치료는 기존의 '1일 독서교실', '겨울·여름방학 독서교실', '독서토론회'와는 구분되면서 사서업무의 전문성을 확보할 수 있는 영역이다. 이에 사서들은 도서관의 정체성을 잘 반영하는 프로그램으로 독서치료를 꼽았다.[5]

구덕도서관, 양산도서관, 울산의 여러 공공도서관의 친분이 있는 사서들이 독서치료 프로그램을 운영하는 것을 보니 나도 도서관으로 근무지를 다시 옮기게 되면 독서치료 프로그램을 운영해보고 싶다는 생각이 들었다.

독서치료는 치유서를 매개로 만난 지역사회 주민들이 서로의 아픔과 상처를 어루만지고 위로하면서 회복과 치유를 유도하는 것이다.[6] 이러한 독서치

---

5) 김수경, 「서평: (정신건강과 자아발달을 돕는) 체험적 독서치료」, ≪도서관문화≫, 49권 4호(2008. 4), 54~56쪽.

료 프로그램은 공공도서관을 중심으로 점차 확대될 것이며, 마음상황의 영역별로 세분화·전문화된 프로그램으로 활성화되리라 확신한다.

---

6) 김정근, 「책읽기 醫女는 무엇을 먹고 사는가」, ≪도서관계≫, 161호(2008. 4), 4~5쪽.

이유란, 독서치료를 만나다

이유란

요즘 트렌드는 웰빙(Well-being)을 넘어선 로하스(LOHAS)적인 삶이다. 로하스란 'Lifestyles Of Health And Sustainability'의 약자로 미국의 내추럴 마케팅 연구소가 2000년 처음 사용한 말이다.[1] 웰빙, 로하스로 이어진 새로운 삶의 방식은 외적인 건강과 정신적인 건강의 조화를 통한 행복추구를 지향하고 있다. 결국 건강한 삶을 영위하려면 건강한 육체는 물론 마음의 안정과 건강한 정신까지 지녀야 한다는 것을 의미한다.

이러한 최근의 현상에서도 알 수 있듯 사람들은 이제 건강한 정신에 주목하고 있다. 이에 스스로 자신의 내면을 돌아보고 마음을 다스리고자 한다. 베스트셀러 순위에 자기관리 분야나 심리에세이 같은 책들이 랭크되는 것도 이러한 분위기와 무관하지 않다.

그런데 나는 이른바 자기계발서로 불리는 베스트셀러들을 상당히 싫어한다. 처음에는 워낙 인기가 많으니까 궁금한 마음에 몇 권 읽어보기도 했다.

---

1) 위키피디아 백과사전(http://ko.wikipedia.org/wiki/) 참조.

책도 두껍지 않아 쉽게 읽을 수 있었다. 게다가 요즘은 제목에서부터 게으름, 우울증, 대인관계, 소심함, 성격, 긍정 등 세분화된 하나의 테마를 가진 책들이 워낙 많으니 골라잡아 읽기만 하면 되었다. 하지만 이런 책들은 나에게 아무런 감흥을 주지 못했다. 사람들은 읽고 감동했다느니 큰 변화가 왔다느니 서평에 별점 5개짜리 글들을 가득 올렸지만 나는 아무런 느낌을 받을 수 없었다. 소설을 읽으면 흥미진진하기라도 할 텐데 이런 책들은 너무 '밍밍'했다.

이 때문에 한때는 '내 감정체계에 무슨 문제가 있는 건 아닐까, 다른 사람들은 모두 감동받는 책을 읽고도 나는 왜 아무런 감동이 없을까' 심각하게 고민한 적도 있다. 그러다 결국은 그냥 그런 책을 읽지 않는 것으로 간단하게 결론을 내렸다. 그렇게 한 지 1년 반 정도 되었다.

1. 2008년, 새로운 시작

그러다 2008년을 맞이하게 되었다. 사실 2008년의 시작은 다른 어느 해와는 조금 달랐다. 내 인생에서 가장 큰 하나의 사건이 될 결혼을 앞두고 있었고 졸업한 지 4년 만에 다시 학교로 돌아가게 되었으니 마음가짐이 남달랐던 것은 어찌 보면 당연한 일이었다.

특히 결혼은 인륜지대사라 할 정도로 중요하고도 큰 문제인지라 이제까지는 경험한 적이 없는 엄청난 심적 부담이 느껴졌다. 2008년 초부터 외형적으로는 이러저러한 준비를 갖추어나갔지만 마음은 그 준비속도를 따라가지 못했다. 왠지 불안하기도 하고 걱정스럽기도 해서 누구에겐가 조언을 받고 싶다는 생각이 절실히 들곤 했다. 그러다 3월, 대학원의 첫 학기를 맞이했다.

2. 독서치료를 만나는 첫 번째 시간

첫 수업시간에는 독서치료에 관해 한마디씩 나눌 수 있는 시간이 주어졌다. 나는 독서치료에 대해 자세히 아는 것은 없으나 대안적인 치료 방법 중의 하나로 막연하게 알고 있으며 평소에 관심을 가지고 있었다는 이야기를 했다.

그러나 그와 동시에 마음속으로는 약간의 불안감이 밀려왔다. 매주 한 권의 책을 읽어야 한다는데, 그것도 내가 직접 고른 책도 아닌 '선정되어 있는' 책을 읽어야 한다는데 혹시 예전처럼 아무런 느낌도 받지 못하면 어떡하나, 돌아가면서 이야기도 해야 한다는데 매주 거짓으로 말해야 하는 건 아닐까 걱정이 되었던 것이다.

그러다 접한 첫 번째 책 신현림의 『내 서른 살은 어디로 갔나』²⁾는 예전의 불안감이 다시 고개를 들게 만들었다. '치유성장 에세이'라고 하는데 읽으면서 크게 공감을 하거나 느껴지는 바가 없었다. 내가 보기에 치유성장은 빼고 그냥 에세이에 지나지 않는 평범한 수필 같다는 생각만 들었다. 독서치료라는 과정에서 만나게 되는 책이니 작가가 여러 가지 상황을 거치며 변화되어 가는 엄청난 과정을 그린 내용일 것이라 기대했는데 막상 읽어보니 소소한 일상을 적어놓았을 뿐이라는 생각이 들었다. 분명히 좋은 책이어서 선정됐을 텐데 나는 왜 아무것도 느낄 수 없는 걸까 하는 생각에 다시금 걱정이 밀려왔다.

하지만 내용 중에서 지금의 내 상황과 관련이 있는 부분만은 몰입해 읽을 수 있었다. 공감을 하면서 읽을 수 있다는 사실을 아주 조금 느끼게 된 시간이었다.

---

2) 신현림, 『내 서른 살은 어디로 갔나』(민음사, 2007).

3. 독서치료를 만나는 두 번째 시간

이훈구의 『미안하다고 말하기가 그렇게 어려웠나요』[3]와 이희경의 『마음속의 그림책』 중 하나만 읽어도 된다고 했지만 나는 두 권 모두 읽었다. 어쩐지 둘 다 읽어야 겉도는 느낌 없이 빠르게 독서치료에 동화될 수 있을 것 같아서였다. 다행히 두 권 모두 무척 잘 읽히는 책이었고 지금 생각하니 한 학기 동안 만났던 책 가운데 가장 기억에 남는 책이 되었다.

주인공이 부모를 죽인 파렴치한 자식인지 아니면 가정과 사회에서 버림받은 불쌍한 아이인지 생각해보게 만들었던 이훈구의 책은 세상을 바라보는 나의 시선에 대해 다시 한 번 돌아볼 수 있는 계기를 마련해주었다. 처음엔 다른 일반적인 사람들처럼 당연히 나도 부모를 죽이고 게다가 토막 살인이라는 엄청난 만행까지 저지른 것은 용서할 수 없는 일이라고 생각했다. 하지만 점점 책에 빠져들어 읽어나갈수록 주인공이 용서할 수 없는 범죄를 저지른 가해자인 것은 분명하지만 사실은 가정 내에서 제대로 된 사랑도 받지 못한 불쌍한 피해자로 볼 수도 있다는 생각이 들었다. 가정 내에서 그것도 부모에게 받는 사랑은 너무나도 당연한 것이라고 믿어왔던 나에게는 무척이나 충격적인 가정환경이어서 그런지 그 속에서 자란 주인공이 가엾다는 생각마저 들었다. 어쩌면 그가 원만한 성격을 형성할 수 없었던 건 당연한 결과였는지도 모른다.

이희경의 책에 나온 수많은 사례 역시 나를 깜짝 놀라게 했다. 한 학교 내에 마음 아픈 아이들이 그렇게나 많을 수 있다는 사실이 놀라울 뿐이었다. 그림으로 표현된 어린 청소년들의 처절한 고통이 무척 마음을 아프게 했다. "잘 기를 준비가 되어 있지 않은 사람은 부모가 되지 않았으면 한다"는 한 학생의 직접적인 말이 정말 아프게 다가왔다.

아이를 제대로 키우기 위해 모든 사람이 부모가 될 공부를 하거나 노력

---

3) 이훈구, 『미안하다고 말하기가 그렇게 어려웠나요』(이야기, 2001).

을 해야 한다고 생각하지는 않는다. 아이를 하나의 인간으로 인정해주는 것이 아니라 단지 내가 낳은 내 새끼, 나의 분신, 나의 소유물로만 생각하는 태도가 문제인 것 같다. 부모를 못살게 구는 자식은 파렴치하고 불효막심하다고 쉽게 말들 하지만 아이를 못살게 구는 부모에 대해서는 모두 그 아이를 위해 그럴 수도 있다는 식으로 지나치게 관대하게 해석하는 경향이 강하다.

또한 가정 내에서 발생하는 물리적·언어적 폭력을 포함한 많은 문제들도 각 가정의 개인적인 문제라고 치부할 뿐 사회적인 문제로 받아들이지 않는다. 그러다 보니 이제까지 우리 사회는 늘 가정의 문제는 가정 내에서 해결해야 한다는 식의 입장을 보였으며 중간에서 상처받는 가족 구성원들의 마음아픔은 아무도 헤아려주지 않았다. 나 역시도 그랬는지 모른다.

단 두 권의 책으로 부모와 자식 간에 생길 수 있는 마음의 골, 아픔, 상처를 완전히 알 수는 없겠지만 부모 자식 간이기에 오히려 서로를 더 이해함으로써 해결해야 할 부분이 많다는 생각이 들었다. 부모라서 자식 앞에 권위를 세워야 한다고 생각하기 전에 부모도 사람인지라 실수도 할 수 있다고 인정하고 사과한다면 의외로 쉽게 해결될 수 있는 문제도 분명 많을 것이다.

무엇보다 문제의 상황과 원인에 대해 터놓고 얘기함으로써 문제를 해결하는 것이 중요하다는 생각이 들었다. 또한 이 모든 갈등을 막을 수 있는 것은 사랑이며 사랑을 주기 위해서는 먼저 사랑을 받아본 경험이 중요하다는 것을 느꼈다.

독서치료란 상처 입은 사람들이 치유를 위한 목적으로 책을 읽는 것이라고만 막연히 생각했는데 오히려 마음 아픈 상황을 만들지 않기 위해서, 다른 사람의 마음을 아프게 하지 않기 위해서 미리 알아두어야 할 내용이라는 사실을 알게 되었던 시간이다.

4. 독서치료를 만나는 세 번째 시간

세 번째로 만난 김혜남의 『서른 살이 심리학에게 묻다』[4]는 몇 년 전 같은 저자의 책 『나는 정말 너를 사랑하는 걸까』[5]를 읽고 나서 크게 공감했던 경험이 있어서인지 나에게 가장 가깝게 다가왔던 책이다. 『나는 정말 너를 사랑하는 걸까』는 그동안 내가 읽어왔던 책들과는 전혀 다른, 내가 처음으로 접하는 유형의 책이었다. 그전에도 심리에 관한 책을 읽어보았고 사람의 심리에 대해 이론적으로 설명해놓은 책들을 접해본 적도 있지만 이처럼 가슴에 절실하게 와 닿는 책은 일찍이 없었다. 마치 나의 마음을 알고 내 옆에서 직접 말을 해주는 것처럼 큰 공감을 얻을 수 있었다. 책을 접했던 시기가 마침 무언가 걱정거리가 있을 때여서 그랬는지 읽고 나니 어떠한 사실을 새롭게 알게 되었다기보다는 그저 나와 같은 생각을 하거나 일시적인 불안을 느끼는 사람이 많구나 하는 생각에 안심했다고 해야 할까, 암튼 조금 편안해지는 느낌이 들었다. 책을 통해 마음의 안정을 얻을 수 있다는 사실이 마냥 신기했다.

이 책도 마찬가지였다. 특히 당시의 나는 그때보다도 훨씬 더 큰 테마인 결혼을 앞두고 있는 처지였기에 굉장히 심란하고 마음이 편하지 않았다. 사랑하는 사람과 새로운 생활을 시작한다는 것에 대한 기대감이나 설렘도 있었지만 한편으로는 부모님과 더 이상 함께 지낼 수 없다는 사실이 순간순간 슬픔으로 다가와 왠지 침울해질 때가 많았다. 감정의 기복이 심해졌고 스스로 한심하다고 여겨지기까지 했다.

그런데 『서른 살이 심리학에게 묻다』에서는 어른이 되기 위해서는 따뜻한 부모님의 품과 이별해야만 하는 과정이 필요하며 그리고 그 과정은 당연히

---

4) 김혜남, 『서른살이 심리학에게 묻다: 대한민국 30대를 위한 심리치유 카페』(갤리온, 2008).

5) 김혜남, 『나는 정말 너를 사랑하는 걸까』(갤리온, 2007).

슬프다고 말하고 있었다. 부모라는 든든한 울타리가 있는 곳을 벗어나 자신이 새로운 울타리를 만들어야 하는 세상으로 가려면 슬프고 불안한 마음이 드는 것은 당연한지도 모른다는 생각이 들면서 조금씩 위안이 되었다. 두렵고 걱정스러운 마음이 완전히 가시진 않았지만 그냥 잠시 불안할 수도 있으니 이런 감정을 느끼는 것이 잘못된 것만은 아니라고, 충분히 그럴 수 있다고 누군가 옆에서 얘기해주기를 기다려왔는데 마침 그 말을 듣게 된 느낌이었다. 돌이켜 생각해보니 그때 이후로 불안한 마음이 사라지고 우울했던 마음이 가시면서 좀 더 밝고 건강한 생각을 갖고 즐거워하는 쪽으로 바뀌게 되었던 것 같다.

이 외에도 직장에서의 마음가짐이나 평상시 생활에서 일어나는 소소한 감정들에 대해 나만 이런 게 아닐까, 나만 이상한 게 아닐까 생각한 적이 있었는데 이 책을 읽어보면 그런 것이 아니라 누구나 한번쯤 경험하는 감정이라는 걸 알게 되어 굉장히 위로가 되었다.

우리 도서관에서도 언제든지 빌려서 읽을 수 있지만 너무도 공감하며 읽었던 보물 같은 책이기에 구입해서 나만의 장서로 만들어두었다. 워낙 인기 있는 베스트셀러다 보니 우리 도서관에서도 자주 대출되는 편이다. 빌려가는 학생들을 보고 있자면 저 사람도 분명 이 책을 통해 나처럼 마음의 편안함과 위안을 얻을 수 있겠구나 하고 생각하게 된다.

5. 독서치료를 만나는 네 번째 시간

『흔들리는 부모들』[6]은 책을 구할 수 없어 부득이하게 전자책(e-book)으로 구매해 읽었는데 컴퓨터로 읽다 보니 집중하기가 무척 힘이 들었다. 그리고

---

6) 수잔 포워드, 『흔들리는 부모들: 부모의 역할이 다음 세대의 인생을 좌우한다』, 한창환 옮김(사피엔티아, 2005).

제목도 이해하기가 힘들었다. 원제는 'Toxic Parents'인데 흔들린다는 표현 대신 '독이 되는 부모들' 아니면 '자식에게 오히려 해가 되는 부모들' 같은 표현을 썼다면 이해하기가 더 수월했을지도 모른다는 생각도 들었다.

그렇지만 『흔들리는 부모들』은 한 달 반가량 읽어온 그간의 책들과 모두 연결되면서 독서치료라는 개념에 대해 정리를 해주는 느낌이 들었다. 그전까지는 치유서를 읽으면서도 독서치료를 통해 마음의 상처를 치유한다는 것, 그중에서도 부모와의 관계에서 생겨난 마음의 상처를 치유한다는 것은 온전치 못한 관계를 회복하는 것이라고만 생각해왔는데 그게 아니라는 사실을 알게 되었다. 상처를 치유한다고 해서 반드시 어긋난 관계를 회복하는 데 중점을 두는 것은 아니다. 관계를 회복하든 아니든 간에 그보다 중요한 일은 아픈 상처를 치유하고 이제까지 마음속에 복잡하게 안고 있던 무언가를 잘라 냄으로써 앞으로의 인생에서 사람과의 관계를 올바르게 맺어갈 수 있도록 힘을 기르는 것이다. 과거의 상처 때문에 현재와 미래의 인생까지 불행해질 필요는 없다. 비온 뒤에 굳어진 땅처럼 단단하게 회복된 가슴으로 당당하게 자신의 삶을 살아갈 수 있도록 만드는 것이 독서치료의 근본적인 목적이 아닐까 싶다.

책 내용 중에 '부모도 미안하다고 말할 수 있어야 한다'라는 말이 나오는데 이 말은 이번 학기 중 내 기억 속에 깊이 남는 구절 가운데 하나다. 이 책을 읽지 않았다면 나도 장래에 아마 나의 부모님처럼 그리고 다른 여느 부모님처럼 자녀 앞에 권위를 세우면서 강하게 보이려고 애썼을 것이다. 자식 앞에서 자존심 상하지 않도록 늘 강한 모습을 보이려 하거나 내가 한 행동으로 인해 아이가 속상해하고 상처를 받더라도 아이가 잘되게 하려다 보니 어쩔 수 없었다고 부정만 했을지도 모른다. 하지만 이제는 다르다. 부모도 인간일 진대 완전할 수는 없다. 부모들은 실상 부모라는 자신의 권위 때문에 자녀들에게 미안하다는 말을 좀처럼 하지 않는다. 하지만 실제로 사죄하는 부모를 업신여길 자녀는 아무도 없다. 자식과 부모이기 이전에 인간으로서 마주한다면 흔들리는 부모가 될 일은 없지 않을까?

이 책이 기억에 남는 또 하나의 이유는 이 시기에 마침 엄마로부터 책에
등장할 법한 엄청난 이야기를 들었기 때문이다. 솔직히 나는『흔들리는 부모
들』은 물론이고『미안하다고 말하기가 그렇게 어려웠나요』,『마음속의 그림
책』을 읽으면서 '진짜 이런 부모들이 있을까? 자기 자식인데 어떻게 이런
말과 행동을 하는 사람이 있을 수가 있지?' 하는 생각을 했었다. 그런데
실제로 흔들리는 부모가 있는 가정의 이야기를 듣게 된 것이다. 같은 상황을
두고 이야기를 해주시는 엄마의 의견과 나의 의견은 일치하지 않았다. 예전
같으면 나도 부모를 이해하지 못하는 자식 탓만 했겠지만 이젠 그 부모가
흔들리는 부모였다는 걸 알기 때문에 부모로 인해 상황이 이처럼 나빠진
것이며 해결의 실마리는 역시 부모에게 있다는 생각이 강하게 들었다. 상황
을 조금씩 달리 보고자 하는 나의 변화가 느껴지는 순간이었다. 한편 그렇다
면 나는 나중에 "나는 흔들리는 부모가 아니다!"라고 자신 있게 선언할 수
있을지 궁금해졌다.

6. 독서치료를 만나는 다섯 번째 시간

『따귀 맞은 영혼』[7]은 학기가 시작하자마자 일찌감치 사두었던 책으로
제목이 참으로 기발하고도 적절하다는 생각을 했다. 누군가에게 따귀를 맞는
것처럼 자존심 상하고 기분 나쁘고 마음 상하는 일도 많지 않을 텐데 심지어
영혼이 따귀를 맞았다니. 상처 입었다는 표현을 이렇게도 할 수 있구나 감탄
했다.

이전 책들은 장래에 부모 되기, 불안한 마음 등에 대해 생각해보게 했다면
이 책은 본격적으로 내 마음속 상처를 자세히 들여다보게 해주었다.

누구나 마음이 상하고 상처를 입는 것처럼 나도 종종 마음의 상처를 입는

---

7) 배르벨 바르데츠키,『따귀 맞은 영혼』.

다. 학창 시절에도 그랬으나 졸업을 하고 나니 그와는 비교도 안 될 정도의 마음 상하는 일들이 많이 생겨났다. 그럴 때마다 나는 스스로 소심한 인간이라며 자책하곤 했다.

마음에 상처가 되는 일은 대부분 다른 사람들과의 관계 속에서 일어난다. 더욱이 각자 다른 환경에서 성장하고 지내오면서 형성된 제각각의 인격을 가진 다양한 사람들이 모여 있는 직장이라는 곳에서는 상처를 입는 경우가 훨씬 잦다. 직장 동료들은 하루 중 집에서 가족과 함께 보내는 시간보다 훨씬 긴 시간을 함께 보내야 한다. 더군다나 함께 얼굴을 맞대며 일을 하다가 무언가 불편한 기색이 느껴지면 서로에게 주먹을 휘두르는 게 아니라 말로써 다른 사람의 마음에 칼을 겨눈다. 때로는 잔인한 독설을 퍼붓기도 하고 때로는 엄청난 무관심이나 냉대로 타인의 마음에 상처를 주기도 한다.

여자 직원이 절대적으로 많은 도서관 환경에서는 신경전이라 할 수 있는 눈치 보기나 짐작하기가 많은 편이다. 동료의 기분이 안 좋아 보이면 괜히 내가 뭔가 잘못한 일이 있나 싶어 마음이 위축되기도 하고 수직적인 질서가 중시되는 조직이라 하고픈 이야기를 다 하지 못할 때도 많다. 가끔은 '이렇게 일터에서 이 사람을 만나지 않았다면 훨씬 편하게 잘 지낼 수 있었을 텐데' 하는 생각이 들기도 한다. 하지만 이 책을 읽으면서 개인의 마음상함의 원인은 모두 다를 수 있다는 사실을 알게 되었다. 내가 상처받는 것처럼 다른 사람이 상처받기도 하며, 의도하지 않은 나의 말과 행동 역시 마음상함을 일으킬 수 있다고 생각을 정리했다. 또 반대로 주변 사람들 역시 '나 때문에' 기분이 나쁘거나 기운 없는 게 아닌 경우가 대부분이니 괜히 주눅 들어 행동에 제약을 받지 말아야겠다고 생각했다. 직장은 '일'을 하기 위해 사람이 모인 집단인 만큼 바쁘게 일하는 일상 중에 개개인의 배경이나 성향을 모두 헤아리고 배려하는 것이 쉽지는 않겠지만 그럴수록 자기 안의 기준이나 확신이 중요하다는 생각이 들었다. 스스로의 마음을 제대로 바라볼 수만 있다면 다른 사람의 마음에 따귀를 때리는 일은 없을 것이다. 이 책을 우리 도서관 장서에도 꼭 포함시켜야겠다는 생각이 들었다.

7. 독서치료를 만나는 여섯 번째 시간

이무석의 『친밀함』8)을 읽고서는 나 스스로 아직 미성숙한 인간이라는 사실과 일정 부분 거짓의 친밀함을 유지하고 있다는 사실을 깨달았다.

성숙한 사람이라면 타인의 기쁨을 자기의 일보다 더 기뻐해줄 수 있다고 하는데 친구와의 관계 속에서 나는 친구의 기쁨을 더 기뻐해주기보다는 시기하는 마음을 가지고 속상해했다. 또한 말로는 잘되기 바란다고 하면서도 친구가 나보다 훨씬 앞서가면 어떡하나 은근히 경계하고 질투하는 마음을 가진 적도 있었다. 내가 그렇게 느낀다는 것을 알고 있으면서도 이전까지는 그 사실을 모르는 척 부인하려고 마음속에 꼭꼭 숨겨두었는데 책을 읽는 동안 그 사실들이 조금씩 밖으로 새어나왔다. 친구는 나에게 자신보다 더 어른스럽고 성숙하다고 말하곤 했는데 실상 성숙하고 어른스러운 사람은 내가 아니라 그 친구였던 것이다. 내가 사람들에게 친밀하게 다가설 수 없었던 것은 이런 면이 작용했기 때문인지도 모른다는 생각도 들었다.

거짓된 친밀함의 경우 '거짓'이라는 말이 이미 부정적인 어감을 지니고 있듯 이를 지양해야 하는지도 모르지만 나는 실제로는 일정 부분 거짓된 친밀함은 유지해야 할 필요가 있다고 생각했다. 예를 들면 직장은 가정에서와 같이 무조건적인 친밀함이 허용되는 공간이 아니다. 이해관계가 얽혀 있는 매우 공적인 그곳에서는 친밀함이 때로 독이 되어 자신에게 돌아올지도 모른다. 물론 원만하게 지내는 것이 가장 중요하지만 적절한 거리를 두고 지내야 마음의 상처를 받지 않는다는 생각을 갖고 있었던 것이다.

---

8) 이무석, 『(나를 행복하게 하는) 친밀함』(비전과리더십, 2007).

8. 독서치료를 만나는 일곱 번째 시간

나는 어떤 사람인가, 나는 어떤 성격인가. 책을 읽으면서 계속 생각해보게 되었다. 이무석의 『30년 만의 휴식』[9]이라는 책 한 권으로는 특별한 경험을 하기에 턱없이 부족했지만 스스로를 돌아보고자 하는 마음으로 책을 읽어나 갔다.

이 책을 읽는 동안 특히 내 안에 살고 있는 '어른아이'를 발견하고 싶었다. 나 역시 몸은 이렇게 훌쩍 큰 어른이지만 마음속에는 아직도 자라지 못한 어린아이가 있는 것은 아닐까 생각해보았다. 내 속의 '아이'는 칭찬받기를 원하고 있었다. 원인은 두 가지라고 생각했다.

첫 번째 원인은 할아버지였다. 나는 친가 쪽으로 언니들만 줄줄이 다섯 명이 있었는데 할아버지가 바라시던 건 아들, 즉 나 다음에 태어난 남동생이 었다. 그러다 보니 나는 이름마저도 아빠가 지어놓으신 예쁜 이름 대신 할아 버지가 큰언니와 작은언니에 이어 시리즈로 지어주신 이름을 써야 했다. 큰댁에 가면 할아버지는 손자한테 줄 각종 과자와 장난감을 한가득 사놓고 기다리고 계셨다. 그 옆에서 나는 시쳇말로 동생한테 '묻어가는' 식으로 과자 를 얻어먹거나 장난감을 가지고 놀 수 있었다. 칭찬과 사랑의 말도 자연히 귀한 아들 손주에게 집중되었다. 안 그래도 무뚝뚝한 경상도 할아버지에게는 여섯 번째 손녀라고 특별히 예쁘게 보일 일이 없었으므로 칭찬의 말 한마디 를 듣는 건 보통 어려운 일이 아니었다.

두 번째 원인은 아버지였다. 아버지는 적어도 내가 아는 사람 중 가장 똑똑하고 아는 게 많으신 분이다. 하지만 아버지는 어려운 집안형편과 시험 의 실패로 실력에 걸맞지 않은 대학을 나오셨고, 직장도 안정적인 직업을 택하고자 공무원의 길로 들어섰다. 자신의 지식과 능력은 누구 못지않게 훌륭하지만 외적으로 보기에는 특별히 자신의 능력을 증명할 만한 타이틀을

---

9) 이무석, 『(마음의 평안과 자유를 얻은) 30년 만의 휴식』(비전과리더십, 2006).

가지지 못한 것에 대해 아버지는 일종의 콤플렉스를 가지고 계셨다. 그런 탓에 자식만큼은 자신보다 더 잘하고 더 나은 대학에 가고 더 좋은 직장을 갖기를 원하셨는지도 모른다. 그러다 보니 언제나 잘한다는 칭찬보다는 더 노력하라는 강요 같은 질책만을 계속했다. 잘하는 과목은 당연히 잘해야 하는 것이므로 칭찬에서 제외되었고 못하는 것만 지적 대상이 되었다. 다른 친구들은 주로 엄마가 성적에 대해 잔소리를 한다는데 우리 집은 반대였다. 아버지가 구구절절 잔소리를 하는 경우가 많았다. 문제는 나한테는 단 한 번도 "수고했다", "잘했다"라는 말씀을 하신 적이 없으면서 밖에 나가서 주위 분들에게는 나에 대해 좋은 말씀을 하신다는 것이었다. 나는 인정받는 칭찬 한마디를 이다지도 듣고 싶어 하는데 어째서 그러지 않으시는지 아버지의 진심이 무엇인지 몰라 답답했던 적도 있었다.

여러 시기를 거치면서 충분한 만족을 얻지 못했기 때문에 지금의 나는 칭찬과 인정받음에 대한 욕구가 강하며 상대방으로부터 언제나 확답을 듣고 싶어 한다. 또 잘난 체하는 습성까지 있는지도 모르겠다. 그러다 보니 누군가가 진심으로 인정해주더라도 이를 의심하면서 곧이곧대로 받아들이지 못하기도 한다.

이런 기회를 통해 이 책을 만나지 못했다면 내 성격이 어떻게 형성되었는지 그 원인을 곰곰이 생각해볼 기회가 한 번도 없었을 것이다. 단지 불만족스러운 부분에 대해 속상해하고만 있었을 것이다. 스스로를 돌아볼 수 있었다는 것만으로도 감사한 시간이었다.

9. 독서치료를 만나는 여덟 번째 시간

아주 독특한 테마인 '죽음'에 대해 생각해볼 수 있었던 여덟 번째 시간은 다른 때보다 수업 분위기가 훨씬 차분했다. 감정을 추스르기 힘들어 이야기를 제대로 꺼내지 못하는 사람도 있었고 죽음이라는 테마를 아주 먼 훗날에야 상관있을 법한 것으로 여겨 제대로 생각해보지 못한 사람도 있었다. 죽음은 아무래도 친숙하거나 친근한 것이 아닌, 왠지 들으면 무섭고 두려워지는 단어다. 이 시간이 아니면 죽음에 대해 이처럼 진지하게 생각할 기회를 가질수 있었을까 싶다. 그렇기에 『아름다운 죽음을 위한 안내서』[10]는 여러 가지 의미에서 읽기 수월한 책은 아니었다.

아름다움과 죽음은 전혀 어울리지 않는 단어라서 '아름다운 죽음'이란 과연 어떤 것일까 궁금해졌다. 책을 펴서 몇 페이지를 읽는데 눈물이 나면서 읽는 것이 괴로워졌다. 이제까지 읽어왔던 치유서와는 조금 다른 내용이라서 그랬는지도 모르지만 어쨌든 단숨에 읽어갈 수가 없었다. 나와 전혀 상관없는, 모르는 사람들의 이야기이건만 죽어가는 과정을 글을 통해 지켜보는 것이 생각보다 쉽지 않았다. 슬퍼지기도 했다가 무서워지기도 했다가를 반복하며 조금씩 읽어나갔다.

내가 가지고 있는 죽음에 대한 이미지가 어떤 것일까 곰곰이 생각해보니 한마디로 '두려움'임을 알 수 있었다. 어렸을 적 할아버지가 돌아가셨을 때 생각이 났다. 가족들이 다 자고 있는 한밤중에 할아버지가 돌아가셨다는 전화가 왔고 아버지는 큰집으로 가기 위해 부랴부랴 옷을 챙겨 입으셨다. 나는 그때 처음으로 아버지가 눈물을 흘리시는 걸 보았다. 강인한 우리 아버지가 눈물을 흘리시는 걸 보았으니 나는 '죽는다는 게 얼마나 슬프고 무서운 것이기에'라고 생각하며 놀랐을 것이다. 그전까지는 죽는다는 것에 대해 생각해볼 기회가 전혀 없었다. 이 때문에 이후 죽음에 대해 두려운 감정이 생기게 되었는지도 모르겠다. 나는 동물을 싫어하는 것은 아니지만 키우고 싶지는 않다. 그 동물이 무엇이건 간에 대부분 나보다 오래 살지 못할 것이므로 그 작은 동물의 죽음을 보는 일이 무척 가슴이 아플 것 같아서다.

주변인의 죽음에 대해서도 이런 두려운 마음이 드는데 나 스스로에게 죽음

---

10) 최화숙, 『아름다운 죽음을 위한 안내서: 인생의 마감시간에 우리는 무엇이 되어 만날 것인가』(월간조선사, 2004).

이라는 것이 닥쳐온다면 두렵지 않을 수 없을 것 같았다. 그런데 막상 자신의 상황을 이해하고 받아들여 오히려 편안하고 안정된 상황에서 죽음을 받아들이는 사람도 있다는 사실을 알고 적잖이 놀랐다.

앞서 읽은 여러 가지 테마의 책들과 연관해서 생각해보니 죽음이 아름다우려면 살아온 과정이 아름다워야 한다는 생각이 든다. 가장 마지막 순간에 편안한 마음을 가지려면 살아 있는 동안 후회 없이 행복해야 할 것이다. 자신이 언젠가는 죽는다는 사실을 모르는 사람은 아무도 없지만 그렇다고 죽음을 쉽게 인정하거나 받아들이기는 쉬운 일이 아니다. 그러나 살아온 과정이 아름답다면 죽음 역시 아름다울 수 있을 것이다. 아름답고 평화롭게 살기 위해서는 괴로운 일이 적어야 한다. 성숙한 사람이라면 더욱 그러할 것이다. 독서치료의 최종적인 효과는 어쩌면 마지막 순간까지 아름다울 수 있도록 만드는 힘을 길러주는 게 아닐까.

10. 독서치료를 만나는 마지막 시간

『아직도 가야 할 길』[11]이라는 제목은 독서치료와 함께하는 마지막 시간에 정말 잘 어울린다는 생각이 들었다. 석 달 남짓 매주 한 권의 책을 만나왔지만 한 학기만으로는 독서치료를 제대로 이해할 수 없을 뿐만 아니라 말 그대로 '아직도 가야 할 길'이 한참이나 남아 있기 때문이다.

책을 읽다 보면 언제나 나의 상황과 가장 맞닿아 있는 부분에서 집중해서 읽게 되고 가장 크게 공감하게 된다. 이 책에서는 사랑이라는 테마를 다룬 챕터가 가장 재미있게 읽혔다. 특히 책 속에 인용된 문장들이 가슴 깊이 와 닿았는데 아이와 결혼에 관해 언급된 칼릴 지브란의 글이 특히 그러했다. 그의 글에는 간결한 문장 속에 감탄을 자아내는 메시지가 들어 있었다. 우리

---

11) M. 스캇 펙, 『아직도 가야 할 길』, 신승철·이종만 옮김(열음사, 2007).

도서관 장서를 검색해보니 칼릴 지브란의 책이 있기에 얼른 서가에서 가져왔다. '사랑할 수 있는 시간은 너무 많습니다'라는 부제가 있는 책이었는데 그중 '예언자'라는 챕터에 같은 글귀가 실려 있었다. 유명한 말이어서 그랬는지 가슴에 새기고픈 좋은 글귀여서 그랬는지 낡은 책에는 여러 사람이 밑줄을 그은 자국이 선명하게 남아 있었다. 그 책은 사랑, 결혼, 아이, 먹고 마시는 것, 베푸는 것 등 다양한 테마에 관해 정말 예언자와 같은 현명한 대답을 제시하고 있었다.

나는 특히 결혼에 대해 얘기한 구절을 가슴 깊이 새겼다.

> 그러나 당신 부부 사이에는 빈 공간을 두어서,
> 당신들 사이에서 하늘의 바람이 춤추도록 하게 하라.
> 서로 사랑하라. 그러나 서로 포개어지지는 마라.
> 당신 부부 영혼들의 해변 사이에는 저 움직이는 바다가 오히려 있도록
> 하라.
> ......
> 그리고 함께 서라. 그러나 너무 가까이 붙어 서지는 마라.
> 사원의 기둥들은 떨어져 있어야 하며,
> 떡갈나무와 사이프러스 나무는
> 서로의 그늘 속에서는 자랄 수 없기 때문이다.[12]

제목대로 아직도 가야 할 길을 한참이나 앞에 둔 나에게 누군가가 진심 어린 조언 한마디를 옆에서 건네는 것 같아 왠지 마음이 든든해졌다.

---

12) 같은 책, 245~246쪽.

11. 나만의 카운슬러, 치유서

매주 한 권의 책을 읽는 동안 나는 눈물을 흘리기도 하고 괴로워하기도 하고 즐거워하기도 했다. 무릎을 탁 치게 만드는, 명쾌한 답을 얻은 듯한 느낌을 받은 적도 있었다. 작은 책 한 권이 마치 나에게 나만의 상담자가 되어주는 듯했다.

예전에는 노래 속의 가사나 책 속의 문구가 그냥 문자로 느껴질 뿐 가슴에 와 닿은 적이 없었다. 당시에는 그저 흘려버리는 한낱 구절에 불과했는데 어느샌가 절실하게 가슴으로 느껴지는 말들이 귀에 들리고 눈에 보이기 시작했다. 아마도 나 스스로 내가 '어른'이라고 생각하게 되면서 각종 고민을 시작한 것이 그 계기가 아니었을까 생각한다. 나의 상황에 대한 공감대가 형성되지 않으면 마음으로 느끼지 못한 채 그냥 좋은 말이구나 하고 흘려버리게 된다. 책도 마찬가지다. 내가 겪었던 일에 관한 내용이거나 관심 있는 분야이거나 내가 궁금해하는 내용에 관한 책이라면 몰입해서 읽을 수 있지만 전혀 관심이 없거나 나와는 전혀 다른 시각에서 쓰인 책이라면 짜증스러워 도저히 읽을 수 없을지도 모른다.

2년 전쯤 내 지인인 A는 독서치료와 관련된 수업을 듣게 되었다. A는 그 수업을 통해 개인적으로 마음의 상처를 상당히 많이 떨쳐낼 수 있었다며 크게 기뻐했으며 독서치료에 대해 아주 긍정적으로 받아들이고 있었다. 약 6개월 동안 그런 과정을 거치다 보니 어느샌가 A는 나와 이야기를 할 때 늘 "그런 건 이러이러해서 말이지……", "그건 말이야……" 하면서 상담을 해주듯 이야기하게 되었다. 그때 나는 A가 독서치료에서 크게 도움을 받았다는 사실은 알고 있었지만 독서치료에 전혀 관심이 없어서인지 A가 한번 이야기를 시작하면 끝도 없이 길게 풀어서 한다는 생각이 들면서 '웬 어려운 말을 저렇게 잔뜩 쓰면서 대체 무슨 이야기를 하고 싶은 걸까'라고 속으로 투덜거렸다.

2년이 지난 지금은 상황이 달라졌다. 독서치료를 만난 뒤로는 내가 다른 사람들과 대화를 하다가 "그건 이래서 말이지, 저래서 말이지……", "이 책에 보면 그런 내용을 알 수 있어" 하며 신나서 이런저런 이야기를 하게 되었다. 그런데 사람들의 반응을 보고 있자니 A에게 내가 보였던 반응과 별반 다르지 않았다. 관심 없는 얘기를 듣고 있으려니 지루하다는 표정이었다.

나에겐 큰 감동이고 충격이던 소중한 책들이 관심 없는 사람들에겐 서가에 한가득 꽂혀 있는 다른 책들과 다를 바 없는, 그저 한 권의 책에 불과하다. 분명 읽고 나면 모두 다 감탄할 만한 내용이라고 생각하겠지만 직접 읽어볼 기회를 갖지 못한다면 그 가치는 아마 영원히 알 수 없을 것이다. 독서치료가 더욱 대중화되고 독서치료에 참여할 수 있는 기회가 많아지면 그 혜택을 보는 사람들도 많아질 텐데 하는 아쉬움이 들면서 남들보다 조금 먼저 이런 기회를 가질 수 있었음이 감사하게 느껴지기도 했다.

독서치료의 매력은 시간과 장소에 구애받지 않는다는 점이다. 내가 필요할 때면 언제든 만날 수 있다는 사실이 좋다. 또한 상대적으로 저렴하다는 것도 큰 장점이다. 정신과에서 매번 상담받는 비용에 비하면 책은 엄청 저렴한 비용으로 접할 수 있다. 책 한 권만 손에 쥐면 유명한 전문의의 상담을 직접 받을 수도 있다. 물론 실제 만나는 것이 아니라 다른 사람의 경험을 바탕으로 이루어지는 상담일지라도 말이다. 다른 대안적인 심리치료들과는 달리 개인이 스스로 시작할 수 있으며 지속적으로 할 수 있다는 것도 하나의 특징이다. 이처럼 장점이 많은 독서치료를 사람들에게 더욱 널리 알려주고 싶다는 마음이 든다.

이번 학기를 돌아보면 나는 '어른 되기'에 가장 관심이 많았던 것 같다. 책을 읽을 때마다 답을 찾으려 하는 마음으로 열심히 임했다. 부모의 든든한 울타리에서 벗어나 이제 나 스스로 그 울타리가 되어야 하는 것이 두려웠기에 절실한 도움이 필요했다. 또한 언젠가는 나도 부모가 될 것이기에 올바른 부모 노릇을 할 수 있을지 걱정이 되기도 했다. 한 학기를 열심히 보내고 나서 내가 얻은 두 가지 키워드는 '사랑'과 '나 자신'이었다.

우선 '사랑은 전부이며 특히 가정 안에서의 사랑은 충분하고 완전해야 한다'는 것이다. 독서치료를 접하기 전부터 생각해오던 나만의 논리, 즉 '모든 사회문제의 원인은 애정결핍에 있다'라는 생각이 틀리지 않았다고 느끼게 되었다. 대부분의 사람들은 학교를 졸업하고 직장생활을 시작하면 비로소 사회를 만나게 된다고 여기지만 사실 우리는 태어나자마자 가정이라는 가장 기본적이고도 작은 사회를 만난다. 그 속에서 어떤 식의 관계를 맺어나가고 얼마만큼 애정 어린 관계를 맺느냐에 따라 사회를 구성하는 각 구성원의 모습은 달라질 수밖에 없다.

다음은 '나 자신이 변화해야 한다'는 것이다. "사람을 존중하면 그것이 자신에게 되돌아온다." 책 속에 나오는 멋진 글도 아니고 위인이 남긴 명언도 아닌, 어느 드라마에 나오는 대사일 뿐이지만 이는 내가 무척 좋아하는 문구다. 이는 드라마의 주인공인 오케스트라 지휘자가 음악을 연주하는 오케스트라 단원들을 보며 스스로 되새기는 말이다. 늘 자기 멋대로 하고 화만 내던 이 남자는 자신에게 영향을 준 두 사람을 계기로 크게 변화한다. 그가 처음에 오케스트라를 지휘할 때는 사람들에게 명령하고 윽박지르며 악담만 퍼부어 댔지만 성격이 변하고 난 뒤 사람들을 존중하고 받들어주니 각 개인에게서 흘러나오는 하나하나의 소리가 평화롭고 아름다운 오케스트라 연주로 표현 되었다. 이것이 드라마 속에서만 가능한 이야기라고 생각하지는 않는다. 이 처럼 미묘한 사람의 감정 변화는 그 파장이 넓게 퍼져 주위의 모든 것에 영향을 준다. 문제는 바로 나 자신인 것이다. 나부터 변화할 수 있다면 틀림없이 많은 문제들이 해결될 것이다.

오늘 한 대학원생이 책을 반납하러 왔다. 네 권의 책을 반납했는데 제목을 보니 모두 심리치료, 그림검사 같은 단어가 들어간 책이었다. 그래서 "그림치료에 관심이 있으신가요? 논문 주제가 그쪽인가 보네요. 혹시 제가 책 한 권 추천해드려도 될까요?" 하니 반가워하며 당장 알려달라고 했다. 이희경의 『마음속의 그림책』을 추천해주며 이론적인 책이 아니라 실제 사례들을 다룬 책이라는 설명도 덧붙였다. 그 대학원생은 무척 고마워하며 감사의 인사를 몇 번씩 하고 갔다.

만일 그 대학원생이 목록에서 검색할 때 제목 키워드로만 검색을 했다면 제목에 그림치료라는 말이 들어가지 않은 이 책은 찾아내지도 못했을 것이다. 나 역시 이 책을 읽지 않았다면 이런 괜찮은 책이 우리 도서관에 있는지도 몰랐을 것이고, 제목만 보고 내용을 읽지 않았다면 오늘처럼 자신 있게 권할 수 없었을 것이다.

앞으로도 이런 뿌듯한 일이 늘어났으면 좋겠다. 변화할 수 있는 자신을 만나는 것만큼 행복한 일도 없다. 그 변화의 계기는 분명 독서치료와의 만남일 테다. 앞으로의 나의 변화도 수많은 카운슬러 책들과 함께하게 되리라 믿어 의심치 않는다.

책읽기와 나, 새로운 이야기

정희윤

1. 책읽기와 나

　나는 책이 좋다. 나는 늘 책에 대한 목마름을 가지고 있다. 좋은 책 한 권이 주는 기쁨은 좋은 사람을 만나는 것과도 같다. 설레고 기다려진다. 표지를 장식한 그림과 제목의 어울림은 눈맛을 느끼게 하고 읽으면서 얻는 감동과 재미는 행복을 준다. 좋은 책을 보면 만지고 싶고 가지고 싶다. 그래서인지 늘 책을 곁에 두려고 한다. 계절이 바뀔 때나 방학을 맞이할 때면 새 옷을 장만하듯 책을 구입하고 싶어진다. 때로는 읽지도 않으면서 사두는 책도 있다. 좋은 평을 받은 책은 물건을 사듯 소장하고 싶기도 하다. 또한 책을 소개하는 글에도 관심이 많다. 어릴 적부터 누구나 한번쯤 꿈꿔보았듯 방 하나를 온통 책으로 채워보리라 다짐하기도 한다.
　책은 좋은 만남이라고 한다. 좋은 책과의 만남은 한 사람의 인생을 변화시키는 힘을 갖고 있다고도 한다. 대학 시절 사회과학 책을 접하며 그런 변화를 경험하기는 했다. 그러나 나의 일상을 바꾸는 힘으로 연결되지는 않았다.

세상을 바꾼다는 것은 나 자신을 바꾸는 것보다 쉬운 일인지도 모르겠다. 나는 여전히 세상의 주인이 되지 못하는 느낌이었고 자신감이 결여되어 있었다. 변해가는 세상 속에서 나는 산다는 것에 어려움을 느끼고 있었던 것이다. 좋은 책을 찾아 읽는데도 근본적인 삶의 질은 변하지 않았으며 일상에서 인간관계를 맺는 데 여전히 어려움을 느끼고 있었다.

그동안 나는 시나 소설을 주로 읽었다. 여행이나 예술 분야의 책도 좋아한다. 그렇다고 아주 열심히 책을 읽는 것은 아니다. 그저 우리나라 성인의 평균 독서량보다 조금 많은 정도다. 책을 읽으면 잠깐 동안이나마 구차한 일상을 벗어날 수 있어서 좋다. 책을 통해 여러 가지 다양한 삶을 접하게 되는 것도 좋은 공부다. 지금까지 나의 책읽기는 지루하고 지리멸렬한 현실에서 벗어나고픈 욕망의 발로가 아니었을까 하는 생각이 든다. 하지만 『우리는 사소한 것에 목숨을 건다』,[1] 『살아 있는 동안 꼭 해야 할 49가지』[2] 같은 책은 우연한 경로로 손에 들어오긴 했지만 책꽂이에만 꽂혀 있을 뿐 이상하리만치 손이 가지 않았다. 뻔한 가르침을 준다는 생각에 읽어보려 하지 않았다. 이런 책들은 나를 더욱 틀에 가두어버릴 것이며 현실에 순응하면서 살라는 공자 왈 맹자 왈 하는 소리일 것이라고 생각했던 것이다.

교사가 되어 학급의 아이들을 가르치면서는 책읽기를 중요한 요소로 삼고 지도하려 했다. 하지만 처음의 각오와는 달리 요즈음은 어려움을 느낀다. 책읽기를 더 높은 단계로 발전시켜야 하는데 한계에 이른 것이다. 또한 학교에서 강요하는 독서교육이나 사교육시장의 독서교육은 독서의 본질이 무엇인지 혼란스럽게 만들고 있다. 학교에서는 점점 무슨 과목의 과제해결을 하듯 감상문을 요구하거나 대회를 열어 책읽기를 평가하려 한다. 그러다 보니 즐겁고 행복한 독서가 되지 못하고 있다. 교사로서 아이들을 윽박지르

---

1) 리처드 칼슨, 『우리는 사소한 것에 목숨을 건다 1』, 정영문 옮김(창작시대, 1998).
2) 탄줘잉 엮음, 『살아 있는 동안 꼭 해야 할 49가지』, 김명은 옮김(위즈덤하우스, 2004).

고 괴롭히기까지 해야 하는 것이다. 책을 좋아하고 책 읽어주기를 즐기면서 아이들과 함께 책을 읽어나가는 편인데도 학교에서 맡은 독서교육 업무와 도서관 업무는 하나도 즐겁지 않았다. 오히려 다시 그 업무를 맡으라고 할까 봐 겁이 났다. 독서교육을 중요하게 생각하는 나로서는 괴리감을 많이 느꼈기 때문이다. 지금의 독서교육 열풍은 오히려 교사로서 아이들과 함께 하는 책읽기란 어떠해야 하는가에 대한 고민으로 연결되었다. 하지만 탈출구를 찾지는 못했다. 변화에 대한 갈망보다는 변화에 대한 두려움이 더 컸나 보다.

나이 서른을 통과하고 이제 마흔을 앞둔 나이가 되니 상대적으로 여유가 생겨서인지 삶의 전환을 생각해보게 되었다. 그러던 중 주위의 아는 분이 권유를 하여 대학원의 문을 두드렸다. 평소 대학원에 진학하는 사람들을 보며 나는 '반드시 하고 싶은 공부가 생기면 가야지', '교수님이 어떤 분들인지 꼭 알아보고 가야지' 하고 마음먹었었다. 다행히 사서교육과는 내가 좋아하는 책과 관련되는 공부이기에 마음이 끌렸고 교수님들도 좋은 분들이라고 해서 용기를 냈다. 이렇게 해서 나는 운 좋게도 대학원 첫 학기에 독서치료와 만나게 되었다. 독서교육에 대한 고민, 채워지지 않는 공허함, 직장에서의 인간관계, 남편과 아이들과의 관계에서 반복되는 줄다리기 가운데 어렴풋하게 가졌던 변화에 대한 생각을 구체화시킬 수 있는 기회가 생긴 것이다. 독서치료 수업은 참으로 안성맞춤인 시기에 나에게 찾아왔다.

2. 독서치료와 나

1) 나의 상처: 근원가정과 지금의 가정

내 나이 열 살 때 우리 집은 갑작스런 변화를 겪었다. 아버지가 다리를 움직이지 못하는 장애인이 되어버린 것이다. 정말 너무나 갑작스럽게 당한 일이라 우리 가족 중 어느 한 사람도 마음의 준비가 안 된 상태였다. 그때부터 나의 상처는 자리 잡기 시작했나 보다. 아버지는 언제나 활기차고 용의주도 하며 책임감이 강한 분이셨다. 당시 35세, 젊은 남자였던 아버지는 느닷없이 닥친 엄청난 인생의 반전에 얼마나 힘드셨을까? 지금은 한 인간으로서 아버지의 삶을 생각할 수 있게 되었지만 어린 내가 아버지로부터 받은 상처를 생각하면 지금도 그저 가슴이 답답하다. 당시에는 아버지에게 가까이 다가가기가 싫었다. 갑자기 집안에서만 생활하게 된 아버지는 성격이 많이 변하셨다. 잔소리를 끊임없이 늘어놓았으며 작은 일에도 갑작스럽게 화를 내는 바람에 나와 내 동생들은 어쩔 줄 몰라했다. 우리가 하는 일은 뭐든지 마음에 안 들어하며 역정을 내셨다. 그런 우울한 분위기는 우리 집 공기의 흐름을 바꿔놓았다. 가끔씩 다른 집에서 태어났다면 좋았을 거라는 생각을 하기도 했고 집에서 탈출하고 싶기도 했다. 엄마는 아버지를 대신해 집안의 가장이 되었다. 자식 넷을 키워야 했으며 시부모도 봉양해야 했다. 힘든 농사일과 가사 일을 하느라 얼마나 힘드셨을까? 나라면 그 인생의 무게를 감당할 수 있었을까? 하지만 엄마는 우리에게 넋두리를 늘어놓는 일이 거의 없었다. 엄마는 이런 정신적인 고통을 참아내느라 만성 두통과 위장병에 시달렸던 것 같다. 엄마는 강한 정신력으로 자식 넷만 생각하며 버텨오셨고 지금도 우리 가정의 버팀목이 되어주신다. 하지만 엄마의 상처도 가슴 저 깊은 곳에 묻혀 있을 것이다.

어린 시절 우리 가정은 관계가 단절된 상태였다. 엄마는 엄마대로, 나는 나대로, 또 동생들은 저들대로. 아버지로부터 어긋난 가정의 평화는 모든 관계를 단절시켜버렸다. 우리는 각자 마음의 문을 닫고 열등감을 가진 사람이 되어버린 것이다. 그중 가장 큰 피해자는 여동생이다. 여동생은 공부를 꽤 잘해서 의대에 진학했다. 2학년 때까지는 곧잘 하더니 본과 3학년 때 정신의 병을 가지게 되었다. 병원실습 기간에 나에게 걸려온 전화는 우리 집을 또 한 번 절망에 빠뜨렸다. 나는 내가 한심스러웠다. 언니로서 동생의 마음을 몰랐던 것이다. 동생을 이해하지 못해 모두들 당황했고 때로는 동생에게 화를 내기도 했다. 동생에게서 닫혔던 마음의 얘기를 들은 것은 얼마 전이었다. 공부밖에 몰랐던 동생의 문제는 열등감에서 비롯된 것이었다. 아버지로부터 받은 비난과 어려운 가정환경은 자신감을 잃게 만들었고 이로 인해 원만한 인간관계를 맺지 못했다. 겉으로는 공부 잘하는 아이였으나 속으로는 열등감이 가득한 아이로 자랐던 것이다. 결국 동생은 의대를 졸업하지 못하고 다른 과로 편입해 겨우 대학을 졸업하긴 했지만 아직 완치된 상태는 아니다. 남동생도 고등학교 시절 가출을 한 번 시도했었다. 생각해 보면 우리는 서로 고민을 털어놓지 못하고 각자 외로운 섬으로 살아왔던 것이다.

결혼 이후의 삶은 또 다른 인생의 시작이었다. 가족이라는 틀에 얽매여 나 자신의 삶은 어디론가 사라지고 아내로서 엄마로서 며느리로서의 삶이 더 큰 자리를 차지하게 되었다. 한 사람이 몇 가지의 역할을 다 해내기란 힘들고 고통스러운 일이었다. 마음속의 갈등은 늘 생활에 대한 불만으로 나타났다. 다른 사람들은 이렇지 않을 텐데 나의 결혼생활은 왜 이리 가시밭길인가 싶어 결혼 직후부터 10여 년 동안 울기도 참 많이 울었다.

나와 남편은 같은 과 캠퍼스 커플이었다. 대학 시절에는 그저 사이좋은 관계로 서로의 생활을 지켜보며 지냈다. 그러나 인연이었는지 대학을 졸업하고 나서 연인관계로 발전하게 되었다. 남편의 끈질긴 구애를 믿고 결혼하기로 마음먹었지만 생각지도 못한 난관이 많았다. 사실 그 당시 나는 스물여섯이라는, 지금 생각하면 세상 물정 하나도 모르는 철없는 나이였기에 다른 사람과 조금 다른 남편의 조건들이 그렇게 나를 옭아매는 사슬이 되리라고는 생각하지 못했다.

남편은 어머니가 두 분이다. 시아버지는 조강지처를 두고 남편의 어머니를 속여 위장결혼을 해서 남편을 낳았다. 그런 우여곡절 끝에 태어난 남편은 초등학교 3학년 때 친어머니와 헤어져 배다른 형과 동생이 있는 시골에 혼자 떨어져 살았다. 그런 생활은 중학교를 졸업할 때까지 계속 이어졌다. 그동안 남편이 겪었을 상처와 아픔을 뭐라고 표현할 수 있을까? 나는 대강의 사정은 알고 있었지만 남편은 활발하고 잘 웃으며 착하다는 이야기를 듣는 사람이었기에 그 내면까지 잘 알지는 못했다. 그리고 무엇보다 감정과 열정에 이끌려 우리는 부부가 되었고 미래에 대한 설계 없이 곧바로 부모가 되어버렸기에 우리 앞에 놓인 두 가지 역할에 너무나 무력할 수밖에 없었다.

남편은 술을 먹으면 거의 정신이 나가 과거에 상처받았던 기억을 토로하며 자학하고 허우적거렸다. 나는 나대로 감당할 수 없는 아픔을 남편 잘못 만난 탓으로 돌리며 그를 비난했다. 나에게 왜 이런 일이 일어나야 하는지 혼자 끙끙대며 분노를 키워갔다. 상처를 어떻게 다스려야 하는지 모르는 우리는 자신만의 상처를 끌어안았고 시댁에서 발생하는 여러 가지 상황으로 인해 자꾸만 부딪치고 싸웠다. 이기적이고 무책임한 시아버지에 대한 분노는 날이 갈수록 더해만 갔고 시어머니도 그의 인생이 가엾고 초라한 만큼 미움이 생겼다. 시댁에 가야 할 일이 생긴다든지 시댁 이야기만 나오면 신경이 곤두서고 머리가 아파왔다. 평범하지 않은 시댁의 며느리 노릇은 자존감을 무너뜨렸다. 그리고 아는 사람 없는 낯선 경기도에서 첫 아이를 낳고 기르며 겪은 부모로서의 무지와 힘듦, 남편의 주식투자가 잘못되어 닥친 경제적인 어려움과 불행한 어린 시절에서 비롯된 정서적 불안, 무절제한 일상생활은 나를 지치게 하고 신경증적으로 만들었다. 결국 몸이 아파왔다. 눈물로 씻기지 않은 슬픔은 몸을 울게 만든다고 했던가. 나는 의사로부터 노인처럼 기력이 쇠한 총체적 난국이라는 진단을 받았다.

2) 상처의 치유: 치유서와의 만남

2007년 봄. 주부와 아내, 교사로서의 생활을 다 잘해내기란 쉽지 않은 일이었다. 거기다 대학원생으로서 공부까지 병행해나갈 수 있을까? 걱정이 많았다. 긴장하며 보낸 바쁘고 힘든 생활이었다. 그런데 오히려 마음은 여유가 생기고 편안했다. 무슨 이유였을까? 마치 고인물이 큰 비를 만나 물길을 내고 다시 맑은 물이 되어 흐르며 정화되는 느낌이라고 할까? 치유서와의 만남은 나의 삶에 다시금 활력과 온기를 주었다.

처음으로 읽은 『30년 만의 휴식』3)은 내 마음속에 내재해 있는 '어른아이'의 모습을 자각하게 해주었다. 내 어린 시절의 환경에서 비롯된 나의 '성난 아이'의 모습과 '두 얼굴을 가진 아이'의 모습은 내 삶이 행복하지 않은 원인에 대해 생각해보게 만들었다. '분노는 심한 마음의 통증을 일으키고 몸의 질병으로 나타난다'고 하는데 내가 스스로 내 병을 만들었다는 후회와 자책이 밀려왔다. 또한 나로 인해 내 아이와 남편에게 못난 짓을 많이 저질렀음을 깊이 뉘우치게 되었다. 특히 '엄마는 아이에게 온 세상'이라는 대목에서 나는 그만 나 자신을 외면해버리고 싶을 만큼 당황스러웠다. 나 자신을 사랑하고 내가 행복해야 나의 주변도 사랑과 행복으로 충만하다는 진리를 발견한 것이다.

그 뒤 나는 『마음속의 그림책』,4) 『흔들리는 부모들』5)이라는 책을 접하며 부모라는 단어의 의미와 역할에 대해 더욱 깊이 생각해보게 되었다. 나의 부모는 어떠했는지, 남편의 부모는 어떤 사람이었는지, 나와 남편의 부모 노릇은 어떠한지…….

내 아버지에게서 이어진 분노는 나의 남편과 아이들에게 곳곳에서 투사(projection)되었다. 가장 사랑하고 아끼는 가족에게 나는 걸핏하면 화를 내고 짜증을 부리는 사람이었던 것이다. 나의 이런 분노는 남편에게 상처가 되었고 다시 더 큰 화를 불러 일으켜 종종 싸움의 원인이 되었다. 그런 싸움을 바라보며 아이들이 상처를 많이 입었을 것이라고 생각하니 가슴이 아팠다. 지금도 불쑥불쑥 화가 나기도 하지만 예전과 달리 '이건 아니야'라고 하며 솟아오르는 감정을 조절하려고 노력하게 되었다. 『마음속의 그림책』에서는 지은이가 교사였기에 교사로서의 나를 돌아보는 시간이 되기도 했다. 학생

---

3) 이무석, 『(마음의 평안과 자유를 얻은) 30년 만의 휴식』.

4) 이희경, 『마음속의 그림책』.

5) 수잔 포워드, 『흔들리는 부모들』.

이 교사가 제시하는 것 가운데 무엇을 얼마만큼 받아들일지 아무도 모르기 때문에 교사들은 진심을 다해 성심껏 일해야 한다는 구절은 교사들에게 전하는 강한 메시지라는 생각이 들었다. 내가 그동안 학생들을 위한다며 했던 많은 행동들이 실제로는 강요하고 군림하는 억압의 수단이 되었을지도 모른다. 학생의 입장을 배려하지 않았다는 아쉬움이 밀려들었다.

『따귀 맞은 영혼』[6]을 읽으면서는 나의 상처를 진정으로 들여다보는 시간을 가졌다. 그리고 그 상처를 어떻게 극복해나가야 하는지 배울 수 있었다. 내가 상처를 준 사람들의 모습도 떠올랐다. 감기에 걸리면 감기약을 먹고 상처가 나면 연고를 바르듯 일상생활에서 일어나는 마음상함을 잘 처리해야 정신이 건강해진다는 사실을 무시하고 살아온 나에게 이 책은 좋은 약이 되었다. 겉으로는 잘 웃고 사람 좋게 지내지만 속으로 곪은 아픔을 안고 살아온 내 남편의 상처가 떠올라 많이 미안하고 안타까웠다. 나보다 더한 상처를 가진 사람에게 내가 너무 인색했다는 생각이 들었다. 사랑한다는 표현도 제대로 해본 적이 없었다. 나만의 상처를 품고 그 상처를 키워가며 과대 포장했던 나는 남편에게 비난과 힐책의 말로 더 큰 상처를 주었던 것이다. 두 딸에게도 너무 미안한 마음이 들었다. 부모라는 이유로, 어른이라는 이유로 못난 짓을 함부로 반복했다. 두 딸과 남편에게 준 상처를 되돌릴 수는 없지만 이제부터라도 상처 주는 사람이 되지 않도록 해야겠다는 의지를 다졌다. 상처는 마치 먹이그물처럼 얽히고설켜 살아 움직인다. 나는 그 속에 갇힌 물고기였다. 그물을 뚫고 나가려면 작은 구멍을 만들어야 한다. 벗어나려는 시도와 노력이 물고기에게는 유일한 희망인 것이다.

『천 개의 공감』[7]을 통해서는 세상사람 모두 저마다의 상처와 고통을 안고 있다는 사실을 알게 되었다. 이는 인간이기에 겪는 문제라 했다. 인간이기에 누구나 '고해의 길'을 간다는 사실이 나에게는 위로가 되었다. 밀려오는 파도

6) 배르벨 바르데츠키, 『따귀 맞은 영혼』.

7) 김형경, 『천 개의 공감』(한겨레출판, 2006).

를 막을 수는 없지만 파도타기를 배워 파도를 헤쳐 나갈 수 있는 것처럼 우리네 인생도 고통에서 벗어나는 방법을 배워야 한다는 것을 알게 되었다. 그리고 인간에 대한 진정성 있는 공감이 인간의 문제를 해결하는 근본이라는 사실을 공감하게 되었다.

마지막으로 무엇보다 큰 울림으로 다가온 책은 스캇 펙의『아직도 가야 할 길』과『거짓의 사람들』8)이었다. 두 권의 책은 어두운 동굴에서 길을 헤매고 있는 불안한 영혼에게 비치는 한 줄기 빛과도 같았다. 과학적으로 인간의 문제를 탐구해 깊이 있고 논리적이며 명쾌하게 쓴 그의 글들은 저절로 고개를 끄덕이게 만드는 설득력까지 가지고 있었다.

『아직도 가야 할 길』을 통해서는 내가 가진 사랑의 행위와 깊이가 얼마나 얕은 것이었는지 절절하게 깨달을 수 있었다. 말로는 진정한 사랑을 이야기하면서 진실로 누군가를 사랑해본 적이 없다는 사실을 깨닫게 된 것이다. 사랑에 대한 책임과 노력이 자기 자신과 다른 사람의 정신적 성장을 돕는다9)는 이야기는 하나의 가르침이 되기에 충분했다. 또한 인생을 살면서 진지하게 고통과 직면하려고 할 때 게으름에서 벗어난 진정한 자유를 누릴 수 있다는 가르침도 크게 다가왔다. 그동안 나의 게으름은 다른 사람을 탓하게 했으며 나를 고통에서 벗어나지 못하게 만들었던 것이다. 건강한 어린 시절을 보내지 못해 남게 된 상처의 증거인 나르시시즘은 다른 사람에 대한 공격으로 이어진다.10) 이런 공격성이 바로 인간의 악(惡)이라는 사실을 밝힌『거짓

---

8) 스캇 펙,『거짓의 사람들: 인간 악의 치료에 대한 희망』, 윤종석 옮김(비전과리더십, 2007).

9) 스캇 펙,『아직도 가야 할 길』(2007), 118쪽. 스캇 펙은 사랑을 '자기 자신 또는 타인의 정신적 성장을 도와줄 목적으로 자기 자신을 확대시켜나가려는 의지'라고 정의하고 있다.

10) 스캇 펙,『거짓의 사람들』, 316쪽. 스캇 펙은 나르시시즘이 위협을 받을 때 악이 생겨난다고 보고 있다. 악한 사람은 나르시시즘에서 벗어나려는 노력을 하지 않는 사람, 나르시시즘에서 벗어나지 못한 사람이라고 할 수 있다.

의 사람들』은『아직도 가야 할 길』과 하나로 연결되면서 인간의 악에 대해 더욱 깊이 있게 분석한다.

개인의 상처는 악으로 나타나고 이렇게 형성된 악은 대물림되는 것이 사실이지만 이러한 사실을 그대로 받아들인다는 것은 너무나 고통스러운 일이다. 하지만 이런 고리를 끊기 위해서는 이제라도 악의 실체를 받아들여야 한다. 게으름과 나르시시즘에서 벗어나 책임감을 가지고 노력하는 자세야말로 악을 물리치는 길이 될 것이다. 특히 한 개인에게서 비롯된 악이 집단과 국가로 나아가는 과정을 밝힌 부분은 그가 정신과 의사일 뿐만 아니라 사회학자라는 생각을 갖게 만들었다. 인간 개개인이 모여 사회가 구성되듯 한 개인의 문제는 바로 사회 전체와 연결되기 때문이다. 이제는 사회과학자들도 인간의 정신과 영혼의 문제를 깊이 탐구할 필요가 있다는 생각이 든다. 모든 사회 현상의 이면에 내재된 인간의 상처와 고통을 공감하고 치유하려는 노력이 사회를 비판하고 발전시키는 일에 우선되어야 하지 않을까? 이 책들은 나에게 사고의 전환을 가져오게 만들었다.

또한 전쟁과 같은 집단 악에서 저질러지는 인간의 고통을 외면하지 말고 이를 우리 자신의 문제로 받아들여야 한다는 가르침도 얻었다.[11] 한 개인의 가족사에서 비롯된 상처와 고통도 크지만 사회와 집단, 국가로부터 받는 상처와 고통도 인간의 역사에서 얼마든지 찾아볼 수 있기 때문이다. 우리나라는 많은 역사적인 어려움을 겪었다. 이 책들을 통해 그 과정에서 형성된 민족적인 정서와 기질을 생각해보게 되었다. 식민지와 독재 정치는 모든 사람을 억누르는 공포이자 악의 장치였던 것이다. 지금 우리나라가 안고 있는 문제를 잘 해결하기 위해서는 이러한 역사적 고통을 직시해야 하지 않을까 하는 생각이 든다.

---

11) 같은 책, 294쪽. 모든 개개인이 자신을 자기가 속한 집단의 행동에 직접 책임이 있는 자로 인식할 때까지는 어떤 집단이라도 불가피하게 잠재적 무양심과 악의 상태에 빠져 있을 수 있다.

스캇 펙에 따르면 현대 사회에서는 스트레스가 병이 된다고 한다.[12] 스트레스는 몸의 건강뿐만 아니라 마음의 건강도 위협한다. 베트남전을 예로 들어 분석한 스트레스의 시작과 끝은 그동안 인간의 무지가 얼마나 컸는지를 알게 해준다. 스트레스는 한 인간을 파멸시키고 사회 전체를 병들게 하는 악인 것이다.

스캇 펙의 책은 많은 치유서 중에서 원론(原論) 같은 책이다. 그의 책들은 선(善)의 길에서 벗어나 악으로 가는 어긋난 길을 걸을 때 다시 한 번 찾게 되는 나침반이 되어줄 것이다. 또한 방향을 잃고 두려워할 때 두려움을 이겨 낼 지표가 되어줄 것이다. 그리하여 '아직도 가야 할 길'이 남아 있는 우리의 인생이 인간다움을 잃지 않고 걸어가도록 만들어줄 것이다.

3. 책읽기와 나의 삶

독서치료 과정을 접하는 동안 학교에서 우리 반 아이들을 대상으로 책 읽어주기를 시도해보았다. 6학년 아이들에게 틈틈이 책을 읽어주었는데 두 번째 책은 남편이 구해온 『이 일기는 읽지 마세요, 선생님』[13]이라는 제목의 책이었다. 우리나라로 치면 중학생쯤 되는 티시라는 소녀가 자기를 둘러싸고 가정과 학교에서 일어나는 일들을 담담하게 써 내려간 일기 글로, 누구에게 도 털어놓지 못한 가족 간의 상처와 고통을 일기에 담았다. 학교생활에 적응 하지 못하고 반항적이던 티시는 현실을 직시하고 상처와 마주하며 치유되는

---

12) 같은 책, 297쪽. 힘든 상황이 계속되다 보면 우리 인간은 자연적으로 불가피하게 퇴행하려는 경향이 있다. 심리적 성장은 역류하게 되고 성숙도 온 데 간 데 없어지 고 만다. 이로 인해 우리는 아주 급속도로 어린애가 되고 야만인이 된다. 힘든 상황은 곧 스트레스가 된다.

13) 마가렛 피터슨 헤딕스, 『이 일기는 읽지 마세요, 선생님』, 정미영 옮김(우리교육, 2006).

경험을 하게 된다. 이 글을 읽어주며 나도 눈물을 글썽일 때가 많았다. 소란스럽던 아이들은 이내 티시의 상황에 공감한 듯 진지하게 빠져들었다. 책 읽어주기가 끝난 후 학급 아이들의 반응을 살펴보니 자신의 이야기를 솔직하게 털어놓는 아이, 자기 친척집 이야기를 하는 아이, 가족의 사랑을 이야기하는 아이 등 반응이 매우 다양했다. 나는 이 대목에서도 독서치료의 힘을 확인할 수 있었다. 아이들에게 맞는 치유서를 찾아 읽어주는 한편 치유서 읽기를 계속해서 권장해야겠다는 생각이 들었다.

　요즈음 불고 있는 독서 열풍은 경쟁적이고 실적을 중시하는 경향이 강하다. 논술시험에 맞추고자 억지로 사고력을 기르기 위해 또는 더 많은 지식을 얻기 위해 책읽기를 하는 것이다. 그러다 보니 아이들은 책읽기에서 즐거움을 잃어버리고 말았다. 바쁘게 살아가는 아이들의 마음은 병들고 지쳐가고 있다. 그들이 마음의 상처에서 벗어나고 건강한 어른으로 성장할 수 있도록 도와주어야 한다. 그 역할을 치유서가 할 수 있을 것이라고 확신한다.

　한 학기의 독서치료 과정을 경험하며 많은 사람들이 떠올랐다. 남편과 아이들, 부모님, 그리고 내 형제들, 직장에서 만난 동료들. 그들도 같은 인간으로서 인간의 문제를 가지고 있겠다는 생각을 하게 된다. 이제는 나만 상처를 가진 듯 고슴도치처럼 웅크리지 말고 그들에게 다가가 살가운 느낌을 나누고 싶다. 이 때문에 사람들을 만날 때마다 이 좋은 경험을 자꾸 이야기하게 된다. 이미 남편은 나와 함께 책을 읽어가며 이러한 체험을 하려고 노력하고 있다. 내 동생들에게도 어서 빨리 이 경험을 전달해주고 싶다. 아직도 힘들게 사는 동생들을 보면 마음 한구석이 짓눌리는 느낌이다. 내 소중한 사람들에게 독서치료의 전도사가 되고 싶은 생각이 절로 든다. 독서치료의 힘은 여기에 있나 보다.

　독서치료는 강제로 주어진 치료의 과정이 아니었다. 독서치료는 나 스스로를 돌아보고 변화를 경험하도록 만들었으며 치유에 이르게 했다. 독서치료 이론에서 말하는 동일시(identification), 카타르시스(catharsis), 통찰(insight)의 경험이 이루어진 것이다. 처음엔 나의 이야기를 내어놓는다는 사실에 가슴

떨리고 얼굴이 화끈거려 긴장했지만 점점 다른 참여자들과 함께 공감하게 되자 서서히 마음의 문이 열렸고 내 상처를 직시하게 되었다. 사람마다 상처를 받아들이는 부위가 다르기에 각자의 상황과 처지에 맞게 변화를 이끌어갈 수 있을 것이라는 생각이 든다. 이 치유의 바다에 한번 빠져본 사람이라면 계속해서 먼 바다, 먼 나라로 항해하고 싶어질 것이다. 배가 항구에 닿을 때까지는 항해를 멈출 수 없기 때문이다. 우리의 인생이 항해이듯 배가 항구에 닿을 때까지 쉼 없는 노 젓기는 계속되어야 한다. 이것은 누구의 강요에 의해서가 아니라 스스로에게서 자연스럽게 일어나는 기운이라는 점에서 치유의 저력을 느끼게 된다.

나는 지금까지 성현들의 가르침을 일방적으로 받아들이거나 새로운 것을 남들보다 조금 더 많이 알겠다는 욕심에서 책읽기를 해왔다. 나 자신의 변화를 통해 세상을 바라보는 눈을 바꾸어야 하는데도 늘 세상을 먼저 탓했다. 문제는 내 안에 있는데 자꾸만 바깥에서 해결책을 찾으려 했으니 삶은 언제나 제자리걸음이었다. '낡은 지도'[14]를 들이대며 세상을 이해하려 했던 것이다. 인간 정신의 고양이라는 말이 막연하게 느껴지지만 도를 닦듯 정진하다 보면 내 영혼이 자유로워질 것이고 내 정신이 한층 성숙해질 것이라는 뜬금없는 생각도 든다.

나는 치유서 읽기의 체험을 통해 '치유적 책읽기'의 혜택을 받은 몸이 되었다. 이를 통해 몸의 곳곳에서 일어나는 정신의 고양을 경험했다. 가끔 내가 흔들릴 때면 나를 일깨워줄 제어 장치가 생겼다는 느낌이다. 몸으로 익힌 것이기에 그 효과는 쉽사리 사라지지 않을 것이다. 바라는 점은 중독이나 일탈 같은 고통을 겪고 있는 소외계층에게 이러한 체험이 더 많이 더 빨리 전해졌으면 하는 것이다. 그들은 정신질환이 있어도 우리 사회에서 방치되는 경우가 대부분이다. 얼마 전 어느 신문에서 성공회대 교수들이

---

14) 스캇 펙, 『아직도 가야 할 길』(2007), 68쪽. 전이(轉移): 낡은 지도, 현실을 보는 낡은 견해에 고집스러운 집착을 보이는 것.

주축이 되어 노숙자들을 위한 인문학 과정을 개설했는데 그 강좌가 작은 기적을 일으키고 있다는 소식15)을 읽은 적이 있다. 이는 기존의 생각을 뛰어넘는 시도였다. 치유서의 힘이 분명 그들에게도 발휘될 수 있을 것이다. 소외계층의 고통이 치유된다면 그들은 인간적인 자립의 길로 나아갈 수 있을 것이다. 개개인이 정신적으로 건강하게 성장하는 것은 우리 사회의 미래가 밝아지는 길이기도 하다. 각성된 개개인은 사회를 깨어 있게 만들 것이며 '낡은 지도'에 얽매이지 않게 되어 세상을 좋은 방향으로 바꾸어갈 것이기 때문이다.

고통의 바다인 인생은 사랑으로 헤쳐 나가야 한다. 사랑은 어려움에 맞서 극복하는 힘을 주고 새로운 길을 열어준다. 치유서 읽기는 더 많이 사랑하는 방법을 배우게 할 것이며 더 많이 사랑하면서 사는 마음을 가꾸게 할 것이다. 우리는 생을 마감할 때까지 머무르지 않고 움직이는 사람이 되어야 한다. 아름다운 삶은 진정으로 깨어 있는 자의 몫이다. 또한 늘 꿈꾸는 자, 노력하는 자만이 자유로운 영혼을 지닐 수 있다. 살아가는 것은 배움의 길이며 그 길은 사랑의 길이기도 하다.

---

15) "노숙인 김씨, 술병 치우고 책을 들다", ≪한겨레≫, 2006년 3월 3일자.

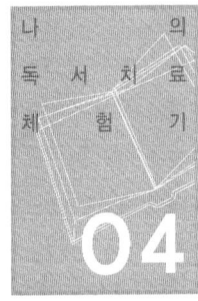

나의 독서치료 체험기

나와 독서치료의 만남

김지강

1. 글을 열며

나에게 지난 한 학기는 정말 의미 있는 시간이었다. 심신이 모두 지칠 만큼 지친 상태였던 나에게 대학 생활의 마지막 시간은 한편으로 큰 부담이 기도 했다. 급할수록 돌아가라고 했던가. 졸업을 눈앞에 둔 불안한 마음을 다독여가며 전공을 살려야 할지 말아야 할지, 앞으로 어떤 분야에 진출해 어떤 일을 하면서 보람되게 살아야 할지 진지하게 고민해보았다. 하지만 어느 것 하나 확실하지 않았다. 그런 나에게 수업시간을 통해 우연히 접하게 된 독서치료는 한 가닥 희망으로 다가왔다. 몸을 가꾸는 운동만 열심히 할 게 아니라 지쳐가는 영혼을 가꾸는 데도 심혈을 기울여야 함을 깨닫게 되었 기 때문이다. 마침 '어린이 자료' 수업에서도 독서치료를 접하게 되어 이번 학기 나는 치유서 더미에 푹 빠져 살 수밖에 없었다.

그렇게 독서치료를 처음 접하던 날, 나는 김수경 교수님의 "독서치료는 마음의 요가"라는 말 한마디에 무릎을 탁 치며 공감했던 기억이 난다. 돌이켜 생각해보면 그 표현에 반해서 독서치료에 관심을 갖게 되었던 것 같다. 결과적으로 그 말은 전혀 과언이 아니었다. 독서치료는 요가나 명상같이 오롯이 자신을 돌보는 시간이라는 것, 그리고 수련시간 동안 몸과 마음의 긴장이 함께 어우러졌다가 결국은 이완을 통해 마음이 편안해진다는 것, 평소에 쓰지 않던 근육을 단련해 몸의 균형을 잡아주듯 평소 관심을 두지 않던 내면의 소리에 귀 기울여 심신의 조화를 이루어나간다는 것, 체험해보지 않고서는 그 느낌을 한마디로 설명하기 어렵다는 것, 이러한 교수님의 설명을 들으며 정말로 탁월한 표현이라고 생각했다.

독서치료는 머리가 아닌 마음을 움직이는 행위다. 그래서 독서치료는 사고(thinking)보다는 감정에 호소한다고 말한다. 아픈 마음(sick feeling) 또는 상한 감정이 주 대상인 것이다.[1] 평소 아무런 문제의식을 갖지 않고 살아오다 막상 나를 둘러싸고 있던 환경이 문제투성이임을 자각하게 되면 그 순간 견디기 힘들 만큼 화가 나고 분노가 치밀어오를 수도 있다. 또한 그러한 상황을 타인에게 드러내 보이는 것이 자존심을 굽히는 것만큼 어려운 일일 수도 있다.

독서치료를 처음 시작하는 사람들은 대부분 자신의 아픔을 남에게 드러내 보이는 데 익숙하지가 않다. 또한 자신은 문제가 없다고 생각하고 싶어 한다. 사람이라면 누구나 상처받은 일, 괴로운 일, 슬픈 일, 부끄러운 일을 덮어놓고 싶어 하기 때문이다. 감추고 싶어서라기보다는 상처를 들춰내어 다시 한 번 더 아프고 싶지 않다는 생각이 마음속 깊이 깔려 있기 때문인 것 같다. 그러면서 아픔을 털어놓아 봤자 형식적인 거짓 위로나 싸늘한 무관심만 돌아올 뿐이라고 애써 변명하기 마련이다. 자신의 상처를 이겨내고 자신의 상한 마음과 응어리를 속 시원하게 풀어놓는다는 것이 어디 쉬운 일인가.

---

1) 김정근, 「소규모 독서치료 모임을 위한 가이드라인」, 《사람과 책》, 2004년 8월.

2. 마음상함이란 무엇인가

마음상함이란 어떤 사건으로 마음을 다쳤다고 느낄 때 일어날 수 있는 반응 전반을 가리킨다. 스스로의 가치가 깎인 듯한 느낌을 갖게 되는 이러한 감정은 대개 비난, 배척, 거절, 따돌림 또는 무시 같은 감정을 낳는다. 이러한 마음상함은 자기 자신을 온전하고 한결같은 존재로 경험하지 못하도록 만든다. 그래서 우리는 깊은 불안에 빠지게 되고 무력감과 실망, 고통, 분노, 경멸감에 휩싸이게 된다. 또한 상처받은 마음은 상대로부터 완강히 돌아서서 복수와 응보를 끊임없이 궁리하게 만든다.[2]

마음을 다친다는 것은 마음에 따귀를 맞은 것과 같다. 이는 우리 얼굴에 가해지는 주먹질, 그래서 우리의 마음에 깊은 아픔을 주는 일격과 다름없다. 지금 급히 물건을 사야 하는데 가게 문이 닫혀 있는 것 같은 사소한 일에서부터 다른 사람의 불친절한 태도, 그리고 상대방이 뚜렷이 거부 의사를 밝힘으로써 자신의 사랑이 응답받지 못하는 것에 이르기까지 마음상함을 일으키는 원인은 다양하다. 이러한 마음상함은 일상생활에서 수도 없이 일어난다.[3]

마음상함은 자녀를 자신의 소유물이나 대리만족의 도구로 생각하는 부모, 손자만 예뻐하는 할머니, 술 먹고 고함치는 할아버지, 형제자매에 대한 부모의 편애, 나의 마음을 몰라주는 친구, 이해심 없는 선생님, 이기적인 이웃, 경쟁을 일삼는 직장동료, 자신의 입장만 존중받기 원하는 배우자 등 여러 관계 속에서 빈번하게 발생한다. 또한 '치마만 두르면 다 여잔가', '남자는 입이 무거워야 해', '여자가 참아야 집안이 조용하다', '나는 아무것도 할 수 없어', '나는 쓸모없는 존재야' 같은 자기 스스로의 갇힌 생각이나 나이 들어감의 서러움, 죽음에 대한 두려움으로 인해서도 마음상함을 겪게 된다.

이러한 마음의 상처는 그 진원지를 파악해 최소화하는 과정이 필요하다.

---

2) 배르벨 바르데츠키, 『따귀 맞은 영혼』, 12쪽.
3) 같은 책, 13쪽.

마음의 상처는 여러 곳에서 받을 수 있다. 모순되게도 가정은 상처를 가장 많이, 가장 깊이 주는 곳이다. 특히 유아기와 아동기에 가정에서 받은 상처는 대부분 한 개인에게 평생 지속적으로 남는다. 부모가 무의식적으로 하는 말이나 행동이 아이에게는 큰 상처가 되어 평생 한 인간의 생각과 행동에 지대한 영향을 끼치는 경우가 많다. 마음상함은 삶의 일부이므로 이를 완벽하게 극복하는 방법은 없으며 이를 피할 방법도 마땅히 없다. 그러나 우리는 똑같이 마음을 다치더라도 지금까지와는 다르게 대처하는 법, 덜 파괴적인 방법으로 나가는 법 등을 깨우쳐둘 필요가 있다.[4]

3. 어린이의 마음상함

흔히 우리는 유년기가 인생에서 가장 빛나던 시기라는 환상을 갖고 살아간다. 그러나 아이들도 어른들이 겪는 것과 마찬가지로 자라면서 여러 가지 마음 상하는 상황을 겪는다. 아이들이기에 이를 제대로 표현해낼 줄 모르는 것뿐이다. 특히 가정은 어린이에게 가장 많이, 가장 깊은 상처를 주는 공간이라 할 수 있다. 어린 시절에는 정신질환까지 이르는 징후가 보이지 않다가 어른이 된 후 정신병원을 찾는 환자의 경우 유전적인 요소도 일부 있지만 대부분 어린 시절 받았던 마음의 상처가 억눌러졌다가 어느 순간 폭발한 일이 많다고 한다. 아이들은 주로 부모와의 갈등이나 학교생활, 자신에 대한 열등감으로 인해 마음의 상처를 입는데 이러한 상처는 주로 다음과 같은 상황에서 비롯된다.[5]

---

4) 김수경, 「주부의 마음상함과 독서치료 프로그램에 관한 연구」, ≪한국도서관정보학회지≫, 35권 2호(2004. 6), 253쪽.

5) 김민주, 『어린이의 상한 마음을 돌보기 위한 독서치료』(한울아카데미, 2004), 28~38쪽.

첫째, 아이의 자존심을 짓밟는 언어와 행동이 자행되는 가부장적인 가정 분위기에서 상처를 받는다.

둘째, 형제간의 다툼에서 부모들이 공정하지 못할 때 상처를 받는다.

셋째, 가르친다는 명목으로 무조건 매를 들거나 가정 내외의 폭력이 빈번할 때 상처를 받는다.

넷째, 부부갈등이나 이혼을 통해서도 상처를 받는다. 내가 잘못해서 부모가 싸운다는 죄책감에 시달리게 되고 부모 중 한 사람을 잃거나 부모로부터 버림받을까 봐 두려워하며 외로움을 겪는다.

다섯째, 자신의 능력 이상으로 우등생 역할을 강요할 때 스트레스를 받거나 마음의 상처를 받는다.

여섯째, 부모와의 갈등 이외에도 친구관계나 선생님과의 관계에서도 상처를 받는다. 친구로부터의 따돌림,[6] 자신의 친구를 빼앗길 것 같은 느낌, 선생님으로부터 미움을 받지 않을까 하는 걱정, 외모에 대한 놀림[7] 등으로 스트레스를 받는다.

아이들이 자라면서 그 상처가 저절로 치유되거나 이해되거나 용서되는 것은 아니다. 어른이 되면서 그 상처의 골은 더 깊어지지만 단지 모르는 척 덮어두며 사는 것은 아닐까. 단적인 증거로 이훈구의 『미안하다고 말하기가 그렇게 어려웠나요』의 주인공 은석을 들 수 있다. 부모님을 토막 살해한 뒤 곳곳에 버린 반인륜적 행위를 저지른 그는 주변 사람들의 증언으로 미루어볼 때 어렸을 때부터 부모로부터 심한 물리적·정신적 학대를 당했을 뿐만 아니라 학교에서도 친구들에게 왕따를 당했음을 알 수 있다. 저자 이훈구 교수는 은석이 어릴 적부터 생긴 마음의 상처가 치유되지 못했기 때문에

---

6) 문선이 글·박철민 그림, 『양파의 왕따일기』(파랑새어린이, 2001). 엘레노어 에스테스 글·루이스 슬로보드킨 그림, 『내겐 드레스 백 벌이 있어』, 엄혜숙 옮김(비룡소, 2002).

7) 이미애 글·최철민 그림, 『뚱보면 어때, 난 나야』(파랑새어린이, 2001). 조성자 글·신가영 그림, 『벌렁코 하영이』(사계절, 2000).

결국 부모 살해라는 범죄를 저지른 것으로 보았다. 정말 세상이 변하긴 참 많이 변했다는 생각이 든다. 아이들의 상처를 철없는 한때의 반항으로 치부해버리거나 어른이 되면서 자연히 치유되는 것이라 여겼던 우리 사회가 언제부터 이와 같이 다른 의견을 수용하기에 이른 것일까.

김정일의 『이런 부모가 자식을 정신병자로 만든다』[8]에서는 세 가지 유형의 나쁜 부모로 너무 일찍 죽은 부모, 이혼한 부모, 문제가 있는 부모를 꼽고 있다. 우리 사회는 이혼율이 높아지고 가족의 개념이 다양해지면서 비혼모 또는 비혼부 가족, 입양 가족 등 혈연으로 맺어지지 않는 가족이 점점 늘어나는 추세다. 또한 개인적이든 사회문화적이든 여러 가지 요인과 관계로 인해 많은 상처를 안고 사는 사람들도 점점 늘어가고 있다. 상처받은 아이들이 이 상처를 치유하지 못하고 자라서 부모가 된다면 또다시 자신의 아이에게 상처를 입힐 확률이 매우 높다. 이 말은 곧 상처가 가족 내에서 대물림될 수 있다는 말이다.

아이들의 마음상함을 단적으로 드러내고 있는 책으로는 이호철의 『학대받는 아이들』[9]을 들 수 있다. 이 책을 읽다 보면 부모의 사랑이라는 미명 아래 우리 아이들의 인권이 얼마나 무참히 짓밟혀왔는지, 그들의 삶이 왜 존중받을 권리가 있는지에 대한 공감대가 충분히 형성된다. 책 속의 아이들을 통해 어린 시절 나 자신의 모습을 다시 만나게 되자 잊은 척 덮어두고 살았던 가슴 속의 응어리들이 수면 위로 끌어올려지는 듯한, 묘하게 기분 나쁜 감정에 사로잡혔다. 그 감정은 때로는 몸서리치게 끔찍하기도 했지만 때로는 '나도 그랬었지' 하며 피식 웃어넘길 만하기도 했다.

일곱 살에 학교에 입학한 나를 데리고 목욕탕에 간 엄마가 카운터에서 나를 유치원생이라고 말하는 것을 듣고 1학년이라고 했다가 눈치 없다고 쥐어 박힌 기억, 친가 쪽에서 이래저래 스트레스를 받거나 가끔 아빠와 톡톡

8) 김정일, 『이런 부모가 자식을 정신병자로 만든다』(박영률출판사, 2002).

9) 이호철, 『학대받는 아이들』(보리, 2001).

거리며 말다툼을 하고 난 후면 내겐 멋있기만 한 아버지의 험담을 늘어놓던 기억, 지하도에 엎드려 구걸하던 사람에게 돈을 주고 지나가자고 조를 때 이다음에 네가 돈 벌거든 그때 돈을 넣으라며 본체만체하고 지나가던 기억, 유난히 친구들을 좋아했던 나에게 나보다 공부 못하는 친구들과는 어울리지 말라며 통제하던 기억, 누나이기 때문에 이유 불문하고 무조건 먼저 맞아야 해서 서러웠던 기억, 나처럼 평소 말투가 퉁퉁거리는 애한테 친구가 있기는 하냐면서 왕따가 되어봐야 말투를 고친다며 내 마음을 칼로 도려내는 듯 아픈 말을 던지던 기억, 누구는 이번 모의고사 390점 받았다는데 네 성적은 이게 뭐냐, 엄마가 안 해준 게 뭐 있느냐, 누구는 엄마 없으면 청소고 빨래고 자기가 다 한다는데 너는 이렇게 게을러서야 시집이나 가서 살겠냐며 비교 섞인 조롱을 받던 기억……. 하나하나 꼬리에 꼬리를 물고 수면 위로 떠올랐다.

책을 펼치지 않았더라면 그냥 그렇게 옛 기억으로만 어렴풋이 남아 지나가 버렸을 일을 굳이 떠올려 되새김질하는 과정이 처음엔 조금 쓰리고 아팠지만 혼자 몰래 일기를 쓰거나 믿음직한 친구에게 속상한 일을 털어놓는 것만으로도 마음이 한결 가벼워지는 것처럼 어느 순간 자가치유의 경험을 얻게 되었다.

아이들의 마음은 아주 연약해서 조금만 상처를 받아도 아물지 않는 큰 상처로 남기도 하고 아예 꺾여버려서 바로 자라지 못하기도 한다. 이러한 아이들의 마음의 상처는 도벽, 약물, 음주, 흡연, 가출, 거짓말, 등교 거부, 주의 산만, 과잉 행동, 오락 중독 등 행동상의 문제를 유발할 수 있고 심한 경우에는 자폐, 정신지체, 학습 장애 등으로 발전할 수도 있다. 그러므로 이러한 어린이의 정신장애는 그 어떤 치료보다도 예방이 중요하다[10]는 사실을 미리 깨닫고 어린이의 마음상함에 대해서도 한번쯤 생각해보는 계기가 되기를 바란다.

---

10) 김민주, 『어린이의 상한 마음을 돌보기 위한 독서치료』, 37쪽.

4. 가정에서의 마음상함

처음 독서치료 모임에 참석했을 때는 누구나 자신의 근원가정에 아무런 문제가 없는 것처럼 행동한다. '나'는 지극히 정상적이고 평범한 가정에서 자라왔다고 주장하는 것이다. 사실 자기 집 문제에 대해 정말 솔직하게 입을 열 수 있는 사람은 많지 않다. 더구나 그것이 부정적인 이야기라면 더더욱 그럴 것이다. 자존심이 허락하지 않기 때문이다. 지독하리만큼 견고한 우리나라의 가족 이데올로기를 감안하면 충분히 수긍이 간다. 그런데 바로 이것이 문제다. 이 같은 분위기는 우리가 치유하는 공동체를 지향하는 데 결코 도움이 되지 않는다. 대부분의 사람들은 마음이 아프고 괴롭더라도 문제의 핵심을 드러내고 마주보기를 싫어하거나 다른 사람들이 있는 앞에서 그 문제를 꺼내고 싶어 하지 않는다. 독서치료 모임에서는 이 문제를 적절한 치유서를 도입함으로써 해결한다. 책이라는 매개체를 활용하면 이 문제가 의외로 쉽게 풀린다. 책의 흐름에 몸을 싣다 보면 참여자 자신도 모르는 사이에 마음을 풀고 입을 열게 된다. 부지불식간에 경계심이 허물어지는 것이다. 상처의 치유는 그 지점에서 시작된다.[11]

심윤경의 『나의 아름다운 정원』[12]을 다 읽고 마지막 장을 덮는 순간 내 느낌은 뭐랄까, 책장은 잘 넘어가는 편이었지만 단순히 재미있었다고 말하기는 싫었다. 재미라는 가벼운 말로 넘어가기에는 너무 많은 무거운 것들을 다루고 있다는 생각이 들었기 때문이다. 무엇보다 책을 다 읽었을 때의 느낌이 개운하지가 않았다. 특히 후반부에 들어서면 어머니와 할머니 사이의 갈등이 어설프게나마 해결되는데, 그 해결점이 바로 어린 동구였다는 사실이 쉽게 이해되지 않았다. 고부 갈등이라는 문제의 해결이 시어머니도 며느리도

---

11) 김정근, 「'어른'이라는 이름의 폭력」, ≪도서관계≫, 14권 6호, 통권 124호(2004. 8), 4~5쪽.

12) 심윤경, 『나의 아름다운 정원』(한겨레신문사, 2002).

아닌 어린 동구에게서부터 비롯된다는 설정과, 작가 심윤경이 악순환의 고리
는 누군가가 끊어야 할 것이라고 어디에선가 언급했던 두 가지 상황의 상관
관계를 따져보니 그 고리를 누군가는 끊어야 하는데 어리고 약한 아이가
그 주인공이 되었다면 혹 우리 사회를 한 바퀴 꼬아서 보여주고 있는 것은
아닌가 하는 생각도 들었다.

5. 남녀관계에서 비롯되는 마음상함

오래 전부터 베스트셀러이자 연애를 한다는 사람들 사이에서는 필독서처
럼 여겨지는 책이 있다. 일명 1990년대를 아우르는 사랑학 개론이라나. 존
그레이의 『화성에서 온 남자 금성에서 온 여자』[13])가 바로 그 책이다. 그
명성이야 익히 들어 알고 있었지만 별다른 접근 동기가 없었기에 그냥 그런
책이 있구나 하는 정도로 여기던 즈음 이 책에 관심을 가질 만한 계기가
생겼다. 당시는 사귄 지 얼마 안 되는 남자친구와 고만고만한 문제들로 종종
싸우던 터였다. 나름대로의 해결책을 찾기 위해 이런저런 방법을 동원하던
중 이 책을 발견하게 되었고 서점에서 몇 장 읽다가 소장가치가 있겠다 싶어
구입을 했다. 발전적인 관계를 위해 조금이나마 도움이 될까 하고 사던 길로
밑줄까지 그으며 꼼꼼하게 읽었다. 책에는 답답했던 내 마음이 향해야 할
바른 길을 알려주는 것 같은 부분도 제법 있었다. 누군가를 사귀고 있는
사람이라면 다들 그랬겠지만 무릎을 탁 칠 정도로 공감 가는 부분도 상당히
많았다. 무엇보다 당시 내가 직면한 문제들과 관련 있는 부분들을 먼저 발췌
해서 읽었던 것이 나와는 근본적으로 다른 세계에 살고 있는, 화성에서 온
그 사람을 조금이나마 이해하는 데 큰 도움이 되었던 것 같다.

이 책을 읽는 내내 남녀 사이의 화법에 대해 의문을 품지 않을 수 없었는데,

---

13) 존 그레이, 『화성에서 온 남자 금성에서 온 여자』, 김경숙 옮김(친구미디어, 2002).

아니나 다를까 저자 또한 그 부분을 여러 장에 걸쳐 언급하고 있었다. 화성인과 금성인은 서로의 언어를 다르게 받아들인다는 것이었다. 어떤 면에서는 나와 내 남자친구뿐만이 아니라 우리나라의 모든 남자와 여자, 나아가서는 지구 반대편에 있는 파란 눈을 가진 사람들 또한 우리처럼 다들 그런 일을 겪는구나 하는 생각에 나름대로 안도감을 얻었다. 단지 나 혼자만 이렇게 까다롭게 굴고 욕심 부리고 상대방에게 기대하고 변덕스러운 것이 아니라는 사실은 깊은 수렁 속에 빠져 있던 나를 밝은 곳으로 인도해주는 것 같기도 했다. 당시의 나는 나 스스로에 대해 심하다 싶을 정도로 가학적이었으니까.

특히 인상적이었던 부분은 여자의 정서는 파도와 같아서 최고조에 이른 기분이 바닥으로 곤두박질치기도 한다는 것, 남자는 그 주기라는 것을 이해해야 한다는 것이었다. 또한 여자가 남자에게 요구하는 것은 어떤 문제에 대한 해결책이 아니라 단지 들어주는 것이라는 구절은 정말 맞는 말이었다. 누군가에게 조언을 구하는 것은 해답을 찾기 위해서일 수도 있지만 대부분은 그냥 들어주는 것만으로도, 단지 고개 한 번 끄덕이며 다독여주는 것만으로도 한결 기분이 나아질 수 있음을 화성인들은 알아야 한다. 내가 이 책에 나오는 금성인들을 보며 스스로 정말 그렇다고 생각하는 것처럼 내 남자친구도 그럴까? 여기 나오는 화성인들처럼 자기가 정말 그렇다고 생각할까? 내가 이 책을 덮었을 때 드는 생각은 오직 한 가지였다. 이 책을 남자친구에게도 읽게 해야겠다는 것! 그래서 지금까지 의견 조율이 잘 되지 않던 우리 관계의 문제점에 관한 대화를 조금 다른 방향에서 이끌어내 봐야겠다는 것이었다. 어쨌든 나의 성화에 못 이겨 그 사람은 이 책을 다 읽긴 했다. 하지만 대뜸 한다는 소리가 "계속 같은 소리 반복하고 있구만 뭘 이렇게 두껍게 썼어? 결국 자기가 하고 싶은 말은 남녀가 서로 다르다는 걸 이해해야 한다는 거 아냐?"였다. 하긴, 맞는 말이긴 했다. 나 또한 존 그레이가 자신과 아내의 이야기를 예로 들어 하고자 했던 얘기가 결국 '서로 다름을 이해하는 것'이라고 생각하니까.

미국의 정신분석학자 에리히 프롬이 쓴 『사랑의 기술』[14] 또한 그 이전

세대의 사랑에서 필독서 역할을 해왔다. 에리히 프롬의 책이 완전한 이론서였다면 존 그레이의 책은 자신의 경험을 살려 이론과 병행해 쓴, 실용적 개념이 추가된 책이라고 할 수 있다. 확실히 두 책 모두 한 번쯤 읽어볼 만한 좋은 책이긴 하다. 그러나 사랑이라는 소재가 아무리 동서고금을 막론하고 통용되는 관심사라 하더라도 이전과는 또 다른 특성을 가진 2000년대의 사랑을 기술하기 위해서는 조금 다른 접근이 필요한 것 같기도 하다.

한 예로 라디오 작가 이미나가 쓴 『그 남자 그 여자』15)는 같은 시간 같은 장소에서 같은 상황을 겪는 남자와 여자가 서로 어떤 다른 생각을 하는지 각각의 입장에서 시처럼 수필처럼 쓴 책이다. 물론 조금 가볍게 쓴 에세이라고 볼 수도 있지만 결국 이 책을 통해서도 『화성에서 온 남자 금성에서 온 여자』에서처럼 남자와 여자는 생각의 틀이 다르다는 사실을 알 수 있다. 누구나 한 번쯤 겪어봤을 법한 작고 소박한 이야기들에서 비롯되지만 자신들은 차마 말로 표현하지 못했던 것을, 또는 상대방이 이렇게 말하고 싶었을지도 몰랐을 상황들을 작가는 뛰어난 어휘력으로 풀어내어 모두의 가슴에 아련한 추억을 불러일으키게 한다. 그래서 어쩌면 존 그레이가 쓴 설교조의 책보다 훨씬 쉽게 와 닿는 것 같기도 하다.

회가 거듭될수록 치유서에 대한 생각이 늘어갔다. 책을 통해 감정의 변화를 일으켜 내면세계의 상처를 겉으로 드러냄으로써 아물게 만드는 것이나 그냥 덮어두어도 될 마음속의 응어리를 굳이 밖으로 꺼내어 한번 부딪히게 만든 후 치유하는 과정은 어쩌면 예방 접종과도 비슷하다는 생각이 들었다. 더 큰 바이러스에 맞서 내 몸을 지키기 위해 미리 맞는 예방 접종처럼 독서치료는 앞으로 다가올지 모를 더 큰 아픔에 맞서 내 마음을 지키기 위한 마음의 예방접종인 것이다.

---

14) 에리히 프롬, 『사랑의 기술』, 황문수 옮김(문예출판사, 2000).

15) 이미나, 『그 남자 그 여자』(중앙M&B, 2003).

6. 성인아이적 기질에서 비롯되는 마음상함

최현주의 『위장된 분노의 치유』[16]는 책 제목부터 비상했다. 위장된 분노라니. 그러나 가만히 생각해보면 분노라는 감정을 드러내지 않기 위해 나름대로 다른 형상으로 바꾸어 드러내는 것이나 순화시켜 드러내는 것은 모두 위장된 감정이라고 할 수 있다. 이것은 사람이라면 누구나 갖게 되는 자연스러운 현상이며 종교에 몸담고 있는 사람이라고 해서 그 감정이 달리 적용되지는 않는다.

저자 최현주는 목사다. 그것도 '성인아이' 목사다. 저자는 책에서 자신은 부모님으로부터 받았던 정신적인 고통으로 인해 성격장애를 겪었으나 아내의 관심과 사랑으로 인해, 그리고 아내에게서 권유받은 책을 통해 일차적으로 치료할 수 있었다고 말한다(궁극적인 치료요인은 목사라는 신분에 걸맞게 하나님과 복음의 덕으로 돌리고 있다). 섬 마을에서 태어나 아버지의 술심부름을 했던 어린 시절부터 안고 있던 여러 문제들과 목사가 된 후에도 완벽주의적 성향으로 인해 계속 다른 사람을 괴롭힌 점, 분노의 감정을 절제하지 못하고 아내와 자녀에게 폭력을 행사한 점 등 자신의 내면세계의 부끄러운 과거를 속속들이 공개하고 있다. 목사의 경우처럼 그러한 가정환경에서 정신적으로 성숙되지 못한 상태로 성인이 된 사람을 일컬어 '성인아이'[17]라고 한다. 또한 수치심, 열등감, 두려움과 공포심, 죄의식, 지나친 책임의식, 지나친 무책임, 압박감, 자신을 사랑하지 못하고 멸시함, 거부당한 느낌, 과민한 생각과 양심, 예의 없는 행동에 대한 분노, 부끄러워함, 꼼꼼한 행동 등이 성인아이의 모습이었다고 고백한다.

이 책을 제대로 읽으려면 '성인아이'라는 개념과 '역기능 가정'이라는 개념을 반드시 이해해야 한다. '역기능 가정'이란 사람이 기본적으로 가지고

---

16) 최현주, 『위장된 분노의 치유』(규장, 1995).
17) 김경숙, 『성인아이 문제와 독서치료』(한울아카데미, 2004), 28쪽.

있는 신체적 욕구와 정서적 욕구가 충족되지 않은 가정을 말하는데, 쉽게 생각해 저자의 어린 시절을 비추어보면 될 듯하다. 그러나 주위를 둘러보면 자신이 속한 가정이 처한 문제의 심각성을 잘 느끼지 못하고 주변의 안일한 위로의 말에 기대어 하루하루 살아가는 사람들이 대다수인 것 같다.

대한민국 땅에서, 그것도 목사라는 신분으로 자신의 치부를 드러내는 일이 어디 쉬웠으랴. 아내와 자녀들을 때리고 밥상을 뒤엎고 문을 부수고 하는 일들을 누구나 한 번쯤 저지를 수 있는 실수라고 생각하고 쉽게 넘어갈 수도 있지만 다른 한편으로는 종교인이기 때문에 일반인들과는 뭔가 달라야 한다고 생각할 수도 있다. 그런 점에서 최현주 목사는 실로 용기 있는 사람임을 인정하지 않을 수 없다. 사회적으로 높은 지위를 차지하고 있지 않은 나에게 자기 고백서를 쓰라고 해도 주위 사람들을 의식하며 솔직하게 쓰기를 꺼리게 될 것 같은데 하물며 목사의 신분으로 이런 책을 출간했을 때는 스스로 사회적 파장에 대해 어느 정도 예상했을 것이므로 그의 용기를 높이 살 수밖에 없다.

또 다른 한편으로는 오히려 종교인이기 때문에 이런 고백이 가능할 수도 있다는 생각도 들었다. 자신은 역기능 가정에서 양육된 나약한 성인아이였지만 하나님의 죄 사하심과 복음에 의해 치유되었다고 이야기할 수 있으니까. 그리고 이를 계기로 포교나 목회 활동에 더욱 감사한 마음으로 전념할 수 있게 되었다고 말하면 되니까.

책을 읽으면서 기독교적 성향이 드러나는 부분이 많아서 나로서는 책장을 넘기기가 상당히 껄끄러웠다. 초반의 자신의 삶에 대한 이야기를 빼고는 거의 다 기독교와 결부시켜 이야기를 풀어나가고 있기에 후반부의 치유받는 단계에서는 크게 공감할 수 없었다. 결국 독서치료를 병행한 것도 치유의 좋은 시발점이 되긴 했지만 결정적으로 자신의 치유는 하나님의 영향이라고 말하고 있기 때문이다. 그러나 부분부분 공감 가는 대목은 많았다. 특히 목사가 가진 성인아이적 특질을 설명하는 부분에서는 내게도 해당되는 몇 가지 사항을 발견할 수 있었는데 그중에서도 지나친 책임감과 함께 지나친 무책임감을 갖는다는 말이 가장 와 닿았다. 나도 저자처럼 모든 일을 지나치게 내 탓으로만 돌리고 힘들어하는 경우가 많았던 것 같다. 반면에 아니다 싶은 일에서는 치사하리만큼 발뺌해버림으로써 나와는 상관없는 일임을 증명하려 하기도 했다.

과연 종교를 믿게 되면 저자와 같이 정서적 문제로부터 자유로워질까? 하나님에 대한 믿음이 깊어질수록 하나님으로부터 치유 또는 구원의 손길을 받을 수 있다는 말을 정말 믿어야 할까? 이 책을 덮으면서 내가 갖게 된 가장 큰 의문은 바로 이것이었다.

7. 죽음 앞에서의 마음상함

나는 KBS의 <VJ특공대>라는 프로그램을 즐겨보는 편이다. 큰 부담 없으면서도 사회적으로 이슈가 될 만한 일들을 꼬집어 취재해주니 신문이나 인터넷을 이용해 능동적으로 정보를 습득하지 않더라도 가만히 앉아서 대강의 세상 돌아가는 이야기를 알 수 있기 때문이다. 그러던 중 때마침 2004년 11월 5일 "마지막 동행, 호스피스"라는 꼭지를 놓치지 않고 볼 수 있었다.

한 해 평균 6만 명이 넘는 사람들이 말기 암이나 시한부 질환으로 고통받고 있지만 우리나라에는 이들을 보살필 수 있는 기관이나 인력이 턱없이 부족한 실정이다. 그러다 보니 의술로도 더 이상 손을 쓸 수 없게 된 사람들은 그저 두려움과 고통 속에서 죽음을 기다리는 수밖에 없다. 이렇게 생의 마지막 순간에 서 있는 시한부 환자들이 평온하게 임종을 준비할 수 있도록 도와주는 역할을 하는 사람이 다름 아닌 '호스피스'다. 거동이 불편한 환자들의 식사 준비에서부터 주변 정리, 물리 치료, 목욕 서비스, 미용 봉사 같은 일상적인 활동에 그치지 않고 환자의 임종 후 남겨질 유가족들을 지지하고 위로하며 인간으로서 지켜야 할 존엄성과 삶의 질을 높이기 위해 노력하는 그들의 모습을 보고 있자니 가히 천사와 같았다. 가족과의 이별을 두려워하는 어느 가장, 아들을 먼저 보내야 하는 팔순의 노모, 엄마의 죽음을 인정할 수 없는 딸 등 호스피스의 도움을 받고 있는 환자 가족을 비춰주는 한편 죽음을 인정하고 평온한 임종을 맞이하는 환자의 모습도 보여주었다. 물론 고통을 호소하며 울부짖다 임종을 맞는 환자도 있었지만 대부분 임종이 가까워오자 호스피스와 가족이 함께 노래를 부르면서 환자의 고통을 경감시키고 환자가 편안한 마음으로 잠들 수 있도록 분위기를 조성했다. 생과 사의 간이역에 선 사람들의 곁에서 마지막 숨결까지 함께하는 동행자, 그들이 바로 '호스피스' 봉사자들이었다.

인기리에 방영된 MBC 미니시리즈 <12월의 열대야>에서도 오영심(엄정화 분)이 호스피스로 등장하는 장면이 자주 나왔다. 병원장 부인인 시어머니의 체면을 살리기 위해 오영심은 평소부터 호스피스 활동을 해온 것처럼 위장해 잡지에 담을 사진 촬영을 하게 된다. 그리고 끌려가듯 병실에 도착해 사진 기사의 주문에 따라 제대로 의사 표현도 하지 못하는 할머니를 장난감 다루듯 포즈를 취하다 뒤늦게 병실을 찾은 보호자에게 뺨을 맞고 뉘우치게 되고 이후 그녀는 마음이 이끄는 대로 열과 성을 다해 할머니를 돕게 된다.

최화숙의 『아름다운 죽음을 위한 안내서』도 위의 두 경우에서 엿볼 수 있는 내용과 같은 맥락에서 이해하면 된다. 이 책은 저자가 호스피스로 활동하면서 도왔던 여러 환자들의 사례를 기록한 것이다. 다른 사람의 이야기를 읽으며 공감되거나 눈물이 맺히는 부분도 있었지만 죽음은 나와 너무 먼 일이라고 느껴져서인지 솔직히 내 이야기라는 생각은 크게 들지 않았다. 어쩌면 그런 생각이 들지 않았다기보다 처음부터 내 주변의 일이 아니라고 치부해버린 것인지도 모르겠다. 내 사랑하는 가족이나 친구 중 누군가가 죽음에 가까워가는 모습을 지켜본다는 것은 상상만으로도 충분히 힘든 일이기 때문이다.

아름다운 죽음이란 무엇일까? 이율배반적인 단어의 결합이듯이 사람이 죽음 앞에서 아름다워지기란 정말 쉽지 않을 것 같다. 가보지 않은 곳에 대한 두려움과 남기고 가는 것에 대한 아쉬움까지, 그 무게를 누가 쉬이 감당할 수 있으랴. 하지만 무섭거나 두렵다고 피할 수 없는 것이 생의 마지막이 아닌가. 어차피 누구나 겪어야 될 죽음이라면 저자의 말처럼 잘 살아 후회를 최소화하는 것이 우리의 몫이지 싶다.

예전부터 호스피스 활동에 관심이 있었는데 이 책을 읽은 후 꼭 한번 호스피스에 도전해봐야 되겠다는 생각이 들었다. 물론 해낼 수 있겠다는 자신감은 더 없어졌지만 해내기만 한다면 그 보람은 어떤 봉사와도 비교할 수 없을 것 같다. 호스피스를 결심한 사람들 중에는 가까운 사람을 떠나보냈거나 또는 기적적으로 살아난 경험을 가진 사람이 많다고 한다. 아무래도 여러모로 예민한 말기 환자들을 상대해야 하므로 자원봉사하듯 아무나 할 수 있는 것이 아니라 나름대로 갖춰진 체계적인 커리큘럼에 따라 지도를 받고 실습 과정까지 모두 거친 다음에야 실제 환자들에게 투입될 수 있는 듯했다.

호스피스의 어원은 잠시 쉬어가는 휴양소라고 한다. 죽음 앞에서 쉬어간다고 말할 수 있을 만큼 여유로운 사람이 어디 있겠냐마는 죽음의 길에 들어서기 전에 잠시 쉬었다 가는 이곳이 또는 이런 서비스가 생사의 기로에 선 환자들에게 널리 알려져 한 사람이라도 더 평온한 마음으로 자신의 임종을 맞았으면 하는 바람이다. 천상병 시인의 「귀천」이라는 시 한 구절이 유난히 머릿속에서 맴도는 밤이다.

　　나 하늘로 돌아가리라
　　노을빛 함께 단 둘이서
　　기슭에서 놀다가 구름 손짓하면은
　　나 하늘로 돌아가리라
　　아름다운 이 세상 소풍 끝내는 날
　　가서, 아름다웠다고 말하리라

8. 상한 마음을 돌보기 위한 독서치료

2002년 초, 보건복지부의 '정신질환 실태 역학조사'에 따르면 우리나라 국민 3명 중 1명은 일생을 통해 각종 정신질환으로 고통을 받지만 전문적인 치료는 거의 받지 못하는 것으로 나타났다. 이러한 정신적 질환은 유전적인 요소도 물론 있지만 주로 마음의 상처, 즉 마음상함으로부터 비롯된다. 사람들은 누구나 마음의 상처를 입고 살아간다. 그러한 상처들은 자연스레 치유되기도 하지만 때로는 그러한 상처를 억압하거나 덮어두고 지나치기도 한다. 일상생활 속에서 생긴 마음의 상처는 제때 치유되지 않으면 부정적 감정이나 부적응 행동 또는 이상심리나 정신적 장애로 발전해 평생 자신을 따라다니게 된다.

마음상함이 자신에게 극에 달했을 때는 자살을 선택하게 되며, 자기가 아닌 외부로 극에 달했을 때는 폭력이나 살인 같은 범죄로 발전하게 된다. 따라서 현대 사회에서 발생하는 여러 병리 현상은 이러한 마음상함을 적절히 다루지 못하는 데 그 원인이 있다고 해도 과언이 아니다. 다행인 것은 정신의학, 정신보건간호학, 정신보건사회복지학, 상담심리학 등 여러 분야에서 마음의 상처와 장애에 관심을 기울이는 한편 정신 건강을 위해 노력하고 있다는 사실이다. 최근에는 음악치료, 미술치료, 놀이치료, 향기치료, 연극치료 등 정신장애에 대한 다양한 대안치료도 도입되어 마음의 상처를 치유하는데 활발하게 도움을 주고 있다.

독서치료도 이러한 대안치료의 하나로, 문자 그대로 책을 이용해 정신건강을 증진시키는 행위를 일컫는다. 독서치료란 선택된 독서자료의 내용이나 그 속에 내재된 생각을 통해 특정한 장애문제에 정신적·심리적으로 도움을 주는 것을 말한다. 자신과 같은 상황을 책에서 발견해 동일화하거나 책 속에서 문제를 해결해가는 상황을 보고 자신의 문제도 없어지는 듯한 카타르시스 효과를 얻음으로써 스스로 자신의 문제를 해결하도록 만드는 통찰의 원리인 것이다. 독서치료는 다른 치료에 비해 손쉬우며 치료자가 스스로 책을 읽고 스스로 느끼는 것이므로 자가치유적인 성격이 강하다.[18] 심리치료는 심리치료사와 내담자가 단독으로 만나는 것이지만 독서치료는 한 명 또는 그룹으로도 가능하며, 책을 읽는 동안 심리치료와 유사한 치유과정을 거침으로써 상처를 치유시킨다. 그런 측면에서 독서치료는 훨씬 많은 사람들에게 예방주사와 같은 역할을 할 수 있으며 치료적인 방안이 될 수 있다.

우리나라는 정신질환에 대해 쉬쉬하는 문화적 특성 때문에 아주 심각한 정신질환조차도 전문기관에서 치료를 받는 경우가 드물다. 정신장애는 초기에 발견하기만 해도 90% 이상 완치가 가능하다는 사실을 되새겨볼 때 문제의 심각성을 다시 한 번 느낄 수 있다.[19] 이러한 정신장애의 예방책으로는 일상적으로 생기는 마음의 상처나 경미한 정도의 정신질환이라면 자신이 처한 상황에 맞는 적절한 책을 읽는 것만으로 상당한 치료효과를 거둘 수 있다. 더군다나 우리 사회는 가족관계, 사회조직, 남녀관계, 인간관계, 교육환경 등에서 심리적으로 상처를 많이 받을 수 있는 구조다. 그러므로 누구나 스스로 적용할 수 있으며 부작용도 거의 없는 독서치료는 마음의 상처가 정신질환으로 발전하기 전에 치유하는 데 적합한 하나의 좋은 방법이다.

9. 글을 닫으며

독서치료를 접한 지 벌써 한 학기가 지났다. 그동안 여러 권의 책과 영상자료를 보면서 내 생각의 깊이도 조금은 깊어지지 않았나 싶다. 예전부터 독서의 중요성이야 익히 들어 알고 있었지만 이런저런 핑계로 책을 손에 잡고

---

18) 김수경, 「주부의 마음상함과 독서치료 프로그램에 관한 연구」, ≪한국도서관정보학회지≫, 35권 2호, 256~257쪽.
19) "<정신장애 편견을 넘자> 기획연재 3: 정신장애, 당당히 맞서자", ≪동아일보≫, 2004년 3월 8일자.

있는 시간이 그리 많지 않았던 터라 이러한 계기가 더욱 감사하게 느껴졌는지도 모른다.

독서치료에 쓰일 치유서 목록을 처음 받았을 때 다른 책은 몰라도 여기 있는 책만큼은 꼭 소장하고 싶다는 생각에 절반 정도의 책을 한꺼번에 구입했다. 각 책의 첫 장을 펼쳐 들었을 때의 기쁨을 나는 아직 잊지 못한다. 아마도 이런 기분을 느끼게 하려고 아이들에게도 직접 책을 고르고 구입하게 하라고 권하는 것이겠지. 책 속의 여러 등장인물에 동화되어 울고 웃기를 어언 두 달, 이쯤에서 지금까지 배우고 깨닫게 된 독서치료의 다양한 효험에 대해 다시 한 번 돌이켜보고 의문점을 제기해보는 것도 좋을 듯하다.

내가 독서치료에 대해 가장 먼저 가진 의문은 '치료'라는 용어에 대한 본질적인 의미와 관련된 것이었다.[20] 정서적 카타르시스를 경험하고 주어진 문제에 대한 통찰력을 얻고 다양한 관계의 변화를 모색하도록 이끌어주는 과정이 과연 치료라는 의미와 부합하는가 하는 문제였다. 이 말은 결국 책이 치료하는 힘이 있는가 하는 문제와도 직결되는데, 치료라는 의미를 단순히 임상적으로만 받아들이지 말고 주어진 환경을 더 나은 방향으로 바꾸어나가는 힘과 의지가 생긴다는 의미로 받아들인다면 이 문제를 좀 더 쉽게 긍정할 수 있을 것 같다. 물론 이러한 치료의 효과를 극대화하기 위해서는 문헌정보학과 교육학, 상담심리학과 문학 등 학제 간의 교류가 더욱 활발해지고 현장에서 발로 뛰는 임상가들을 위한 종합 인프라가 구축되어야 할 것이다.

두 번째는 독서치료의 지속성 여부에 대한 의문이었다. 자신이 처한 현실과 딱 들어맞는 책을 선별한 뒤 주인공에게 감정이입해 책을 읽고 문제해결의 실마리를 얻었다고 치자. 그렇다면 이 효과는 과연 지속적으로 이어지는 것일까? 혹 응어리지고 상처받았을 때 그 순간에만 유용하게 쓰이는 치료법은 아닐까? 음악치료, 미술치료, 놀이치료, 하물며 병원에서 받는 임상치료

---

20) 이영식, 「독서치료의 과제와 전망」, ≪성균관대학교 독서치료 전문가과정 종강모임 발제≫(2002).

등 어느 치료나 마찬가지겠지만 치료에 대한 반응이 가장 즉각적으로 나타나는 순간은 아마도 상처가 드러났을 때일 것이다. 하지만 치료가 계속되고 기존의 상처가 아물어갈수록 다른 상처들에 대한 예방책도 많이 접하게 될 것이고, 이러한 과정이 반복될수록 스스로 마음을 치유하는 능력이 발달할 것이라 믿는다.

세 번째는 과연 독서치료라는 것을 일반인들이 쉽게 받아들일 것인가에 대한 의문이었다. 사람들은 몸이 아프면 곧장 병원으로 가지만 마음이 아프면 그냥 방치하는 경향이 있다. 마음의 병은 치료받을 결심을 더디 하기 때문이기도 하거니와 설사 결심을 하더라도 주위를 둘러보면 찾아갈 곳이 정신과밖에 없기 때문이기도 하다. 사람들이 흔히 마음의 치료에 대해 편견을 갖는 지점은 여기에서 비롯된다. 아프다고 해서 반드시 병원을 찾아야 한다는 법은 없다. 특히 마음의 병은 더욱 그렇다. 가족이든 친구든 또는 직장 동료든 자신의 상처받은 마음을 이해해주고 어루만져 줄 수 있는 사람이라면 누구라도 치료자가 될 수 있다. 문제는 이러한 주변 사람들에게 마음을 열지 못하고 내면의 상처를 드러내 보이지 못했을 때 상처는 방치되고 병은 깊어진다는 사실이다. 이럴 때는 책이 도움이 될 수 있다. 등장인물과 나를 동일시함으로써 나와 같은 문제에 처한 사람이 또 있거나 많다는 사실에서 위로를 받을 수 있다. 또 다른 삶에 대한 간접경험이 좋은 약이 되어주기도 한다. 사람들은 이 간단한 진리에 담긴 참뜻을 빨리 깨우쳐야 한다.

여러 가지 대안적 치료 가운데 하나로 자리매김한 독서치료가 좀 더 많은 사람들의 마음의 병을 치유하는 데 도움을 주기 위해서는 널리 알려지는 것이 가장 시급한 과제다. 이를 위해 사서와 공공도서관의 개입이 기대된다. 앞으로 공공도서관은 지금까지 관심을 두던 제1의 독서, 제2의 독서 영역에서 범위를 넓혀 제3의 독서까지 아우를 수 있어야 한다. 그리하여 좀 더 많은 지역 주민의 정신보건 영역에 긍정적인 영향을 미쳐야 한다. 그래야만 도서관의 본분에 충실했다고 말할 수 있을 것이다.

나 의
독 서 치 료
체 험 기

05

독서치료로부터 수신한 메시지

조동주

1. 들어가며

내가 독서치료 모임을 찾게 된 것은 나의 마음아픔이나 치유의 필요성 때문이라기보다는 막연한 호기심과 기대감 때문이었다. 특별한 마음의 준비가 없던 나였기에 독서치료 과정에서 맞닥뜨리게 된 '내 안의 나'의 모습이 더욱 놀랍고 신기했는지도 모르겠다. 이전에는 한 번도 생각해보지 않았거나 구체적으로 고민해보지 않았던 일, 또는 한 번도 표현해보지 않았던 일에 대해 눈을 돌리게 되면서 무엇이 원인이고 무엇이 진정으로 중요한지 생각해보게 되었다.

솔직히 처음에는 학기 중에 딱딱한 전공서적이 아닌 흥미로운 책들을 '공식적'으로 읽을 수 있다는 사실이 좋았다. 나는 늘 바쁘다는 핑계로 읽고 싶은 책 한 권 읽을 시간을 스스로에게 허용하지 않았기 때문이다. 마음의 여유를 가질 수 있다는 것만으로도 독서치료 과정은 내게 고마운 존재였다.

독서치료 모임 중에 접한 치유서들은 비록 내가 선택한 책은 아니었지만 나름의 메시지를 전해주었으므로 매우 흥미로웠다. 물론 모든 메시지가 나의 마음을 울린 건 아니었지만 이전에는 한 번도 수신해본 적 없는 외계의 신호와도 같은 느낌이 감지되기 시작했다는 것만은 분명한 사실이었다.

이러한 생소한 '신호'를 증폭시켜주고 해석해준 것은 바로 '치유적 말하기' 과정이었다. 참여자 나름의 경험들을 토대로 다양한 해석이 쏟아졌다. 이 과정을 통해 나는 많은 충격을 받았으며 이로 인해 나의 사고체계가 새로운 영역으로 넓어지고 있다는 느낌을 받았다. 하지만 10여 주 남짓한 짧은 기간 때문인지 전적으로 몰입하지 못한 까닭인지 아직 큰 변화를 체험했다고 생각되지는 않는다. 무언가 새로운 기운이 강력하게 나를 휘몰아쳐 한순간 나를 새롭게 바꿔줄 것 같던 막연한 기대는 결국 충족되지 않은 것이다. 하지만 이미 많은 체험자들이 말했듯이 마음의 치유는 '스펀지에 물 스미듯', '저녁노을이 자연스레 하늘을 물들이듯' 서서히 일어날 것임을 믿는다. 살면서 문득문득 느껴왔던 마음의 아픔이나 불편함에 대한 인식을 시작할 수 있었던 이번 기회는 언젠가 돌이켜보았을 때 내 인생에서 매우 중요한 사건이 발생한 시기로 기억될 것이다.

나는 이 글을 쓰면서 독서치료를 만나는 동안 나에게 일어난 변화를 확인하고 정리하고 싶다는 생각을 했다. 이러한 마무리 활동은 나에게 일어났던 일들을 끄집어내고 나에게 일어나는 변화를 느껴보며 앞으로 변화해나갈 나를 그려보는 과정이라는 측면에서 매우 의미 있다. 이러한 마무리는 다른 누구의 글도 아닌 바로 나의 글을 통해서만 진정한 결론에 이를 수 있기 때문이다.

먼저 나는 이 글을 통해 생애 처음으로 접한 독서치료에 대한 나의 느낌과 생각을 정리하고자 한다. 비록 10여 주의 짧은 과정이었지만 그 과정을 겪으며 체험한 나의 변화와 그 과정이 지나고 난 후의 나의 변화를 살펴보고자 한다. 독서치료를 구성하고 있는 진행자와 나 자신을 포함한 여러 명의 참여자, 또 함께 읽은 치유서들에 대한 이야기가 주된 내용이 될 것이다. 나는 이를 위해 치유서로 읽어왔던 책들과 질서 없이 끼적여두었던 메모들을 다시 펼쳤다. 이는 내게 유일한 참고자료들이다. 한 학기의 경험을 떠올리며 내가 얻은 메시지를 정리하는 것이 이 글의 첫 번째 목적이다.

이 글의 두 번째 목적은 독서치료 과정을 통해 알게 된 나의 상처들을 '상황'으로 정리해보고 이를 일반적인 20~30대 중후반 남성의 상황으로 일반화시켜보는 것이다. 나는 이를 토대로 내 나이 또래의 참여자그룹을 위한 독서치료 코스를 구성해보고자 한다. 물론 내가 접한 치유서의 양이 절대적으로 부족하고 고민의 시간도 짧으며 치유의 경험 역시 미약하다는 점을 인정한다. 내가 구성한 독서치료 코스가 내가 참여했던 독서치료의 자의적인 재구성에 불과하다는 사실도 인정한다. 그렇지만 나는 이 과정이 나의 체험을 정리하고 더 나아가 언젠가 기회가 주어졌을 때 많은 사람들과 함께 상처를 치유하기 위한 준비작업 또는 예행연습이라는 데 의미를 부여하고자 한다.

2. 내가 체험한 독서치료

1) 진행자

진행자의 역할을 생각해보면 코리 부부의 집단상담 모습이 가장 먼저 떠오른다. 물론 『사랑을 선택하는 특별한 기준』[1]과 『30년 만의 휴식』[2]에 등장하는 상담자들, 『나의 아름다운 정원』[3]의 박 선생님도 떠올랐지만 막연하게 상상했던 집단상담 과정을 눈으로 확인시켜준 코리 부부의 비디오자료가 가장 선명하게 기억에 남았다. 비디오자료에서는 우리가 행했던 치유적 말하

---

1) 김형경, 『사랑을 선택하는 특별한 기준 1, 2』(푸른숲, 2006).

2) 이무석, 『(마음의 평안과 자유를 얻은) 30년 만의 휴식』.

3) 심윤경, 『나의 아름다운 정원』.

기와 비슷한 과정이 진행되었다. 이 집단상담 과정에서 몇몇 참여자들은 눈물을 흘리기도 했고 자신의 상처를 드러내 보이기도 했다.

이러한 집단상담 과정을 처음 봤던 나에게 가장 인상 깊었던 것은 눈물을 흘리는 몇몇 참여자들의 모습이 아니라 이를 이끌어내는 진행자들의 노련함이었다. 코리 부부는 외모상으로도 아주 편안한 분위기를 풍겼으며, 음성은 부드럽고 침착해서 집단상담장의 분위기를 형성하고 통제하기에 충분했다. 그들의 통제는 인위적이지 않으면서도 결국 원하는 곳으로 사람들을 집중시키는 힘을 가지고 있었다.

하지만 나는 이 영상자료를 시청하며 이러한 절대적인 진행자의 역할이 오히려 단점이 될 수도 있을 것 같다는 생각이 들었다. 우선 코리 부부와 같은 진행자가 언제 어디에나 존재할 수는 없기 때문이다. 유능하고 경험이 많은 진행자는 마음의 상처를 안고 치료를 바라는 참여자에 비해 수적으로 부족할 수밖에 없다. 또한 노련한 진행자라도 한 인간으로서 언제나 완벽할 수 없다는 사실은 영상자료에서도 확인할 수 있었다. 또한 진행자의 역할 비중이 높은 치유법은 깊은 상처를 입은 소수의 참여자를 대상으로 하는 것이 효과적이며 이때는 참여자그룹의 구성이 결정적인 변수가 될 수 있다는 생각이 들었다.

반면 내가 경험한 독서치료의 경우 표면적으로 드러나는 진행자의 역할은 상대적으로 비중이 훨씬 낮게 느껴졌다. 매주의 치유적 말하기 시간을 회상해보자면 진행자의 주된 역할 중 하나는 참여자에게 발언권을 주는 것이었다. 그만큼 진행자는 참여자의 이야기에 경청하는 역할이 주된 임무인 듯한 태도를 취했다. 진행자는 모임의 시작과 끝을 담당해 논의의 방향을 설정하고 내용을 정리했다. 이 과정에서 강제적이거나 인위적인 느낌이 없어서 참여자로서 편안한 마음을 가질 수 있었던 것 같다. 진행자의 낮은 듯 작은 듯한 음성은 나를 더욱 집중하게 만들었으며 내가 이야기할 때 보여주는 엷은 미소와 고개의 작은 끄덕임에서도 나는 안정감과 자신감을 얻을 수 있었다.

하지만 내가 기억하는 진행자의 주된 대사가 "○○님, 어떻게 읽으셨나요? 조금만 얘기해보죠"였다는 것을 감안한다면 노련한 진행자를 만날 수 없더라도 걱정할 필요는 없다. 나의 이름을 기억해주고 경청할 준비만 되어 있다면 그것으로 큰 문제는 없다. 그 이유는 바로 "읽으셨나요?"라는 질문의 전제조건이 되는 '치유서 읽기' 과정이 있기 때문이다. 즉, 독서치료는 말 그대로 책이라는 매체를 활용하는 것이므로 진행자 혼자 모든 것을 책임지고 이끌어야 할 부담이 적다. 치유서는 진행자와 참여자, 그리고 참여자와 참여자들 사이에 흐르고 있는 강을 건너게 해주는 '다리'이자 치유과정을 노련하게 진행해주는 '또 하나의 진행자'다. 따라서 독서치료 과정에서 표면적으로 드러나는 진행자의 역할비중은 다소 낮아 보일 수 있지만 참여자에게 소개할 또 다른 진행자, 치유서를 선정해야 하는 보이지 않는 역할이 매우 중요하다고 볼 수 있다. 나는 지난 모임 동안 소개받았던 치유서들을 읽으며 어렴풋이나마 진행자의 의도를 느낄 수 있었고 치유적 말하기 시간에 더 구체적이고 다양한 소재로 이야기를 나눌 수 있었다.

따라서 나는 독서치료 과정에서 진행자의 역할은 참여자를 만나는 순간에만 수행되는 것이 아니라 항시 진행되는 것이라고 본다. 좋은 치유서의 지속적인 개발은 더욱 다양한 상황을 다루기 위한 준비과정이라 할 수 있기 때문이다. 나는 치유서를 잘 개발하기만 한다면 독서치료의 효과를 체험한 사람 누구나 진행자가 될 수 있을 것이라고 생각한다.

2) 참여자

독서치료 모임에서 만난 참여자들의 연령대와 생활환경은 다양했다. 우리 그룹은 독서치료사이자 현장에서 진행자로 활동하고 있는 40대 여성, 영어교사이면서 전혀 다른 전공을 공부하고 있는 30대 여성, 독서치료 과목을 세 번이나 수강한 경험이 있는 박사과정의 30대 여성, 초등학교 교사이며 종갓집에서 자란 40대 여성, 현재 사업을 하고 있으며 이제 석사과정을 시작한

30대 남성, 독서치료로 논문을 쓴 20대 여성, 석사 2학기 과정에 있으며 처음으로 독서치료를 접하게 된 20대 여성, 졸업 후 군복무를 마치고 대학원에 진학하게 된 20대 남성 등으로 구성되어 있었다. 여성의 비중이 절대적이라는 사실이 아쉬웠지만 그 점만 제외하면 또래의 학생들로만 구성된 참여자그룹보다 훨씬 재미있는 이야기들이 쏟아질 수 있을 것이라 기대되었다. 한 주 한 주 독서치료에 참여하며 기대했던 것처럼 참여자들의 다양한 이야기를 들을 수 있었고 생각하지 못했던 부분에 대한 고민도 해볼 수 있었다. 한 학기 동안 만남이 진행되면서 자연스레 참여자들의 간략한 가족사항이나 생활환경도 알게 되었고 그 사람의 첫 인상과는 다른 내면의 모습도 조금씩 볼 수 있었다.

'자아를 찾아서'라는 테마로 이야기를 하던 시간이었다. 나는 한 학기를 통틀어 이 주가 가장 기억에 남는다. 선정된 치유서는 메리 파이퍼의 『내 딸이 여자가 될 때』[4]와 버지니아 M. 엑슬린의 『딥스』[5] 두 권이었다. 우리는 치유적 말하기를 위한 모임에서 치유서에 대한 개인적인 느낌과 생각을 주고받았다.

하지만 이날 나는 처음으로 거부감을 느꼈고 참여자그룹의 구성에 대한 고민을 하게 되었다. 마치 여성은 피해자이고 남성은 가해자인 듯한 논리가 몇 주째 형성되고 있음을 느꼈기 때문이다. 상대적으로 약자의 위치에 서 있는 여성들의 피해의식 때문인지 90% 이상이 여성인 참여자 집단을 고려한 진행자의 치유서 선정 때문인지 모르겠지만 모임에서 주고받는 이야기들이 여성의 아픔에 집중되고 있다는 느낌을 받았다. 같은 내용을 읽어도 자신에게 와 닿는 부분이 저마다 다를 수밖에 없듯이 치유서들이 던지는 많은 메시지 가운데 내가 수신하는 바와 여성들이 수신하는 바는 많이 달랐던 것 같다.

영어교사인 30대 여성 참여자는 직업상 마주하게 되었던 자신의 경험을

---

4) 메리 파이퍼, 『내 딸이 여자가 될 때』, 김영혜·김영재 옮김(문학동네, 1999).
5) 버지니아 M. 엑슬린, 『딥스』, 주정일·이원영 옮김(샘터, 2002).

이야기했다. 고등학생들의 교제에 관한 이야기였는데, 나는 그 이야기를 들으며 선생과 학생의 관계는 예나 지금이나 변한 것이 없다는 생각을 했다. 그 참여자의 표현대로라면 학교에서는 모범적인 모습을 보이던 남학생이 인근 여학교의 학생과 교제를 해서 임신을 시켰고, '불쌍한' 여학생은 누가 알까 두려워 아무도 몰래 아이를 '처리'해야 했고, 그런데도 남학생은 태연히 학교에 앉아 공부를 했다는 것이 얘기였다. 그 참여자는 남학생을 가해자, 여학생을 피해자로 나누어 많은 말을 쏟아냈는데 아직도 나는 그 상황을 이해할 수 없다. 나는 그들이 비록 고등학생이라고는 하나 그 이유만으로 그들의 모든 행위를 유치한 것으로 치부할 수는 없다고 생각한다. 왜 조금 더 신중하지 못했느냐는 질책을 할 수는 있겠지만 그들의 잘잘못을 가리는 것은 옳지 않다고 본다. 남학생만을 가해자로, 이중인격을 가진 사람으로 몰아세우는 것은 그 학생뿐만 아니라 그렇게 인식하는 자신에게도 새로운 상처를 만드는 발상이라고 생각한다.

가장 기억에 남는 이날의 대화는 나로 하여금 참여자의 성비에 대한 고민을 하게 만들었다. 사실 그 당시 나는 한 마디도 하지 못했다. 압도적인 성비 때문이기도 했고 내가 너무 흥분해 있었으므로 자칫 얼굴을 붉히게 될까 두려웠기 때문이기도 했다. 하지만 이제와 돌아보면 그때 참았던 것이 오히려 독이 되지 않았나 걱정이 된다. 내 마음속에는 답답함과 대화를 나누어보지 못한 데에서 오는 오해가 쌓였기 때문이다.

나는 한 사람의 참여자로서 독서치료를 접하며 가졌던 참여자의 위치에 대한 몇 가지 생각을 정리해보고자 한다. 내가 경험했던 참여자의 위치는 다소 수동적이었다. 물론 아무도 발언을 제재하지는 않았지만 우리의 대화는 진행자가 지정하는 발언권의 순서를 기다리는 다소 소극적인 모습이었다고 기억한다. 간혹 자신의 의견을 제시하는 참여자는 독서치료의 경험이 있거나 이미 같은 치유서에 대해 이야기해보았기에 이야깃거리가 풍부한 사람들인 경우가 많았다. 또한 정해진 시간에 비해 참여자가 많았던 탓인지 마지막에 발표하게 된 참여자는 시간에 쫓기며 자신의 생각을 급하게 요약해야 하는 경우도 있었다. 마지막으로 성비 문제는 많은 고민이 필요한 부분이라고 생각한다. 비록 한 학기 동안의 짧은 기간이었지만 한쪽의 비중이 절대적으로 높을 경우 대화의 주제가 한정되고 소수의 입장에서 섣불리 접근하기 어려운 주제가 형성된다고 느꼈다. 물론 남녀로 구분해 진행해야 한다고 생각하지는 않는다. 다만 남녀가 섞인 참여자그룹의 경우 어느 정도 성비를 맞춘다면 좀 더 균형 있고 활발한 대화가 이루어질 수 있을 것이다.

연령대가 다양하다는 사실은 단점보다 장점이 많았다. 나이의 차이는 아무런 대결구도를 형성하지 않았으며 오히려 폭넓은 이야기가 오고갈 수 있다는 점에서 긍정적이었다.

3) 치유서

나는 책 읽는 것을 좋아하지만 책 읽는 속도가 느린 편이라 많은 책을 읽어내지는 못한다. 글자 하나하나를 머릿속에 새기듯이 또박또박 읽다 보면 속도가 나지 않고 쉽게 지쳐버리곤 하기 때문이다. 어디서 비롯된 성격인지는 모르겠지만 한 글자라도 빠뜨리고 읽으면 왠지 내용을 이해하지 못할 것 같은 강박증 같은 게 있다. 그래서 책을 읽고 나면 오래 기억하지만 읽어내는 양이 너무 적다는 한계를 느끼곤 한다.

'난 책 읽는 속도가 느려' 정도로만 생각해오던 나는 이번 학기에 치유서를 읽으며 본격적으로 답답함을 느꼈다. 결국 아르바이트로 초등학생에게 속독을 가르치는 여자친구에게 상담을 하기에 이르렀고 여자친구는 책읽기도 연습이 필요하다는 처방을 내려주었다. 안구를 움직이는 훈련부터 읽고 이해하는 훈련까지 학년별로 단계도 나누어져 있다는 것이다. 처음에는 그저 가벼이 웃어 넘겼는데 이제는 진심으로 속독을 배워보고 싶다는 생각을 하게 되었다. 추측건대 내가 아직 독서치료의 큰 변화를 체험하지 못한 것도 기간이 짧았다는 핑계 같은 이유 때문이 아니라 읽어낼 수 있는 치유서의 양이 부족했기 때문일 것이다.

속도는 느렸지만 치유서를 읽는 과정은 나에게 많은 충격을 주었다. 내가 잘 기억하지도 못하는 과거에서부터 내가 형성되어왔다는 것, 그 과정 속에서 많은 상처를 받아왔다는 것, 그 상처들 중 일부는 아직도 나를 아프게 하고 있다는 것, 내 안에 또 다른 내가 있다는 것 등을 알게 된 것이다. 그동안 나는 통증을 느끼면서도 그것이 마음아픔이라는 것조차 몰랐고 마음이 아프다고 느낄 때조차 시간이 지나면 무뎌질 것이라며 방치해두었음을 깨닫게 되었다. 치유서를 읽으며 내 안에 있는 나는 지금 얼마나 아파하고 있는지, 그동안 나는 다른 이들에게 무의식중에 얼마나 많은 상처를 주며 살았는지에 대해 조금씩 인식하게 되었다. 상처의 중요성에 대한 인식은 많은 생각을 하게 만들었고 혼란스러움을 가져다주기도 했다. 내가 정신적으로 건강하지 못할 수도 있다는 불안감과 상처를 주어서는 안 된다는 부담감이 온통 머릿속을 채우기도 했다.

하지만 나는 '병을 안다는 것은 치유의 시작'이라는 말에 전적으로 공감한다. 지금부터는 그러한 인식의 과정에 큰 도움을 주었던 치유서들을 독서치료가 진행된 순서대로 하나씩 살펴보도록 하겠다. 치유서를 읽고 난 후 남겼던 메모들을 통해 나에게 와 닿았던 메시지는 무엇이었는지도 정리해보도록 하겠다.

(1) <굿 윌 헌팅>[6](영상자료)

내가 고등학교 3학년 무렵에 개봉했던 영화로 기억한다. 수능을 치고 한가한 시간을 보내던 어느 날, 밀린 영화를 보기로 결심하고 한꺼번에 몇 개의 비디오를 빌려 집으로 돌아왔다. 그중 하나가 <굿 윌 헌팅>이었는데 그당시 이 영화를 택한 이유는 최신작이라는 것이었다.

다시 이 영화를 보면서는 시대가 참 많이 변했음을 절감했다. 영화는 새롭고도 엄청난 메시지를 내게 마구 쏟아냈다. 아는 만큼 보인다고 했던가?

---

6) <굿 윌 헌팅>(구스 반 산트 감독, 맷 데이먼·로빈 윌리엄스 주연, 1998).

고등학생 시절 전혀 눈에 띄지 않던 영상이 내 눈에 들어왔고, 흘려들어 기억도 나지 않는 배우들의 대사가 되살아나 내 귀를 울렸다. 그리고 무엇보다 영화를 보고 난 후 나는 이전에 느낀 적 없는 감동과 해소감을 느꼈다. 마치 새로운 영화를 본 것 같았다.

이 영화를 시청하며 정신이 건강하다는 것은 무엇인지, 마음의 상처라는 것은 또 무엇인지라는 주제에 너무도 적합한 자료라는 생각이 들었다. 겉으로는 아무렇지도 않은 척 살아가고 있지만 마음은 심하게 다친 상태인 윌을 보며 안쓰러웠다. 윌은 자신에게 베푸는 호의도, 진심으로 속삭이는 사랑도 받아들일 수 없을 만큼 마음이 아픈 사람이었다. 다방면에 많은 지식을 가지고 있지만 진정 중요한 것은 아무것도 알지도 느껴보지도 못한 불쌍한 사람이었다. 나는 영화를 보는 내내 주인공에게서 나의 모습을 발견하곤 했다. 때문에 얼굴이 화끈거릴 만큼 부끄러운 느낌이 들었고 나와 너무도 비슷한 행동을 할 때면 신기하고 당황스럽기도 했다. 영화가 단지 영화로 보이는 것이 아니라 누군가에게 나의 비밀일기를 들켜버리는 긴장되고 당황스런 순간을 겪는 것만 같았다.

윌은 여자친구에게 형제가 12명이나 된다는 거짓말을 태연스럽게 한다. 천재적인 두뇌를 가진 윌은 12명의 이름을 즉흥적으로 지어내고 다시 이름을 읊어보라는 여자친구의 주문에 토씨 하나 틀리지 않고 그 이름을 줄줄 외워낸다. 아마도 고아로 자란 자신의 처지가 상처로 남았던 것 같다. 나 역시 현실의 내가 초라하다고 느껴 과장되게 표현했던 기억이 난다. 어린 시절에는 우리 집이 더 부유했으면 좋겠다는 생각에 과장을 하기도 했으며 그 거짓말을 숨기기 위해 또 다른 거짓말을 하기도 했다. 중학교 시절에는 다른 학교에 다니고 있던 친한 친구에게 나의 시험점수를 더 잘 나온 점수로 과장하기도 했다. 그때는 그러한 것들이 무척 큰 의미였는지 거짓말을 해서라도 숨기고 싶었다.

윌과 나는 여자를 대하는 방식도 비슷했다. 거절을 두려워했으며 부드러움보다는 무뚝뚝함을 택했다. 마음속에 가득 찬 말은 하지 못한 채 스스로도 놀랄 만한 모진 말을 내뱉곤 했다. 이는 아마 고등학교 시절 심하게 앓았던 첫사랑의 열병 때문이라는 생각도 하게 되었다.

영화는 결말에 이르러 커다란 해소감을 전해준다. 상담자로 등장하는 손 교수는 윌의 상처를 서서히 치유한다. 그 과정에서 마치 내 상처가 낫는 듯이 가슴이 벅차오르는 것을 느꼈다. 정신이 건강하다는 것, 마음이 아프지 않다는 것이 얼마나 큰 행복인지에 대해 생각하게 만드는 영화였다.

(2)『30년 만의 휴식』

> —〈 독서 후 남긴 메모 〉——
>
> 조성모의 '가시나무새'에는 이런 가사가 있다.
> "내 속엔 내가 너무도 많아, 당신의 쉴 곳 없네~"
> 내 속에는 책에 나오는 거의 대부분의 아이가 살고 있다.
> 이 아이들을 빨리 키워서 내보내야 하는데……
> 책이 보기 좋게 편집되었고 글자도 많지 않아 부담 없고 편하다.
> 나는 과연 건강한가? 아픈가?

이 책은 내가 처음 접한 치유서다. 처음이라 많은 기대를 안고 읽었는데 기대만큼이나 신선한 무언가가 내 마음속에 들어오는 것을 느꼈다. 이 책은 '휴(休)'라는 인물을 통해 여러 이야기를 들려주고 있는데 주제에 비해 무겁지 않게 쓰인 덕분에 쉽게 읽어 내려갈 수 있었다. 이 책을 통해 나는 내 안에 여러 명의 내가 있다는 사실을 깨달았다. 한때 무심코 흥얼거렸던 유행가의 가사 내용도 새롭게 와 닿았다. 아는 만큼 이렇게 많은 것이 달리 보인다는 사실은 참으로 신기한 경험이었다. 나는 내 안에 있는 '잘난 체하는 아이', '열등감에 사로잡힌 아이', '조급한 아이'를 알아보게 되었고, 이 아이들을 빨리 성인으로 키워내야 한다는 생각도 하게 되었다. 나는 이 치유서를 통해 처음으로 내 안에 존재하는 상처들을 인지하게 되었다.

(3) 『마음속의 그림책』[7)

< 독서 후 남긴 메모 >

	내 마음	아빠 마음	엄마 마음	형제 마음	우리 집
동물	하이에나	사자	팬더	여우	곰
색깔	붉은색	하늘색	연노랑	자주색	연두색
감촉	까칠	푸근	맨들맨들	예리	부드러움
날씨	맑음	쨍쨍	따뜻함	시원함	맑음
꽃	장미	무궁화	호박꽃	장미	호박꽃
맛	매콤	시원	싱겁다	담백하다	담백하다

이 책은 여러모로 흥미로웠다. 미술치료 과정에서 생산된 아이들의 그림과 그에 대한 해석도 흥미로웠고 가족에 대한 이미지를 색깔로, 동물로, 날씨로, 꽃으로, 맛으로 표현한 것도 매우 특이했다. 비전문가인 나도 아이들의 그림과 이미지의 표현을 보며 그 아이의 심리상태를 추측할 수 있었기 때문에 이러한 방법도 좋은 상담기법이 될 수 있겠다는 생각이 들었다.

돌이켜보면 어린 시절 우리 부모님은 알코올 중독이나 가정불화, 폭력 등으로 나에게 상처를 준 일은 없다. 어린 시절 매를 맞은 적은 여러 번 있지만 매를 맞는 경우는 거짓말을 했을 때뿐이었다. 다른 잘못으로는 매를 맞아본 기억이 없으며 매를 드는 쪽도 언제나 어머니셨다. 그것도 초등학교 4학년이 되던 해 어머니께서 "너도 이제 고학년이니 매 맞을 나이가 지났다. 스스로 책임 있는 행동을 하거라"라고 말씀하신 이후로는 단 한 번도 매를 맞아본 기억이 없다. 그래서인지 나는 남자아이인데도 학창 시절 친구들과 치고받고 싸운 기억이 한 번밖에 없다. 가끔 나는 남자치고는 폭력적 성향이 옅다고 생각될 때가 있는데, 그건 아마도 부모님의 영향 때문인 것 같다는 생각을 이 책을 읽으며 해보았다. 부모님께서는 자식교육을 위해 의도적으로 그렇게 하셨던 것일까 하는 생각이 들자 관련 교육을 받은 경험이 없었을

---

7) 이희경, 『마음속의 그림책』.

두 분이 새삼 대단해 보이면서 상대적으로 내가 더욱 부끄러웠다. 나는 자식이 잘못했을 때 엄하게 꾸짖거나 체벌을 하는 것은 당연한 처방이라 생각해 왔기 때문이다. 좀 더 솔직히 말하자면 '어렸을 땐 좀 맞아야 어른 무서운 줄을 안다'는 식으로 엄한 아버지가 될 준비를 단단히 하고 있었는지도 모르겠다. 하지만 나는 책에 나오는 아이들의 호소문을 보며 스르르 힘이 풀리는 느낌을 받았다. '내가 잘못 생각해도 한참을 잘못 생각했구나' 하는 생각이 밀려들었다. 자식을 잘 키우기 위해서는 정말로 많은 생각과 노력이 필요하다는 사실을 깨닫게 되었고 이 치유서를 통해 좋은 부모가 된다는 것에 대한 진지한 고민을 시작하게 되었다. 그런 면에서 이 치유서는 내게 너무도 고마운 책이라 할 수 있다.

(4) <추적 60분> "명문대생, 그는 왜 부모를 살해했나"[8](영상자료)

수년 전 사건이고 얼핏 뉴스에서 접했던 내용이긴 했지만 이 프로그램을 시청하게 된 것은 이번이 처음이었다. 소감은 한마디로 충격 그 자체였다. 부모를 살해했다는 끔찍한 사건 때문이기도 했지만 범인이 원래 그런 성향을 가지고 있었다기보다는 그렇게 변화했다는 사실이 너무나 놀라웠다. 얌전하고 우등생이던 범인이 그런 사건을 저질렀다는 것은 누구라도 마음의 상처를 그대로 담아두면 심각한 결과가 초래될 수 있음을 보여준다. 그만큼 마음의 상처는 심각한 것이며 참아서 해결될 문제가 아니라는 사실을 절실히 깨닫게 해준 자료였다.

'자식을 잘 키운다는 것은 무엇을 의미하는가?', '좋은 부모가 된다는 것은 무엇을 의미하는가?'라는 고민은 더욱 깊어졌다. 장교교육을 받으며, 소대장 생활을 하며, 그리고 직업군인이던 아버지 밑에서 자라며 나는 다소 보수적이고 직선적인 성격을 갖게 되었는데 이러한 성격이 내 자식에게 어떠한 영향을 미치게 될지 내심 걱정되기 시작했다. 이 영상자료는 독서치료를

---

8) <추적 60분> "명문대생, 그는 왜 부모를 살해했나"(KBS, 2000. 7. 23).

통해 나의 성격을 개선시켜 가야겠다는 절실함을 배가시켜주었다.

(5) 『나의 아름다운 정원』

> ─< 독서 후 남긴 메모 >────────────────────
>
> 오히려 가족에게서 받는 상처가 크다.
> 술에 취한 할머니와 불쌍한 엄마. 엄마에게 이 책을 추천한다.
> 아빠는 참 많이 부드러워지셨다.
> 너무도 한국적인 상처, 고부간의 갈등.

치유서 중에서는 처음으로 읽게 된 소설이었다. 그래서인지 약간 가벼운 마음으로 책을 읽기 시작했는데, 내용은 생각보다 가볍지 않았던 것으로 기억된다. 나는 이 책을 읽으며 줄곧 나의 어린 시절을 회상하게 되었다. 내가 태어나 자란 동네는 주인공 동구가 살던 동네처럼 옹기종기 주택이 모여 있는 진해의 작은 동네였다. 동구가 뛰어다녔던 골목길도, 친구들과 딱지치기, 얼음 땡, 땅따먹기를 했던 작은 공터도 내게는 낯설지 않은 풍경이었다. 또한 이웃사촌이라는 말이 어색하지 않을 만큼 서로를 속속들이 알고 지내던 동네 아줌마들은 엄마 다음으로 나를 많이 안아주신 분들이기도 했다.

이 소설은 나의 어린 시절을 회상하게 만드는 것만으로도 마음이 따뜻해지는 느낌을 주었다. 하지만 무서운 할머니가 떠오르고 나의 어머니가 떠오르자 마음이 다소 불편해졌다. 마치 장독대 뒤에 숨어 있던 그때의 기분이 되살아나는 듯했다. 어린 나에게 할머니는 무서운 존재였다. 약주를 즐겨하셔서 늘 취해 계셨고 그 시절 시어머니들이 그랬듯이 며느리인 나의 어머니를 모질게 대하셨다. 자라고 나서 들은 이야기이지만 나와 내 동생이 아들이었기 때문에 그나마 다행이었다고 어머니는 말씀하셨다. 그 시절 아들이라는 의미가 얼마만한 것인지는 잘 모르겠지만 가끔 나와 내 동생이 아들이라 다행이라는 생각을 해보기도 한다.

이 치유서를 읽으며 나는 할머니와 어머니, 그리고 아버지가 받았을 상처에 대해 처음으로 생각해보게 되었다. 사실 부모님의 마음에 대해서는 단한 번도 고민해본 적이 없었다. 나에게 부모님은 처음부터 '어른'이었고 무엇이든 꿋꿋이 이겨내는 절대적인 존재였기 때문이다. 내가 그분들의 마음을 헤아릴 수 있다는 생각은 해본 적이 없었다.

하지만 이 소설을 읽으며 문득 어머니께 이 책을 추천해드리고 싶다는 생각을 하게 되었다. 어머니의 마음속에도 남아 있을 상처를 어머니가 인식하지 않는다면 비슷한 상황은 또 벌어질 수 있다는 생각이 들었기 때문이다. 단 한 권의 책으로 어머니의 상처를 치유할 수 있다고 믿는 것은 아니다. 하지만 상처를 인식하고 치유하고자 하는 의지를 갖는 것만으로도 전혀 다른 삶을 살 수 있다. 이 책이 어머니에게 새로운 시야를 열어주는 계기가 될 수 있기를 기대해본다.

(6) 『달의 제단』[9]

> ────< 독서 후 남긴 메모 >────
>
> 활활 타는 효계당은 모든 갈등이 해소되는 카타르시스를 느끼게 해주었다.
> 상상만으로도 숨 막히는 종갓집의 장손 역할.
> 『나의 아름다운 정원』보다 재미있고 빨리 읽혔다.
> 정실과 아이는 어떻게 되었을까?

같은 작가의 책이라고는 믿기지 않을 만큼 전혀 다른 문체의 소설이다. 언제 이런 경험을 해보았을까 하는 생각이 들 만큼 작가는 현실감 있게 종갓집의 풍경을 그려내고 있다. 이번에 고민해본 문제는 할머니가 아닌 할아버지와의 관계다. 이 책은 종갓집을 지켜온 가부장적인 할아버지와 할아버

---

9) 심윤경, 『달의 제단』(문이당, 2004).

지의 기대에 미치지 못하는 손자 간의 갈등을 그리고 있다. 결론적으로 두 사람 모두 죽게 되는 비극이지만 상용이와 그의 할아버지는 죽음으로밖에 갈등의 고리를 끊을 수 없었다는 점에서 굳이 비극이라 규정짓기는 어렵다.

나의 가정환경은 상용이와 아무런 공통점을 찾을 수 없다. 종갓집도 아닌 데다 할아버지는 일찍 돌아가셨다. 하지만 나는 이 치유서를 통해 종갓집의 장손이 짊어져야 할 부담감을 간접적으로 체험할 수 있었다. 나는 이러한 간접 체험만으로도 숨이 막힐 듯한 스트레스를 받는 것 같았다. 그래서인지 결론 부분에서 활활 타오르는 불길이 한밤중 달에게 올리는 축제나 의식과도 같다는 느낌을 받았다. 연대장이나 사단장에게 사열을 받기 위해 도열(堵列) 해 있는 군인처럼 고개 하나 까딱할 수 없고 숨소리조차 크게 낼 수 없는 긴장되고 숨 막히는 상황이 한순간의 '행사'가 아닌 평생 동안 겪어야 할 '생활'이 된다면 과연 견딜 수 있는 사람은 몇이나 될까? 또한 견딘다 한들 얼마나 큰 상처를 안고 살아야만 할까? 그것이 비록 나의 상처는 아니었지만 상상만으로도 충분히 힘겨웠고, 그 때문에 결론에서는 간접적 해소감을 맛볼 수 있었던 것 같다. 몇몇 참여자는 이 소설을 읽어내기가 힘들었다고 말했지 만 나는 오히려 작가의 전작보다 흥미로웠다.

(7) 『내 딸이 여자가 될 때』

┌─< 독서 후 남긴 메모 >─────────────────────
│ 딸을 낳고 싶긴 한데 키우는 게 너무 힘들 것 같다.
│ 우리 집안에는 딸이 귀해서 사랑받을 것 같다.
│ 여성을 무시하던 남성이 딸을 낳는다면?
│ 매우 모순적인 상황에 직면하게 될 것이다.
│ 좋은 아버지가 되기란 너무 어렵다.
│ '내 아들이 남자가 될 때'라는 책은 없나?
└──────────────────────────────────

이 치유서는 내게 체험에서 오는 공감을 주지는 못했다. 내가 남자이기 때문이기도 했지만 나는 우리 집을 포함해 일가친척 가운데 여자 형제는 단 한 명밖에 없는 특이한 상황에서 자랐기 때문에 간접 체험의 기회도 절대적으로 부족했다.

하지만 이 치유서는 내가 딸을 낳는다면 어떻게 길러야 할 것인가를 고민해보게끔 만들었다. 사회적으로 강요되는 성역할 속에서 내 딸이 힘들어하지 않고 올바로 자라기 위해서는 아버지의 역할이 매우 중요하다는 사실을 깨닫게 되었다.

사실 나는 이 책 자체보다 치유적 말하기 모임에서 보았던 풍경을 더욱 인상적으로 기억하고 있다. 그 날 모임에 참가했던 참여자들 중 20대 여성들은 모두 눈물을 훌쩍이며 자신들의 경험을 이야기했다. 나로서는 매우 당황스럽고 신기한 경험이었다. 그들은 성인이 될 때까지 겪었던 딸로서의 고통이 되살아나는 듯했다. 펑펑 우는 것이 아니라 무언가 가슴에 맺힌 게 있는 것처럼 보였다. 그들을 보면서 나는 아버지로서 딸을 어떻게 기를 것인가 하는 고민과 함께 막막함에서 오는 한숨이 새어나왔다.

사실 '여자가 어디!'라고 생각하고 있는 나를 발견할 때가 있다. 이는 여성이 가져야 할 미덕과 취해야 할 태도, 마땅히 행해야 할 역할에 대해 미리 교육받았기 때문일 것이다. 나는 이번 주제를 통해 성역할에 대한 잘못된 교육을 내 자식에게는 절대로 하지 않아야겠다고 다짐했다. 눈물을 흘리는 참여자들을 보며 나의 가치관이 또 한 번 수정되는 것을 느꼈다.

(8)『사랑을 선택하는 특별한 기준 1, 2』

> ─〈 독서 후 남긴 메모 〉─
> 세진과 인혜 둘 중 하나를 선택한다면?
> 그냥 혼자 사는 것이 낫겠다. 감당이 불감당!
> "어떤 사건을 기억해내고, 그 기억에 얽혀 있는 슬픔이나 분노의 감정을 체험하고, 그것을 언어로 표현할 수 있으면 그것과 관련된 억압이나 신경증

은 해소된다는 것이다. 모든 신경증은 정면으로 맞서지 못한 고통, 외면하고 회피한 예전의 고통이 뒤에서 다가와 뒤통수를 치는 현상."

이 치유서는 소설인데도 정신분석과 관련해 많은 지식을 전달해주었다. 소설로서 흥미로운 줄거리를 가지고 있으면서도 치유서로서의 기능을 염두에 둔 듯한 여러 가지 설정이 기억에 남는다.

나는 세진이 정신치료를 받는 과정을 보며 나도 그러한 치료를 한번 받아보고 싶다는 생각이 들었다. 스스로 진단하기에 사랑으로 인해 받았던 상처가 내 마음속에 남아 새로운 사랑을 방해하고 있다고 느꼈기 때문이다. 나에게 첫사랑은 오랫동안 나를 힘들게 했는데, 나는 그것이 '첫사랑은 이루어지지 않는 것', '그래서 더 아름답게 기억되는 것'이라는 말들로 위로를 삼으면서도 마음속의 상처가 아직 아물지 않았기 때문이라고 생각해왔다. 몇 년 전까지만 해도 나는 이와 관련된 이야기를 누구에게도 할 수 없었다. 그만큼 나에게는 이상할 정도로 큰일로 기억되었고 정리가 되지 않았다. 하지만 언젠가부터 조금씩 이 이야기를 꺼낼 수 있게 되자 그 이후로 상당히 마음이 편안해졌다. 치유서에서도 언급되듯이 그 힘들었던 '사건'을 말로 표현하게 된 이후로는 마음의 상처가 많이 해소되는 체험을 했던 것이다.

(9) 『위장된 분노의 치유』[10]

┌─ < 독서 후 남긴 메모 > ──────────────────────────

자신의 이야기를 너무 노골적으로 하고 있다. 가끔 읽기 거북한 느낌이 들 정도로. 왠지 목사에 대한 믿음이 약해지는 듯하다.

'문제를 문제로서 시인하자.'

'감정을 표현하는 것은 하느님이 주신 특권이다.'

──────────────────────────────────────

10) 최현주, 『위장된 분노의 치유』.

> 어린 시절이 이렇게도 중요한가? 술 마시는 아버지가 그렇게 악영향을
> 끼치는가?
> 술을 좋아하는 우리 할머니, 아버지, 나. 유전? 술을 끊어야겠다.

이 치유서는 목사로서 자신의 이야기를 고백하듯이 털어놓았다는 점이 인상적이었다. 문체는 세련되지 않았으며 '목사에게 이런 과거가 있었단 말인가?' 하는 생각이 절로 들 만한 내용들을 담고 있었다. 저자 스스로도 가족에게 양해를 구할 만큼 이 치유서에서는 자기 자신을 숨김없이 드러내는 용기가 돋보였다.

이 치유서는 다양한 유형으로 마음속에 존재하는 성인아이에 대해 말하고 있다. 나는 이 치유서가 이야기하는 '성인아이'가 『30년 만의 휴식』에 등장하는 '아이'와 상당 부분 닮았다고 생각했다. 역시 많은 아이들이 내 마음속에 살고 있다는 사실을 깨닫게 되었고 완벽해야 한다는 강박관념이나 때때로 능숙하지 못한 감정통제의 원인을 진단해볼 수 있었다. '세월이 약'이라는 어른들의 처방은 오진이었다. '감정을 표현하는 것은 하나님이 주신 특권'이며 '문제를 문제로서 시인하는 것'이 중요하다는 저자의 의견처럼 문제를 묻어두지 말고 '드러내는 것'이 중요하다는 것을 깨닫게 되었다.

끝으로 이 치유서의 메시지 중 내게 가장 인상 깊었던 부분은 술의 위험을 경고한 내용이었다. 술을 즐겨 마시는 나로서는 술 마시는 아버지가 자식들에게 줄 수 있는 악영향에 대해 진지하게 고민해보게 되었다. 이 같은 전혀 엉뚱한 깨달음을 치유적 말하기에서 말해 다함께 웃기도 했다.

(10) <돌로레스 클레이본>[11](영상자료)

두 시간의 상영 시간 동안 나는 여성들이 겪어야 했던 몇 가지 상처를 읽어낼 수 있었고 어린 시절의 상처가 얼마나 큰 영향을 미칠 수 있는지

---

11) <돌로레스 클레이본>(테일러 핵포드 감독, 캐시 베이츠 주연, 1994).

다시 한 번 확인할 수 있었다.

나의 아버지는 약주를 즐겨하시는 분이지만 다행히도 나를 비롯해 어머니에게 폭력을 행사한 적은 단 한 번도 없었다. 또한 나에게는 여자 형제가 없어 셀리나와 같은 아픔을 겪을 기회도 없었다.

나는 이 영화를 보며 이상하게도 알코올 중독자인 돌로레스 클레이본의 남편이 눈에 들어왔다. 술의 위험함에 대해 느끼기 시작한 탓인지 영화 속에서 모든 상처의 제공자가 되는 그가 현실감 있게 다가왔다. 그는 아내에게 욕설을 퍼붓고 인격적인 모독을 가하는 것은 예사로 여겼다. 때로는 폭력을 행사했으며 딸을 성추행하기도 했다. 그를 바라보며 나는 스스로를 되돌아보았고, 거북스러웠지만 의식적으로 나를 그 남편에게 대입시켜보려고 애썼다. 종종 취하도록 술을 마시는 나였기에, 술에 취하면 누구나 실수를 하기 마련이기에 스스로에게 경고를 하고 싶었던 것이다. 나는 이 비디오를 시청하며 역기능 가정의 근원이 내가 되어서는 안 된다는 생각을 하게 되었고 결국 술을 끊기로 결심하게 되었다. 그 이후로 금주를 시작해 벌써 20일째가 되어 간다. 독서치료의 효과로는 다소 특이할 수 있지만 술을 좋아했던 내게는 독서치료를 통해 체험하게 된 가장 큰 변화라고 내세울 수 있다.

(11) 『대인공포클리닉』[12]

> ─< 독서 후 남긴 메모 >─
>
> 중간대: 동창, 직장동료, 교회, 클럽멤버같이 가장 상대하기 힘든 그룹. 모
> 르는 사람도 친한 사람도 아닌 애매한 관계.
> 대화공포. 나는 재담가가 되어야 한다는 부담.
> 융통성이 부족. 윗사람을 대할 때 어려움을 느낌.
> 지난 학기 초, 여학우들과의 대화가 힘들다고 느끼고 고민.

---

12) 이시형, 『대인공포클리닉』(이다미디어, 2002).

> 이 책은 남성적인 책이라 매우 좋음. 읽기도 쉬워서 더욱 좋음.

나이가 들어갈수록 대인관계가 정말 어렵다는 것을 실감하고 있던 나에게 이 치유서는 많은 도움이 되었다. 나와 같이 대인관계에 대한 어려움을 느끼는 사람이 많다는 사실도 하나의 위안이 되었고 그것이 당연하다는 위로의 말도 큰 힘이 되었다. 이 책은 개인적으로 남자의 입장에서 쓰였다는 느낌을 받았다. 그래서인지 반가운 마음마저 들었고 시원시원하게 쓰인 문체도 마음에 들었다.

이 책을 통해 내가 대인관계를 어려워하는 원인을 몇 가지 발견할 수 있었다. 사람들이 모인 곳에서는 재담가가 되어 분위기를 이끌고자 했던 나의 모습과 융통성 없는 결벽주의자적인 나의 모습이 동시에 떠올랐다. 상당히 상반돼 보이는 이 두 가지 역할을 조율하는 것이 나의 과제라고 느꼈다. 또한 이야기를 잘 들어주는 것도 훌륭한 대화라는 저자의 충고를 깊이 새기고 대인관계에 대한 어려움을 해소해나가야겠다는 생각을 했다.

(12) 『아직도 가야 할 길』[13]

> ── < 독서 후 남긴 메모 > ──
> 아! 사랑이란 그런 거구나!
> 사랑이란 빠져드는 것이 아니라 노력하는 것!

나에게 가장 크게 와 닿았던 챕터는 '사랑'이었다. 저자의 충고들은 하나하나 나를 위해 쓰인 듯 느껴졌고 많은 말들이 명언이 되어 내 가슴에 박히는 것 같았다. 나는 이 책을 통해 참사랑이라는 것을 알게 되었다.

나는 책을 읽으며 줄곧 사랑에 빠졌던 그 시절을 떠올렸다. 정말로 그때는

---

13) 스캇 펙, 『아직도 가야 할 길』.

그 아이의 몸에서 환한 빛이 났으며 나는 그 아이의 얼굴을 정면에서 빤히 바라본 기억이 한 번도 없다. 그래서 나는 그 아이의 부드러운 머리카락과 옆모습만 기억하고 있다. 나는 그 시절 첫사랑이라는 것을 겪어내며 놀랍게도 저자가 말하는 참사랑의 조건은 하나도 충족시키지 못했음을 알게 되었다. 나는 그 사람이 세상에서 가장 아름다워 보였으며 친구라는 관계로 지속적으로 만나면서도 그 사람은 내게 사랑하는 사람이기보다 우상과도 같은 존재였다. 저자가 말하는 지각 있는 사랑을 주지 못했으며 그 사람을 통해 나를 확장시켰다기보다는 그 사람으로 인해 늘 위축되는 느낌을 받았다. 그리고 무엇보다 사랑하는 만큼 행동하지 못했다. 마치 저자는 내가 앓았던 첫사랑의 기억을 지워주기 위해 단단히 결심이라도 한 듯 내가 사랑이라 확신했던 모든 이유가 바로 참사랑이 아니라는 증거임을 냉정하게 이야기해 주었다.

"사랑은 느낌이 아니다", "사랑은 서로를 확대시키기 위한 의지다. 그러므로 사랑은 빠지는 것이 아니라 노력하는 것이다", "사랑은 단순히 거저 주는 것이 아니라 지각 있게 주는 것이고, 지각 있게 안아주는 것이다. 사랑은 지각 있게 칭찬하고 지각 있게 비판하는 것이다. 상대방을 평안하게 해주는 것과 더불어 지각 있게 논쟁하고 투쟁하고 맞서고 몰아대고 밀고 당기고 하는 것이다", "사랑은 사랑으로 인해 우리가 압도되는 그러한 느낌이 아니다. 그것은 책임감 있게 심사숙고한 끝에 내리는 결정인 것이다", "사랑이란 행동하는 만큼 사랑하는 것이다", "사랑하는 일이란 원칙적으로 상대방에게 관심을 갖는 것이다. 즉, 그 사람의 성장을 기원하게 되는 것이다", "사랑이라는 자기 훈련은 사랑을 행동으로 표현한 것이다", "진정으로 사랑할 때 나는 나 자신을 확대하고 있으며, 나 자신을 확대할 때 성장하고 있는 것이다. 사랑을 하면 할수록 나는 더욱 커진다. 진정한 사랑은 자신을 다시 채우는 것이다. 내가 다른 사람의 정신적 성장을 도와줄수록 내 자신의 정신적 성장도 더욱더 촉진된다. 나는 완전히 이기적인 인간이다".

저자가 정의하는 사랑은 로맨틱하다기보다는 논리적이다. 하지만 신기하게도 이 모든 메시지가 아무런 저항 없이 내 마음속에 들어와 녹아버리는 듯한 느낌을 받았다. 이는 독서치료를 시작하기 전부터 나 자신이 스스로 인식하고 있던 유일한 상처였기 때문인지도 모른다. 이런 것이 바로 병식(病識)에 이은 치유의 과정으로 접어드는 증상이 아닐까 조심스레 생각해본다. 이제 나는 첫사랑의 경험을 통해 생겼던 '사랑을 판단하는 잣대'가 정상적이지 않았음을 인정할 수 있을 것 같다. '그 아이만큼 아름답지 않으면', '그 정도로 크게 느껴지지 않으면', '그 정도로 마음이 아리지 않으면' 사랑이라 인정하지 않았던 나의 고집이 사랑을 판단하는 기준이 아니라는 것도 인정할 수 있을 것 같다. 말로 표현해낼 수 없었던, 집착과도 같았던 사랑의 잣대에 대한 나의 오류를 이 치유서를 통해 비로소 발견할 수 있었기 때문이다.

나는 이 치유서를 읽으며 또 하나의 만족을 느끼게 되었다. 이는 지금 사귀고 있는 여자친구와의 관계가 바로 참사랑과 많이 닮았음을 알게 되었기 때문이다. 아직 부족한 면이 너무도 많지만 내가 납득할 수 있는 사랑의 기준이 생겼다는 점에서 큰 자신감을 얻었다. 사랑에 있어 이 치유서는 바이블과도 같이 내 곁에 오래도록 남게 될 것이라는 확신이 든다. 나는 이 치유서를 크리스마스 선물로 내 여자친구에게 권해주고 싶다.

3. 20~30대 남성을 위한 체험형 독서치료

1) 기간 및 대상: 8주, 20~30대 남성

2) 목적

우리는 팔이 부러지면 재빨리 병원을 찾는다. 감기에 걸려도 병원이나 약국을 찾아 아픈 곳을 치료하기 위해 노력한다. 하지만 살면서 겪는 마음의 아픔에 대해서는 어떤 노력을 하고 있는 것일까? 통상 마음의 상처에는 시간이라는 만병통치약을 처방받곤 하는데 과연 그것으로 우리의 마음은 건강해질 수 있을까?

우리는 눈에 보이지 않는 마음의 상처쯤은 가볍게 여긴다. 살다 보면 누구나 겪는 일이기에 당연하다고 여기는 것이다. 하지만 마음의 상처는 감기에 걸린 것보다, 팔이 부러진 것보다, 때로는 불치병에 걸린 것보다 더 큰 고통으로 우리의 삶을 피폐하게 만들곤 한다. 이로 인해 우울증에 걸려 자살하는 사람, 대인기피증을 보이는 사람, 심지어 부모를 살해하는 사람까지 생긴다. 따라서 우리는 마음의 상처에 관심을 가지고 치유하고자 노력을 할 필요가 있다.

그러한 노력의 일환인 독서치료는 우리의 일상에서 쉽게 다가설 수 있다는 매력을 가지고 있다. 책이라는 매체는 우리에게 가장 친숙한 존재 중 하나이므로 독서치료의 과정을 이해하고 나면 혼자서도 독서치료를 할 수 있다는 것이 큰 장점이다.

사람들은 연령에 따라, 성별에 따라, 가정환경에 따라, 성장배경에 따라 다양한 상처를 지닌다. 또한 한국 사회에서 살아오면서 겪어야 했던 공통적인 아픔도 있다. 이번 독서치료 과정에서는 한국의 20~30대 남성이 느낄 수 있는 아픔을 치유해보자 한다. 이를 통해 자신의 생활 속에서 더욱 자신 있고 건강한 사회의 일원으로 거듭날 수 있는 계기를 마련해보고자 한다.

3) 진행방법

세부계획에 명시된 치유서를 읽고 자신의 생각을 자유롭게 정리한다. 분량과 형식은 상관없지만 독서치료의 핵심과정이 책읽기라는 점을 기억해야 한다.

치유서를 읽은 후 정리한 자신의 느낌이나 생각은 치유적 말하기 모임에서 자유롭게 발표하도록 한다. 자신과 비슷한 연령대의 참여자들과 대화를 나누다 보면 자신의 문제를 더욱 객관적으로 바라보는 기회를 갖게 될 것이다.

4) 준비방법

(1) 치유적 책읽기(혼자서 한다)
- 선정된 치유서를 한꺼번에 또는 몇 차례에 나누어 집중하며 통독한다.
- 읽으면서 떠오르는 생각과 느낌에 주목한다.
- 이때 책의 내용을 자세하게 기억하려고 노력할 필요는 없다. 마음으로부터의 공감과 몰입이 중요하다.

(2) 치유적 글쓰기(혼자서 한다)
- 처음 치유서를 손에 들었을 때의 느낌을 적는다.
- '나'에게 와 닿는 메시지의 강도를 적는다.
- 읽는 과정에서 '나'의 내면에 일어나는 생각과 감정의 파장을 적는다.
- '나' 자신에 대한 새로운 이해, 주변 사람들에 대한 새로운 해석을 적는다.
- 읽고 나서 떠오르는 얼굴, 읽기를 권하고 싶은 사람, 선물하고 싶은 사람을 적는다.
- 위의 내용을 자유로운 형식으로 솔직하게 적는다.

(3) 치유적 말하기(모임을 통해 사람들 앞에서 한다)
- 준비해온 치유적 글쓰기를 바탕으로 입을 연다.
- 내키면 많이, 그렇지 않으면 조금만 표현한다.
- 자신의 이야기를 해도 되고 남의 이야기를 해도 상관없다.
- 다른 참여자의 말에 귀를 기울인다.
- 다른 참여자들과 서로 마주보며 대화한다.

5) 세부계획

일정	상황	치유서(자료)
1회	**오리엔테이션** - 독서치료의 이해 - 마음의 상처란 무엇인가? 마음의 상처는 우리에게 어떤 영향을 미치는가?	• <굿 윌 헌팅>(1997, 영상자료)
2회	**성장의 아픔: 청소년기** - 청소년기 부모와의 관계 - 내가 생각하는 부모의 역할 - 마음속에 담아두었던 말 - 좋은 부모 되기	• 『마음속의 그림책』 - 저자: 이희경 - 출판사: 미래M&B - 출판년도: 2000 • 『미안하다고 말하기가 그렇게 어려웠나요』 - 저자: 이훈구 - 출판사: 이야기 - 출판년도: 2001 • <추적 60분> '명문대생, 그는 왜 부모를 살해했나?'(영상자료) http://www.kbs.co.kr/2tv/sisa/chu60
3회	**조부모(祖父母)** - 할머니와 어머니의 관계 - 할아버지와 아버지의 관계 - 가문	• 『나의 아름다운 정원』 - 저자: 심윤경 - 출판사: 한겨레출판 - 출판년도: 2002 • 『달의 제단』 - 저자: 심윤경 - 출판사: 문이당 - 출판년도: 2004
4회	**술(alcohol)** - 알코올 중독 - 술 마시는 아버지가 가정에 미치는 영향	• <돌로레스 클레이본>(1994, 영상자료) • 『위장된 분노의 치유』 - 저자: 최현주 - 출판사: 규장문화사 - 출판년도: 1995

회차	주제	도서
5회	성인아이(adult child) - 내 안에 있는 나 - 나를 구성하고 있는 요소의 발견	•『상처받은 내면아이 치유』 - 저자: 존 브래드쇼, 역자: 오제은 - 출판사: 학지사 - 출판년도: 2004 •『30년 만의 휴식』 - 저자: 이무석 - 출판사: 비전과리더십 - 출판년도: 2006
6회	대인불안 - 남자로서의 사회생활 - 선·후배 관계 - 상급자와의 대화(직장 상사, 군대의 상급자)	•『대인공포 클리닉』 - 저자: 이시형 - 출판사: 이다미디어 - 출판년도: 2002
7회	사랑 - 잊히지 않는 첫사랑 - 진정한 사랑이란? - 사랑의 기준	•『아직도 가야 할 길』 - 저자: 스캇 펙, 역자: 신승철·이종만 - 출판사: 열음사 - 출판년도: 2002 •『사랑을 선택하는 특별한 기준』 - 저자: 김형경 - 출판사: 푸른숲 - 출판년도: 2003
8회	마무리 - 치유서들은 나에게 어떤 메시지를 던져주었나? - 내가 체험한 변화는 무엇인가?	

4. 나오며

무작정 뛰어들었던 독서치료 모임에서 나는 기대 이상의 소득을 얻었다.

처음 내가 기대했던 마술과도 같은 변화는 아니었지만 분명 그것은 내 속에 들어와 나를 변화시키고 있다. 그래서 언젠가 돌아보았을 때는 마술보다 더 놀랍게 변해 있는 나를 발견하게 될 것이다.

독서치료 모임의 진행자였던 교수님께서는 "지금 알게 된 것도 아주 빨리 알게 된 것이다. 나도 좀 더 빨리 알았더라면 좋았을 텐데 하는 생각을 하곤 한다"라는 말씀을 하셨다. 내게는 대단해 보이는 교수님도 이제야 알게 된 것을 내가 벌써 알게 되었다니, 참으로 다행이라는 생각이 들었다. 독서치료 과정에서 만난 내 안의 나는 분명 치유해야 할 상처가 많았기 때문이다. 또한 알아보지 못한 상처들 또는 아직까지도 차마 말할 수 없는 상처들이 내 안에 남아 있기 때문이다. 나는 계속적으로 나를 들여다보는 훈련을 할 것이다.

이 글을 마치며 문득 책상에 쌓여 있는 치유서들을 보았다. 내가 언제 이렇게 많은 책들을 사 모았을까? 놀랍기도 하고 뿌듯하기도 하다. 책장을 아름답게 장식하게 될 나의 치유서들이 소중하게 느껴진다. 아마도 이 치유서들은 오래도록 내 책장에서 많은 이야기를 들려줄 것이다. 나는 길고 긴 겨울밤이 이 치유서들과 함께 가득 채워질 것이라 믿는다. 이 겨울이 지날 때쯤엔 외계의 신호와도 같던 메시지들이 내 삶의 언어가 되어 있기를 기대 해본다.

책읽기의 진정한 즐거움을 만끽하다

송경희

1. 들어가며

새롭게 태어난 것 같다. 여태껏 학업을 위해 또는 내 마음의 여유를 찾기
위해 수많은 책을 읽어왔지만 이제야 진정한 책읽기에 입문한 것 같다. 나는
책을 통해 그동안 경험하지 못한 다양한 감정을 느꼈고 나 자신에 대해서도
진지하게 생각해보게 되었다. 이 모든 것이 누구나 가지고 있지만 쉽게 드러
낼 수 없는, 그래서 고통받는 마음아픔에 대해 이야기하고 있는 치유서와의
만남을 통해서였다. 한 학기 동안의 책읽기, 구체적으로 말하면 치유서와의
만남은 나의 책읽기뿐만 아니라 내 생각과 행동까지 변화시켰다.

이제까지의 나의 책읽기는 무미건조했다. 책에서 필요한 내용이 있으면
외우거나 배우려 했을 뿐 책을 읽는 어떤 목적이나 의미도 없었다. 단지
많이 읽어야 한다는 강박관념으로 무조건 책을 읽어왔다. 어린 시절에는
책 속에 감정을 이입하고 깨달은 내용을 실천하려 하면서 거창하게 표현하자
면 체험형 독서를 실천했던 것 같다. 책 속의 예쁜 공주를 보고 부러운 감정을

느끼기도 했고 『콩쥐팥쥐』에 나오는 콩쥐에게 불쌍한 마음을 가져 내 주변에 콩쥐와 같은 친구가 있으면 꼭 도와주리라 다짐을 하기도 했다. 그런데 언제부턴가 책은 지식을 전수하는 것이라는 생각이 커지면서 나의 책읽기는 체험형 독서에서 지식형 독서로 변해갔다. 그래서 체험형으로 읽어야 하는 문학 작품을 읽을 때도 이야기의 분위기나 인물들의 성격, 행동을 파악하고 분석할 뿐 이야기에 감정적으로 동화되거나 나를 들여다볼 여유를 갖지 못했다.

그러나 나의 책읽기가 점차 변화를 맞이하고 있다. 치유서와 독서치료의 영역은 나의 책읽기 전반에 큰 영향을 미치고 있는 것이다. 이제는 책을 읽고 나면 가슴이 뭉클하고 머릿속이 시원해진다. 몇 권의 치유서와의 만남이 나를 눈뜨게 하고 나의 생각을 변화시킨 것이다. 책읽기의 즐거움을 알기 위해 눈을 크게 뜨고 의미를 찾으려 노력하는 것이 아니라 책 속에 녹아들어 책이 주는 즐거움을 그대로 만끽하고 있는 것이다. 책을 읽어서 행복한 지금 이 순간, 지금부터 나의 책읽기에 대해 정리해볼까 한다. 독서치료를 만나면서 책 읽는 방법을 새롭게 알게 되었고 책을 통해 나를 되돌아보게 되었다. 또한 사람을 알아가고 있으며 사람과 사람 사이의 관계에 대해서도 알게 되었다. 지금부터 내가 어떻게 책읽기의 매력에 흠뻑 빠져들었는지 처음 그 순간으로 되돌아가 보고자 한다.

2. 책과 소통하기

1) 눈으로 읽고 머리로 생각하는 책읽기에서 벗어나기

나는 흔히 말하는 늦둥이다. 어머니가 마흔이 넘은 나이에 나를 낳으셔서 언니들과 나이 차이도 많이 난다. 나이 차이가 많이 나는 언니들이었기에 다른 형제나 자매들처럼 같이 뛰어놀지는 못했지만 특별한 시간을 같이 보냈다. 바로 언니들과 책을 읽은 후에 자유롭게 이야기하는 시간이었다. 유달리 책읽기를 좋아하는 언니들은 어릴 적부터 내가 책과 가까이할 수 있도록 소리 내어 읽어주었고 선물을 할 때에도 장난감보다는 책을 건네주었다. 책과 친해질 수 있도록 책으로 가득 찬 도서관에 데리고 가서 마음껏 책을 골라 읽어보게도 했다. 그야말로 책과 함께 마음껏 뛰어놀게 한 것이다. 책을 읽다가 엉뚱한 질문을 해도 성실히 대답해주었고 읽기 싫다고 책을 놓아버려도 책읽기를 강요하지 않았다. 그야말로 『소설처럼』에서 다니엘 페나크가 제시한 독자의 권리 중 '책을 끝까지 보지 않을 권리'가 있음을 인정해준 것이었다. 이 때문에 내게 책이란 내 마음을 자유롭게 표현할 수 있는 매개체였다.

책을 읽는 것보다 텔레비전 보기를 더 좋아하는 지금 내게 책읽기란 더 이상 재미있거나 흥미로운 일이 아니다. 책읽기의 중요성에 대해서는 너무 많이 들었기에 책읽기를 결코 소홀히 하지는 않았지만 언제부터인가 책이 나에게 주는 의미나 책 읽는 즐거움을 마음으로 느낄 수 없었기 때문이다.

어릴 적 그토록 즐겁고 재미있던 책읽기가 언제부터 의무적으로 눈으로 읽고 머리로 생각하는 일종의 지식형 독서가 되었을까? 지금 생각해보면 학교에 입학한 이후로 나의 책읽기는 변화한 것 같다. 책을 많이 읽어야 훌륭한 사람이 된다는 가르침을 계속적으로 받는 한편, 책읽기가 하나의 의무사항이 되면서 책을 읽는 즐거움을 찾을 수 없게 되었던 것 같다. 책을 읽으면 훌륭한 사람이 된다는 교과서적인 말은 무수히 들었지만 책읽기의 진정한 즐거움에 대해 얘기해본 적은 한 번도 없었다.

독서 활동 시간에는 책을 읽고 나서 감동을 받았거나 교훈을 얻은 부분에 대해 이야기할 뿐 내가 표현하고 싶은 대로 표현하지 못했다. 책을 읽은 후 주어지는 질문에 일종의 정답이라고 생각하는 방향으로 대답하지 못하면 독서 이해력이 떨어지는 아이로 평가받기도 했다. 무조건 읽어야 하고 많이 읽어야 하는 독서 행동이 반복되다 보니 책을 읽고 이 책이 나에게 어떤 의미였는지 이야기하고 표현하는 일이 어색해지고 어려워졌다. 그러다 보니 점점 독서의 즐거움을 찾지 못하게 되었던 것이다.

그런 상황이 불편했는데도 나는 학교에서 요구하는 독서하는 방법을 빨리 습득했다. 지금 생각하면 부끄러운 기억이 있는데, 초등학교 때 글쓰기로 상을 받은 것이다. 상을 받았다면 자랑스러워해야 하지만 전혀 그렇지 않다. 왜냐하면 상을 받기 위해 글을 썼을 뿐 결코 솔직하지 못한 글쓰기였기 때문이다. 내가 처음 글을 쓰고 상을 받은 것은 초등학교 4학년 때였다. 4학년 때 담임선생님께서는 우수한 독후감상문을 쓰는 방법을 자세히 가르쳐주셨기 때문이다. 그 방법이란 상을 받기 위한 글쓰기 방식으로 어떤 정형화된 틀에 따라 글을 적는 것이었다. 어쨌든 그 방법대로 글을 써서 1등을 하게 되었고 그 뒤로는 종종 글쓰기에서 상을 받았다. 상을 받기 전까지 나의 독서 표현은 언니들과 자유롭게 이야기를 나누는 것처럼 자유로웠다. 가끔 선생님에게서 네가 직접 글을 썼냐는 얘기를 들을 만큼 어른스럽기도 했고 때로는 엉뚱하기도 했다. 그런데 상을 받을 수 있는 글쓰기 방법을 배운 뒤로는 나의 책읽기도 그저 한 방향으로만 흘러갔다. 책에서 꼭 알아야 할 내용이 무엇인지 확인하고 분석하고 기억한 뒤 학교에서 요구하는 도덕적인 방향으로 표현하는 일종의 지식형 독서로 자리 잡아갔던 것이다.

어린 시절에 책을 읽으면서 즐거워했고 내 생각을 자유롭고 솔직하게 표현했다는 사실을 한동안 잊고 지냈다. 하지만 이제 서서히 눈으로 읽고 머리로 생각하는 책읽기가 아닌, 눈으로 읽고 마음으로 의미를 받아들이는 책읽기에 익숙해지고 있으며 그로 인해 나의 책읽기도 즐거워지고 있다.

2) 마음을 여는 책읽기

본격적으로 독서치료 활동을 하는 동안 책읽기에 대한 나의 반응이 참 많이 달라졌다. 처음에는 뭔가 잘못되었다는 사실을 알고 혼란을 느끼기도 했다. 왜냐하면 사서교사라는 직업상 책과는 뗄 수 없는 관계에 있으면서도 내가 진정 아이들에게 독서의 중요성, 독서의 즐거움에 대해 이야기할 만한 자격을 갖고 있을까 하는 의문이 들었기 때문이다. 수업시간에 여러 사람들과 대화를 나누다 보면 내가 무지하게 느껴지기도 했고 별다른 반응이 없을 때면 감수성이 메마른 사람처럼 느껴지기도 했다.

앞서 말했듯이 나의 독서는 지식형 독서에 가까웠다. 물론 지식형 독서가 무조건 문제가 있는 것은 아니다. 문제는 모든 책을 지식형으로 대한다는 데 있었다. 그래서 어떤 책을 읽어도 별다른 감흥을 받지 못했다. 그럴 때마다 나는 내가 너무 이성적이고 현실적인 사람이라서 그렇다고 생각했다. 김수경1)과 이연옥2)의 논문은 나 자신의 독서생활을 되돌아보고 반성하게 만드는 데 큰 역할을 했다. 독서교육의 기법이나 중요성에 대한 글만 접했기 때문인지 현재의 독서교육의 문제점을 지적하고 앞으로 독서교육이 나아가야 할 방향을 제시한 이 논문들이 크게 마음에 와 닿았다. 특히 체험형 독서로 나아가야 한다고 제시한 내용이 무척 인상적이었다. 그러면서 이제껏 독서 후에 책과 소통하지 못한 이유, 즉 나의 독서 태도가 지식형에 가까웠기 때문이었다는 문제점을 알게 되었다.

지금의 우리 독서교육은 분명 체험형 독서가 아닌 지식형 독서를 강조하고 있다. 독서활동을 격려하는 것이 아니라 강조함으로써 독서의 즐거움을 빼앗고 있으며 권장독서, 독서이력철 등을 통해 자유롭게 책을 선택해 읽을 수 있는 자율성을 빼앗고 있다. 또한 독서퀴즈, 감상문 평가 등으로 독서활동을 점수화함으로써 독서 후 자유롭게 감상할 수 있는 권리마저 빼앗고 있다. 김수경과 이연옥이 제시한 독서교육의 방향, 즉 체험형 독서가 독서교육 전반에 정착되면 독서는 더 이상 평가와 학습의 수단이 아니라 생활의 즐거움이 될 것이다. 책 한 권이 자신에게 주는 메시지는 무엇이며 어떤 의미로 다가오는지를 생각하는 체험형 독서는 닫혀 있던 마음을 열고 상처받은 마음

---

1) 김수경, 「독서의 본질과 독서 프로그램 운영」, ≪한국도서관정보학회지≫, 37권 3호, 235~263쪽.

2) 이연옥, 「학교 독서교육 정책에 대한 비판적 고찰」, ≪한국도서관정보학회지≫, 37권 3호(2006. 9), 209~234쪽.

을 다스리는 독서치료의 영역과도 연결된다.

나에게는 치유서와의 만남을 계기로 진정한 독서의 즐거움과 진면목을 발견하게 된 것이 가장 큰 선물이었다. 먼저 나 스스로 책과 심적으로 거리를 두고 있었다는 사실을 알게 되었다. 그다음으로는 책과 소통하는 방법에 대해 감을 잡았다. 최종적으로는 마음을 여는 연습과 훈련을 통해 나 자신을 들여다보고 내면을 건강하게 보살피는 방법을 배웠다. 여기에 더해 독서를 통해 나뿐만 아니라 주변 사람들의 닫힌 마음도 들여다보고 보듬어줄 수 있는 여유가 생겼다.

스캇 펙의 『아직도 가야 할 길』을 읽으면서는 '아, 그렇구나' 하고 크게 공감했던 기억이 강렬하게 남아 있다. 이 책은 우리가 살아가고 있는 지금 이 순간 전혀 새롭지 않은, 그래서 어려운 인생의 진리를 시원하고 명쾌하게 정리해주면서 읽는 사람이 내용을 성찰하고 바로 자신의 삶에 적용할 수 있게 해주는 책이었다. 특히 인간관계의 핵심을 사랑으로 보고 그 내용을 풀어나가는 통찰력과, 사랑은 단순한 감정의 일종이 아니라 자아의 영역을 넓히는 것이라는 정의, 사랑하는 사람과 하나가 되어 모든 장애를 극복할 수 있다는 시각이 가장 인상적이었다.

머리로 생각만 하는 책읽기에서 벗어나 마음을 여는 책읽기를 실천하니 어느 순간 책읽기가 한결 쉬워졌다. 아마도 마음을 열고 솔직하게 책과 소통했기 때문일 것이다. 그로 인해 나는 머리는 맑아지고 마음은 편안해지는 진정한 의미의 체험형 독서를 실천하고 있다.

3. 삶과 연결된 책읽기

1) 가족과 나

나는 이상하게도 소설책을 좋아하지 않는 편이다. 대부분의 사람들은 소설

책을 좋아하는데 나는 소설보다는 수필집, 사회과학류의 책을 많이 읽어왔다. 소설책을 읽다 보면 이야기에 몰입되는 것이 아니라 결국 작가가 지어낸 이야기라는 생각이 들어 흥미가 사라졌기 때문이다. 반면 현실의 이야기를 담은 수필집이나 사회문화 현상에 대해 조망하고 분석하는 사회과학류의 책은 신나게 책장을 넘기며 읽었다. 쉽게 말하면 사회과학류의 책을 읽으면 머릿속이 복잡하지 않아 읽기에 더 편했다.

이번에 접한 치유서들도 평소에 거의 보지 못한 계통의 책이었다. 이러한 책을 읽은 후 사람들과 서로의 상처에 대해 이야기하는 경험은 나를 한층 성숙하게 만들었으며, 이로 인해 내 주변에 가장 가까운 사람들과 나의 관계에 대해 생각해볼 수 있었다. 아무 문제도 없다고 믿었던 가족관계나 친구관계, 나의 사회생활에 진정 문제가 없는지, 나는 현재 어떤 상태인지를 진지하게 생각해보게 된 것이다.

치유서와의 만남이 내게는 참으로 생소했다. 세상에 이처럼 많은 고민과 상처를 안고 살아가는 사람들이 있을까, 과연 책에 실린 내용들이 실제 사례일까라는 생각이 들 정도였다. 때로는 인생을 왜 이렇게 힘들게 살아갈까 싶기도 했고 한편으로는 그 사람들이 측은하게 느껴지기도 했다.

나의 둘째 언니는 아직 결혼을 하지 않았다. 결혼 적령기가 있다면 훨씬 지난, 마흔이 가까운 나이다. 어릴 적 언니는 표정이 그다지 밝지 않고 때로는 신경질적인 모습으로 기억된다. 말수는 적고 생각은 많았다. 항상 책을 읽고 있어 언니와 무엇을 같이한 기억이 많지 않다. 지금 생각하면 언니를 조금 무서워했던 것 같기도 하다. 그런데 언제부턴가 언니와 나는 참 많은 대화를 나누며 매우 가까운 사이가 되었다. 문득 예전엔 내가 언니를 많이 무서워했는데 관계가 많이 변했구나 하는 생각이 들 때도 있다. 아무튼 지금의 언니는 인생의 조언자라고 할 만큼 칭찬과 격려를 아끼지 않으며 내게 큰 에너지를 제공하는 사람이기에 한동안 오래전 기억을 잊고 지내왔다.

치유서와 만나면서 때로는 책읽기가 어렵고 생소하게 느껴져 수업을 마치고 오는 날에는 항상 언니에게 대화를 요청했다. 나는 사람들이 도대체 왜 이렇게 세상을 어렵고 무겁게, 때로는 무섭게 살아가는지 모르겠다는 이야기를 했다. 그때 언니는 세상에는 자신이 알지 못하지만 실제로 그런 고통을 안고 살아가는 사람들이 있다고 말했다. 그리고 그렇게 확신할 수 있는 이유는 자신도 예전에는 마음아픔을 겪었고 수십 권의 치유서를 읽으면서 그 상처를 치유하는 과정을 겪었기 때문이라고 했다.

언니는 아들을 바라는 집에서 태어난 둘째 딸이었다. 아들이 아닌 딸이었기에 어릴 적부터 할머니나 아버지로부터 상처받는 말을 많이 듣고 자랐다고 했다. 큰언니는 첫째 딸이라 존중받는 입장이었고, 셋째 언니는 몸이 약하고 착한 심성을 가져서 보호를 받았으며, 나는 늦둥이 딸이라서 마냥 응석을 부리고 귀여움을 받고 자랐는데 언니는 이도저도 아니었다는 것이다. 그래서 그것이 마음의 상처가 되었고 당시에는 마음을 의지할 데가 없어 책에만 모든 정신을 쏟았다고 한다. 그런 상황에서 벗어나고자 치유서 계통의 책을 읽기 시작했는데 그 책들을 읽으면서 부모님이 그럴 수밖에 없었던 이유를 이해했고 마음을 다스리면서 마음아픔을 스스로 달랬다고 한다. 언젠가는 어떤 것이 진실인지 또 무엇이 최선의 방법인지 모를 만큼 치유서에 빠져 혼란스러웠을 때도 있었지만 결국은 치유서를 통해 지금의 건강한 자아를 만들었다고 한다. 나뿐만 아니라 우리 가족은 지금 언니의 모습에 너무나 익숙해져 예전의 무섭고 차가웠던 모습은 잊어버리고 살았다. 언니를 보면 치유서 또는 책이 사람을 긍정적으로 변화시키는 굉장한 힘을 지녔음을 다시 한 번 깨닫게 된다.

그리고 보니 우리 집 서가에는 언니가 보아왔던 치유서 계통의 책이 참 많았다. 이제야 이 사실을 발견한 이유는 마음아픔이 무엇인지, 왜 치유서가 필요한지에 대해 너무 무지했기 때문이었을 것이다. 이번 일을 계기로 언니와 나의 관계는 더욱 돈독해졌다. 언니가 가진 비밀, 어릴 적 상처와 고통을 털어놓고 이를 해소하면서 더욱 가까워진 것이다. 언니는 모든 상처가 다 아물었다고 생각했는데 나와 이야기를 나누면서 마음 어딘가 남아 있던 작은 조각을 발견했고 이제는 그것조차 모두 해소된 듯하다고 말했다. 치유서라는 매개체가 없었다면 결코 쉽게 꺼내지 못했을 마음의 상처를 드러내고 그 문제를 같이 풀어가면서 언니는 나의 진정한 정신적 멘토가 되었다.

2) 친구와 나

나와 이야기하는 것을 무척 좋아하는 친구가 있다. 그 친구 말로는 나와 이야기를 나누고 나면 머리가 맑아진다고 한다. 내가 뛰어난 언변가도 아니고 상담가도 아닌데 자신의 고민을 털어놓고 대화를 요청할 때가 많다. 친구와 대화를 나누는 것이 어려운 일도 아니기에 그 친구의 이야기를 들어줄 때가 많았는데, 그때마다 친구는 왜 이렇게 세상을 어렵게 살까, 왜 이렇게 모든 일을 심각하게 받아들일까 하는 생각이 들었다. 생각이 너무 깊은 아이여서 일상적인 생활에서 일어나는 소소한 일에도 고민이 많았다. 그럴 때 간단하게 내 생각을 말하면 그 순간 모든 문제가 해결되는 듯 가슴이 시원해진다는 것이었다. 평소에 나 스스로는 결단력이 없다고 생각했는데 그 친구 앞에서는 내가 너무 '쿨'한 사람이 되는 것이 다소 어색할 정도였다.

치유서와 독서치료를 접하면서 내 주변에 있는 사람들 중 가장 먼저 그 친구가 떠올랐다. 친구의 고민을 들어주고 같이 이야기했던 구체적인 장면이 떠오르면서 친구의 마음아픔이나 혼란스러움을 가볍게 여기고 내 생각만 주저리주저리 말했던 나 자신이 부끄럽게 느껴졌다. 친구는 그저 생각이 깊은 아이가 아닌, 심리적인 불안감과 함께 정확한 이유는 모르지만 마음아픔을 갖고 있는 아이였던 것이다. 『30년 만의 휴식』[3]을 시작으로 김형경의 책 여러 권[4]을 읽고 난 후 그 친구를 만나게 되었다. 그 친구에게 요즘 치유서 계통의 책을 읽고 있는데 새로운 독서 영역을 접하게 되어 혼란스럽기도 하지만 마음이 시원해지고 복잡했던 머리가 정리되는 것 같아 마음이

---

3) 이무석, 『(마음의 평안과 자유를 얻은) 30년 만의 휴식』.
4) 김형경, 『사랑을 선택하는 특별한 기준 1, 2』; 김형경, 『사람풍경』(예담, 2006).

들떠 있다고 말했다. 그런데 그 친구는 내가 이야기한 책은 이미 다 읽었으며 치유서 계통의 책을 지금도 계속 읽고 있다고 했다. 특히 김형경의 책에 대해 깊이 있는 이야기를 나누었는데 그 대화는 우리가 나눈 이야기 중 가장 진솔하고 진지했던 것 같다. 왜냐하면 책을 통해 친구의 솔직한 마음, 내면에 마음아픔이 있다는 사실을 알 수 있었으며 나 또한 내 생각을 그냥 주저리주저리 말하는 것이 아니라 진심으로 그 친구의 입장에서 듣고 이야기했기 때문이다. 친구의 고민은 현실과 이상에서 생기는 괴리감 같은 것이었다. 현실에서 자신의 생각대로 되지 않는 상황이 반복되다 보니 결국 모든 일에 의기소침해지고 무기력해져 닥칠 일을 두려워하는 상황에까지 이르렀던 것이다.

우리의 대화가 끝난 후 친구는 내가 앞으로도 계속 치유서 계통의 책을 읽었으면 좋겠다고 말했다. 책을 읽고 마음을 나눌 수 있는 친근한 대화 상대가 있어 너무 좋다는 것이었다. 자기의 마음을 솔직하게 드러내고 이야기한다는 것이 쉽지 않은데 책을 매개로 하면 자기도 몰랐던 자신의 마음아픔을 그대로 드러낼 수 있음을 경험으로 확인할 수 있었다. 이번 일을 계기로 친구와 나는 진정한 소울 메이트가 된 것이다.

4. 나오며

『너희가 책이다』[5]에서 읽은 "한 권의 책은 사람의 인생을 바꾼다"라는 구절이 떠오른다. 책 한 권은 한 사람의 인생을 바꿀 수도 있는 대단한 힘을 가졌다는 뜻일 것이다. 책은 마음의 안식처이자 자신을 변화시키는 동기가 되어 인생을 풍요롭게 만드는 힘을 가졌다.

독서치료 활동을 통해 나는 긍정적으로 변화했다. 책읽기에 새로 입문했다

---

5) 허병두, 『너희가 책이다』(청어람미디어, 2004).

고 생각될 만큼 나의 책읽기를 반성하는 시간이 되었으며 이로 인해 나의 모든 상황을 긍정적으로 받아들이게 되었다. 그 변화가 나 자신뿐만 아니라 주변에 있는 사람들에게까지 긍정적인 영향을 미치고 있기에 독서의 힘을 더욱 실감하고 있다. 책 속의 문구처럼 한 사람의 인생을 바꿀 수 있는 책의 힘을 알게 되고 책 읽는 즐거움을 충분히 만끽하고 있는 지금이야말로 진정한 체험형 독서를 체험하고 있는 것이 아닐까 싶다.

새롭게 만나고 이해하는 '나'에 대한 보고서

김청해

1. 들어가며

누구나 '나'라는 자아를 가지고 이 세상을 살아간다. 하지만 세상은 나 혼자의 자아만으로 살아지는 것이 아니며 나의 자아 또한 내 의지대로만 만들어지지는 않는다. 세상은 수많은 자아들에 의해 만들어졌으며 우리는 매일 수많은 자아들과 부딪히며 살아간다. 그래서 우리는 때로 '나'에 대해 의심을 품지 않을 수 없다. 그 의심은 세상과의 마찰로 인해 비로소 깨닫게 되기도 하고 다른 자아와의 마찰로 인해 인식되기도 한다.

다시 말해 세상이 아무리 복잡하고 다양한들, 아무리 수많은 사람들과 어울려 살아간들 모든 것은 '나'를 중심으로 받아들여지며 '나'에게 맞추어 해석될 수밖에 없다는 의미다. 세상이라는 범위는 곧 내가 받아들이는 방식으로서의 세상을 의미한다고 할 수 있다. 그렇다. 그렇기에 '나'라는 하나의 자아에 대한 문제의식에서부터 시작되는 이 글은 나를 둘러싼 세상, 내가 받아들인 세상에 대한 이야기이자 결국 나와 세상이, 나와 사람들이 화해하기를 바라는 글이 될 것이다.

사실 독서치료라는 새로운 독서영역을 접하면서 그것의 묵직함과 그 영역의 무한한 확대 가능성을 알게 되었다. 이젠 말하기도 식상하지만 지금 이 시대는 물질은 넘칠 정도로 풍부하지만 정신적인 영역은 심각할 만큼 황폐해졌다. 과거엔 먹고살기가 힘들어 하루하루 먹고사는 데만 온 신경을 집중시켰지만 이젠 물질의 영역에서 정신의 영역으로 그 관심사가 옮겨가고 있다. 먹고사는 것이 문제가 아니라 제대로 된 정신으로 살아갈 수 있느냐가 관건인 것이다. 이러한 시대 환경으로 인해 독서치료를 비롯한 여러 심리치료가 절실히 필요해졌으며 이러한 영역은 계속해서 확장될 수밖에 없다.

모든 문제는 다시 '나'에게로 맞추어진다. 세상을 받아들이는 출발점도 '나'이며 독서치료의 필요성을 인식하게 되는 것도 '나'로부터 비롯된다. 결국 내가 이 글에서 말하려는 것은 '나'다. '나'라는 자아를 만들어낸 세상과 다시 그런 내가 받아들인 세상, 그리고 독서치료에 접근하고 이를 통해 새롭게 만나게 된 '나'의 이야기다. 그리고 독서치료를 접하면서 내가 던졌던 의문들과 짚고 넘어가야 했던 의문들을 이야기할 것이다.

2. 나의 독서영역

사람들이 책을 읽는 이유는 실로 다양하다. 따라서 책으로부터 얻으려는 바도 모두 다르며, 그 목적이 다양하기에 똑같은 책을 읽어도 받아들이는 방식 또한 다양할 수밖에 없다.

독서의 영역은 몇 가지로 나눌 수 있는데, 일단 첫 번째 영역은 '깨우침을 주는 독서'다. 이는 흔히 교양서로 일컬어지는 책들, 즉 성인의 말씀이나 각성을 위한 메시지들이 담겨 있는 책을 읽는 것을 말한다. 두 번째 영역은 '능력을 주기 위한 독서'인데 이는 주로 대학도서관에 많이 비치되어 있는 책들, 즉 인문과학이나 자연과학 등 지식을 습득하기 위한 책을 읽는 것을 일컫는다.

물론 이 두 가지는 가장 근본적이며 빼놓을 수 없는 독서의 영역이다. 대부분의 사람들이 이 두 가지 독서를 하고 있다는 것도 부정할 수 없는 사실이다. 하지만 책이라는 것은, 독서라는 것은 이 영역보다 더 큰 범위로 확장시킬 수 있다. 그것이 바로 독서치료에서 말하는 '제3의 영역'이다.[1]

사실 나도 책을 좋아하고 독서를 즐겨하는 편이지만 위에서 말한 두 가지 영역에 해당하는 독서는 그다지 자주 하지 않는다. 주로 픽션을 좋아하기 때문에 내가 관심 있는 문학 분야의 책을 많이 읽는 편이다. 어쩌면 이는 위의 두 가지 영역 모두에 속하면서 동시에 두 가지 영역 모두에 속하지 않는 것일 수도 있다. 그렇다면 나는 왜 책을 읽는 것일까. 그 답을 세 번째 독서 영역에서 찾을 수 있었다.

독서의 세 번째 영역은 바로 '상처를 치유하는 책읽기'라고 할 수 있다. 교양이나 지식을 습득하기 위해서가 아닌, 상처받은 영혼을 치유하기 위한 독서인 것이다. 이는 어느 한 분류의 책이 아닌 논픽션과 픽션을 모두 포함한다. 물론 독서치료에서는 주로 논픽션을 치유서로 지정하고 그 책을 통해 상처를 치유하지만 나의 경우는 그런 논픽션뿐만 아니라 픽션도 모두 치유서로 받아들이고 있었다.

처음에는 독서영역을 살펴보며 '그렇다면 내가 읽는 문학작품들은 도대체 어느 영역에 속하는가'라는 의문을 품었다. '나는 왜 소설들을 읽고 그러한 책에 목말라하는가'라는 의문도 갖지 않을 수 없었다. 그리고 곧 이는 치유적 책읽기와 관련이 있음을 깨달았다. 물론 소설을 통해 일반적인 교양이나 약간의 지식을 얻을 수도 있다. 하지만 이를 위해 내가 소설을 읽는 것은 아니다. 생각해보면 내가 책을 찾는 경우는 대부분 정신적으로 황폐해졌을 때, 현실에서 무언가 답답하다고 느꼈을 때였다. 나는 그런 상황 속에서 위안

---

1) 김정근, "세계 책의 날 특별 기고: 제3의 독서영역", ≪교수신문≫, 2002년 4월 29일자.

을 얻고 답을 찾으려 책을 읽었던 것이다.

우리는 소설을 읽으면서 그 작가의 세상과 마주하게 된다. 작가가 문장을 통해 만들어낸 작은 세상은 작가 자신이 가진 상처들의 흔적이며 세상과의 화해를 위한 노력이다. 사람들은 그러한 작가의 세계를 읽어내며 공감하고 위안을 받기도 한다. 우리가 흔히 말하는 위대한 문학작품들은 많은 사람들의 마음을 대변해주고 어루만져 주었기에 사람들에게 계속 읽히고 있는 것이라고 생각된다. 결국 사람들이 소설을 읽는 이유나 내가 소설을 계속 찾는 이유도 바로 자신이 가진 상처를 치유하기 위해, 또한 세상을 살아가는 힘을 얻기 위해서라고 할 수 있다. 바로 이것이 세 번째 독서영역이라고 생각한다.

나는 논픽션은 좀처럼 읽지 않는다. 지독하다고 할 만큼 픽션으로 된 책만 읽었다. 논픽션은 다른 사람의 일이라고 생각하니 공감도 가지 않았고 흥미도 생기지 않았다. 차라리 나에게는 픽션이 더 현실적으로 와 닿았다. 그러한 픽션도 사실은 현실의 문제에서부터 비롯된 것이며 오히려 그 현실적인 문제들이 허구로 완벽하게 재구성되면 더 많은 사람들의 공감을 불러일으킬 수 있다는 생각을 갖고 있었기 때문이다. 또한 한 가지 시점에서 진술되는 논픽션보다 더 다양한 각도에서 이야기에 접근하고 저마다 다른 관점으로 해석할 수 있는 픽션이 내게는 훨씬 매력적이었다.

그런데 독서치료를 접하면서는 어느 때보다 많은 논픽션을 접하게 되었다. 이러한 책들을 통해 실제 정신과 상담의 사례에서부터 각각의 사람들이 겪은 상처와 아픔까지 생생하게 읽어낼 수 있었다. 그리고 이러한 책들을 읽고 난 후 내가 얻은 것은 이 책들이 나중에 나에게 든든한 버팀목이 되어줄 거라는 믿음이었다. 나는 상황에 따라 각기 다른 책을 구해 읽었는데 각각의 상황은 내가 겪었던 일이거나 내가 겪고 있는 일이거나 앞으로 살아가면서 겪어야 할 문제들을 담고 있었다. 또한 해결책을 제시해주는 책들도 많았다. 따라서 읽을 당시에는 다른 사람의 일이라고 생각하며 단지 내 세계를 확장시키는 용도로만 여겼는데, 이 책들을 다 읽고 난 지금에 와서 돌이켜보니 이 책들은 앞으로 일어날 문제들을 미리 짐작하게 함으로써 그 문제들을 두려워하지 않게끔 만들어주었다는 생각이 든다.

따라서 독서치료는 편협했던 나의 독서 행위를 넓혀주는 계기가 되었으며 내가 지금껏 해왔던 독서 행위들을 이해할 수 있도록 만들어주었다. 또한 지금까지와는 달리 더 진지하게 책에 접근할 수 있도록 해주었다.

3. 막다른 골목에서 만난 독서치료

독서는 일상생활에서 흔히 일어나는 행위다. 그리고 너무도 당연하게 일어나고 있는 현상이기도 하다. 사람들은 책을 읽으면서 자신이 왜 책을 읽는지 굳이 생각하지는 않을 것이다. 또한 처음부터 '내 마음의 상처를 치유하기 위해 책을 읽을 거야'라고 생각하는 사람도 없을 것이다. 실제 그러한 행위를 하면서도 이를 인식하지 못하는 경우가 많다. 어쩌면 독서치료라는 말이 생소할 뿐이지 우리는 늘 상처를 치유하기 위해 책읽기를 하고 있는지도 모른다. 한편 치료라는 단어에 대한 거부감으로 인해 독서치료의 영역에 쉽게 접근하지 않으려고 할 수도 있다. 그렇다면 이제부터 내가 왜 독서치료를 필요로 했으며 어떻게 그 영역에 매료되었는지를 이야기해보겠다.

시작은 언제부터였는지 모르겠다. 아마 지금으로부터 일 년도 넘은 시점으로 돌아가야 할 것이다. 아니, 모든 것의 시작을 이야기하려면 처음으로 돌아가야겠지만 내가 세상과 자꾸만 어긋나고 불편하다고 느낀 것은 일 년 전쯤의 일이었다.

작년 가을에 휴학을 하면서 나는 학교에 가지 않았다. 그렇다고 다른 일을 한 것도 아니었다. 학교 때문에 집에서 나와 자취를 했기 때문에 가족과 함께 지낸 것도 아니었다. 내가 휴학을 한 이유는 단지 너무 지쳤다고 느꼈기 때문이었다. 사람들과 부딪치는 게 더 이상 견딜 수 없어졌던 것이다. 그 사람들 속에는 가족도 포함되어 있었기에 나는 휴학을 하고서도 대부분 자취방에만 혼자 머물러 있었다.

작년 겨울부터 나는 사람들과 거의 접촉을 하지 않았다. 굳이 사람들을 만나야 할 이유가 없기도 했고 사람들을 찾고 싶지도 않았다. 원래 말이 없던 나는 그렇게 더 말을 잃었고 내 속으로만 들어가 웅크리게 되었다. 결국 약간의 우울 증세와 함께 불면에 시달렸으며 사회로부터 소외되고 있다는 사실도 스스로 깨달았다. 뚜렷한 이유도 모른 채 사람들로부터 그리고 세상으로부터 소외되어가고 있었다.

한마디로 말하면 어둡고 막다른 골목길에 다다른 기분이었다. 앞으로 나아갈 수도 뒤로 물러날 수도 없는 단단한 벽에 혼자 둘러싸인 듯했다. 처음에는 단지 당시의 내 상황이 너무 혼란스럽고 불안정해서 그렇다고 생각했다. 사람들을 피하는 이유도 그저 성격 탓이려니 생각했다. 당시 나는 나의 문제점들과 그 근본적인 이유에 대해 아무것도 알지 못하는 상태였다. 하지만 그러한 시간이 오래 지속될수록 가만히 있어봤자 해결되지 않을 것 같다는 생각이 들었고 그제야 나는 나에게 무슨 문제가 있는 걸까 하고 고민하기 시작했다.

사실 나는 분석이라는 걸 좋아하지 않았다. 더구나 나의 행동이나 나의 심리상태에 대한 분석은 더욱 달갑지 않았다. 그러한 분석을 하고 나면 그 이유나 원인에 대해 집착할 것 같았기 때문이다. 만약 나에게 상처가 있다면 그 상처를 동정할 게 뻔했다. 나는 나를 별로 동정하고 싶지 않았다. 어쩌면 그래서 상처를 더 키워왔는지도 모를 일이다. 나는 지금껏 나에게 닥친 일들이 아무리 큰 상처였더라도 그냥 별일 아니라는 듯 받아들이고 인식하게끔 길들여져 있었다. 그리고 상처란 그냥 묻어두는 게 더 낫다고 생각했다. 굳이 그걸 분석해내고 싶지 않았던 것이다. 하지만 그러한 행동이 상처를 더 크게 키우는 일이었음을 뒤늦게야 알게 되었다.

처음에 접근한 것은 색채치료였다. 이는 그림이나 색으로 사람들의 상처를 진단한 뒤 그림을 그리는 행위를 통해 상처를 치유하는 방식이다. 사실 나는 그림이나 미술 쪽으로는 관련도 없고 접근할 방법도 없었기에 그저 그와 관련된 책들을 통해 이런 식으로도 상처의 진단이 가능하구나, 상처의 치유가 가능하구나 하고 이해하거나 놀라는 수준에 머물렀다. 하지만 이는 우연 찮게 다시 독서치료라는 영역으로 연결되었고 나 자신이 가진 상처의 진단과 치유로 더욱 적극적으로 나아갈 수 있었다.

독서치료는 다른 심리치료보다 더 접근이 용이하고 더 직접적이다. 또한 지도자가 없더라도 스스로 행할 수 있다는 데 그 장점이 있다. 그러한 장점들은 나를 독서치료에 뛰어들게 하고 그것을 지지하게 만드는 이유가 되었다. 독서치료를 접하면서 든 의문점도 물론 있었지만 그 의문들도 스스로 독서치료를 하면서 답을 찾을 수 있었다. 이제 나는 독서치료를 주위 사람들에게 적극적으로 알리고 권하는 단계에 이르렀다.

막다른 골목에 다다라 더 이상 앞으로 나아갈 수 없는 상황에서 나는 나에게 문제가 있음을 깨닫게 되었고 앞으로 나아가기 위해서는 내가 숨겨두었던 과거를 되짚어보지 않으면 안 된다는 사실을 알게 되었다. 바로 그러한 때에 시기적절하게 독서치료를 알게 되었다. 독서치료를 통해 나는 나 자신에 대해 많은 것을 알게 되고 이해하게 되었다.

그렇다면 이제 독서치료를 통해 다시 들여다보게 된 '나'에 대해 이야기해 보고자 한다.

4. 독서치료를 통해 새롭게 쓰는 나의 이력

1) 아버지

보통 딸들은 어렸을 적 아버지의 모습을 보며 이상적인 남성상을 꿈꾼다고 한다. 아버지 같은 남자와 결혼할 것이라고 말하는 딸도 많다. 하지만 어렸을 적부터 나는 그와는 반대로 아버지 같은 남자를 만날까 봐 결혼하기 싫다고 말을 하곤 했다. 그리고 그 말은 다시 아버지에게 상처가 되어 돌아갔다. 나는 왜 그토록 아버지가 싫었던 걸까. 놀랍게도 그 이유는 아주 많은 곳에서 발견할 수 있었다.

독서치료를 접하면서 처음 읽게 된 책은 이호철의 『학대받는 아이들』과 심윤경의 『나의 아름다운 정원』이었다. 나는 이 책들을 통해 나의 어린 시절을 돌아보고 나의 가족을 다시 살펴보게 되었다. 그리고 내 상처들을 발견해 나가면서 많은 눈물을 흘렸다. 그건 어린 나에 대한 동정의 눈물이자 그동안 내가 참아왔던 눈물이었다.

우선 이 책들을 읽으며 나의 어린 시절을 떠올려 보았는데 처음에는 거의 아무것도 떠오르지 않았다. 지금까지 나는 내가 아주 평범하게 잘 자라왔고 우리 가족도 아무 문제없는, 오히려 행복한 가족이라고만 생각했다. 하지만 분명 나는 그 가족 속에서 불편한 감정과 허전한 감정을 가지고 있었다. 그 이유는 아주 사소한 데서 비롯되었지만 어린 나에게 상처를 주기에는 충분했다. 어린이들은 늘 약자의 입장이기에 어른들의 폭력에 대해 민감하고 나약할 수밖에 없다. 어른들의 무지와 무관심이 때로 아이들에게는 가장 큰 상처가 될 수도 있다.

내가 태어났을 때는 이미 언니가 있었다. 나는 아들을 바라는 아버지의 둘째딸이었다. 그리고 몇 년 뒤 남동생이 태어났다. 귀여운 외모에 첫 딸로 주위의 사랑을 듬뿍 받은 언니와는 달리 나는 못생긴데다 별로 바라지도 않던 아이였다. 물론 어머니는 그래도 날 예뻐했지만 아버지는 아니었다. 아버지가 날 싫어한 건 아니었다. 나에게 무관심했다고 하는 편이 맞을 것이다. 사실 유독 나에게만 무관심한 건 아니었다. 아버지 성격이 원래 가족이나 주위 사람들에게는 무관심한 편이었다. 그랬기에 따뜻한 애정을 표현한 적이 거의 없었다.

언젠가 나는 아버지에게 이런 말을 들었다. 내가 태어났다는 소식을 전화로 들었는데 그때 정말 우울했다고. 그리고 어렸을 적 내가 너무 못생겨서 나를 싫어했다고. 내 탄생이 얼마나 섭섭했으면 어렸을 적 나를 '서운이'라고 부르기까지 했다고 하셨다. 물론 농담처럼 웃으면서 가볍게 하신 말씀이다. 처음에는 나도 그저 웃으면서 그런 이야기를 흘려들었다. 하지만 누가 그런 말이 우습기만 하겠는가. 그것도 몇 번씩이나 그런 얘기를 들었으니 말이다. 결국 그 말은 무의식적으로 나에게 깊은 상처를 주었다. 내 탄생이 축복받지 못했고 내가 사랑받지 못했다는 사실이 습관적인 자기비하의 원인으로도 느껴졌다. 나는 때때로 내 존재에 대해 스스로 존엄성을 갖지 못한다. 이 일은 내가 '나는 왜 살아가는 것일까'라는 의문을 갖게 된 근본적인 원인일지도 모른다.

아버지의 불같은 성격 또한 나에게 큰 영향을 끼쳤다. 아버지는 평소에는 화를 잘 내지 않는 성격이다. 아무리 큰일이 일어나도 담담하셨고 잘못을 하더라도 크게 야단친 적이 별로 없었다. 그런데 문제는 엉뚱한 곳에 화를 낸다는 것이었다. 전혀 화낼 일이 아닌 사소한 일에 발끈하며 언성을 높였다. 주위 사람이 전혀 예상하지 못한 상황에서, 또 많은 사람들이 생각하기에 전혀 합당하지도 않은 일에 화를 냈기 때문에 상대방은 당황스러워하거나 불쾌감을 느끼곤 했다. 차라리 화를 내야 할 일에 화를 내면 받아들일 텐데 정말 별 것 아닌 일에 화를 냈기에 사람들은 납득할 수 없었다. 나는 그러한 아버지에게 거부감을 가질 수밖에 없다.

이제는 언니나 나나 동생도 조금 커서 그러한 아버지의 성격을 완전히 파악하고 미리부터 그 화를 막으려고 하지만 그 속에는 그동안 받은 엄청난 스트레스가 내재되어 있다. 어린 시절 나도 정말 합당하지 않은 상황에서 아버지의 그런 분노를 겪은 적이 있다. 그건 꾸지람이 아니라 거의 봉변에 가까웠다. 아버지가 폭력을 행사할 만큼 큰 잘못도 아니었기에 그건 사랑의 매 따위가 아니라 분명 폭력이었다.

그 일 때문이었을까, 아니면 언제 터질지 모르는 아버지의 분노에 늘 불안해했기 때문일까. 나는 다른 사람들이 화를 내는 걸 참지 못한다. 아니, 사람들의 갈등조차 견딜 수 없어한다. 흔히 드라마나 영화에서 나오는 불합리한 폭력이나 갈등은 언제나 나를 스트레스받게 한다. 그리고 그러한 상황에 휘말리지 않게 늘 도망치곤 했다. 결과적으로 나 자신의 분노를 제대로 표출해내지 못하고 다른 사람의 분노에서도 늘 도망치고 갈등을 피하는 성격 때문에 인간관계는 조금 원만했다. 하지만 그건 어디까지나 사람들이나 나로부터 한걸음 물러났기에 가능한 일이었다. 사람들 사이에서 받는 스트레스나 분노를 제때 풀지 못하고 속으로 삭이고만 있었던 것이다. 그리고 이로 인해 아버지와 같이 엉뚱한 곳에서 그러한 분노를 풀어내는 데 이르게 되었다.

그렇게 상처는 다시 상처를 만든다. 그 상처를 치유하지 않으면 더 큰 상처가 반복해서 만들어진다. 그리고 그 상처들은 어느새 성격이라고 치부되어 자신에게 그럴 수밖에 없다는 변명거리를 제공해준다. 우리가 성격이라고 말하는 성향들은 사실 알고 보면 상당 부분 상처로부터 비롯되었다.

내가 아버지를 미워하고 가족에 대해 부정적인 생각을 갖고 있는 다른 이유는 아버지의 이기적인 행동 때문이다. 조금씩 커가면서 나는 아버지가 가족을 위해 희생하기보다 아버지 자신을 위해 사는 모습을 더 많이 보았다. 물론 가족을 위해 개인적인 욕구를 무조건 희생해야 하는 것은 아니다. 하지만 아버지는 말 그대로 그저 타인 같은 모습이었다. 자신이 원하는 것에 대해서는 모든 것을 아끼지 않으면서 자식이나 가족에게는 매우 인색하셨다.

이제는 아버지가 자라온 환경을 조금이나마 알게 되고 그저 한 인간으로서 아버지를 바라볼 수 있게 되었기에 그런 면들이 조금 이해되기도 한다. 하지만 내가 어렸을 적부터 이기적인 아버지에게 상처를 받아왔으며 그런 아버지를 증오하기까지 한 사실은 바뀔 수 없다. 난 아버지를 미워하면서 그런 남편감을 얻을까 두려워 결혼이 하기 싫어졌고 동시에 내가 그런 아버지와 많이 닮았다는 사실이 끔찍해서 더 결혼하기가 싫었다. 만약 내가 결혼해서 아이를 낳으면 지금 나와 같은 시선으로 아이들이 나를 바라볼 것만 같아서였다. 나는 이기적인 아버지를 미워하면서도 그 모습을 많이 닮았다. 내가 다른 어떤 형제보다 아버지를 많이 닮았다는 것은 부정할 수 없는 사실이다.

그렇게 나는 독서치료를 시작하면서 놀라운 속도로 나의 상처들을 짚어낼 수 있었고 그 핵심은 대부분 아버지에게로 향해 있었다. 그래서 처음에는 아버지가 더 원망스러웠다. 하지만 독서치료의 과정을 통해 아버지, 더 나아가 그런 아버지를 있게 한 할아버지와 그 배경을 살펴봄으로써 아버지를 이해할 수 있게 되었고 많은 면에서 긍정적인 사고를 갖게 되었다. 예전에는 그저 불편하고 좀처럼 이해되지 않던 아버지라는 존재에 대해 이젠 좀 더 뚜렷하게 정의내리고 이해할 수 있게 된 것이다.

2) 할아버지

가끔은 전혀 생각지도 못한 곳에서 문제의 원인을 발견해내기도 한다. 나 또한 나에 관해 분석하다 보니 전혀 생각지 못했던 곳에서 문제가 비롯되었음을 발견할 수 있었다. 처음에는 그저 나의 문제인 줄 알았으나 조금 나아가 아버지와 나의 문제로까지 확장되었고, 더 나아가 할아버지와 아버지 그리고 나로 이어지는 거대한 연결고리를 발견하게 되었다. 물론 나에게 가장 큰 영향력을 행사한 존재는 아버지다. 하지만 그 아버지를 다시 자세히 들여다보니 거기엔 그런 아버지를 있게 한 할아버지라는 존재가 커다랗게 자리 잡고 있었다. 나는 그 커다란 관계를 파악하고 다시 처음부터 되짚어보지 않으면 안 되었다.

할아버지는 내가 열한 살 무렵 돌아가셨다. 같이 얼굴을 맞대고 산 것은 고작 일 년이 조금 넘었다. 어렸을 적부터 떨어져 지냈기에 친할아버지의 존재감 자체는 나에게 미미했다. 열 살 무렵에 나는 할아버지와 한집에 살게 되었는데 아무리 생각해봐도 할아버지에 대한 기억은 도무지 부정적인 것들 뿐이었다.

내 생각이 이렇게 할아버지에게까지 미치게 된 것은 어쩌면 심윤경의 『달의 제단』이라는 소설을 통해서일 것이다. 그 속에서 그려지는 고집스러운 할아버지의 모습은 내가 겪은 할아버지의 모습과 닮아 있었다. 소설 속에 그려지는 할아버지와 아버지와 주인공의 모습에는 나의 상황이 고스란히 반영되어 있었다. 물론 그 문제점들은 조금씩 다르지만 말이다.

할아버지는 지독한 유교학자셨다. 친척들에게 들은 바로는 외아들로 태어나 줄곧 귀한 대접을 받으며 자라왔고 단 한 번도 돈이라는 걸 번 적이 없으셨다고 한다. 게다가 방에 앉아 매일 책만 들여다보고 글만 적느라 농사일 한 번 거든 적도 없으셨다고 한다. 더구나 남존여비 사상이 너무도 확고해 나를 비롯한 할머니나 딸들(고모들), 손녀들은 언제나 찬밥 신세였다. 아주 짧은 기간이었지만 할아버지와 함께 지내면서 나는 확실하게 그 사실을 느낄 수 있었으며 그런 할아버지에 대해 적대적인 감정을 품게 되었다. 하지만 가장 어른이기에 그분을 거스를 수도 없었다. 하지만 이는 향후 내가 어른 또는 연장자라는 존재를 늘 부정적인 시각으로 바라보게 되는 원인이 되었다. 나는 늘 어른이라는 존재 앞에서는 이유 없이 주눅 들었고 그런 나의 무기력함이 싫어서 그 존재 자체를 편협한 시각으로 보게 되었다.

또한 남녀차별을 너무 확실하게 받아와서일까. 그러한 차별이 어린 나에게 큰 상처가 되어 커서는 남녀의 구분 자체를 부정하고 싶어 하는 지경에 이르렀다. 나는 페미니스트는 아니지만 그냥 남자와 여자라는 구분 자체를 거부하려고 했다. 그래서 존 그레이의 『화성에서 온 남자 금성에서 온 여자』라는 이분법적인 책을 대하는 것도 달갑지 않았다. 나는 남자와 여자가 아니라 그저 한 인간으로서 모든 것이 받아들여지길 바랐다. 돌이켜보면 그러한 생각 자체가 강박관념이 되어 나를 괴롭히고 있었다. 무의식적으로 나는 남자와 여자, 그 두 존재를 모두 껴안으려고 했던 것이다. 어쩔 수 없이 한 가지 성(性)을 가지고 살아가야 하는 사람으로서 이는 버거운 일이 아닐 수 없었다.

할아버지의 그런 행동들은 나보다도 할머니나 그 자식들에게 훨씬 큰 영향을 끼쳤다. 할머니와 자식들이 가계의 부담을 모두 져야 했기 때문이다. 할머니는 살림을 꾸려나가고 자식들을 돌보는 일까지 모두 도맡아 하셔야 했다. 그러한 각박한 생활 속에서 할머니는 모든 자식에게 사랑을 베풀 수 없었다. 더구나 아버지를 비롯한 세 명의 자식에게는 계모로서 따뜻한 사랑을 베풀 여유가 없으셨다.

얼마 전 돌아가신 할머니는 아버지의 친어머니가 아니셨다. 하지만 아버지께서는 그러한 사실을 지금까지도 우리에게 알리고 싶어 하지 않으신다.

물론 다른 친척을 통해 알게 되었지만 우리도 굳이 아는 척하지는 않는다. 아마도 그 사실 자체가 아버지에게 상처였을 것이므로 그 사실이 우리에게 영향을 끼칠까 봐 그러시는 듯했다.

아버지는 할머니가 편찮으실 때 더 잘해드리려고 노력했다. 어떨 때 보면 그러는 방식이 너무 의무적이지 않은가라는 생각이 들었다. 그만큼 아버지는 다소 형식적인 것을 따지면서 할머니를 대하셨다. 물론 할머니가 아버지에게 모질게 대했다거나 하는 부분에 대해서는 내가 자세히 알지 못한다. 하지만 아버지는 성인이 되자마자 가출을 해서 가족 몰래 독립을 했고 우리를 낳아 우리가 조금 자랄 때까지 아버지 가족과는 떨어져 지냈다. 예전에는 그저 어쩔 수 없이 멀리 떨어져 지내는 것인 줄로만 알았는데 거기에는 아버지 나름대로 고충이 있으셨던 것이다.

이렇게 나는 나에게 가장 큰 영향을 끼친 가족에 대해 살펴보았다. 생각해 보면 사람들은 저마다 나름의 상처를 가지고 있다. 이를 극복하기 위해 나름 대로 노력하기도 하지만 잘못해서 다른 상처를 만들어내기도 한다. 우리는 이를 막기 위해 자신의 상처를 돌아보는 것에서부터 시작해 주위 사람들의 상처까지 모두 이해할 수 있어야 할 것이다.

3) 내가 세상에 접근했던 방식

나는 알아서 잘하는 아이, 신경 쓰지 않아도 문제를 일으키지 않는 아이라는 말을 많이 들어왔다. 그 말이 그저 칭찬인 줄만 알았고 그렇게 사는 게 당연한 건 줄만 알았다. 하지만 돌아보면 내가 그런 아이였던 이유는 모두 어떤 두려움에서 시작된 것이었다.

앞에서도 말했지만 나는 그다지 환영받지 못한 아이였다. 그건 말로 하지 않아도 아마 내가 아이였을 때부터 본능적으로 알고 있었을 것이다. 애정표현에 지나치게 인색한 우리 가족이기에 그 사실을 더욱 쉽게 느낄 수 있었다. 환영받지 못했기에 나는 문제를 일으키지 않기 위해 늘 조신했고 다른 사람들에게 신경 쓰이지 않도록 내 할 일은 알아서 했다. 보통 아이들은 어른들에게 칭찬을 받기 위해 착한 일을 한다고 하는데 나는 할 일은 알아서 하되 적극적으로 착한 일을 하거나 칭찬받을 만한 일을 하지는 않았다. 부모님은 칭찬에도 무척이나 인색했기에 착한 일을 하더라도 별로 보람을 느끼지 못했기 때문이다. 작은 일에 칭찬해주시기보다는 잘못된 일을 지적하시는 경우가 더 많았다. 그래서 나는 잘못을 저지르지 않는 데만 급급했던 것 같다.

학창 시절에는 나름대로 요령이 생겨 부모님이나 선생님의 간섭을 피하기 위해 모범생 역할을 도맡아 했다. 그렇게 열심히 생활하면 누구 하나 나에게 참견하는 사람이 없었기 때문이다. 여전히 나는 부모님이 신경 쓰지 않아도 되는 범위 내에서 행동을 한다. 아니, 지금은 부모님의 시선으로부터 거의 벗어나 있다고 하는 편이 옳을 것이다. 어차피 부모님도 나에게 무관심했기에 이를 당연시하며 지낸다. 학교 때문에 집을 나오면서부터 가족은 내 관심 밖으로 밀려났다. 지금도 아주 가끔씩만 집에 연락하는데 한번씩 어머니가 집에 너무 신경 쓰지 않는다며 한마디 하실 때면 속으로 새삼스럽게 왜 그럴까 하는 생각이 든다. 그들이 나에게 대했던 무관심 그대로 나도 그들을 대하고 있는 것이다. 그리고 이는 내가 가족을 대하는 방식뿐 아니라 내가 세상을, 사람들을 대하는 방식으로 확장되었다.

앞에서도 잠깐 언급했듯 나는 나로부터 그리고 사람들로부터 한걸음씩 물러나 그들을 바라본다. 그렇기에 큰 갈등도 없고 부딪힘도 없다. 이는 원만한 인간관계를 만들지는 몰라도 종국에는 관계의 허무함과 회의감이 들게 만든다. 나는 질척이는 관계를 맺거나 다른 사람을 마음속 깊이 끌어안은 적이 한 번도 없다. 늘 겉으로는 괜찮은 척하지만 실제로는 아주 사소한 일에도 상처를 받았고 그 상처들로 인해 혼자 괴로워하며 속으로만 파고들었던 것이다. 그러한 일들이 쌓여 결국 인간관계를 회피하는 데까지 이르게 되었다고 할 수 있다. 또한 나는 내 속에 있는 분노를 어떤 식으로 표출해내야 할지도 몰랐다. 부모님은 나에게 어떻게 살아가야 하는지를 친절하게 가르쳐주지 않으셨다. 늘 언니와 나는 알아서 제 할 일 하는 아이였기에 부모님의 관심은 어린 동생에게만 머물러 있었다. 나는 모든 것을 내 방식대로 받아들일 수밖에 없었다. 이는 물론 개성적인 시각을 갖게 했다는 점에서 나에게 이로운 면도 있지만 내가 너무 편협한 사고를 갖게 된 배경이기도 하다. 나는 내가 겪은 세상에 대해 나 자신이 해석해낸 시각으로밖에는 바라볼 수 없었다. 그러다 결국 그러한 내 사고방식에 문제가 있음을 알게 되었고 이로 인해 나의 세계관을 다시금 되짚어보지 않으면 안 되었다.

4) 새롭게 이해하는 '나'와 '가족'

내가 인간관계에서 쉽게 상처받고 늘 의심부터 앞세우며 불안해했던 이유는 어쩌면 이미 어렸을 때부터 가족에게 가져야 할 충분한 믿음과 애정을 갖지 못했기 때문일 것이다. 가정이란 가장 기본적인 영역의 사회다. 우리는 그곳에서 기본적인 사회성을 배운다. 가정에서 조금 삐걱거리면 다른 큰 사회에 나가서는 더 큰 어려움에 봉착하게 되는 것도 이 때문이다.

나는 어렸을 때부터 물건에 대한 집착이 강했다. 어렸을 때 다른 아이들처럼 물건을 사달라고 억지를 부리거나 조르는 일은 없었지만 일단 내가 샀거나 내 물건이라고 생각되는 물건에 대해서는 유난히도 집착이 강했다. 내 것이라는 개념이 너무 강해서 여전히 나는 내 물건에 대해 지나칠 정도로 집착하는 편이다. 그건 아마도 사람에게 줄 수 없었던 마음을 물건으로 전이시킨 것 같다. 사람은 사람의 감정을 배신할 수 있지만 물건은 절대 그렇지 않고 내가 아껴준 만큼 나에게 소중하게 남아 있기 때문이었다. 또한 아래위로 형제가 있다 보니 내 것은 스스로 지켜내지 않으면 안 되었던 이유도 분명 있을 것이다.

나는 가족이 필요로 하는 많은 물건들을 나의 책상서랍 속에 항상 깔끔하게 정리해두었다. 그래서 그들이 어떤 물건을 찾을 때면 당장 달려가 그 물건을 건네주곤 했다. 그래봤자 가위나 테이프같이 사람들이 필요할 때만 찾고 평소에는 바닥에 아무렇게나 굴러다녀도 신경 쓰지 않는 아주 사소한 것들이었다. 나는 늘 그러한 물건들을 모아 꼭 내 책상서랍 속에 넣어두었고 우리 가족은 그러한 물건들이 필요할 때마다 나를 찾았다. 그러한 습관이 지속되어 나는 내 곁에 기본적인 물건들이 제대로 구비되어 있거나 정리되어 있지 않으면 참지 못한다. 어쩌면 나는 충족되지 못한 욕구들을 그러한 물건이나 행위에 전이시키고 있었는지도 모른다. 어설픈 해석이겠지만 그렇게 해서라도 가족 사이에서 내 위치를 확고하게 하고 싶었던 것 같기도 하다.

우리 가족은 여전히 평화롭고 큰 문제 없이 잘 지낸다. 그래서 처음에는 나도 우리 가족이 마냥 행복한 줄로만 알았다. 하지만 문제가 많은 가정도 문제이지만 문제가 전혀 없는 가정도 문제다. 문제가 없다는 것은 그만큼 서로가 서로에게 다가가지 않는다는 것을 뜻하기 때문이다. 아버지를 비롯해서 우리 가족은 서로에게 무의식적으로 무관심하게끔 길들여졌다. 우리는 당연한 듯 서로에게 깊이 관여하지 않고 있었던 것이다. 그리고 나는 더욱 지독하게 가족에 대한 무관심을 드러내놓고 행했다. 어쩌면 복수의 한 형태였는지도 모른다.

물론 독서치료를 통해 나는 나와 가족에 대해 조금 더 확장된 시각으로 이해할 수 있게 되었지만 아직까지는 모든 것을 껴안을 여력이 없다. 지금부터 조금씩 나와 내 가족에 접근함으로써 적극적인 관계로 이끌어내야 할 것이다. 무엇보다 확실한 건 내가 가족을 바라보는 시선이 예전에 비해 조금 부드러워졌다는 사실이다. 그리고 그들에 대해 쉽게 감정이 흔들리지 않게 되었다. 이를 통해 나는 내가 조금씩 나와 가족을 이해해나가고 나아가 세상을 이해해나갈 수 있을 것이라고 기대한다.

5. 독서치료에서 말하는 치유와 치유 영역

내가 처음부터 독서치료에 믿음을 가졌던 것은 아니다. 행여 도움이 될까 하는 심정으로 독서치료에 접근했던 것뿐이다. 하지만 그러한 의심은 독서치료에 빠져들면서 서서히 풀렸고 그 해답은 치료 과정에서 스스로 찾을 수 있었다. 따라서 내가 독서치료에 가졌던 의문점에 대한 답을 정리해보지 않을 수 없다. 내가 가진 의문들을 풀려면 독서치료의 처음으로 돌아가야 하는데 사실 이는 독서치료뿐 아니라 미술치료나 음악치료 같은 모든 심리치료에 던지는 의문이기도 하다.

심리치료에서 가장 많이 언급되는 단어는 바로 마음의 '상처'와 그 상처의 '치유'다. 그러한 심리치료의 목적이 바로 독서나 그림 그리기를 통해 마음의 상처를 치유하는 것이기 때문이다. 하지만 우리는 그러한 행위를 통해 상처의 치유가 가능한가를 묻기 전에 흔히 말하는 상처란 무엇인가부터 짚고 넘어가야 한다. 그런 후 독서치료의 영역에서 말하는 치유란 무엇인지를 생각해봐야 할 것이다. 이를 알기 위해 우선 다음의 글을 살펴보자.

> 마음상함이란 어떤 사건으로 인해 마음을 다쳤다고 느낄 때 일어날 수 있는 반응 전반을 가리키는 것이다. 스스로의 가치가 깎인 듯한 느낌을 갖게 하는 이러한 사건은 대개 비난, 배척, 거절, 따돌림 또는 무시 같은 감정을 낳는다. 이러한 마음상함은 자기 자신을 온전하고 한결같은 존재로 경험하지 못하도록 한다. 그래서 우리는 깊은 불안에 빠지게 되고 무력감과 실망, 고통, 분노, 경멸감에 휩싸이게 된다. 또한 상처받은 마음은 상대로부터 완강히 돌아서서 복수와 응보를 끊임없이 궁리하게 된다.[2]

우리는 길에서 넘어지면 몸에 피가 나거나 멍이 드는 상처를 입는다. 이러한 상처는 눈에 보이기 때문에 즉시 발견하고 치료할 수 있다. 하지만 독서치료에서 말하는 상처란 그렇게 쉽게 눈에 띄거나 발견되지 않는다. 앞에서 말한 바와 같이 마음상함, 곧 상처는 마음을 다쳤다고 느낄 때 일어날 수

---

2) 김수경, 「주부의 마음상함과 독서치료 프로그램에 관한 연구」, ≪한국도서관정보학회지≫, 35권 2호, 10쪽에 인용된 것을 재인용.

있는 반응 전반을 가리킨다.

솔직히 내 경우에 비추어 생각해보면 나는 스무 해를 넘게 살아오면서 상처받은 일 없이 잘 자라온 편이다. 심각한 정신질환자들이 가진 상처만이 마음의 상처인 줄 알았고 내가 겪었던 상처들은 그저 사소한, 누구나 경험하기에 무시해도 될 만한 상처라고 생각해왔다. 하지만 위에서 정의한 대로 어떤 사건에 대해 마음을 다쳤다고 느낄 때 일어날 수 있는 모든 반응이 마음상함이고 마음의 상처였다. 나는 우선 독서치료에 앞서 그런 사실을 파악하고 인정했다. 그 순간 의식적으로 또는 무의식적으로 꼭꼭 가두었던 기억들이 서서히 풀어지는 것을 느꼈다. 애써 잊으려고 기억의 저편으로 억지로 밀어버렸던 일들이 알고 보면 모두 상처이자 지금 나에게 이러한 힘겨운 상황을 만들고 나 자신을 지속적으로 괴롭힌 원인이었던 것이다. 일상생활을 하면서 어떤 일에 부딪혀 도망가거나 몸을 움츠릴 때면 지금껏 '원래 성격이 그래'라고 생각해왔는데 알고 보니 이는 나 자신조차도 인정할 수 없었던 상처들로 인한 결과였던 것이다. 나는 독서치료의 과정 속에서 이러한 상처에 대한 정의를 재정립했다. 동시에 그 상처가 자연스럽게 치유라는 길로 이어지고 있음을 느낄 수 있었다.

몸에 상처가 나면 약을 바르고 붕대를 감는다. 하지만 보이지 않는 마음의 상처는 어떻게 치유할 것인가. 아마 많은 사람들이 의심하는 부분이 바로 치유의 가능성일 것이다. 우리가 흔히 말하는 정신이상자들은 물리적으로 약을 먹거나 의사와 상담을 함으로써 상처를 치료한다. 하지만 단순히 독서라는 행위를 통해서도 이러한 치유가 가능할까? 그렇다면 과연 어떤 식으로 치유가 이루어지는 걸까? 이러한 의문이 생기지 않을 수 없었다. 그러나 독서치료가 누군가에게 도움을 받아 치료하기보다는 책을 통한 자가치유적 성격이 강하다는 사실을 알게 되면서 쉽게 해답을 찾을 수 있었다.

독서를 통한 치유의 과정은 세 단계로 나뉜다. 우선 책의 내용이나 그 속에 담겨 있는 생각들을 자신과 동일시하는 것이다. 첫 번째 단계에서는 자신이 가진 문제와 비슷한 문제를 다룬 책을 읽으며 자연스럽게 동일화된다. 두 번째 단계에서는 책에서 그 문제를 해결하는 과정을 좇다 보면 자신의 문제도 덜어지는 카타르시스를 느끼게 된다. 그리고 마지막 단계에서는 책으로부터 얻은 카타르시스를 통해 자신의 문제를 파악하고 직접 해결할 수 있는 통찰의 과정을 겪는다. 이것이 독서치료에서 말하는 동일화의 원리, 카타르시스의 원리, 통찰의 원리다. 이러한 원리를 통해 알 수 있듯 독서치료는 자신의 상처를 스스로 살펴보고 스스로 느껴가며 상처를 돌보는 것을 말한다. 더구나 독서치료 모임은 책을 읽고 스스로 느끼는 것에서 나아가 그 느낌에 대한 글쓰기 및 다른 사람들과의 말하기를 통해 상처를 재차 삼차 돌아봄으로써[3] 상처를 더 확실히 치유할 수 있다.

결국 독서를 통해 마음의 상처를 돌아보고 끄집어내어 이 상처를 이해함으로써 가벼운 마음을 갖게 만드는 것이 독서치료에서 말하는 치유가 아닐까 생각해본다. 자신이 어떠한 행동을 하게 하는 근원을 찾고 그 근원의 비뚤어진 부분을 이해하고 돌보는, 그래서 그 비뚤어짐을 최소화시키는 것이 바로 치유다. 이는 진정한 자신의 모습으로 만들어가기 위한 교정의 과정이라고 할 수도 있을 것이다.

6. 상처의 완치와 예방 가능성

일단 앞의 의문들을 통해 상처와 치유에 대한 나름의 정의를 확실히 내릴 수 있었으며 나 스스로 효과를 느꼈기에 독서치료에 대한 의문은 많이 풀렸다. 몇 번의 수업을 통해 실제로 나 자신이 치유되고 있음을 알 수 있었다. 하지만 여기서 다시 이러한 독서치료를 통해 완전한 치유도 가능한가라는

---

3) 독서치료의 세 단계인 치유적 책읽기, 치유적 글쓰기, 치유적 말하기를 의미한다. 김정근, 「상처받은 마음의 유능한 주치의, 독서」, ≪사람과 책≫, 2004년 8월호, 58쪽.

의문이 생겼다. 나는 독서치료를 통해 지금껏 가졌던 상처를 인정하고 돌봄으로써 나 자신이 치유되고 있다고 느꼈다. 하지만 시간이 더 흐르면 언제 그랬냐는 듯 다시 제자리에 돌아가 있을지도 모른다. 마음에 한번 생긴 상처가 이처럼 쉽고 간단하게 아물지는 못할 것이다. 상처로 인해 평생 동안 마음 한구석에 남았던 뒤틀림이 순식간에 흔적도 없이 사라지기란 쉽지 않기 때문이다. 이는 아마 독서치료를 하고 있는 사람들이라면 누구나 가졌을 법한 의문일 것이다. 독서치료의 유효기간은 어디까지일까? 단순히 치료를 하는 이 순간만은 아닐까?

이에 대한 답을 찾는 것은 의외로 간단했다. 우선 인간은 무언가를 쉽게 잊을 수 있는 존재임과 동시에 거의 모든 것을 마음속에 담아두고 있다는 사실을 상기해야 한다. 지금 독서치료를 통해 마음의 상처를 치유받았다고 해도 시간이 흐르면 언제 그랬냐는 듯 다시 예전으로 돌아갈 확률이 높다. 이미 많은 상처들이 정형화되었기에 잘못된 줄 알면서도 바꾸기가 쉽지 않기 때문이다. 하지만 분명한 건 이후 뒤틀린 행동을 하더라도 독서치료를 하기 전과는 확연한 차이가 있을 것이라는 사실이다.

앞에서도 언급했듯이 나는 아버지와의 관계에서 늘 문제를 안고 있었는데 치료 전에는 무작정 아버지를 미워하고 아버지에게 화를 냈다. 이해하려는 생각조차 하지 않았다. 하지만 치료 후에는 아버지를 미워하는 나를 이해하게 되었고 아버지의 행동까지 이해할 수 있게 되었다. 그렇다고 아버지와의 사이가 급격하게 원만해진 것은 아니다. 아버지와 나는 앞으로도 끊임없이 부딪칠 것이다. 하지만 부딪치는 순간마다 나는 예전처럼 무조건 감정적으로 밀어붙이는 것이 아니라 다시 한 번 원인을 되짚어보고 한걸음 물러나서 상황을 살펴볼 것이다. 또한 아버지의 상황과 나의 상황을 독서치료를 통해 얻은 결론으로 이해하려고 노력할 것이다.

마음상함은 삶의 일부이므로 이를 완벽하게 극복하는 방법은 없으며,
이를 피할 방도도 없을 것이다. 그러나 우리는 똑같이 마음을 다치더라도

지금까지와는 다르게 대처하는 것, 덜 파괴적인 방법으로 대응해나가는 방법을 알 필요가 있다.[4]

그렇다. 위의 글처럼 상처를 완벽하게 극복하기란 어려울 것이다. 몸에 난 상처도 약간의 흉터는 남기 마련이다. 이를 통해 앞으로는 더 다치지 않도록 노력하는 데 의의가 있다고 할 수 있다.

그렇다면 독서치료가 과거의 상처를 치유하는 것에서 나아가 앞으로의 문제도 예방할 수 있을까 하는 의문이 들게 된다. 우리는 길을 걷다 넘어지면 다음에 그곳을 지날 때는 조심하게 된다. 하지만 자신이 어디에서 왜 넘어졌는지를 알지 못한다면 반복해서 같은 자리에서 넘어질 것이다. 마음의 상처도 마찬가지다. 상처의 진원지를 찾지 못하고 외면하기만 한다면 같은 상처를 계속해서 키우는 결과를 낳을 것이다.

독서치료는 이러한 과제를 해결하고 앞으로 넘어지지 않도록 예방해줄 수 있을까? 또한 아직 경험하지 못한, 미래에 받게 될 상처까지 최소화시켜 상처를 편안하게 받아들이도록 도움을 줄 수 있을까?

나는 독서치료와 관련된 서적들을 읽다가 '피드포워드'라는 단어를 알게 되었다. 피드포워드를 통해 앞으로의 상황을 예방할 수 있다는 것이다. 피드포워드는 미래의 행동을 계획하기 위해 과거의 경험정보를 사용하는 과정을 말한다.[5] 우리는 일상생활에서 어떤 행동을 하기에 앞서 주위 상황이나 자신의 과거 경험을 돌아보는 경우가 많다. 이때 과거에 어떤 상처를 안고 있는 사람이라면 그 상처가 피드백됨으로써 현재 올바른 행동을 할 수 없는 경우도 있다. 이럴 때는 독서치료를 통해 이를 치유해야 한다. 그러나 앞으로도

---

4) 김수경, 「주부의 마음상함과 독서치료 프로그램에 관한 연구」, ≪한국도서관정보학회지≫, 35권 2호, 11쪽.

5) 조셉 골드, 『비블리오테라피: 독서치료, 책속에서 만나는 마음치유법』, 이정인 옮김 (부키앙, 2003), 97쪽.

끊임없이 수많은 상황에 놓일 것이며 그로 인한 상처를 피해갈 수는 없다. 이럴 때 발휘되는 것이 바로 피드포워드다. 독서치료가 다른 치료법보다 쉽고 유리한 이유는 바로 이 때문이다. 독서는 치료라는 단어가 붙기 전에 독서 그 자체로 이미 치료의 많은 부분을 포함하고 있다. 사람들은 책을 읽으면서 자신의 경험에 비추어 자신을 책 속의 인물과 동일화시키기도 하지만 자신이 경험하지 못한 영역을 책을 통해 알게 되기도 한다. 이러한 대리체험은 자신의 밑바탕에 깔려 미래의 행동에 영향을 끼치기도 한다. 책을 통해 대리체험을 함으로써 사람들은 행복해하고 위로를 얻는다.

독서치료에서 말하는 치유서는 픽션과 논픽션으로 나뉜다. 나 같은 경우는 주로 픽션에서 카타르시스를 느끼는 편이다. 나 자신의 문제와 책 속 주인공의 문제를 결합시켜 내가 가진 많은 문제점을 이해하고 해결해왔다. 반면 논픽션을 읽으면서는 미래를 위한 지침서라는 생각이 들었다. 당장 나에게 공감되는 이야기들이 아닐지 몰라도 앞으로 책에서 소개된 상황에 부딪혔을 때 피드포워드를 통해 조금은 쉽게 그 문제들을 해결할 수 있을 것이라는 기대감을 갖자 마음이 편안했다. 물론 이는 나의 경우이고 픽션이든 논픽션이든 사람마다 받아들이는 기능이 조금씩 다를 것이다. 분명한 사실은 독서치료를 통해 읽게 되는 책들은 과거의 상처를 치유하고 현재의 문제를 해결해주기도 하지만 앞으로 다가올 문제들을 잘 대처하도록 도와주기도 한다는 것이다. 독서는 실제 경험하지 못한 영역을 느끼게 해준다는 데 하나의 의의가 있다. 따라서 우리는 독서를 통해 닥칠 문제를 미리 경험하고 그 해결과정을 인식함으로써 문제를 확실히 예방할 수 있다.

결국 독서치료를 이루고 있는 핵심적인 키워드는 각자 가진 마음의 '상처'와 독서를 통한 상처의 '치유', 그리고 미래의 상처에 대한 '예방'이라고 할 수 있다. 독서치료가 모든 상처를 단기간에 완벽하게 치유할 수는 없다. 우리는 평생 동안 책을 읽을 것이므로 책을 통해 삶의 틈새에서 삐걱거리는 부분을 적극적으로 발견하고 해결해가야 한다. 그러한 치료에 앞서 이러한 개념을 분명하게 짚어둔다면 독서치료의 효과가 좀 더 확실해질 것으로 기대

된다.

7. 나오며

예전에는 친구들이 나에게 재미있는 책을 권해달라고 부탁하면 그저 가볍게 읽을 수 있는 소설을 추천해주었다. 하지만 요즘에는 책 한 권 한 권 권하는 것이 쉽지만은 않다. 책을 권하기 전에 친구의 얼굴을 한 번 더 바라보고 그 친구의 상황을 다시 한 번 생각해본 뒤 도움이 될 만한 책을 골라 권해주곤 한다. 그런 내가 요즘 친구들에게 가장 많이 권하는 책은 바로 김형경의 『사랑을 선택하는 특별한 기준』[6]이다.

이 책은 단순히 재미를 추구하며 읽기에는 조금 무거운 내용이지만 딱딱한 심리학 서적을 통해 이해하기에는 어려운 내용들을 쉽게 풀어쓰고 있다. 나도 주인공에게 감정을 대입시켜 심리분석 과정을 따라가다 숨 막혔던 적이 한두 번이 아니었다. 이 책은 20대를 넘어서는 여성들이 꼭 한번쯤 읽어봐야 할 책이다. 주인공 세진과 인혜의 모습에는 수많은 여성들의 모습이 응집되어 있기 때문이다. 물론 독서치료 수업을 통해 읽었던 책 가운데 좋은 책이 많지만 대부분 논픽션이었고 가볍게 권해주기에는 부담스러운 책들이었기에 흥미를 가지라는 차원에서 독서치료의 이야기와 함께 김형경의 책을 권해준다.

친구들이 간혹 묻는다. "독서치료가 효과가 있어? 뭔가 달라진 것 같아?" 나는 그런 질문을 받을 때마다 슬며시 웃으며 고개를 끄덕인다. 그리고 친구들에게 적극적으로 독서치료를 권한다. 관심을 가지는 친구들에게는 내가 그동안 공부해왔던 내용이나 나 스스로 경험한 치유의 내용을 들려준다. 그리고 돌아서서 다시 스스로에게 묻는다. 정말 무언가 달라진 것이 있느냐

---

6) 김형경, 『사랑을 선택하는 특별한 기준 1, 2』.

고. 그리고 대답한다. 분명 달라졌다고.

겉으로 보기에는 별반 달라진 게 없을 수도 있다. 독서치료가 눈에 보이지 않는 상처를 치유하는 것이라서 그 치유의 흔적도 눈에 잘 띄지 않기 때문이다. 하지만 나 스스로 사람들을 대하는 마음과 세상을 대하는 마음이 달라졌다고 느끼는 것 자체가 효과가 있었다는 증거다. 그리고 이는 바로 상처를 치유하고 있다는 증거이기도 하다. 앞에서 언급했듯이 독서치료에서 말하는 치유란 한순간 단기간에 이루어지는 것이 아니라 평생에 걸쳐 지속적으로 이루어지는 것이기에 "난 완치됐어"라고 자신하기보다는 "난 조금 변했어", 그리고 "계속 변화하고 있어"라고 말하게 된다.

그리고 또 한 가지 변화는 예전에 비해 마음이 많이 편안해지고 여유가 생겼다는 것이다. 예전에는 마음이 심하게 가라앉기도 했고 큰 문제에 부딪힐 때, 아니 부딪히기도 전에 어쩔 줄 몰라 혼자 당황해하고 힘들어하기도 했다. 하지만 여러 권의 치유서를 읽고 그 책들을 곁에 두고 나니 그러한 문제들이 전혀 두렵지 않게 되었다. 분명 앞으로도 나는 많은 문제들에 부딪힐 것이며 많은 일들을 겪게 될 것이다. 물론 독서치료를 통해 그 문제들을 조금 부드럽게 피해갈 수 있게 되기도 했지만 그보다 피해갈 수 없는 문제에 부딪히더라도 당황하지 않고 지금 스스로를 치유했던 기억을 떠올리며 두려움 없이 그 문제들을 헤쳐 나갈 수 있다는 믿음이 생겼다. 든든한 버팀목을 얻은 셈이다. 이것이 바로 내가 여유 있는 웃음을 짓게 되는 이유다.

처음 독서치료를 할 때는 사실 조금 혼란스러웠다. 나의 어린 시절을 떠올리며 가족이나 친구들과의 관계에서 몰랐던 상처들을 들여다보는 일이 괴로웠던 것이다. 긁어 부스럼 내는 것이 아닌가 하는 생각이 들 정도였다. 이 때문에 독서치료를 시작한 초기에는 더 방황했고 혼란스러워했다. 하지만 이는 치료의 한 과정일 뿐이었다. 그 시기를 지나자 다시 마음이 새롭게 정리되어 가라앉았고 그동안 삐걱거리던 마음의 어긋남들이 조금씩 제자리를 찾아가며 편안해졌다. 초기에 내가 많은 눈물을 흘린 것은 결국 내 속에 있던 나쁜 기운을 흘려내기 위한 행위였던 셈이다. 이제는 그러한 과정을 돌아보며 슬며시 웃을 수 있게 되었으니 많이 진전했다고 할 수 있다.

이 글을 시작하면서 나는 이 글이 나와 세상이, 나와 사람들이 화해하는 글이 되기를 바란다고 했다. 글을 써가면서 느낀 건 이미 나는 많은 부분에서 세상과 사람들을 이해하고 이들과 화해하게 되었다는 것이다. 상처의 진단이 곧 치유라고 했듯이 나의 문제들을 짚고 정리하다 보니 어느새 내 눈빛과 마음이 달라져 있음을 알 수 있었다. 독서치료를 통해 나는 나 자신에 대해 새롭게 이해하게 되었을 뿐만 아니라 나를 둘러싼 사람들과 세상까지도 새롭게 바라보게 되었다.

하지만 여기서 모든 게 끝난 것은 아니다. 앞에서도 언급했지만 독서치료란 평생을 살아가면서 지속적으로 행해야 할 하나의 과제이며 정기검진 같은 것이다. 나는 죽을 때까지 책을 읽을 것이다. 그리고 그 속에서 이러한 치료의 행위를 멈추지 않을 것이다. 이렇듯 독서치료가 내 인생에서 커다란 키워드로 자리 잡았음은 이제 부정할 수 없는 사실이 되어버렸다.

교차점에 선 나를 되돌아보다

나신우

1. 들어가며

그녀는 변해 있었다. 한 달에 한 번 주기적으로 모이는 대학동창 모임에도 나오지 않은 채 사람들과 일대일의 만남[1]만 유지하던 그녀가 딱 1년 만에 우리 곁에 돌아온 것이다. 사실 그녀는 모임에 나왔을 때도 대부분 언짢은 표정으로 앉아 있었고 친구들과 대화를 나눌 때도 단답형으로만 말했다. 친구들은 그런 그녀를 암묵적으로 못마땅하게 여겼고 그녀도 그런 느낌을 받아서였을까 점점 우리와 동화되지 못했다.

나는 그녀와 일대일의 만남을 유지하는 사람 중 한 명이었는데 그녀는 나를 만날 때마다 이렇게 말하곤 했다.

"넌 애들이랑 우르르 모이는 것에 거부감이 없니? 한 번씩 만날 때마다

---

[1] 그것도 '소통'이 이루어지는 친구 두 명 정도와의 만남이었다. 그녀는 사람들이 우르르 모이는 형식적인 모임은 싫다며 개인적으로 하소연하곤 했다.

하는 말들이 어떤 연예인이 무얼 입고 나왔더라는 둥, 새로 생긴 맛집에 가봤냐는 둥, 누가 결혼을 하는데 남편 될 사람이 의사더라는 둥 나는 그런 영양가 없는 대화가 싫더라. 다들 진실을 보이지 않고 허공을 향해 외쳐대는 것만 같아. 나는 거기서 억지웃음을 짓거나 나와 다른 관심사로 웃고 떠드는 게 싫어. 그 속에서 나는 말없이 앉아 있는 아웃사이더가 된 기분이야."

그럴 때마다 나는 그녀의 말에 동조할 수밖에 없었다. "이렇게 정기적으로 만나지 않는다면 언제 시간을 내서 다 같이 볼 수 있겠어?", "뭐 다 그렇지 않니? 생각을 조금만 바꿔봐. 애들 관심사가 다 그렇지 뭐"라는 식의 설득도 이제는 너무 여러 번 해서 식상해졌기 때문이다. 그녀는 일대일의 만남에서는 말을 꽤 잘하는 편이었다. 하지만 이내 웃음을 잃거나 대화에 싫증을 내며 집에 빨리 들어가야 한다는 핑계로 일찍 자리를 뜨곤 했다. 집안에 문제라도 있었던 걸까? 아니면 온갖 가십거리를 이야기하는 우리가 정말 유치하게 느껴져서일까? 그녀는 아무 말도 하지 않았기에 의구심만 가진 채 그녀와의 만남을 계속 유지했다.

그런 그녀가 아주 밝은 사람이 되었다. 1년 만에 모임에 나타나더니 이제는 우리의 대화에서 주도적인 역할을 자청했다. 밝은 표정은 꾸밈이 없었고 우리를 장난스럽게 꾸짖기도 했다. 그리고 요즘 이런 고민이 있는데 어떻게 해야 할지 모르겠다며 먼저 조언을 구하기도 했고 소박한 희망사항에 대해 이야기하기도 했다.

우리는 의아함을 감출 수 없었다. 조금 직설적인 한 친구가 궁금함을 참지 못하고 결국 "성격 좋아지는 약이라도 있니? 치사하게 혼자만 먹지 말고 우리한테도 얘기해주라"라고 물어보았다. 우리는 이 말을 듣고 흠칫 놀랐으나 오히려 그녀는 거리낌 없이 말했다. "응, 나 많이 변했지? 지금까지 너무 혼자만 끙끙대며 살아온 것 같아. 분명 나를 바꾸게 한 약이 있지." 그러면서 지난 1년 동안의 독서치료 과정이 자신의 성격을 개조시키고 세상을 바라보는 시각을 변화시킨 것 같다고 말했다.

이처럼 나는 내가 독서치료를 접하기 전에 한 친구의 변화를 직접 목격했다. 그만큼 독서치료에 대한 기대도 컸다. 하지만 친구의 변화가 나에게까지 변화를 줄 수 있을까 하는 의구심이 있었으며 표면적으로 정상적인 나에게는 아무 문제가 없다는 확신을 가지고 있었기에 처음부터 적극적인 태도를 지니지는 않았다. 또한 수업의 형태로 이루어지는 체험이기에 한 학기라는 짧은 시간 동안 27년이라는 긴 여정 속에 남아 있는 상처를 어떻게 찾아내고 치료할 수 있을까 하는 의구심도 들었다. 하지만 시간은 마술과도 같은 것일까, 아니면 책의 힘이 이렇게 빛을 발하는 걸까? 나는 조금씩 변해갔다. 3월에는 의구심이 옅어지며 독서치료에 대한 감을 잡을 수 있었고 4월에는 각각의 책에 대한 주제에 나를 투사시켜 '또 다른 나'를 발견하면서 상처를 짚어나갔다. 5월이 상처 나고 덧난 부위에 약을 바르며 서서히 아물어가는 시간이었다면, 6월은 결국 상처에 대한 치료가 끝나면서 그동안 나를 감싸고 있던 슬픔과 아픔에 대한 상처가 기쁨과 안도의 한숨으로 돌아온 종착역이었다.

나에게 주어진 10여 권의 책은 나 자신에 대해 다시 생각하게 만들었고 나를 변화시켰다. 여기에는 특히 지금 이 시기에 절실했던, 너무나 마음에 와 닿은 책들을 중심으로 이야기하고자 한다.

난…… 어떤 아픔을 숨기고 지금껏 살아온 것일까?

2. 기억의 단편들: 엄마와 함께할 수 없던 유년 시절의 거절감

누구나 겪어야 할 탄생과 성장과 죽음이라는 일련의 과정 속에서 군이 공통점을 찾는다면 깊든 얕든 제각기 다른 모습으로 고통을 겪는다는 것이 아닐까 싶다. 생명을 낳는 어머니의 고통, 어린 사춘기 소녀의 성장통, 생의 막바지에 이르러 병과 씨름하며 서서히 죽음의 문턱으로 걸어가야 하는 노인의 고통 등 고통의 형태는 다양하다. 하지만 이러한 고통을 과감히 이겨내고 일어서면 고통 뒤에 오는 기쁨과 행복은 배가 되고 세상은 살 만한 곳이 된다.

내 마음속의 어린아이를 치유하는 방법도 이런 게 아닐까? 어린아이를 가둬둘수록 나 역시 세상에서 소외되어 마음의 상처를 입지만 어린아이를 세상 밖으로 소통시켜 확 트인 숨을 쉬게 한다면 나는 마음의 안정을 찾게 된다. 어린 날의 형상도 그러하리라. 기억의 기제에는 여러 가지가 있지만 의외로 단순하게 형상화되거나 향기 따위로 압축되어 하나의 단편으로 기억이 저장되는 경우가 많다. 특히나 어린 시절의 기억을 되짚어볼 때면 더욱 그렇다. 이를테면 유치원을 다닐 때 나는 항상 노란색을 입었고 그 즈음 유치원 선생님은 엄마 화장품 냄새와 비슷한 향기를 풍겼던 사람으로 기억되는 것처럼 말이다.

나는 어린 시절 아빠의 사업으로 인해 엄마와 따로 떨어져 살았다. 두 살 터울인 언니는 부모님과 함께 살았으나, 나는 할머니 손에 자란 것이나 마찬가지였다. 일주일에 한 번씩 찾아오는 엄마 얼굴을 보기 위해 그동안 숙제를 다 끝내놓고 월화수목금토일을 일곱 손가락으로 하나하나 세어가며 엄마가 오는 날을 하염없이 기다리곤 했다. 하지만 매번 바쁘다는 핑계로 일주일의 약속조차 지키지 못하는 경우도 많았다. 그때 나는 고작 다섯 살이었고 엄마의 사랑이 무척이나 필요한 시기였다. 하지만 나는 할머니와 함께 시장에 가거나 텔레비전을 본 기억만 남아 있다. 해가 뉘엿뉘엿 저물어갈 때 밖에서 놀다 지친 나를 불러주는 이도 할머니셨다. 그래서일까? 내게 할머니는 아주 특별한 존재다. 그때 그 시절 할머니는 어쩌면 엄마 이상의 존재였던 것으로 기억된다. 엄마와의 만남이 줄어들면서 자연히 언니의 얼굴도 볼 수 없었다. 엄마 옆에 있는 언니에게 질투가 나기도 하고 화가 나기도 했다. 내가 한 달 정도 눈을 뜨지 않은 적이 있다고 한다. 기억이 잘 나지는 않지만 눈을 감은 채 텔레비전 소리를 들었고 밥도 할머니가 떠먹여 줬던 기억이 어렴풋 난다. 혹시 눈이 아파서 그런가 하고 병원에 데려가면 병원에서는 아무 이상이 없다고 했다. 이 병에는 특효약이 따로 있었다. 엄마가 오는 주말이 되면 눈을 슬며시 뜨고는 엄마에게 늘 붙어 있다가 엄마가 돌아가는 저녁이 되면 다시 눈을 감았다는 것이다. 그건 엄마의 관심을 받기 위한 하나의 방법이었을까? 엄마는 지금도 그 이야기만 나오면 한숨을 쉬며 자책하시곤 한다. 그리고 지금도 언니와 싸우면 한 번씩 하게 되는 말이 있다. "언니는 옛날에 엄마랑 함께 있었잖아. 나보다 더 사랑도 많이 받고 외로움도 덜 탔으니깐 나를 조금 더 이해해줄 수 없어?"

나는 모든 이유를 옛날 그 시절의 외로움 때문이라고 핑계를 댔으며 나도 모르게 그 시절의 외로움을 누군가로부터 보상받고 싶어 한 것 같다. 엄마에게 괜히 화내고 짜증내면서 "그때 왜 언니만 데려갔는데요? 나는 안중에도 없었어요?"라며 속없는 말로 엄마를 많이 아프게 했다. 그럴 때마다 엄마는 "미안해. 그때는 그럴 수밖에 없었어. 언니는 학교 때문에 어쩔 수 없이 데려간 거야. 엄마도 그 부분에 대해서는 정말 할 말이 없구나"라며 미안해하곤 했다.

나는 어린 시절 외로움에 대해 누군가에게 한 번도 말한 적이 없다. 심지어 나 자신조차 애써 생각하지 않으려고 했던 부분이다. 하지만 『30년 만의 휴식』[2]을 읽고 나자 내 마음속의 아이를 끄집어내고 싶었다. 나의 되풀이되는 짜증과 스트레스 그리고 몰래 키워온 우울증 같은 어두운 감정은 어른이 되어서도 아이 같은 말투와 행동을 불러일으키곤 했다.[3] 그래서 용기를 내어 언니에게 넌지시 그때의 일을 꺼내보았다. 그 마음을 알아서였을까? 그 시절의 이야기만 나오면 신경이 예민해져 말하기를 꺼려하던 언니도 오히려 많은 이야기를 시작했다.

"신우야, 너 그거 아니? 너와 함께하지 못한 그때, 언니가 옆에 있어주지 못해 너무 미안해. 엄마와 함께 있었다고 다 행복했던 건 아니야. 엄마는

---

2) 이무석, 『(마음의 평안과 자유를 얻은) 30년 만의 휴식』.

3) 사건의 모든 원인을 다섯 살의 외로움에서 비롯되었다고 생각했다. 나의 우울증으로 인해 모든 일이 피해의식 속에 사로잡히게 되었고 결국 나의 일상은 뒤엉켜버리고 말았다.

너 때문에 많이 울기도 했고 빨리 너 데리고 와야지 하며 하루하루를 힘들게 보내셨어. 엄마를 이해해드리면 안 될까? 그리고 이 언니도 너의 외로움, 전부 이해한다고 하면 나 비웃겠지?"

아, 나는 너무 후회스러웠다. 그동안 나는 그 시절 나 혼자만 외로움을 다 뒤집어쓰고 살았다고 착각했다. 그런 말을 꺼내기가 그렇게 힘들었을까? 그동안 마음속에 담고 있던 외로움이 조금은 사라지는 순간이었다.

『흔들리는 부모들』[4]을 읽고 나서는 참 많은 인생사가 있다는 생각이 들었다. 자녀가 부모를 선택할 수 없고 부모 또한 마음에 드는 자녀를 선택할 수 없다. 부모와 자녀의 연결고리는 하늘이 내린 운명이다. 부모와 자녀의 관계는 어떠한 일로도 부정될 수 없다. 다만 돈과 폭력 같은 부정적인 상황과 배경이 연결고리를 느슨하게 할 뿐이다. 그 상황을 어떻게 잘 넘길 것인가? 모험적인 현실을 잘 풀어나가는 것이 부모된 입장, 그리고 자식된 입장에서 최선의 방안이 아닐까 생각해본다.

3. 성장하는 나: 비교와 경쟁의 공간인 고등학교에서의 상실감

나는 초등학교 시절부터 줄곧 반장을 맡아왔다. 그렇다고 아주 특출하거나 돋보이는 반장은 아니었다. 성적도 1등이 아닌 2~3등을 유지했으며 카리스마가 있기보다는 "조용히 해"라는 말도 작은 목소리로 왱왱거리듯 한 반장이었다. 일주일에 한 번씩 학급회의를 진행하는 것도 큰 부담이었다. 일을 하시는 엄마 때문에 학부모회의 때 엄마 얼굴을 볼 수 있는 기회는 거의 없었으며 소풍날 담임선생님 도시락도 부반장이 맡곤 했다. 나는 이때 나 자신도 원인을 알 수 없는 병을 앓고 있었다. 병이라고 하기엔 조금 우습지만 일종의 호흡곤란 같은 거였다. 아마도 반장이라는 직책으로 인해 나를 주시하는

---

4) 수잔 포워드, 『흔들리는 부모들』.

선생님의 관심, 잘해야겠다는 다짐, 여기에서 비롯된 스트레스 때문이 아니었을까 싶다. 스트레스가 심한 날에는 옆구리가 결려왔다. 호흡도 가빠졌다. 결국엔 옆구리에 쿠션을 대고 있지 않으면 무언가 허전했고 그러다가 쿠션이 없으면 숨도 제대로 쉴 수 없을 만큼 강박증이 심해졌다. 특히 시험기간에는 쿠션을 끼고 살았다. 어느 날 조퇴를 신청하고 병원에 가보려 했다. 담임선생님께서 나의 이야기를 듣고 조용히 타이르셨다. "신우야, 아마 그 병은 졸업할 때쯤엔 깨끗이 없어질 거야. 선생님도 학창 시절에 신경과민증으로 밥도 제대로 못 먹고 항상 불안을 안고 살았거든. 너무 신경 쓰지 말고 불안해하지도 마. 지금 잘하고 있잖아. 남들과 비교하지 말고 신우만의 이미지를 만들어 보면 어떨까? 선생님이 보기엔 반장으로 충분히 잘해나가고 있어."

생각해보면 나의 병은 일시적인 현상이었다. 혼자 끙끙 앓으면서 많은 고민으로 인해 생긴 병, 나만의 '옆구리 병'. 그렇다면 지금은?

1년에 한 번 정도 옆구리를 꾹꾹 찌르는 통증은 여전히 불쑥 찾아온다. 예전에는 팬시점에 널려 있는 쿠션들을 볼 때면 '주인님, 제 옆구리에 쿠션을 좀 끼워주세요'라고 하는 듯해서 허전한 내 옆구리를 슬쩍 내려다볼 때도 있었지만 지금은 쿠션 없이도 잘 지내고 있다. 그때 내 '마음속의 아이'는 반장이면서도 많이 부족한 나 자신으로 인해 심한 열등감에 사로잡혀 있었고 그 사실에 얽매여 내가 더욱 작아지도록 만들었다. 하지만 모든 반장에게 카리스마가 있으라는 법도 없고 반장이 공부를 아주 잘하라는 법도 없다. 반장이라는 이름 아래 나만의 반장 스타일을 만들면 되는 것이었다. 고3 막바지에 들어섰을 때 선생님과의 대화가 없었다면, 나를 다독거리시던 그 눈빛이 없었다면 그 고비를 어떻게 넘겼을까?

타인의 시선 때문에 반장다워야 했던 나의 모습처럼 나의 현재가 이렇다 하고 알리기 위한 듯 억지웃음을 지으며 한 장 한 장 올리는 블로그의 사진들도 결국은 내가 아니라 나인 척하는 허울에 불과했다. 이처럼 가장된 행동은 결국 마음의 병을 만들고 만다. 나는 누구에게나 정해진 배경과 상황이 있다고 생각한다. 부푼 기대가 현실이 아님을 직시해야 한다. 최고가 되기 위해 발버둥을 칠 필요도 없다. 모두가 모차르트가 될 수 없으며 1등이 될 수도 없다. '살리에르 되기'를 체험해봄으로써 자신이 최고라는 환상을 깨고 현실의 삶을 수용해야 한다.

4. 변화하는 나: 자존감 상실과 나의 발견

직장 3년차. 하지만 나는 아직 안정적인 위안을 얻을 수 없다. 사서교사가 아닌 사서이기에 아직 많은 것을 더 준비해야 하는데 그러는 사이 친구들은 더 높은 곳에 가 있었다. 2~3년 전 9급 공무원이 된 친구는 어느새 8급으로 진급하기도 했고 이직을 해서 6급의 자리에 있는 친구도 있다. 그리고 그들은 자신을 가꾸기에 바쁘다. 안정된 직장을 얻었으니 소홀히 했던 어학공부도 하고 피부미용에 더 투자하기도 하며 여행계획을 세우기도 한다. 이에 비해 나는 어떠한가? 물론 직장을 다니고 있긴 하지만 이들에 비한다면 '아직도 가야 할 길'이 멀다.

사서와 사서교사는 엄연히 다르다. 특히 학교에서는 교사와 교사가 아닌 위치로 인해 많은 일에서 사람들과 부딪힌다. 지금 나는 그 딜레마에 빠져 있는데 이것이 불안의 원인인지도 모르겠다. 조금 더 깊게 해석하면 직장에서의 애매한 위치로 인해 혼란스러울 때가 많다. 학생들이 나에게 "언니, 신간 들어왔어요?", "언니, 책 좀 찾아주세요"라고 말할 때면 내가 왜 학생들에게 언니라고 불려야 하는 걸까라는 생각이 들기도 한다. 분명 높은 경쟁률을 뚫고 사서라는 신분으로 이곳에 들어왔는데 내가 왜 이런 호칭으로 불려야 하나 싶어 민감해지는 것이다.

이러한 삐걱거림은 결국 나의 일에 대한 깊은 회의를 몰고왔고 나의 일상은 짜증과 불안의 반복으로 겨우겨우 유지되었다. 이런 슬럼프가 계속되고 있을 때 『천 개의 공감』[5]을 접한 것은 정말 다행스러운 일이었다. 특히 '관계 맺기' 편에 실린 여러 글은 생각의 전환을 유도했고 많은 자극을 주었다. "나의 못나고 부족한 면을 사랑하라", "내면의 분노는 삶을 정체시킨다", "감사하는 마음으로 인생을 살아가라"라는 문구들은 어느새 내 머릿속 깊은 곳에 자리 잡고 있다.

지금도 '언니'라는 호칭에 민감하게 반응하냐고 물어본다면 '그렇다'라고 할 수밖에 없다. 하지만 내 일상에 문제가 될 정도로 흥분하지는 않는다. 오히려 당당하게 말한다. "언니가 뭐니? 다음부터는 사서선생님이라고 부르렴." 이 말이 그렇게 어려웠을까? 학생들은 이 말을 듣는 순간 "정말 죄송해요", "너무 어려 보여서 그만……"이라며 미안한 기색을 감추지 못한다. 지금은 이 학생들이 고민 상담을 해올 정도로 이들과 가까워졌다. 이제 이 학생들은 나를 '언니'라고 부르는 다른 학생들에게 되레 "사서선생님이셔"라고 정정해주기도 한다.

내적, 외적으로 자신감이 많이 부족한 나로부터 탈피해 작은 일에도 성취감을 느끼자고, '이런 일까지 내가 해야 될까?' 하는 부정적인 생각에서 벗어나 '내가 하면 어때? 어차피 함께 생활하는 공간인데'라는 긍정적인 생각을 가져보자고 스스로 다짐하고 있다. 사회생활에서 타인과 마주하자면 많은 부분에서 교차점이 생긴다. 한 예로 나이가 많은 직장 상사에게서 일방적인 훈계를 당할 때면 혼자 속앓이를 많이 했다. 내가 별로 잘못하지 않은 일에도 "네네~"라고 말할 수밖에 없는 현실에 화가 났지만 속으로 삭히고 삭혀 어떤 때는 마음속의 분노가 폭발할 위기도 많았다. 하지만 옳지 않은 일에 반대의 입장을 표명할 수 있는 당당함을 갖는 것은 나 스스로 자존감을 형성하는 데서부터 시작되는 법이다. 나의 자리에 내 직위에 불만이 있다면 누가 어떤 식으로 말을 걸어오더라도 부정적인 시각으로 바라보게 된다. 남과 비교하고 남을 시기하다 보면 욕심이 생기게 되고 결국은 그 욕심이 현실에서 충족될 수 없다는 사실 때문에 안타까워하거나 괴로워하게 된다. 하지만 이제 비교대상이라고 여겼던 친구들과의 관계에 대해서도 생각을

---

5) 김형경, 『천 개의 공감』.

바꿨다. 이 모든 것이 '나를 돌아보며 생각하기'에서부터 시작된 것 같다. 지금 생각해보면 친구들이 그 자리에 설 수 있었던 것은 그만큼 노력을 했기 때문이다. 노력도 하지 않는 내가, 더욱이 그들과 다른 길을 걷고 있는 내가 그들과 비교를 한다는 것 자체가 잘못된 것이다. 생각해보면 나는 행복하다. 아직까지 무언가를 향해 도전할 수 있는 나의 나이에, 나의 시간에, 나의 상황에 모두 감사한다.

지금까지는 앞만 보며 관성적으로 달려왔다면 독서치료를 접하면서는 나 자신과 소통하는 길을 찾았으며 사람들과의 만남을 통해 많은 부분을 수용할 수 있는 마음과 배려를 배웠다.

5. 나가며

나를 뒤돌아봤던 때가 언제였던가? 일기장에 깨알 같은 글씨로 나의 마음을 담아두던 시절이 언제였던가? 나는 정신없이 앞만 보며 달려왔다. 어떨 땐 정신없이 앞만 보며 달리다 지쳐 쓰러지기도 했다. 아마 많은 사람들이 나와 크게 다르지 않을 것이다. 신호도 없는 아스팔트길을 정신없이 내달리듯 자신을 혹사시키거나, 송장처럼 누워 머리카락에 먼지가 쌓이는지조차 모르듯 자신을 내팽개쳐 놓다가도 어느 날 문득 '내가 그랬었나' 하고 돌아보게 된다.

나는 일상의 지루함이나 외로움, 소유에 대한 욕망이나 두려움, 부정하고 싶은 과거나 멋대로 굴러갈 미래로부터 도망치고 싶었다. 그래서 생각하기를 게을리 했고 내게 주어진 일들을 체념하기에 바빴다. 그러나 그 사이 내 안에는 슬픔, 아픔, 괴로움, 분노 같은 감정이 나도 모르게 자라고 있었으며 이런 어두운 면에 대한 해결책도 함께 묻어둔 채 살아왔다. 하지만 이번 독서치료 수업을 통해 나는 자신을 돌아보기를 감행했고, 이로써 매번 피하기만 했던 나의 아픈 과거에 대해 '안녕'이라는 인사를 전했다. 봄과 여름을 지난 지금 나는 아주 특별한 시간을 보내고 있다. 우선 부모님께 전하는 따뜻한 말을 하나씩 만들어가고 있으며 지금 나의 상황과 나의 위치에 감사하는 마음으로 출근길에 오른다. 생각을 변화시키고 세상을 보는 시각을 달리하니 삶이 한결 여유로워졌다. 콩나물시루처럼 빽빽한 버스 안에 불어오는 한 줄기 바람에서도 신선함을 느끼며, 매일 오고가는 가로수 길에 나의 발도장이 찍혀 있을 거라는 생각만으로도 기운이 난다.

이 세상에는 자신의 의지와는 상관없이 흘러가는 일들이 있다. 그렇기에 노력한다고 안 될 일이 되는 것도 아니며 피하려 한다고 생길 일이 생기지 않는 것도 아니다. 세상 굴러가는 법칙이 대체로 그렇다고 생각하면 살아가는 일이 다소 편해진다.

그래서 나는 내게 주어진 상황을 받아들이기로 했다. 또한 내게 주어진 모든 일에 의미를 부여함으로써 나 자신도 변화할 수 있음을 깨달았다. 변화의 가능성을 열어두는 것은 우리에게 희망을 갖게 한다. 내가 상대를 변화시킬 수 없다면 내가 먼저 변화하면 된다. 문제의 원인을 상대에게서 찾지 않고 자신에게서 찾는 반성과, 해결의 열쇠를 외부가 아닌 내부에서 찾는 삶의 주체성, 이런 것들이 내 삶의 진정한 주인이 되는 길이 아닐까?

'모든 시작은 끝을 포함하고 있으나 살아 있는 동안 아무것도 끝나지 않는다.' 생명은 계속해서 움직이며, 우리를 다른 삶과 연결시키며, 그 속에서 성장하고 소멸하고 씨를 뿌리고 다시 시작한다. 때로 우리의 삶은 진흙탕 속에서 뒹굴고 있는 것처럼 여겨지지만 그 안에는 다른 곳으로 뻗어나갈 준비를 마친 수많은 가지들이 존재하는 것이다. 삶에서 만나야 했던 어려운 문제들과 겪어야 했던 고통들은 결국 다음 단계로 나아가기 위한 하나의 열쇠가 된다.[6]

---

6) 황경신, 『괜찮아, 그곳에선 시간도 길을 잃어: 황경신의 프로방스 한 뼘 여행』(지안 출판사, 2005).

마음으로 쓰는 일기, '휴식'하고 '기대'하기

채금옥

1. 들어가며

이런저런 고민을 하다 더 늦어지면 영영 못 다닐 것 같아서 큰 맘 먹고 대학원에 진학을 하게 되었다. 지금 하는 일도 다른 사람보다 10년은 늦었는데 대학원 공부도 더 늦어지면 결국 끝이다 싶었다. 수강등록을 한 후 개학을 일주일 앞둔 무렵 메일을 한 통 받았다. 내가 학교 다닐 적에는 메일이라는 것도 없었는데 요즘에는 각종 공지사항을 메일로 보내니 정말 편리하고 좋아졌다.

교수님이 보낸 메일의 내용은 학생들에게는 부지런함이 필요하니 우선 책 한 권을 읽으라는 것이었다. 보아하니 매주 읽어야 할 책이 있을 듯했다. 책읽기 다음 순서로 독후감이 기다리고 있을 것 같아 어떻게 해야 하나 걱정도 되었다. 일단 서점에 가서 책을 샀다. 책 제목에는 치유라는 단어가 들어가 있었다. 치유? 치료? 혹시 독서치료?

독서치료라는 말은 면접시험을 준비하면서 학교 졸업 후 학계에 어떤 새로운 변화가 있는지 모색하던 중에 알게 되었다. 작년 국립중앙도서관 신임사서교육 과정에서도 독서치료와 관련된 강의를 들은 적이 있다. 자료집을 찾아보니 교수님께서 첫 시간에 말씀해주신 다니엘 페나크의 『소설처럼』[1]이라는 책도 보였다. 난 학문과 가까이 있지는 않았지만 사서교육 과정에 빠지지 않는 걸 보니 꼭 알아두어야 할 책인가 보다 하고 생각했다. 워낙 책읽기에 인색한 나는 독서치료와 관련해 동일시, 카타르시스, 통찰이라는 세 가지 용어 정도만 기억하고 있었고 독서치료란 책 속의 주인공에게 녹아들어 울고 싶을 때 실컷 울도록 만드는 것이라고만 막연히 생각하고 있었다.

2. 인사

헉, '신현림 치유성장 에세이'.[2] 치유? 읽기 편한 듯 보였지만 치유라니. 이번 학기는 꽤 만만치 않겠다는 생각부터 들었다.

이 책에는 이런 구절이 나온다. "삶은 매우 빠르다. 새로이 각오를 다지지 않으면 시간은 빨리 흐른다. 잘살아지지 않더라도 최대한 살자. 아프지 말고 제발 잠 잘 자고 튼튼해라. 서른은 온다. 막무가내로 온다. 갈피 못 잡는 여자여. 부디 정신을 차려라." 지금까지 살면서 나이라는 숫자에 의미를 부여한 적이 언제였다나. 생각해보니 맨 처음은 여덟 살이라는 나이였던 것 같다. 초등학교에 입학하는 나이니깐. 그때는 정작 본인보다 부모가 그 나이에 더 큰 의미를 부여하는 것 같다. 그다음은 주민등록증 나올 때? 하지만 그때

---

1) 다니엘 페나크, 『소설처럼』. 실제로 아이들을 가르치면서 겪은 경험을 토대로 어떻게 하면 아이들에게 책읽기의 즐거움을 가르칠 수 있는지를 알려준다. 그는 이 책에서 아무것도 요구하지 않고 대가 없이 읽어나가는 책읽기의 즐거움에 대해 강조하고 있다.

2) 신현림, 『내 서른 살은 어디로 갔나』.

는 열여덟이라는 나이보다는 고2라는 현실이 오히려 더 와 닿았다. 그 다음으로는 성년식을 치르는 해를 들 수 있을 것이다. 하지만 만 스무 살에 성년식을 치를 때면 우리나라 나이로는 실제 스물한 살인 경우가 많아 이때도 나이에 부여하는 의미가 크지 않다. 꺾어진 오십이라는 스물다섯도 있다. 학생 절반, 직장인 절반 또는 아이 절반, 성인 절반이라는 어정쩡한 상태를 나타내기 위해 스물다섯이라는 나이를 꺾어진 오십이라고 표현하기도 하지만 이 역시 농담 삼아 하는 말이다.

그에 비해 서른이라는 나이에서는 가슴 아픈 일이 참 많다. 성공과 실패가 나눠지기도 하고 자신의 말과 행동에 철저히 책임을 져야 하기도 한다. 또는 가족을 위해 꿈을 미루거나 포기하기도 하는 나이다. 신현림의 말처럼 잘 살아지지 않더라도 최대한 살아야 할 나이가 맞다. 하지만 사람 마음이 어찌 그리 되는가? 작가의 말을 뒤집어 최대한 살지는 않아도 잘 살아지도록 바라는 게 사람 마음이 아닐까? 친구 중에 KBS의 방송작가로 일하는 친구가 한 명 있다. 그 친구는 서른이 몇 개월 남지 않은 어느 날 VJ편집 과정을 공부하느라 나를 인터뷰해간 적이 있다. 서른을 앞둔 사람들에 관한 영상을 만드는데 지인이나 지인을 통해 소개받은 동갑내기 중 다양한 직업군의 사람을 카메라에 담는다고 했다. 촬영을 마칠 즈음에 나는 다른 서른 살들의 생각을 물었다. 친구는 다들 다소 불안정한 마음으로 미래의 성공이나 행복에 대한 확답이 없음을 걱정한다고 했다. 겉보기에 괜찮아 보이는 사람도 걱정거리 하나씩은 있는 것처럼, 그 또래에는 그 또래의 고민이 있는 것처럼 누구나 다 불안한 무언가가 하나씩은 있구나라고 생각하면서 힘을 냈던 것 같다.

으레 책을 펴내는 사람들은 대개 독자보다는 나은 환경에 처해 있는 경우가 많다. 실제 내가 좋아하는 작가 한비야[3]의 경우도 그러했다. 그녀의 책은

<hr />

3) 국제구호개발기구 월드비전 긴급구호 팀장으로 일하고 있으며, 『바람의 딸, 지구
세 바퀴 반』(푸른숲, 2007), 『한비야의 중국견문록』(푸른숲, 2006), 『지도 밖으로

생명력이 있지만 간간히 자랑이나 거만함이 느껴지기도 했다. 그러나 신현림의 책에서는 그녀가 아픔이 많았던 사람임을 알 수 있었다. 힘이 느껴지는 한비야의 책도 좋았지만 비슷한 아픔을 가진 사람이 존재한다는 안도감도 싫지 않았다. "불행은 언젠가 잘못 보낸 시간의 보복이다"라는 나폴레옹의 말처럼 작가는 청소년기를 멍하니 목적 없이 보낸 대가를 이십대에 혹독하게 치렀다고 했다. 대한민국 청소년이 대부분 그러하지 않은가? 그들에게 목적이란 그저 대학 입시밖에 없다. 요즘이야 청소년들도 다른 여러 분야로 눈길을 돌린다고는 하지만 아직까지 그런 학생이 다수는 아니다. 우리 세대도 입시가 최우선 과제인 청소년기를 보냈다. 신현림은 실패와 그로 인한 우울증, 자신감 상실 등 다른 사람들과 쉬이 나눌 수 없거나 나누기 어려운 아픔을 많이 겪었다. 그러면서도 그 아픔을 극복하려고 성실히 애쓴 사람이었다. 아마 신현림 같은 사람이 소규모 형태의 독서치료를 집중적으로 할 기회를 가졌다면 훨씬 빨리 상처를 극복할 수 있었을 것이다.

아무튼 독서치료와의 만남은 신현림으로부터 시작되었지만 나는 큰 영향을 받지는 못했다. 또한 대략 이런 분위기의 책들을 만나게 되리라는 사실을 짐작할 수 있었기에 꽤 걱정이 되었다. 지식형 독서에 익숙하다 못해 그러한 독서방법밖에 알지 못하던 나로서는 제3의 독서 영역을 이해하기가 어려웠다. 치유를 위한 책읽기 영역은 양서를 읽고 간접경험을 통해 지혜를 쌓는 과정과는 좀 다르다. 어리둥절했던 3월 어느 날 강의실에서 <굿 윌 헌팅>이라는 영화를 보면서는 마음 언저리가 살짝 찡해왔다.

영화는 상처받은 마음을 다시 열기가 얼마나 어려운지를 보여준다. 그리고 그 과정에서 서로 마음을 다칠 수 있다는 사실도 보여준다. 사실 나는 이러한

행군하라』(푸른숲, 2005), 『바람의 딸, 우리 땅에 서다』(푸른숲, 2006) 같은 베스트셀러의 작가이기도 하다. 개인적으로 좋아하는 작가이며, 그녀의 책 한 권으로 인해 월드비전에 성금을 보내는 사람들이 폭발적으로 증가했다는 사실도 잘 알고 있다. 말이나 글로써 세상을 바꾸는 큰 힘을 가진 사람이다. 하지만 일면 이런 시각을 가질 수도 있음을 이해해주기 바란다.

과정이 잘 이해되지 않았다. 평소에 내 상황이나 기분에 대해 별로 가릴 것 없이 털어놓는 내 성격 탓일 것이다. 다만 주인공 윌이 끔찍한 성장환경을 겪어 인간에 대한 신뢰를 잃어버린 건 당연하다고 생각되었다. 그리고 윌이 숀에게 쏟아내는 무엇인가가 바로 독서치료에서 전달하고자 하는 메시지일 것 같다는 생각이 들었다.

나는 집으로 돌아오자마자 '굿 윌 헌팅'이라는 낱말을 인터넷 검색창에 넣었다. 그리고 내가 몰랐던 새로운 사실[4]들을 알게 되었다. 하지만 그 순간 나는 내가 여전히 '지식형 영화보기'를 하고 있다는 것을 깨달았다. 책이든 영화든 눈으로 보는 것은 모두 지식형이어야만 하는 건지, 정말 나 자신을 못 말리겠다 싶었다. 이 영화를 보면서 내가 느낀 것은 진정 뭐였을까?

주인공 윌은 어릴 적에 입양되었다가 파양되는 아픔을 겪는다. 그리고 어른들의 폭력까지 겪게 된다. 나는 파양이라는 부분에 대해 생각해보았다. 사람들은 상실이라는 감정을 좋아하지 않는다. 때로는 상실감으로 인해 심한 스트레스를 받기도 하고 몸이 상하기도 한다. 고아들은 일단 친부모에게 버려졌다는 상실감과 불신감을 갖고 있다. 그런데 입양되었다가 두 차례나 파양되는 일을 겪는다면 어린아이로서는 감당하기가 정말 힘들었을 것이다. 또한 누군가에게 이 사실을 털어놓기도 쉽지 않았을 것이다. 만약 새로 만난 누군가가 그 사실을 알게 되면 자신을 다른 시선으로 볼 것 같아 두려웠을 것이다. 이 때문에 윌은 점점 사람들에 대한 믿음을 가질 수 없었을 것이다.

나와 독서치료의 만남 역시 그러했다. 마치 초등학생이 '공통수학' 문제를 풀려고 시도하는 것처럼 독서치료는 내게 어려운 시도였다. 평소 읽어보지

---

4) 이 영화의 각본이 맷 데이먼이 하버드 대학교 재학 시절 과제로 쓴 단편 소설에 근거한다는 사실에 너무 놀랐다. 그는 이 소설을 기초로 벤 에플랙과 함께 각본을 썼으며 영화에도 같이 출연했다. 그리고 제70회 아카데미에서는 벤 에플랙과 함께 각본상을 받았다.

않았고 어쩌면 앞으로도 자발적으로 읽기 힘든 책들을 보면서 무엇을 얻게
될지 모르는 어리둥절함과 얼마나 솔직하게 잘해낼 수 있을까 하는 두려움이
뒤섞여 있었다.

   3. 성장

   <굿 윌 헌팅>에서처럼 불행한 어린 시절을 보낸 아이들의 이야기를 다룬
책 두 권을 만났다. 이 책들은 인간이 어린 시절 받는 상처에 대해 이야기하면
서 그 주된 원인은 부모라고 지적했다. 주위 사람들은 한 줄 한 줄 정말
공감한 부분이 많다고 말했으나 나는 읽는 내내 정말 힘들었다. 생각보다는
사례가 다양했으며 어른들의 사소한 말 한마디에 아이들은 큰 상처를 받는다
는 말도 이해할 수 있었다. 하지만 부모도 사람인데 어찌 완벽할 수 있을까,
결국 본인의 문제를 부모에게 전가하는 건 아닌가라는 생각이 들었다.
   예의바르지 못한 행동을 하거나 지저분한 옷을 입고 다니면 부모님은 "밖
에 나가서 그러지 마라. 그러면 부모 욕한다"라고 말씀하신다. 세상 사람들은
어린아이를 통해 단순히 그 아이 하나만 보는 것이 아니라 부모 또는 가족
전체를 판단하기 때문이다. 친구를 고르거나 배우자를 선택할 때 그들의
부모를 보는 이유도 그 사람을 더 잘 이해하기 위해서다. 하지만 이 책들을
보면 아이들은 부모에게서 생각보다 훨씬 더 많은 상처를 받고 있으며 그
아픔을 평생 짊어지고 산다고 한다. 심지어 "자기 문제가 해결되지 않았거나
정서적으로 미성숙한 분들은 부모 되기를 미루십시오"[5]라고 권하기도 한다.
다른 사람에게 악영향을 끼칠까 걱정하는 마음은 제쳐두더라도 자신의 문제
조차 해결할 수 없다면 어찌 자녀를 낳고 기를 마음을 가질 수 있을까 싶다.
   나는 『상처받은 아이들』[6]에 등장하는 아이들과 같은 아픔을 겪은 적은

---

   5) 이희경, 『마음속의 그림책』, 80쪽.

없다. 그렇다고 나의 어린 시절이 늘 아름다운 꽃밭이었던 것은 아니다. 나는 어른을 모시고 사는 장남가정의 무남독녀였다. 요즘 같으면 외동아이가 특별할 것도 없지만 당시는 반에서 한두 명 정도 있을 정도로 외동아이가 흔치 않았다.[7] 그래서 나는 어린 시절 '외동'이라는 말을 참으로 싫어했다. 지금도 그렇지만 외동에 대한 다른 사람의 선입견은 특히 학교생활에서는 쥐약과도 같았다. 새 학기에 친구들을 사귀게 되면 동생이 하나 있는 척, 오빠가 근처 이웃학교에 다니는 척했다. 주민등록등본을 등 뒤에 붙이고 다니는 것도 아니었으니 그렇게 속이더라도 누가 알 턱이 없었다.

중학교 2학년 때였다. 신학기 첫날, 청소를 한다고 물걸레를 빨아와 책상을 닦기 시작했다. 친구 하나가 "야, 너도 그런 일 할 줄 아니? 넌 그런 거 안 하는 줄 알았다"라고 말하는 게 아닌가? 나는 당번이 되면 게으름부리지 않고 열심히 청소도 했는데 도대체 왜 그랬을까? 나라는 아이를 겪어보지도 않고 '나 같은 외동아이'는 걸레 같은 건 손에 들어보지도 않았을 것이라는 게 아이들의 일반적인 생각이었나 보다. 당시에는 몹시 불쾌했다. 자신의 선택이 아닌 사항 – 부모를 선택할 수는 없으니까 – 에 대해 남들이 아무렇게나 생각하는 것이 정말 기분 나빴다. 이 때문에 가끔씩 텔레비전 드라마에서 그려지는 외동딸의 모습이 너무 비현실적이고 말도 안 되는 얘기라며 불평하고 다니기도 했다. 사람들은 외동이라서 하고 싶은 건 다하겠다며 부러워하기도 하지만 외동아이들은 혼자이기 때문에 누가 하는 것을 보고 따라할 수도 없어 다른 아이들보다 더 많이 노력해야 한다. 부모가 없으면 스스로

---

6) 니콜 파브르, 『상처받은 아이들: 유년기의 상처를 말하고, 이해하고, 극복하기』, 김주경 옮김(동문선, 2002).

7) 베이비붐 시기 이후에는 '아들딸 구별 말고 둘만 낳아 잘 기르자'라는 것이 가족계획구호였다가 1980년대가 되면서는 '잘 키운 딸 하나 열 아들 안 부럽다'로 바뀌었다. 당시에는 일반적으로 형제자매의 수가 3명은 되었다. 당시 외동아이는 한 학급에서 3~5% 정도밖에 되지 않아 지금 외동아이 문화가 일반적인 것과는 아주 대조적이었다.

해야 한다고 느끼는 외동아이의 무거운 책임감에 대해서는 왜 생각해주지 않는 것일까? 여기에는 매스컴의 부정적인 영향이 지대하다고 어린 시절부터 나는 늘 생각해왔다. 친구들과 잘 지낼 때는 아무런 문제가 없지만 어떤 사건이 생기면 화살이 꼭 내가 외동이라는 문제로 향했다. 그래서일까, 나는 아직도 처음 만나는 사람과 형제자매 이야기가 나오면 말을 돌려버리곤 한다.

어린 시절의 아픔이 이 정도라면 온실 속의 화초처럼 자라온 것일까? 내가 책 속의 그들과 많이 다른 것은 분명하다. 그들의 아픔을 이해한다고 하면 오히려 더 건방진 일일 것이다. 그들의 아픔보다는 부정적인 시각으로 비친 부모들에게 좀 더 마음이 쓰였다. 그래서 다양한 아픔을 가진 다양한 사람들, 특히 공공도서관에서 만나는 여러 사람들의 모두 다른 처지와 환경을 조금씩 이해하려고 노력하기로 했다. 자식이 부모에게 받는 영향이 절대적이라는 사실은 두말할 필요도 없지만 부모의 부정적인 영향에 대해서는 생각해보지 못한 것 같다. 아픔이 있는 아이들의 얘기를 읽고 나자 부모님께 고맙다는 생각이 다시 한 번 들었다.

2000년 5월 21일, 세상은 부모 토막 살해 사건으로 큰 충격에 빠졌다. 일명 '이은석 사건'[8) 때문이었다. 과도한 입시경쟁, 부모와 자녀 및 부부간의 갈등, 가정폭력, 학원폭력, 왕따, 미디어 폭력 그리고 인터넷 중독 등이 사건의 원인이라고 분석하면서 그를 이해하려는 사람도 있다. 하지만 나는 부모와 사회가 그 사건에 대해 일정 부분 책임이 있다면서 그를 감싸주려는 태도에 동의할 수 없다. 한 사람의 인생은 본인 스스로 책임지는 것이며 인간은 결국 부모와는 별개의 독립체 아닌가?

8) 이훈구, 『미안하다고 말하기가 그렇게 어려웠나요』.

4. 독립

봄날 같은 어린 시절이 지나가고 어느덧 나도 어른이 되었다. 어른이 된다는 것은 참으로 힘들고 고단한 일이다. 고등학생 시절에는 입시라는 압박감으로 인해 빨리 어른이 되고 싶어 하는 친구들도 많았고 대학 진학을 앞두고선 단순히 집에서 벗어나고 싶어 부산에 있는 대학에 진학하지 않겠다는 친구들도 보았다. 그런 친구들을 보면서 왜 그런 생각을 하는지 참 의아했다. 무엇이 그토록 그들을 부모와 집으로부터 벗어나고 싶게 만드는 걸까? 어쩌면 당시에는 불가능한 일이었기에 그렇게 얘기할 수 있었던 건 아닐까?

인생에서 심리적·물질적 독립을 하게 되는 시기는 서른 살 안팎이다. 이 시기를 전후해서 대부분의 사람들은 직장에서 안정적으로 자리를 잡고 결혼을 하게 된다.9) 주위의 친구들도 대부분 그랬다. 대학 시절 정신없이 놀러만 다니던 친구들도 이때쯤이면 하나둘씩 사회에서 자신의 위치를 만들어나가고 가정을 꾸려나갔다. 자신들이 계획한 대로 부모의 간섭을 벗어나 독립을 하고 자신의 삶에 책임을 지며 살아나가는 것이다.

'독립한다'는 의미는 신체적·정신적인 독립뿐만 아니라 경제적인 독립을 의미하기도 한다. 경제적 독립이 우선되어야 완벽한 독립을 할 수 있기 때문이다. 나는 완벽한 경제적 독립이라는 것을 하게 되었지만 갑자기 어려워진 집안 형편 때문에 많은 것을 포기해야 했다. 그래서 나는 때때로 그냥 유년 시절의 나로 남아 있었더라면 좋았을 거라는 생각을 품기도 한다.

독립은 자유와 희망 못지않은 크기의 슬픔과 두려움을 내포하고 있다. 부모로부터의 독립은 부모와의 이별을 뜻하며 부모 밑에서 안전하게 보호받고 지내던 어린 시절과의 이별을 뜻하기 때문이다.10) 어린 시절과의 이별은 참으로 혹독했다. 나는 이 때문에 20대를 정말 불행하게 보냈다. 남들은

---

9) 김혜남, 『서른살이 심리학에게 묻다』, 31쪽.

10) 같은 책, 32쪽.

독립해서 새로운 삶을 꾸려갈 시기에 나는 그야말로 먹고사는 문제에 봉착했기 때문이다. 집안 형편이 넉넉하지 못하다가 좀 살 만해지는 것과 원래 괜찮던 형편이 어려워지는 것은 차원이 다르다. 과거에 누렸던 것에 감사해하기보다는 내가 왜 먹고사는 문제에 이토록 매달려야 하는지 화가 났다. 어머니는 내가 그 시절을 보내면서 참 많이 변했다고 말씀하시곤 한다. 예전에는 밝고 명랑한 아이였는데 많이 괴팍해졌다는 것이다.

대학을 졸업할 무렵 근사한 곳에 취직은 되지 않았고 돈은 필요했다. 새벽에는 학원에서 영어공부를 했고 주간에는 직장을 다니면서 밤이면 대학 때부터 해오던 과외 아르바이트를 계속했다. 그러다가 돈이 되는 과외수업을 계속하게 맡게 되었다. 수업이 하나둘씩 늘고 수입이 불어나는 것을 보니 기분이 좋았다. 대기업에 다니는 친구들보다 수입도 좋았고 학생들이나 학부모님들의 인정을 받으니 일도 재미있었다. 돈을 모아서 아파트도 하나 장만하고 수입이 따로 없는 아버지께 용돈을 넉넉히 드릴 수 있는 형편이 된 것도 기뻤다.

배부르면 딴 생각난다고 하던가? 먹고살 만해지니 내 생활을 돌아보게 되었다. 대학 전공과 상관없는 일을 하다 보니 내가 배운 학문이 쓸데없는 것이었는가 하는 생각이 들었던 것이다. 그래서 나이제한이 얼마 남지 않았을 때 공무원 시험을 보게 되었다. 스스로를 위한 큰 도전이었고 온전히 나를 위해 무언가에 도전하는 것이 매우 떳떳하다는 생각도 들었다. 도전의 결과가 성공적이었는지는 아직 잘 모르겠다. 수입이 급격히 줄어들었기 때문이기도 하고 공공도서관 사서가 하는 일 가운데 생각보다 허드렛일이 많기 때문이기도 하다.

새 직장에서 만난 이십대는 참 여유로워 보였다. 월급을 받아서 생활비로 쓰는 것이 아니라 자신에게만 투자하기 때문이었다. 그러다 보니 나만 사회에서 뒤처지고 있다는 생각이 자주 들었다. 본능적인 비교는 서른 살이 되어도 계속되었다.[11] 해가 갈수록 비교를 더 많이 하게 된다. 같은 직장에 10년 정도 늦게 발을 들여놓은 나는 계속 사람들과 비교가 되었다. 내적으로 자존감이 낮고 열등감이 많을수록 남과 비교를 한다는데 내가 그렇다는 생각에 비참해졌다.

인생의 목적은 남들보다 우위에 서는 것이 아니다. 인생이란 그저 느끼고 즐기고 행복해지면 되는 것이다. 그래서 책에서는 남과 비교할 수밖에 없는 인간으로 태어난 마당에 비교의 버릇을 또 한 번 덧대려 하지 말라[12]고 충고한다. 정말 마음먹은 만큼 성공하고 마음먹은 만큼 행복해질 수 있을까? 하루하루 열심히 살다 보면 정말 그런 날이 오는 것일까? 남과 비교하려는 생각이 들 때면 나 자신에게 또는 나와 비슷한 후배들에게 반드시 이 이야기를 해준다. "남들과 출발선이 같을 순 없어. 그렇다고 뭔가 모자라서 그렇게 된 건 아니야. 다른 사람들보다 시작이 조금 늦었을 뿐이야. 조금 늦으면 어때? 나는 다른 사람보다 10년쯤 더 살지도 모르잖아. 그러니 괜찮아."

5. 반복

원했던 독립을 해서 어른이 되더라도 보이지 않는 상처를 안고 있는 사람이 많다. 그런 사람들도 부모가 된다. 부모가 되기 위한 시험이 있는 것도 아니고 부모 역할을 제대로 하지 못한다고 처벌을 받는 것도 아니다.

하느님 같은 부모, 의무를 다하지 않는 부모, 컨트롤만 하는 부모, 알코올 중독자인 부모, 잔인한 말로 상처를 주는 부모, 폭력을 휘두르는 부모[13]는 그야말로 유해한 부모의 유형이다. 부모에게 배울 게 없다고 얘기하는 사람은 있지만 부모가 해가 된다는 말은 잘 하지 않는다. 하지만 『흔들리는 부모들』에서는 스스로 위태로워 아이의 미래까지 위험에 빠뜨리는 독이 되는

---

11) 같은 책, 184쪽.

12) 같은 책, 185쪽.

13) 수잔 포워드, 『흔들리는 부모들』, 목차.

부모의 유형들을 제시하고 있다.

내가 초등학교 다닐 때만 해도 딸아이는 학교에 보내지 않겠다는 부모가 있었다. 초등학교 4학년 때 담임선생님과 함께 며칠 동안 학교에 나오지 않는 그 아이의 집을 방문했는데 친구의 아버지는 그 아이를 공장에 돈벌이 하러 보낸다고 했다. 그저 집안 형편상 학교를 다닐 수 없다고 생각하면서 그 친구를 참 불쌍히 여겼던 기억이 난다. 그 부모라고 해서 다른 집 아이들처럼 보살피고 싶지 않았을까, 오죽하면 그리 했을까 싶기도 하지만 그때는 그 친구 아버지가 나쁜 사람이라고 투덜거렸다. 부모에게는 아이를 양육할 책임이 있는데 그 책임을 다하지 않고 아이에게 일할 것을 강요하는 경우도 있다는 사실이 놀라웠다. 지금도 나는 그 친구의 아버지도 딸아이를 학교에 보내고 싶었지만 그럴 수 없는 힘든 형편이어서 자식을 공장으로 보냈던 것이라고 생각하고 싶다.

부모는 자식을 기르면서 야단을 치기도 하고 매를 들기도 한다. 그런 일도 애정이 있어야 가능하기에 자식들은 이를 인정하면서 받아들인다. 이 사실을 인정하기 힘들어질 때 가정은 위태로워지며 이는 불안정한 성장기에 마음의 상처로 남아 어른이 될 때까지 영향을 끼치기도 한다. 나는 부모에게서 많은 영향을 받는다는 이유로 왜 모든 책임을 부모에게 전가하는지 이해되지 않는다고 수업시간에 말한 적이 있다. 『흔들리는 부모들』에서는 아이를 학대한 부모에 대해 이해하려 하지 말고 분노와 슬픔을 표출해야 하며 그런 부모를 굳이 용서할 필요가 없다고 말한다. 한국 사람의 인식에서는 약간 거부감이 드는 게 사실이다. 책에서는 "흔들리는 부모의 지배로부터 자신을 해방시킨 사람은 부모를 용서하지 않고도 건강과 평화를 되찾을 수 있다. 이런 해방은 자기 내면의 심한 분노, 깊은 슬픔과 정직하게 맞붙어야 가능해진다. 그러자면 먼저 괴로움의 원인을 원래 책임을 져야 할 사람, 즉 해독을 준 부모에게 되돌릴 수 있어야 한다"[14]라고 이야기했다.

---

14) 같은 책, 180쪽.

부모에게 상처를 받았으니 어른이 되어서 나도 그 상처를 늙은 부모에게 되돌려준다는 것은 부모가 어린 자식에게 상처를 주는 것보다 더 나쁜 일이다. 자신이 해방되고자 남을 괴롭히는 것은 또 무엇이란 말인가? 그런 맥락이라면 '흔들리는 부모들' 아래에서 '흔들리는 자식들'이 태어나고 그들이 다시 같은 부모가 되는 악순환을 거듭할 수밖에 없다. 그리고 이런 환경에 처한 아이들을 부모나 가족이 보듬을 수 없다면 사회가 이들을 품어 안아야 한다는 게 개인적인 생각이다.

상처가 있는 사람들은 그 상처를 드러내는 것에 익숙하지 않으며 상처를 드러내는 일을 몹시 두려워한다. "상처에 대해 얘기하고 싶은 마음이 생기는 것은 절대로 나약한 모습이 아니라는 확신을 가져야 합니다. 상처를 털어놓을 수 있다는 것은 오히려 강하다는 것을 뜻합니다."[15] 마음이 상했음을 고백하는 것은 그래서 참 힘든 일이다. 내가 상처받았음을 알리면 타인이 다시 상처를 받을 수도 있다는 사실도 고민해야 한다. 그래서 부모가 아이를 때리거나 친구에게 험한 말을 할 때도 상처를 주지 않으려면 서로의 친밀한 관계가 우선되어야 한다.

6. 휴식

사람들과 친밀한 관계 맺기는 엄마와의 관계에서 시작된다고 한다. 우리 인생에서 부모의 존재는 여전히 크다. 사회생활을 하고 독립을 해서 내 가정을 꾸려 자식을 가지더라도 엄마라는 존재는 여전히 중요한 부분을 차지한다. 엄마와의 친밀함은 인격 성장의 토양이자 영양분이다.[16] 이 영양분이 부족하면 열등감에 사로잡힌 아이로 자라게 된다. 누구나 인간이기에 욕심을

---

15) 배르벨 바르데츠키, 『따귀 맞은 영혼』, 232쪽.

16) 이무석, 『(나를 행복하게 하는) 친밀함』, 278쪽.

부리며 질투를 하게 되는데 그로 인해 타인과 비교를 하며 열등감에 빠지기도 한다. 이는 누구나 빠질 수 있는 인생의 함정이다. 열등감을 통해 부족함을 극복하려 노력하는 사람에게는 열등감이 삶의 에너지가 되기도 한다. 하지만 대부분의 사람에게 열등감은 내적 고통의 원인이 되며 이는 많은 사람을 불행하게 만들기도 한다.

자아존중감이 큰 사람들은 열등감에 빠지지 않고 주체성을 확실히 지니고 있다. 이러한 이들에게서는 원초적인 시기심이 발병하지 않는다. 시기심을 버리고 남이 잘될 때 정말 같이 기뻐해줄 수 있는 사람이 되고 싶다. 정말 괜찮은 사람을 볼 때면 나는 왜 저렇게 하지 못할까라는 열등감을 느끼기도 한다. 세상에는 나만이 할 수 있는 내 몫이 있고 그 몫의 삶을 사는 것이 나의 역할[17]이라는 사실을 언제쯤이면 진정 깨달을 수 있을까? 나는 내가 가진 재능을 얼마나 발휘하며 살고 있는 것일까? 항상 남의 것을 탐내면서 나는 저렇지 못하다는 열등감에 빠져 있는 것은 아닐까?

이무석 박사의 책 두 권은 나 자신이 느끼지 못하는 열등감에 대해 풀이해주었다. 마음속에 있는 시기심과 열등감을 꺼내어놓은 느낌이라고나 할까? 그런데도 부끄럽기보다는 시원했다. 그리고 부모님께 죄송한 생각도 들었다. 유아기와 성장기 때 부모님과의 관계가 소원한 적이 없었는데도 나는 참으로 부족한 사람으로 자랐기 때문이다. 잘난 체하지 않아도 자기는 자기 값을 지니고 있다[18]는 '잘난 체하는 마음속의 아이'를 언제쯤 제대로 발견할 수 있을까? 이번 수업을 통해 조금은 쉬었다 가는 기분이 들었다. 속마음을 뒤집어놓고 나니 조금 여유롭게 앞으로 나갈 수 있을 것 같다. 물론 지금도 앞으로 치달릴 생각만 하고 있긴 하지만 예전에 비해 조금 달라지리라는 기대를 해본다.

---

17) 이무석, 『(마음의 평안과 자유를 얻은) 30년 만의 휴식』, 113쪽.
18) 같은 책, 147쪽.

7. 기대

지금은 없어졌지만 <베스트극장>이라는 MBC의 단막극 프로그램이 있었다. 현재 작가인 친구가 작가가 되기 전부터 좋아하던 프로그램이었다. 친한 친구 사이였지만 나는 책읽기를 별로 좋아하지 않았고 친구는 연속극 보는 것을 좋아하지 않아 텔레비전과 관련된 이야기를 나눌 기회는 거의 없었다. 그런 우리가 이야기를 나눈 텔레비전 프로그램이 딱 하나 있었는데 그것이 바로 <베스트극장>이었다. 주인공이 단짝친구의 거짓말에 속아 자신의 죽음을 알고 인간다운 사람으로 변모해나가는 과정을 그린 작품은 지금까지도 기억이 난다.[19] 그 작품에서 주인공은 자신의 장례식에 아무도 찾아오지 않을 것을 두려워해 다른 사람이 되려고 노력한다. 평소 독선적이고 표정에 따뜻함이라고는 없던 주인공이 가족, 친지, 동료, 친구들에게 완전히 다른 사람이 되어가는 과정이 주된 내용이었다. 당시 드라마를 보면서 나도 똑같은 생각을 해보았다. 그러고는 곧 슬퍼졌다. 드라마 속 주인공과 내가 같다는 생각이 들었기 때문이다. 다른 사람들은 어떤지 물어보고 싶다. 만약 자신이 일주일 후쯤 죽는다면 장례식에 누가 올 거라고 생각하는지.

주위 사람들을 보면 사정이 있으면 결혼식에는 참석하지 않아도 장례식은 빼먹지 않고 참석하려는 것 같다. 좋은 일보다 슬픈 일에 한 사람이라도 더 위로하고 애도를 표시하기 위해서일 것이다. 슬픔을 같이 나누어 조금씩 던다는 것은 참으로 아름다운 일이다. 개인적으로는 우리나라의 장례식보다 어느 영화에서 봤던 서양의 장례식이 더 좋아 보였다. 고인이 과거 어떤 사람이었는가에 대해 얘기해주고 떠나는 이에게 남은 이들이 하고 싶은 얘기를 들려주는 장면은 참 아름다웠다.

호스피스에 관한 내용을 다룬 최화숙의 책[20]은 읽는 동안 너무나 괴로워

---

19) <베스트극장> '얼음마녀의 장례식에 와주세요'(MBC, 2002. 4. 26).

20) 최화숙, 『아름다운 죽음을 위한 안내서』.

잠들기가 힘들 정도였지만 집안에 계신 어른들을 생각하니 이번 기회에 이 책을 읽게 된 것이 다행이다 싶었다. 잘 살아야 아름답게 죽는다고 한다. 어떻게 하면 잘 살 수 있을지는 여전히 고민스럽다.

8. 과제

"삶은 고해다"[21]라는 말은 진리이기에 깨닫기가 힘들다. 우리는 자신의 삶이 항상 행복해야 한다고 생각하기 때문에 "아이고, 왜 이리 사는 게 힘드냐"라는 얘기를 하곤 한다. 해야만 하는 일보다는 하고 싶은 즐거운 일을 먼저 하는 것도 이 때문이다. 힘들어지는 게 싫어서 책임지는 것을 거부하기도 한다. 자신의 앞에 닥친 힘든 일은 빨리 해결하고자 인내하지 않는다. 저자는 평범한 삶의 명제를 이해하고 받아들일 때 더 이상 인생은 고해가 아니라고 말한다. 삶이 힘겹지 않다고 느끼는 사람들은 어떤 사람들일까? 지금 나는 할머니와 아버지가 좀 더 건강하고 나의 수입이 지금보다 배 정도만 된다면 행복할 것 같은데…… 삶은 원래 힘겹다는 사실을 이해하면 정말 행복해질까?

스캇 펙의 책은 이러한 진리를 얻기 위한 훈련방법들을 알려준다. 책으로 읽어 내려가면서도 마치 누군가가 옆에서 조근조근 이야기해주는 듯한 묘한 기분이 들었다. 이 책이 이번 학기에 읽은 마지막 치유서이기 때문인지 『아직도 가야 할 길』이라는 제목 그대로 인생의 숙제를 남겨준 것처럼 느껴졌다.

고통을 미리 피할 수 있다면 고통을 맛보지 않는 게 최선의 방법이다. 또한 몸과 마음이 고통에 단련된 사람이라면 아픔을 더 이상 아픔으로 느끼지 않을 것이다. 하지만 사람들은 힘든 일에 처하고 그 고통을 이겨나가는 동안 많은 것을 배우기 마련이다.

---

21) 스캇 펙, 『아직도 가야 할 길』(2004), 19쪽.

9. 나가며

몇 권의 치유서로 책읽기와 글쓰기를 했지만 아직 자기성찰이나 반성에까지 이르지는 못한 것 같다. 워낙 지식형 책읽기에 길들여져 있어서 그런지 책을 읽어나가는 방법, 그 여운을 간직하는 방법, 책 내용을 정리하는 방법 모두 무척 낯설고 적응하기가 힘들었다.

이상하게도 체험형으로 읽은 책은 말하기도 훨씬 어렵고 글쓰기는 더더욱 어려웠다. 무엇을 어떻게 표현해야 할지 막막했다. 아무리 글재주가 없다지만 지금까지 해보지 않았던 생각과 심정을 갖게 되었는데도 그걸 표현해내지 못한다는 게 참으로 안타까웠다. 부모와 아이들에 관한 책이나 호스피스에 관한 책은 체험형이 아니라 지식형으로 읽었는지 머릿속에 오래 남고 쓸 말도 많았다.

평소의 나는 자신을 잘 드러내는 편이라고 생각한다. 무엇을 어떻게 생각하는지, 왜 그런 행동을 하는지 얼굴 표정이나 행동에서 잘 드러난다. 사회생활에서는 그런 면이 문제가 될 때도 있고 장점이 될 때도 있다. 하지만 독서치료 모임은 낯을 가리는 사람들이 많아서인지 내가 먼저 나를 드러내기가 힘들었다. 내가 힘든 얘기를 하면 사람들이 나를 어떻게 생각할까 싶기도 했고, 객관적인 형편이 나보다 더 괜찮은 사람이다 싶을 때는 좋지 않은 이야기를 하기가 싫었다. 이무석 박사가 말한 필요 없는 열등감 때문이리라. 그래서 최대한 객관화시켜서 얘기를 하고자 애쓴 것 같다. 하지만 나만 그런 건 아니었다. 얘기를 나누는 모든 사람이 그러했다. 학교 선생님들은 대부분 학생들의 얘기를 했으며, 일반 사서선생님들은 주위 사람이나 친구 얘기를 많이 했다. 조금 더 적은 수의 사람들이 모여서 치유적 책읽기와 치유적 글쓰기를 하고 치유적 말하기를 했더라면 개인적인 얘기를 좀 더 많이 나눌 수 있지 않았을까 하는 아쉬움이 남는다.

오랜만에 쓰는 일기는 힘들었다. 내 마음을 표현하기에는 여러모로 부족했지만 이번 기회가 없었더라면 언제 또 내 마음을 돌볼 수 있었을까? 가려운 부분을 읽어서 시원한 기분이라기보다는 오히려 할 수 있을 듯한 말을 표현하지 못한 답답함이 크기도 하다. 하지만 중요한 건 그 답답함 속에서도 내가 좀 더 따뜻한 사람이 된 것 같아 지금은 많이 행복하다는 사실이다.

난생 처음, 내 마음속을 들여다보다

장윤주

1. 들어가며

지극히 평범한 삶이라고 생각했다. 물 흐르듯 그렇게 흘러가고 있다고 생각했고 또 그렇게 계속해서 흘러갈 것이라고 기대했다. 특별할 것 없이 지극히 평범한 삶, 그것이 내가 살고 있는 내 인생의 모습이라고 생각하며 살아왔다. 독서치료를 만나기 전까지는 내 안의 상처를 숨기려고 했으며 나에게는 별 문제가 없다고 스스로를 다독였다.

나는 '나에게 주어진 하루하루를 열심히 충실하게 살아가면 된다'는 지론에 따라 살아왔다. 지나간 과거를 굳이 들추어내면서 그리고 아직 오지도 않은 미래를 걱정하며 시간을 보내고 싶지는 않았다. 그건 낭비라고 생각했다. 몇 달 전까지만 해도, 독서치료를 만나기 전까지만 해도…….

하지만 과거를 들추는 건 그저 그런 시간 낭비가 아니었다. 25년을 살면서 나 자신에 대해 이토록 진지하게 고민한 적은 없었다. 독서치료 과정은 내 인생과 내가 살아온 시간과 내가 살아갈 시간들에 대해 깊이 있게 생각해볼 수 있는 시간이었다. 4개월이 채 안 되는 기간이었지만 이 기간을 통해 나라는 존재에 대해, 내 주변의 사람들에 대해 참 많은 생각을 하게 되었다. 그리고 과거의 나, 지금의 나, 그리고 앞으로의 나의 모습에 대해 생각하게 되었다. 자상한 나의 부모님과 내 반쪽인 쌍둥이 여동생, 듬직한 남동생에 대해 생각해보았으며, 사랑하는 나의 연인과 나의 친구들에 대해서도 생각하는 기회를 갖게 되었다.

분명 평범한 삶은 아니었다. 다만 그렇게 생각하고 묻어두고 싶었던 것이다. 지극히 평범한 삶이라고, 크게 상처받은 일도 상처준 일도 없다고, 남들만큼 행복하게 잘 살아왔다고 스스로 위안을 삼고 싶었던 것 같다. 하지만 지금 생각해보면 그렇게 묻어두는 게 마냥 좋은 것만은 아니었다.

상처를 숨기고 묻어두다 보면 언젠가 곪고 곪아 터지기 마련이다. 그러기 전에 상처 난 부위에 약을 바르고 정성스레 치료를 해준다면 흉터는 조금 남겠지만 새살이 돋아날 것이다. 이번 학기에 만난 책들은 내 상처에 약이 되어주었고 새살이 돋아날 수 있게 도와주었다.

지금부터 나는 독서치료 수업을 받은 넉 달 동안[1] 머릿속으로만 생각했던 내 인생의 상처를 다시 한 번 돌아보고 정리할 것이다. 아주 어릴 때부터 성인이 될 때까지 내 삶에 영향을 준 일과 상처는 무엇이며 그것이 지금의 내 모습과 내가 살아가는 삶의 방식에 어떤 영향을 미쳤는지에 대해 생각해볼 것이다. 그리고 이런 상처를 치료할 수 있도록 처방된 다양한 치유서에 대해 생각해볼 것이다. 이런 치유서들이 나에게 어떤 생각을 들게 만들었는지, 내가 나의 상처를 돌보고 치유하는 데 어떤 영향을 주었는지에 대해 나만의 언어로 이야기할 것이다. 같은 책이라도 100명의 독자가 읽었다면

---

1) 나는 교육대학원에 입학한 2008년 3월 첫 학기에 김정근 교수님이 개설한 '독서교육론'을 수강했다. 그 수업에서 본격적으로 독서치료를 접하게 되었다. 15명 정도의 수강생과 함께한 수업은 일주일에 한 권씩 책을 읽고 모여 이야기를 나누는 방식으로 진행되었다.

받는 느낌은 모두 다를 것이다. 따라서 여기서 소개하는 책에 대한 나의 느낌이나 생각은 다른 독자들과 다를 수도 있으며 내 느낌이 정답이라고 할 수도 없다. 나는 단지 내가 이 책들을 어떻게 받아들였는지, 그것들이 내 삶과 상처 치료에 어떤 영향을 주었는지 이야기할 것이다. 마지막으로는 독서치료를 경험하면서 든 생각과 앞으로 독서치료를 내 삶에 어떻게 적용하면 좋을지 고민한 내용도 이야기해볼 것이다.

2. 나의 출생과 지난 시간들

우리 쌍둥이를 낳았을 때의 이야기는 부모님으로부터 몇 번을 들었는지 모르겠다. 그때 두 분의 놀람과 흥분이 어느 정도였는지 나는 라디오 방송을 통해 추측할 수 있었다. 우리 쌍둥이를 낳았을 때의 이야기를 엄마는 사연으로 써서 라디오 방송국에 보냈고 그때 방송된 테이프를 우리 가족은 아직까지 갖고 있다. 나는 초등학교 때부터인가 그 테이프를 듣기 시작했다.

부모님은 우리가 쌍둥이인지 몰랐다고 한다. 그래서 출산을 위해 병원에 갔을 때도 아기 옷을 한 벌만 준비해 가셨다. 그리고선 아이를 낳았는데 한 명이 더 있어서 그제야 쌍둥이인 줄 알았다는 것이다. 그때 우리 집 형편이 그다지 좋지 못해서 부모님은 우리 둘 중 하나를 버리려고 하셨다. 엄마는 내가 못생겨서 나를 버리려고 했고 아빠는 그래도 내가 장녀니깐 동생을 버리자고 했다. 그런데 할아버지께서 그러면 안 된다고 다그치고 혼내서서 어쩔 수 없이 우리 둘 다 집으로 데려왔다. 아빠는 처음에는 너무 창피해서 동네 큰길로 걸어 다니지도 못하고 뒷산을 뼁 둘러 다니셨다고 한다. 이렇게 구사일생으로 살아남은 나는 할아버지, 부모님, 쌍둥이 동생 민주, 그리고 다섯 살 아래 남동생과 함께 살았다.

어린 시절은 참 재미있게 보냈다. 시골에서 친구들과 산과 들을 뛰어다니면서 재미있게 놀았다. 그러다 초등학교 4학년 때 이사를 하면서 전학을 가게 되었다. 쌍둥이라는 사실이 부끄러웠던 것은 그때부터였던 것 같다. 전학을 가자 새로운 학교 친구들은 우리가 쌍둥이라는 사실을 알고 구름떼같이 몰려와 우리를 구경했다. 정말 부끄러웠다. 창문에 매달려 나를 바라보던 그 아이들의 모습이 아직도 생생히 기억난다. 그다지 특별하다고 생각하지 않고 살았는데 똑같다는 게 부끄러운 것인가에 대해 처음으로 생각했다. 그때부터 우리는 학교에서 마주쳐도 서로 인사조차 하지 않았다. 길에서 마주쳐도 마찬가지였다. 집에서 학교까지 등교도 따로따로 했고 하교를 할 때도 따로따로 했다. 그러다 서로 다른 중학교에 입학하게 되었다. 우리는 다른 학교로 간다는 것, 떨어져 있을 수 있다는 것에 크게 기뻐했다. 중학교에 가서는 내가 쌍둥이라는 사실을 말하지 않았다. 굳이 내 입으로 그런 사실을 친구들에게 말할 필요는 없다고 생각했다. 중학교 3년은 그렇게 지나갔다.

그러다 우리는 같은 고등학교에서 다시 만났다. 어쩔 수 없는 일이었다. 비평준화 지역에서 고만고만한 성적으로 갈 수 있는 학교는 정해져 있었기 때문이다. 초등학교 때보다 조금은 나아졌지만 그래도 우리는 따로 떨어져 있기를 바랐다. 그래서 동생은 이과를, 나는 문과를 택했다. 대학을 갈 때도 동생은 부산에 있는 대학을 나는 대구에 있는 대학을 택했다. 난 동생을 아끼고 사랑하지만 주변의 시선이 부담스러운 것은 사실이다. 우리를 신기하게 쳐다보는 눈빛도 싫었고 우리 둘을 놓고 비교하듯 쳐다보는 것도 싫었다. 누구나 다 그런 것일까? 똑같은 두 개가 있으면 어떻게든 다른 점을 찾고 1등, 2등 순서를 매기려고 하는 것일까? 아무튼 난 그런 대상이 되고 싶지 않았고 그래서 더 동생과 함께 있고 싶지 않았다. 대학을 진학하고 나서는 동생과 떨어져 살았기에 비교당하면서 느끼는 아픔을 더 이상 느끼지 않아도 되었다. 그리고 그런 일들에 대해 나이가 들어갈수록 조금은 초연해지고 있다는 생각이 들었다.

대학교 1학년 때는 처음으로 사랑이라는 것을 해봤다. 이런 것이 사랑이구나라는 생각이 들 만큼 너무너무 행복하고 즐거운 하루하루를 보냈다. 부모님과 떨어져 기숙사 생활을 하고 있었던 탓인지 남자친구에게 많이 의지하고 기댔다. 그렇게 1년을 사귄 뒤 남자친구가 군대를 갔다. 군대에 간 남자친구를 기다리면서 하루에도 편지를 두 통씩 썼다. 남자친구가 휴가 나올 날만을 기다리면서. 하지만 남자친구는 휴가를 나와서 나에게 이별을 통보했다. 글쎄, 무엇이 잘못되었던 건지 모르겠다. 그냥 내가 싫어졌다고 했고 다시는 보고 싶지 않을 것이라고 했다. 엄청난 충격이었다. 얼마나 울었는지 모른다. 시험 기간이었는데도 잠도 안 자고 남자친구 집 앞에서 밤새도록 남자친구를 기다렸고 남자친구에게 울고불고 매달렸다. 그래도 그 사람은 결국 나를 버렸다. 그때 그런 생각이 들었다. 진짜 나를 사랑한 게 아닐지도 모른다는 생각. 그 후론 누구를 만나도 그런 생각이 들었다. 그리고 이 사람도 이전의 그 사람처럼 나를 버리고 떠날지도 모른다는 생각에 항상 전전긍긍했다. 진정한 사랑은 없으며 진심으로 나를 사랑해주는 사람도 없을 거라고 생각했다. 누구나 다 그렇게 싫증나면 떠날 수도 있다는 생각을 머릿속으로 하고 있었기에 누구를 만나도 제대로 마음으로 사랑하지 못했다. 그렇게 첫 사랑에 실패한 후 여러 사람을 만났지만 매번 상대방을 믿지 못하고 불안해했다. 그리고 결국 상대방이 떠날 수밖에 없도록 만들었다.

지금 나는 만나는 사람이 있다. 졸업 후 2년 6개월 동안 아무도 만나지 않다가 만난 사람이다. 이 사람은 지금까지 만난 사람들과 다르다. 나를 진심으로 아껴주고 사랑해주고 있다. 하지만 아직도 그때의 상처가 남아서인지 마음 한편에서는 혹시나 하는 생각이 아주 가끔 들기도 한다. 나도 이런 생각을 하는 내 자신이 싫다. 마음상함이라는 건 치유하기가 여간 힘든 게 아닌가 보다. 상처 난 부위에 약을 바르고 딱지가 떨어지고 새살이 돋아나는 것처럼 그렇게 쉬운 일이 아닌 것 같다. 부단한 노력과 시간이 필요하다는 걸 다시 한 번 느낀다.

3. 내가 경험한 상처

1) 비교될 수밖에 없는 상황에서 받은 상처

나는 언제나 동생과 함께였다. 엄마 뱃속에서부터 함께였고 지금도 여전히 함께하고 있는 나의 여동생. 나의 분신이자 나의 반쪽. 우리는 어릴 때부터 비교 아닌 비교를 당할 수밖에 없는 입장이었다.

태어나서부터 우리는 똑같은 옷을 입고 똑같은 신발을 신고 똑같은 머리 모양을 했다. 그렇게 똑같은 모습인데도 주위의 사람들은 다른 점을 찾으려고 했다. 누가 더 키가 큰지, 누가 더 몸무게가 나가는지, 누가 더 밥을 잘 먹는지에서부터 공부는 누가 더 잘하는지, 상은 누가 더 많이 받았는지, 누가 더 좋은 학교에 들어갔는지, 지금은 누가 더 돈을 많이 버는지까지. 비교를 하자면 끝이 없는 것 같다.

항상 그렇게 비교를 당하면서 상처받았던 듯하다. 내가 더 못하는 부분에 있어서는 주눅이 들고 내가 더 잘하거나 뛰어난 부분에서는 동생에게 미안한 마음을 느끼면서 말이다.

우리는 같은 고등학교로 진학했다. 첫 시험에서 동생은 반에서 2등을 했고 난 10등 정도 했다. 그땐 정말 부끄러워서 학교에 가기가 싫었다. 언니가 왜 동생보다 공부를 못하냐고, 동생한테 좀 배우라고 부모님, 선생님, 친구들에게 똑같은 이야기를 몇 번이나 들었는지 모른다. 그러면서 동생을 조금씩 미워한 것 같다.

그런데 생각해보면 이런 피해의식을 나만 가지고 있었던 건 아닐 것이다. 동생도 그랬을 것이다. 나는 잊고 지나갔지만 동생에게는 큰 상처가 되는 일도 많았을 것이다. 쌍둥이로 태어나서 느끼는 이런 감정들…… 우리 중 누구도 이런 상황을 원치 않았지만 이렇게 태어났기에 어쩔 수 없이 느끼게 되는 감정들인 것 같다.

2) 사랑의 아픔과 상처

상대방의 마음을 의심하고 믿지 못한다는 것은 나에게도 상대방에게도 참으로 슬픈 일이다. 한번 깊이 베인 상처는 쉽게 낫지 않고 자꾸만 덧나게 되는 것 같다. '남자들은 모두 똑같다. 나를 사랑하지만 그 마음은 변하게 될 것이고 그러면 언젠가는 나를 떠나게 될 것이다.' 처음 사랑에 실패한 이후로 줄곧 그렇게 생각하며 살아왔다. 그때부터 나는 마음의 문을 제대로 열지 못했다. 또 나를 버리고 떠나갈 사람인데 만날 필요가 있을까라고 생각했고 조금이라도 상처를 덜 받기 위해 주고 싶은 것이 있어도 다 주지 못했다. 내 마음을 제대로 열지 못하고 만나서 그런지 누구를 만나면 항상 상대방이 떠날까봐 걱정부터 하기에 바빴다. 그리고 그렇게 상대방이 떠나면 '역시 떠났군' 하면서 나 자신을 위로하곤 했다.

4. 나와 접속된 독서치료

독서치료를 처음으로 접한 것은 2008년 겨울이었다. 방학기간에 들을 연수를 찾고 있던 중 독서치료 과정이 있어서 본격적으로 공부한 것이 계기가 되었다. 그렇지만 이 연수는 원격으로 실시되어서 독서치료 과정을 직접 경험하기보다는 독서와 독서치료에 관련된 이론들을 살펴보는 것이 고작이었다. 60시간의 연수[2]를 들으면서도 독서치료가 과연 어떤 것인가에 대한 답을 얻지는 못했다. 그리고 이번 학기에 다시 독서치료[3]를 만났다. 사실 별 기대 없이 듣게 된 수업이었다. 독서치료 연수를 들으면서 큰 감흥을

---

[2] 티처빌원격교육연수원을 통해 '독서치료상담과정' 연수를 받았다. 이 과정은 2008년 1월부터 2월 말까지 진행되었으며 총 60시간 동안 연수를 받았다.

[3] '치유적 책읽기 – 치유적 글쓰기 – 치유적 말하기'의 세 단계로 진행되었다.

얻었다거나 새로운 무언가를 발견하지 못한 나로서는 그저 그런 대학원 강의 중 하나였던 것이다.

처음에는 수업에 잘 적응하지 못했다. 그저 듣는 것에만 익숙했던 내가, 그리고 적극적이거나 솔직하지 못한 내가 이 수업에 참여하기까지는 약간의 시간이 필요했다. 그렇지만 책이 나에게 힘을 주었고 다른 사람들과 함께 한다는 것에서 자신감을 얻었다.[4] 각자 다른 우리는 한 권의 책을 통해 함께 이야기하고 마음을 나눌 수 있었다.

책이 가진 무한한 힘을 나는 믿고 있다. 그래서 늘 나에게 깊은 감동과 울림을 주는 책을 찾기 위해 노력했으며 그 과정에서 실패를 경험하기도 하고 성공을 경험하기도 했다. 하지만 독서치료는 전혀 새로운 경험이었다. 독서치료를 통해 만난 책들은 지금까지 내가 접한 책들과는 많이 달랐다. 나를 돌아보게 하고 내 마음을 들여다보게 만들었다. 매주 한 권의 책을 읽으며 그리고 한 편의 글을 쓰며 나 자신을 돌아보는 시간을 가졌다. 생각할 수 있는 시간을 가진다는 것, 참 오랜만이었다. 나에 대해 생각하고, 나의 부모님과 동생들에 대해 생각하고, 나의 연인에 대해 생각하고, 나의 친구에 대해 생각했다. 내가 살아온 과거, 내가 살고 있는 현재, 내가 앞으로 살아갈 미래에 대해 생각했다. 그런 뒤 마음을 정리할 수 있었다. 그리고 그 마음을 글로 표현했다. 글로 표현하면서 머릿속에서 뒤죽박죽이던 생각이 하나 둘 정리되었다. 치료된다는 것이 무엇인지는 사실 잘 모르겠다. 독서치료를 하면서 내 마음상함을 치료했다는 것은 내가 어떻게 변했다는 것을 의미할까? 잘은 모르겠지만 그냥 완전한 치료가 아니어도 좋다. 이렇게 한 걸음씩 천천히 나가면 될 것 같다. 내 안에 있는 것들을 한 번씩 살펴볼 수 있는 시간을

---

4) 개인의 요구와 상황에 적합한 독서자료를 선정하고 진행자가 집중적으로 개입하는 개인치료 형태의 독서치료도 있지만, 대부분의 독서치료 프로그램은 치료를 희망하는 구성원들이 집단의 다른 구성원들과 같은 책을 함께 읽는 형태다. 집단치료는 신뢰와 지지가 이루어지는 집단 내에서의 역동을 통해 소속감과 안정감, 삶의 보편성을 체험하는 장이 될 수 있다.

가진 것만 해도 감사하다.

한 권의 책을 읽으면서 나의 마음상함을 돌아보고 느낀 것 이상으로 나에게 많은 도움을 준 것은 이 시간을 함께 나눈 사람들이었다. 처음엔 마음을 나눈다는 것에 대해 두려움을 가졌다. 내 속에 담아둔 말들을 꺼내 보이는 게 어렵고 힘들었다. 처음 보는 사람들이었고 또 그들이 어떤 생각을 가지고 내 이야기를 들을까 걱정되기도 했다. 그렇지만 내 이야기에 귀 기울여주고 고개를 끄덕여주는 모습에 힘을 얻었다. 그래서 조금씩 말하는 것에도 익숙해졌다.

그들이 하는 이야기들 역시 놀랍고 흥미로웠다. 사람은 겉으로 보이는 게 다가 아니며 각자 생각하는 방식이 다 다르다는 사실을 새삼스레 느꼈다. 한 권의 책을 읽고도 그 책을 해석하는 방법이 이렇게 차이가 날 수 있다는 것을 알게 되었고 책에 대한 느낌에는 정답이 없다는 사실도 알게 되었다. 이 책들은 그냥 자기 방식대로 자신의 생각대로 읽으면 되었다. 나와 비슷한 생각을 가진 사람의 이야기에는 공감을 할 수 있어 좋았고 다른 생각을 가진 사람의 이야기에서는 새로운 사실들을 알 수 있어 좋았다. 함께 수업을 들으면서 많은 이야기를 나눈 사람들에게 고맙다는 말을 전하고 싶다. 함께했기에 더 수월했고 함께였기에 더 힘이 되는 시간들이었다.

5. 나에게 처방된 치유서

1) 신현림, 『내 서른 살은 어디로 갔나』

처음으로 접한 치유서였다. 이 책에서 처음 읽었던 내용은 신현림의 음울했던 기억, 실패, 그리고 죽음에 가까웠던 20대에 대한 글이었다. 나는 4수를 한 적도, 꿉꿉한 자취방에서 살아본 적도, 불면증에 시달린 적도 없었다. 그래서인지 이 책에 흥미가 생기지 않았고 그대로 책을 덮어버렸다.

수업시간에 이 책을 다 읽은 사람들로부터 들은 이야기로는 이 책에는 시인이 엄청난 고통을 이겨낸 뒤 얻은 깨우침이 담겨 있다고 한다. 30대에 읽어도 좋고 20대에 읽어도 좋을 만한 책이라는 말에 다시 한 번 이 책을 펴보려고 한다. 이제는 이 책을 다시 읽을 수 있을 것 같다.

2) 이훈구, 『미안하다고 말하기가 그렇게 어려웠나요』

부모와 자녀의 관계에 대해 생각해보게 만드는 책이다. 실제 있었던 사건을 한 권의 책으로 엮었다. 명문대생의 부모 토막살인 사건. 처음에는 끔찍하다는 생각뿐이었다. 그리고 범인은 패륜아에 불과하다고 생각했다. 하지만 그 생각을 바꾸는 데는 오랜 시간이 걸리지 않았다.

우리는 한 가정 속에서 부모님의 사랑을 받으며 살아간다. 하지만 그의 부모는 실제로 그를 사랑했는지 어땠는지는 알 수 없지만 그에게 단 한 번도 따뜻한 말을 건네거나 배려하고 사랑하는 마음을 표현한 적이 없었다. 자녀에 대한 부모의 당연한 의무이기도 한 사랑을 준 적이 단 한 번도 없었던 것이다. 오히려 차가운 말로 그를 정신적으로 핍박했으며 언제나 그를 못난 아이로만 여겼다. 자녀를 감싸주어야 할 부모가 자식의 열등감을 들추어내고 비웃음의 대상으로 삼았으니 그는 어머니, 아버지를 세상에서 가장 두려운 존재로 인식하며 살아왔다.

일반 사람에게 어머니란 얼마나 따뜻하고 고향 같은 존재인가. 정신적인 지주로 여겨야 할 어머니를 이처럼 두려워했던 걸 보면 그의 어머니가 은석에게 너무도 큰 정신적 학대를 해왔고 그랬기 때문에 그의 정신세계 또한 온전치 못했다는 것을 알 수 있다. 이런 가정환경에서 자랐기에 그는 세상을 신뢰하지 못했고 어느 누구에게도 쉽사리 마음의 문을 열지 못했다. 그의 일기를 보니 그가 얼마나 비뚤어진 시선으로 세상을 바라보고 있는지 알 수 있었다. 그는 아주 세세한 일 하나하나에 대해서도 매우 큰 의미를 뒀다. 물론 거의 모든 것이 부정적인 의미였다. 사랑을 받아본 사람만이 사랑을 베풀 수 있다고 한다. 하지만 은석은 사랑을 받아본 기억이 단 한 번도 없었기에 사랑이 무엇인지 사랑을 어떻게 해야 하는지 전혀 알지 못했던 것이다.

일반적으로 사람들은 매우 쉽게 부모가 되지만 좋은 부모가 되는 데는 그만큼의 노력이 필요하다. 또한 사랑에 기반을 둔 부부만이 자녀에게도 좋은 부모가 될 수 있다는 것을 느꼈다. 『미안하다고 말하기가 그렇게 어려웠나요』라는 책의 제목처럼 부모 또한 자신이 잘못했을 때는 잘못을 시인하며 미안하다고 말할 수 있는 용기가 필요하다. 또한 신체적인 학대만이 자녀를 멍들게 하는 것이 아니라 지나가는 말 한마디도 자녀의 가슴에 비수를 꽂을 수 있다는 사실을 유념하고 자녀를 하나의 인격체로 존중해주는 부모가 되도록 이 세상의 많은 부모들은 노력해야 할 것이다. 한 아이의 부모가 되기 전에 이런 책을 접할 수 있었음에 감사한다. 좋은 부모가 되기 위한 공부를 해야겠다.

3) 김혜남, 『서른살이 심리학에게 묻다』

독서치료를 하면서 여러 권의 책을 읽었다. 그중에서 내가 가장 많이 고개를 끄덕인 책이 바로 이 책이다. 서른이 되지는 않았지만 서른이 가질 수 있는 고민을 갖고 있던 나였기에 이 책을 읽으면서 정말 많이 공감했다. 삶과 일, 사랑과 인간관계에서의 고민에 대해 조금이나마 답을 찾을 수 있었다. 완벽한 정답을 찾진 못했지만 그래도 속이 좀 시원해졌다고 해야 할까? 내가 가진 문제가 나만의 문제가 아니라는 것, 누구나 다 그런 고민을 가지고 있다는 사실에 안심했다. 사랑이 무엇인지, 사랑한다는 것은 무엇인지에 대해 다시금 생각하게 해주었으며 내가 가진 사랑에 대한 두려움과 조급함을 덜어내는 데 조금이나마 도움을 주었다.

"인생의 마지막 장에 앙상한 뼈만 남았을 때 우리에게 위안이 되는 것은 과연 무엇일까? 만약 죽을 때 그 마지막 순간에 가지고 가야 할 기억이 있다면 무엇을 꼽을까? 학교에서 1등 했던 기억? 일에서 성공한 기억? 복권에 당첨되었을 때의 기억? 글쎄……. 아무리 영광스런 기억이 있다 한들 죽음을 앞두고 있는 나에게 그것이 위로가 될까? 그보다는 죽어가는 내 옆에서 두려움에 벌벌 떠는 나의 손을 잡아줄 사람이 있다면, 그리고 내 귀에 사랑한다고 속삭여주고 나 또한 사랑한다고 말해줄 사람이 있다면 그것이 진정 나의 삶이 완성되는 순간이 아닐까?" 내가 다이어리에 써놓고 항상 보는 글이다.

4) 수잔 포워드, 『흔들리는 부모들』

완벽한 사람은 없다. 자식에게 완벽한 부모도 없다. 그렇지만 유해한 부모가 되어서는 안 된다는 생각이 들었다. 마음아픔의 대부분이 어린 시절 부모로부터 시작되었다는 사실을 많은 책을 보며 확인할 수 있었다. 부모가 된다는 것, 한 아이의 엄마가 되고 아빠가 된다는 것에 대해 지금까지 너무 쉽게만 생각했던 것 같다. 부모라는 역할은 결혼을 하고 아이를 낳고 그 아이를 기르면서 하나하나 배워나가면 된다고만 생각했던 나 자신이 너무나 부끄러웠다. 또한 미래에 태어날 내 자녀에게도 미안한 마음이 들었다.

읽는 동안 여러 가지 많은 생각을 하게 만드는 책이었다. 나의 어린 시절에 대해 다시 한 번 생각해보게 되었고 나의 미래의 모습을 다시 한 번 꿈꾸게 되었다. 지금 이 책을 만날 수 있어 다행이었다. 미래의 내 자녀를 양육하는 데 많은 도움이 될 것 같다. 나는 흔들리는 부모가 되고 싶지는 않다. 나는 자녀에게 마음을 열고 자녀에게 사과도 할 수 있는 그런 부모가 되고 싶다.

5) 배르벨 바르데츠키, 『따귀 맞은 영혼』

관계 맺기에 대해 생각하게 만드는 책이다. 내가 상처를 준 일, 내가 상처를 받은 일을 떠올리면서 어떻게 하면 관계 맺기를 좀 더 잘할 수 있을지에 대해 고민했다. 난 항상 내 위주로 내 기분만 생각하다 보면 상대방에게 쉽게 상처를 주곤 한다. 지금 생각해보면 내가 상처를 가장 많이 주는 사람은 내가 가장 아끼고 사랑하는 사람들이 아닌가 싶다. 그들은 나를 다 이해해줄 것이라고 스스로 단정 짓기 때문일 것이다. 내가 피곤하고 힘들고 지칠 때면 상대방을 배려하기보다는 이런 나의 모습을 이해해주겠지라고 생각하며 마구 대한 것 같다. 그런 나의 행동으로 상처받을 상대의 입장은 생각하지 못한 채 말이다. 의도하지 않았지만 내가 누군가에게 상처를 줄 수도 있다고 생각하니 내가 맺은 모든 관계에서 조심해야겠다고 다짐하게 되었다. 우리 모두 쉽게 상처를 줄 수 있는 사람, 그리고 쉽게 상처를 받을 수 있는 사람이라는 사실을 명심하면서.

다른 이에게 상처 주는 내 모습 뒤엔 상처받고 아파하는 내 모습도 있다. 정신분석 관련 책들을 읽다 보면 과거의 기억이 현재와 미래를 지배한다는 사실을 항상 느낀다. 또한 유아기, 아동기의 부모의 역할과 환경의 중요성을 다시 한 번 느끼게 된다. 어린 시절 부모로부터의 마음상함을 겪은 경험은 무의식속에 그대로 남아 자꾸만 마음을 다치게 만든다고 한다. 나는 어떨 때 속이 상할까? 절대 마음을 상하지 않겠다고 다짐하면서 상처를 묻어두지만 말고 한번 찬찬히 마음을 들여다볼 필요가 있다. 치료되지 않고 아물지 않은 상처는 덧나고 재발할 수밖에 없다. 상처에 대해 건강하게 대처하는 방법을 새롭게 배울 필요가 있다. 또한 감정에 압도당해 혼자 숨어버리거나 상처를 묻어버리지 말고 이 책에서 말하는 마음상함에 대처하는 방법을 활용해볼 필요가 있다. 마음상함을 고백하거나 관계를 끊는 대신 거리를 두는 식의 유연한 방법을 통해 상처를 치유할 수 있도록 노력해야겠다는 생각이 들었다.

6) 이무석, 『친밀함』

주변의 사람들과 나의 인간관계에 대해 생각하게 해준 책이다. 이 책을 읽을 즈음 내가 읽은 책들이 모두 사람과 사람 사이의 관계에 대해 쓴 글들이라 다시금 나의 어린 시절로 거슬러 올라가서 나와 나를 둘러싼 사람들의 관계에 대해 생각해보게 되었다.

태어나서 가장 먼저 형성되는 애착관계의 대상은 어머니라고 한다. 많은 정신분석학자들은 자신감 있는 아이가 되느냐 열등감에 사로잡혀 사는 아이가 되느냐의 여부는 갓난아이 때 엄마에게서 어느 만큼의 친밀함을 느꼈는가에 달려 있다고 말한다. 뇌가 왕성하게 발달하는 그 시기에 경험한 친밀함이 뇌 속 깊이 새겨진다는 것이다.

나는 태어나서 엄마와 어떤 애착관계를 가졌을지 생각해보았다. 사실 잘 기억이 나지 않는다. 그렇지만 추측하건대 쌍둥이 동생과 어머니의 사랑을 반씩 나눠가졌을 것이다. 둘 다에게 사랑을 쏟았을 테지만 자식 한 명을 키우는 다른 엄마에 비해 둘을 동시에 봐야 하는 나의 엄마는 관심과 사랑을 반으로 쪼갤 수밖에 없었을 것이다. 그런 것이 지금 나의 모습에 어떤 영향을 주었을까? 나의 관계맺음은 어떤 모습일까?

생각해보면 나는 처음 만나는 사람과 가까워지는 데 무척 오랜 시간이 걸린다. 나 자신을 다른 사람에게 솔직하게 보여주는 것에 어려움을 느낀다고 할 수 있다. 상대방이 정말 믿을 만한 사람인가를 확인하고 나서야 나의 면모를 한 가지씩 보여주기 시작한다. 그래서 그런지 나는 새로운 사람을 사귀려고 노력하기보다는 지금 내가 아는 사람들과의 관계를 유지하고 지속하려는 경향이 강하다.

무엇이 문제일까? 나는 나 자신을 과대포장하거나 나의 좋은 모습만을 상대방에게 보여주기 위해 노력했던 것 같다. 그 때문에 다른 사람뿐만 아니라 나 스스로에게도 너무 인색하지 않았나 하는 생각이 든다. 이제는 나의 강점과 약점을 있는 그대로 드러낼 수 있을 것 같다. 그것도 내가 가진 나의 모습이니까. 그런 후에는 인간관계를 맺기가 좀 더 편하고 친밀해지지 않을까 싶다.

좋은 말, 느낌 있는 말이 참 많은 책이다. 이 책에는 "사랑은 시간을 내주는 것이다"라는 구절이 있다. 어떤 사람과 친해지려면 그에게 시간을 내야 한다.

함께 보내는 시간이 없으면 친밀함이 생길 수 없다. 그러려면 시간표를 창조적으로 짜야 한다. 시간의 여유분을 만들어서 함께 보내는 시간을 가져야 한다. 누군가와 함께 있을 때 재미나고 다시 그와 만나고 싶어진다면 그와의 친밀함이 시작된 것이다. 난 아마도 지금 누군가와의 친밀함이 시작된 것 같다.

7) 이무석, 『30년 만의 휴식』

책을 읽으며 많은 부분 공감했다. 항상 비교당하는 것에 대한 상처를 갖고 있던 내가 가장 많이 공감한 부분은 열등감이었다. 비교를 당하면 우월감과 열등감의 감정을 교대로 경험하는 것 같다. 내가 동생보다 나으면 조금의 우월감과 함께 미안함으로, 내가 동생보다 못하면 열등감과 자괴감으로 힘들어한다. 이런 열등감은 비단 쌍둥이 동생뿐만 아니라 내가 아닌 다른 모든 이들로부터 느낀다. 비교당하는 것을 무척이나 싫어하면서도 나는 나 자신을 누군가와 끊임없이 비교하면서 힘들어했다. 이는 어릴 때의 경험이 지금의 나에게 무의식중에 영향을 미치기 때문이기도 했고 저자가 말한 것처럼 지금 사회가 모든 사람에게 이런 생각이 들게끔 만들고 있기 때문이기도 했다. 책에서 지적하는 것처럼 세상이 예쁜 여자에게 인기를 몰아주고, 공부 잘하는 아이에게 우등상을 주고, 돈 많은 사람에게 혜택을 주기 때문에 어느새 여기에 길들여진 우리는 자신의 가치를 그런 조건에 팔아버리고 있는 것이다. 그렇기에 잘생기고 예쁜 여자 앞에서는 주눅이 들고, 돈 많은 자에게는 아부를 하고, 힘 있는 자 앞에서는 비굴해지는 열등감의 노예가 되고 만다. 슬픈 현실이다. 자신의 평가 기준을 돈, 학벌, 외모로 삼아서는 안 된다. 그보다는 한 인간으로서 자신의 가치를 인정하는 것이 중요하다. 각자 자신의 인생을 사는 것이다. 인생이 값진 것은 조건이 아닌 인생의 개별성 때문이다. 이 책에서 나는 소중한 나의 인생을 소중하게 여기는 법을 배웠다. 가만히 생각해보면 이 세상에서 나에게 제일 소중하고 귀한 존재는 다른 누구도 아닌 나 자신이다. 지금까지 나 스스로에게 너무 야박하지는 않았나 하는 생각이 든다. 난 항상 사랑하고 아껴야 할 존재인 것이다. 나에게 말을 걸어 내 자신을 바로 볼 수 있도록 해야겠다. 그리고 나 자신을 사랑해야겠다.

8) 최화숙, 『아름다운 죽음을 위한 안내서』

책과 함께 수업시간에 본 영상자료[5]를 통해 25년의 인생을 통틀어 가장 진지하게 죽음에 대해 그리고 나의 마지막에 대해 생각해보는 시간을 가졌다. 약간 우울하고 슬프기도 했지만 그렇다고 그렇게 괴롭거나 힘든 작업은 아니었다. 그저 마음이 조금 가라앉았다. 죽음이라는 것에 대한 막연한 두려움에서 조금은 벗어났다는 생각이 들었다. 내 자신에 대해 그리고 내 인생에 대해 다시 한 번 생각해볼 수 있는 시간이었다. 지금의 시간이 얼마나 소중한지 그리고 아름다운지를 생각했다. 나의 상처를 알게 되면서 누군가를 원망하고 미워하기도 했지만 고마워해야 할 사람이 더 많다는 것을 깨닫게 된 시간이었다. 기쁜 일이 있을 때 나보다 더 많이 기뻐해주고 내가 힘들어하거나 슬퍼할 때는 같이 슬퍼해주고 힘을 준 나의 가족, 친구들…… 항상 고마워하고 감사하며 살아야겠다. 괜한 일로 서로에게 아픈 생채기를 내는 일이 없도록, 시간이 지난 후에 그때 그러지 말걸 후회하지 않도록 하루하루 최선을 다하면서 살아야겠다. 오늘이 내가 이 세상에서 사는 마지막 날일 수도 있을 테니까. 우리 학교 화장실에 늘 붙어 있는 알프레도 디 수자의 「사랑하라, 한 번도 상처받지 않은 것처럼」이라는 시가 생각났다.

춤추라, 아무도 바라보고 있지 않은 것처럼
사랑하라, 한 번도 상처받지 않은 것처럼
노래하라, 아무도 듣고 있지 않은 것처럼

5) <인체대탐험 7: 영원한 순환>(KBS, 2002. 9. 8).

일하라, 돈이 필요하지 않은 것처럼
살라, 오늘이 마지막인 것처럼

『아름다운 죽음을 위한 안내서』를 읽기 전까지는 '사랑하라, 한 번도 상처 받지 않은 것처럼'이라는 말이 너무 맘에 와 닿아서 이 구절을 항상 맘에 품고 있었다. 그런데 지금은 '살라, 오늘이 마지막인 것처럼'이라는 구절이 아주 맘에 와 닿는다. 이 세상을 사는 마지막 날에 나의 인생을 되돌아볼 때 후회하지 않도록 하루하루를 충실하게 살아가려고 한다.

9) 스캇 펙,『아직도 가야 할 길』

나는 조금이라도 힘들면 포기하고자 하는 마음이 더 컸다. 내가 가진 문제를 알고 내 마음속에 상처가 있는 걸 알게 되었는데도 그 상처를 그냥 덮어놓으려고 했던 나에게 따끔한 충고를 건네는 책이었다. 한 학기 동안의 독서치료 수업을 정리하기에 좋은 책이기도 했다. 그저 편안하게 사는 것만이 좋은 것은 아니다. 문제에 부딪히고 시련을 겪고 나면 그 고통만큼 자라 있는 내 자신을 만나게 될 것이다. 그래서 지금부터는 문제에 도전하며 진실을 감추지 말고 해결의 시간을 가지면서 문제에 맞서는 훈련을 하고자 노력하려 한다.

'사랑'의 장을 읽으면서 내가 생각하는 사랑이 전부가 아니구나 하는 생각이 들었다. 나는 무조건적인 희생이 사랑이라고 생각했으며 그렇게 해줄 수 없는 것은 사랑이 아니라고 생각했다. 그러자 내가 지금까지 상대방에게 무조건적인 희생을 강요한 것은 아닐까 하는 생각이 들었다. 무조건적인 희생을 강요하면서 무조건적으로 희생하지 않으면 상처받고 아파하거나 나를 사랑하지 않는다고 일방적으로 생각해버렸던 것 같다. 상대방에게 무조건적으로 의지하고 기댔던 과거의 내 모습이 떠올랐다. 지금까지 내가 원망하고 미워했던 사람이 생각나면서 그저 그 사람의 잘못이라고 생각했는데,

그리고 내가 피해자라고만 생각했는데 그게 아닐 수도 있다는 생각이 들었다. 너무 내 생각만 했던 것 같다. 어쩌면 그 사람이 더 힘들고 아파했는지도 모르겠다. 저자는 사랑은 깊은 관심을 갖는 것이자 두터운 책임감이며, 사랑은 바로 보도록 일깨우는 힘이며, 사랑은 느낌이 아니며, 사랑은 훈련되는 것이며, 사랑은 정신치료와 같은 것이라고 이야기한다. 진정한 사랑이 무엇인가에 대해 다시 한 번 생각해보는 기회였다. 사랑을 하려면 상대방에 대한 애정과 관심, 그리고 무한한 인내와 절제가 필요하다. 그게 사랑이다. 조금은 알 것 같다. 아주 조금은. 사랑은 그저 받기만 원하는 것이 아니다. 내가 받는 동시에 나도 주어야 한다. 지금까지 나는 받기만 하는 사랑을 원한 건 아닐까? 갑자기 머릿속이 복잡해졌다.

6. 나가며

그저 좋은 시간을 가질 수 있었다는 것에 감사할 뿐이다. 이 시간을 통해 내가 얼마나 변했는지 또 내가 얼마나 치유되었는지 알 수 없다. 그렇지만 나 스스로를 들여다볼 수 있는 시간을 가진 것에 감사하고 좋은 사람들을 만나 이야기를 나눌 수 있었다는 사실에 또 감사한다. 바쁘다는 핑계로 나 자신을 돌보고 주위를 돌보는 일에 너무 소홀했던 것 같다. 대학을 졸업하고 직장생활을 시작한 지 이제 3년이 되어간다. 시간이 너무 정신없이 지나다 보니 이렇게 나 자신을 들여다보고 내 마음속의 상처를 찾아내기가 쉽지 않았다. 잠시나마 내 인생을 정리할 수 있는 시간을 가진 것을 다행스럽게 생각한다. 그리고 이런 경험을 내가 아는, 내가 좋아하는 사람들과 함께 나누고 싶다는 생각이 들었다. 독서치료라는 것, 어렵기도 하지만 쉽게 생각하면 쉽게 다가갈 수도 있을 것 같다. 치유서를 읽고 느낀 바를 글로 표현하고 또 글로 표현한 것을 다른 사람들과 나누면서 서로의 상처를 보듬어주는 시간을 가지고 싶다. 내가 도울 수만 있다면 그들의 상처에 발라줄 수 있는 약을 권해주고 싶다. 그리고 그 약이 제 성능을 잘 발휘해 상처가 아물 수 있도록 도와주고 싶다.

가장 먼저 내가 도와주고 싶은 사람은 바로 내 쌍둥이 동생이다. 같이 책을 읽고 이야기를 나누면 좋겠다는 생각이 든다. 같은 상처를 가진 사람들이라면 더 쉽게 더 깊이 마음을 나눌 수 있을 것이다. 나도 내 동생도 자라온 환경이 비슷하고 살아온 시간이 비슷하기 때문에 서로를 가장 잘 이해해주고 함께 아파할 수 있을 것 같다는 생각이 든다. 아픈 만큼 성숙해진다고 하지 않았던가! 고통을 나누고 아파하면서 함께 커나가고 싶다.

그저 시간이 지나면 누구나 직장을 가지고 결혼을 하고 아이를 낳고 그렇게 살아가는 것이라고만 생각했다. 치유서를 읽으면서 내가 얼마나 어리석은 생각을 가지고 살아왔는지 다시 한 번 느꼈다. 결혼을 하고 아이를 낳기 전에 이런 책들을 만나서 다행이라는 생각이 가장 많이 들었다. 인생에서 유아기, 아동기의 경험이 얼마나 중요한지도 알았다. 이러한 사실을 몰랐더라면 내 아이를 어떻게 대했을지 알 수 없다. 내 아이가 커가는 데서 '유해한 부모'가 되지 말아야겠고 내 아이를 '상처받은 아이들'로 키우지 말아야겠다. 『따귀 맞은 영혼』이라는 책의 표지가 생각난다. 나로 인해 영혼에 상처를 받는 사람이 없었으면 좋겠다. 공부하고 노력해야겠다. 나 자신을 위해, 그리고 미래의 나의 아이들을 위해.

처음은 누구나 다 힘들다. 나도 독서치료라는 것을 어렵게 시작했다. 첫 시간은 책을 제대로 읽어내지 못해 힘들었고 그 다음은 글을 쓰는 게 너무 힘이 들었다. 그리고 나선 낯선 사람들 앞에서 내 속마음을 드러내는 것이 두려웠다. 그렇게 힘들어했지만 하나하나 노력하다 보니 이제는 새로운 책을 읽는 것이 즐거워졌다. 한층 성숙해진 느낌이라고 할까, 책들을 다 읽어냈다는 뿌듯함이라고 할까.

처음에 이 글을 시작할 때 나는 한 권의 책이 가진 위대한 힘을 믿는다고 했다. 독서치료를 시작하기 전에도 그렇게 믿고 있었지만 지금은 그 믿음을 직접 몸으로 체험했다. 이제는 내가 만나는 모든 사람에게 이야기하고 싶다.

'한 권의 책이 가지는 힘을 믿어보세요'라고. 그리고 직접 체험해보라고.

행복한 시간이었다. 함께한 이 시간들은 앞으로 내가 살아갈 인생에 많은 영향을 미치게 될 것이다. 『우리들의 행복한 시간』[6]의 유정과 윤수는 목요일 10시를 기다린다. 난 매주 모임이 있는 시간을 기다렸다. 그리고 앞으로는 독서치료를 위한 시간을 스스로 만들어나갈 것이다.[7] 나를 위해, 그리고 내 주변의 사람들을 위해.

---

6) 공지영, 『우리들의 행복한 시간』(푸른숲, 2005).

7) 이제 스스로 치유서를 선택해서 읽어볼 것이다. 내가 처음으로 정한 책은 김형경의 『사랑을 선택하는 특별한 기준』 1, 2권이다. 이 책은 사실 2년 전인가 한번 읽었던 책인데 독서치료를 경험하면서 다시 한 번 읽어보리라 마음먹었다. 비록 같은 책을 읽는 것이지만 느끼는 바는 많이 다를 것이라는 기대감이 생긴다.

온전한 내가 되기 위한 즐거운 여행

백가인

1. 들어가며

차분히 들여다보면 모든 사람의 마음속에는 자신이 알지 못하는 응어리가 있다. 사람들은 그 응어리를 마음 한구석에 넣어두고 처음부터 응어리가 없었던 것처럼 잊어버린다. 이런 응어리들은 마음속에 존재하기는 하지만 크게 거슬리는 것도 아니고 일상생활에서 큰 문제를 일으키는 것도 아니다. 하지만 사람이 도저히 감당할 수 없을 정도의 스트레스를 경험하고 나면 잊고 있던 응어리는 눈덩이처럼 커지다 결국 그 방을 꽉 채운다. 그러면 그 방에는 더 이상 기쁨과 즐거움이 들어올 자리가 없어지고 마침내 일상은 무너지고 만다.

삶에서 정상과 비정상의 경계는 아주 모호하다. 특히 정신적인 문제는 특정한 잣대를 들이댈 수 없는 영역이기 때문에 더욱 그렇다. 우리는 아주 정상적으로 보이는 사람이 과격한 행동을 하는 경우를 접하곤 한다. 이러한 돌출행동은 그 사람이 갑자기 정신병자가 되었기 때문에 나타나는 것이 아니다. 마음속에 있던 응어리가 감당할 수 없이 커져버렸기 때문이다. 따라서 평소에 상처받은 마음을 보듬고 치료해야만 마음속에 숨겨진 응어리들을 조금씩 풀어나갈 수 있다. 상처가 너무 커지기 전에 매일의 일상에서 상처를 미리 치료함으로써 더 큰 상처를 예방해야 하는 것이다.

일상에서 쉽게 할 수 있으면서 스스로를 차분히 들여다보기. 독서치료는 이 조건들에 부합한다. 특히 나의 경우는 책을 무척 좋아하고 오랫동안 읽어 왔기 때문에 책을 통한 치료라는 독서치료에 대해서는 전혀 거부감이 없었 다. 오히려 내가 의구심을 가진 지점은 책을 읽고 집단상담을 한다는 것이었 다. 모르는 사람들에게 자신의 경험(주로 부끄러운 경험)을 털어놓는다는 것이 한국 사회에서 자연스럽게 이루어질 수 있을까 하는 회의와, 치료라는 이름 아래 전문적인 치료가 가능하겠는가 하는 의구심이 들었다. 물론 이런 의구 심은 수업을 들으면서 모두 풀렸고 책이라는 매체가 가지는 힘에 대해 다시 생각하게 되었다.

독서치료를 경험하면서 나 자신에 대해 많은 생각을 하게 되었다. 엄밀히 따져보면 나에 대해 가장 밀도 있게 탐구한 시간이었다. 생각해보면 나 역시 정서적인 어려움을 겪은 적이 많다. 심각한 수준은 아니더라도 몹시 우울해 하거나 자신을 비하한 적도 있고 인간관계에서의 문제, 친밀감 형성의 문제 등으로 인해 스스로 불편하다고 생각한 적도 많았다. 하지만 지금까지는 어떤 원인이 있어서 그렇다고 생각하기보다는 '지금 내 기분이 안 좋아서 그런가 보다'라고 생각하며 넘겨버렸다. 다행히 별 탈 없이 지내오기는 했지 만 그 응어리들은 고스란히 남아 있었던 것 같다.

'나는 누구일까'라는 질문은 평생 안고 가야 한다. 사람들은 누구나 개성을 갖기를 원한다. 개성이라는 것은 남과는 구별되는 오직 단 하나뿐인 나를 찾는 것이다. 많은 사람들이 '남과는 구별되는'에 방점을 찍지만 중요한 것은 '진정한 나'를 찾는 것이라 생각한다. 진정한 나를 찾지 못하면 나의 삶이 아닌 허영을 쫓아 사는 것에 불과하다. 그렇게는 살고 싶지 않다. 내가 나로서 오롯이 존재하기 위해서는 나라는 사람에 대해 알아야 한다. 그리고 나 자신을 사랑해야 한다. 자기 자신을 알고 사랑하는 사람은 안정되어 있을 뿐 아니라 다른 사람과의 관계에서도 의연하게 대처한다. 성숙한 자아란 그런 것이 아닐까? 내가 원하는 바는 자아가 정립된 사람, 스스로를 잘 알아 자신을 과장하거나 비하하지 않는 사람이 되는 것이다.

진정한 나를 알기 위해선 일부러 잊어버렸던 일, 아직 아프지만 아프지 않다고 세뇌시켜온 일들을 끄집어내 보듬어주어야 한다. 과거의 상처를 인식하고 상처받은 나와 화해해야 한다. 나는 과거와 화해하고 싶고 지금 내가 가지고 있는 상처의 근원을 알고 싶으며 그때의 나와 지금의 나 모두를 사랑해주고 싶다. 독서치료를 하면서 내 안에 존재하는 문제들에 대해 고민했고 적어도 나 자신의 문제를 인식할 수 있는 수준에 이르렀다. 이를 통해 나는 무수히 다른 나와 만나고, 인정하고 싶지 않은 나의 모습도 발견하게 되었고 이로써 진실한 삶에 한 발짝 다가갈 수 있었다.

2. 나의 체험을 통해 본 진행자의 역할

독서치료에서 진행자의 역할을 떠올려보면 고개를 끄덕여 공감을 표시하거나 "왜 그랬다고 생각합니까?" 같은 열린 질문을 하는 모습이 떠오른다. 무엇보다도 참여자에게 특정한 자세를 취하도록 강요하지 않았던 것이 인상적이었다. 독서치료에서 진행자의 역할은 참여자를 제어하는 것이 아니라 오히려 참여자가 마음대로 할 수 있도록 부추기는 것이었다. 그래서 진행자가 프로그램을 진행하면서 어떻게 했는지에 대해서는 강한 인상이 남지 않았다. 진행자는 치유서를 제시하고 집단상담이 원활히 이어질 수 있도록 조정할 뿐이었다. 진행자는 치유서를 어떻게 읽을 것인가, 자기 생각을 어떻게 정리할 것인가에 대한 가이드라인만 제시했다. 참여자들이 치유서를 읽고 느낌과 생각을 정리해오면 진행자는 또 다른 참여자로서 그 이야기를 함께 듣고 공감할 뿐 어떠한 가치판단도 내리지 않았다. 그저 참여자가 치유서를 통해 자신의 치유체험을 할 수 있도록 유도할 뿐이었다. 치료 프로그램에 참여한 것이 처음이라 그런지 진행자의 이런 소극적인 성향은 다소 놀라웠다. 보통 어떤 프로그램이든 진행자는 참여자를 일정 부분 제어하거나 그들에게 어떻게 하라고 지시하는 경향이 많다. 몇몇 강압적인 프로그램의 경우 상하관계처럼 느껴진 적도 있을 정도다. 그런데 독서치료 프로그램은 진행자가 참여자의 자율성을 보장하기 위해 존재하는 것처럼 느껴졌다. 사실 처음에는 어떻게 하라는 것인지 어리둥절하기도 했다. 하지만 실제로 치유서를 읽기 시작하자 이러한 의문은 모두 풀렸다. 치유서를 읽자 서서히 마음 아픈 부분이 드러나기 시작했고 특별히 공감되는 부분이 있는 반면 공감되지 않는 부분도 있었다. 하지만 참여자마다 느끼는 감정이 다르므로 어떠한 방식도 강요하면 안 된다는 걸 깨달았다. 상담시간에 이야기를 해보면 "이건 내 얘기야!"라며 흥분하면서 읽은 부분이 모두 달랐다. 그때는 우리가 무엇을 배우기 위해 프로그램에 참여하는 것이 아니라 나 자신을 위해 프로그램에 참여하고 있다는 생각이 들었다. 구성원들 간에 평등한 관계가 이루어진 것 역시 구성원들이 자유롭게 의견을 표현하는 데 큰 역할을 했다. 우리 그룹은 진행자의 나이가 가장 많았고 참여자들의 연령도 20대부터 40대까지 다양했으므로 나이에 따라 위계적으로 진행될 가능성도 충분히 있었다. 하지만 그런 일은 전혀 없었으며 전 연령대의 사람이 책을 읽은 자신의 느낌과 생각을 자유롭게 말할 수 있었다.

　마지막으로 내가 크게 공감한 부분은 '상처 입은 치유자'[1]라는 것이었다. 독서치료 프로그램에서 진행자는 또 다른 참여자다. 진행자는 참여자들의 말에 진심으로 공감하며 그들의 생각과 느낌을 존중한다. 동시에 자신의 경험과 생각, 느낌을 솔직히 표현해서 참여자들과 소통한다. 우리 그룹의

---

1) 가톨릭 수도자인 헨리 나우웬이 사용하기 시작한 것으로, 고통을 통해 얻은 상처가 다른 사람을 치유하는 원천으로 사용된다는 사실을 사목자가 깊이 이해할 때 진정한 사목이 이루어질 수 있다는 의미다.

진행자는 다른 참여자들과 똑같이 치유서를 읽고 먼저 자신의 느낌을 솔직하게 표현했다. 진행자가 자신의 치유체험을 먼저 이야기했기 때문에 참여자들은 더 편안하게 자신의 느낌을 표현할 수 있었다.

독서치료에 대해 조금씩 알게 되자 독서치료를 정신과치료와 비교하지 않을 수 없었다. 독서치료와 정신과치료의 차이는 무엇일까? 나는 지금까지 독서치료와 정신과치료를 구분하지 않고 생각해온 것 같다. 독서치료의 효험에 대해 불신을 가지고 있었고 전문가들이 다루어야 할 어려운 문제를 무작위로 하고 있는 것 아닌가 하는 생각을 갖기도 했다. 하지만 모임에 참여하고 몇 주 만에 독서치료와 정신과치료는 지향하는 바가 다르다는 사실을 알게 되었다. 독서치료는 심각한 정신질환을 다루겠다고 덤비지 않는다. 정신이 완전히 붕괴된 사람에게는 책을 읽으라고 한다는 것 자체가 불가능하다. 무엇보다도 독서치료는 전문가가 해야 할 부분을 섣불리 건드리지 않는다. 독서치료는 일상적인 마음아픔을 치료하기 위한 것이자 자신을 뒤돌아보고 앞으로 살아가는 데 보탬이 되기 위한 것이다. 독서치료는 적절한 치유서만 있다면 누구나 할 수 있는 자가요법인 것이다.

두 치료법에 차이가 있는 것은 분명하다. 하지만 동시에 '사람들의 아픈 마음(정신)'을 치료한다는 공통점도 있다. 독서치료가 정신질환으로 확대될 수 있는 마음아픔을 자가적으로 치료하는 것이기 때문에 독서치료에서도 기본적으로 사람들의 마음에 대한 이해와 다양한 상담기법이 필요하다. 진행자는 프로그램의 방향을 이끌어야 하기 때문에 심리학과 정신분석학에 대해 반드시 이해하고 있어야 한다. 특히 상담기법에 대해서는 심리학의 집단상담 영역에서 많은 조언을 얻을 수 있을 것이다. 수업시간에 시청한 집단상담 비디오에서는 상담기법에 대해 여러 가지 조언을 하고 있었다. 다만 너무 공격적으로 참여자에게 대답을 요구하는 것은 거부감을 불러일으킬 수 있으므로 조심해야 할 것 같다. 정신과치료의 장점을 받아들여 독서치료에서도 다양한 기법을 적용해볼 수 있을 것이다. 물론 이러한 시도는 치유서와 참여자를 그 중심에 두고 이루어져야 할 것이다.

3. 나의 체험을 통해 본 참여자의 역할

　독서치료 프로그램의 참여자로서 내가 한 일은 주로 책을 읽는 것이었다. 원래 책읽기를 좋아했기 때문에 책 읽는 데 별 어려움이 없을 것이라 예상했다. 하지만 치유서를 읽기 시작하면서 서서히 책을 읽기가 어려워졌다. 제시된 치유서들은 한 권 한 권 나의 마음을 건드렸다. 나의 마음은 단순히 감동을 받는 것이 아니라 쿡쿡 찔렸으며 어떤 때는 '헉' 하고 놀라기까지 했다. 내가 모르고 있던 나의 모습이 서서히 드러났고 그런 나 자신을 보게 되자 몹시 당황스러웠다.

　생각해보면 나는 상처의 존재 자체를 거부해온 것 같다. 나는 상황을 객관적으로 판단하고 적절하게 행동하기를 원했으며 좋은 게 좋은 것이라고 생각해왔다. 이런 성격은 완벽주의에서 비롯된 듯하다. 나는 일을 완벽하게 하지는 못하지만 모든 일이 최상의 상태로 존재하기를 원한다. 어떤 일을 하게 되면 그 일이 가장 좋은 결과를 얻을 수 있기를 막연히 바라는 성격이다. 이런 성격 때문에 자신에게 상처가 있다는 사실 자체를 거부해왔다는 생각도 든다. 상처의 존재 자체를 인정하자 나 자신을 차분히 들여다보게 되었고 문제들을 인식하게 되었다.

　내 성격은 조금 엄격한 편이다. 완벽주의적인 기질 때문에 부족한 것을 싫어한다. 완벽해야 하기 때문에 자신이든 친구든 엄격한 기준으로 대해온 것 같다. 특히 나 자신에 대해서는 나르시시즘이 있어서 자신의 못난 점을 용서하지 못하고 실수를 용납하지 않는 경향이 있다. 작은 일에도 쉽게 좌절하고 스스로를 몰아세우는 성격 탓에 스트레스를 많이 받았다. 타인을 대할 때는 이상한 점이 있다고 생각되면 관계를 포기해버리는 경향이 강하다. 세상에 완벽한 사람은 없는데 왜 상대방의 단점을 이해해주지 못하는지 스스로 답답할 때도 있었다.

　그래서인지 친밀감 형성에 어려움을 느낄 때가 많았다. 나는 혼자 있는 것을 좋아해서 어린 시절부터 혼자 있는 시간이 많았다. 그렇다고 내가 말이 없는 편은 아니다. 오히려 가끔은 너무 수다스럽다고 생각할 때도 있다. 하지만 누군가가 끊임없이 말하는 상황은 정말 견디기가 힘들었다. 누군가가 끊임없이 말하는 소리를 듣고 있으면 정신이 산란해졌다. 어렸을 때는 다른 사람들도 다 그런 줄 알았는데 알고 보니 내가 특히 심한 것 같았다. 혼자 있으면 마음이 마냥 편안했고 생산적인 일을 하지 않고 빈둥거릴 때도 전혀 지루하지 않았다. 누군가가 계속 귀찮게 하면 정말 그 사람이 싫어졌다. 너무 친밀한 관계에서는 피곤함을 느꼈던 것이다.

　사람을 쉽게 믿지 못하는 것도 나의 문제 중 하나다. 혼자 지내는 것을 좋아하기 때문에 다른 사람과 친해지기를 꺼려하는 것인지 아니면 다른 사람을 믿지 않기 때문에 차라리 혼자 있기를 택하는 것인지는 잘 모르겠다. 하지만 가끔 내가 친밀감을 형성하는 것을 두려워하는 게 아닌가 하는 생각이 든다. 나는 친밀한 관계를 형성하는 데 시간이 많이 걸리는 편이다. 인사하고 농담을 주고받는 수준까지는 금방 친해지는데 진심으로 상대방을 믿고 친밀하게 되기까지는 시간이 오래 걸린다. 사람을 사귈 때는 상대방을 면밀히 관찰해 그 사람이 진실하다는 것이 보증된 뒤에야 진짜 친구라고 생각하는 편이다. 대외적으로는 많은 사람을 알고 지내면서도 실상은 그중 한두 명에게만 관심을 가지고 있는 이중적인 인간관계 때문에 고민한 적이 많다. 많은 활동을 해야 하고 많은 사람을 만나야 하기 때문에 겉으로는 붙임성 있게 변해갔지만 실상은 상대방을 전혀 믿지 못했고 무엇보다 상대에게 관심이 없었기 때문에 외면과 내면의 괴리가 컸다. 당시에는 인간관계와 내면의 갈등 때문에 많이 힘들었던 것 같다. 치유서를 읽으면서도 가장 공감한 부분이 친밀감 형성이나 완벽주의와 관련된 부분이었다. 이와 관련된 부분을 읽으면서 나 자신이 왜 이런지 알게 되었고 이러한 문제를 인식할 수 있게 되었다.

　독서치료에 참여하면서 다양한 연령대의 사람들과 생각을 나눈 것도 큰 도움이 되었다. 나보다 더 오래 사신 분들의 말을 들으면서 어떤 통찰을 느끼기도 했다. 동기들과는 더 친밀한 대화를 나눌 수 있었다. 특히 친한 친구와는 더 솔직하게 자기 느낌을 털어놓았고 서로의 문제에 대해 공감했다. 나는 원래 자신을 드러내는 성격이 아니기 때문에 치료 프로그램에서는 완전히 솔직하게 말하지는 못했다. 그래도 나의 문제를 말할 수 있기까지의 과정 자체가 나의 생각을 정리하는 데 큰 도움이 되었다. 머릿속으로 생각만 하던 것을 입 밖으로 소리 내어 말하기까지는 꼬리에 꼬리를 무는 생각들을 정리하는 과정이 있었다. 생각들이 산발적으로 마구 떠올랐는데 이는 적어두지 않으면 그냥 흘러가 버리는 생각들이었다. 과거의 기억과 아는 사람들의 얼굴이 스쳐갔고 그 와중에 마음 아픈 부분을 발견하기도 했다. 그러한 개인적인 체험을 여러 사람 앞에서 얘기하기란 힘든 일이었지만 나의 생각에 다른 사람들이 공감하는 것을 보면서 용기를 얻었다. 무엇보다 중요한 것은 스스로에게 진실해지는 것이라고 생각했다. 진정한 자신의 상태를 보지 않고 이상적인 상태로만 포장하는 것은 상처를 악화시키기만 할 뿐이다. 오히려 자신을 놓아주고 어떤 가치도 강요하지 않을 때 진실한 나의 모습이 드러날 것이라고 생각했다. 이 때문에 실제로 진실하려고 노력했고 그 노력은 어느 정도 결실을 맺었다. 지금은 나 자신을 있는 그대로 사랑하고 놓아주는 법을 조금은 알게 된 것 같다.

4. 나의 체험을 통해 본 치유서의 기능

독서치료에서 치유서는 참여자를 자기 내부로 이끄는 역할을 한다. 따라서 상황에 따른 적절한 치유서를 제공하는 것은 독서치료에서 핵심적인 역할을 한다. 수업에 참여하면서 '독서치료를 위한 상황별 도서목록'을 접하게 되었다. '청소년', '어린이' 편은 그전에 본 적이 있지만 동화 종류가 많았기에 당시에는 큰 관심을 가지지 않았다. 독서치료 모임에서 제공되는 치유서 목록을 보고서야 비로소 재미있을 것 같다는 생각이 들었다. 목록에는 내가 이미 알고 있는 책도 있었고 생소한 책도 많았다. 픽션과 논픽션이 섞여 있다는 점도 흥미를 끌었다. 원래 픽션을 좋아하기 때문에 나는 픽션이 더 와 닿았다.

1) 자기 주체성

> 인간은 자신을 알고 이해하고 성숙해지면서 거기에서 오는 만족과 행복
> 을 누리는 존재다.[2]

삶은 '진정한 나'가 누구인지 알아가는 과정이다. 사람들은 실제 자신의 모습과 자신이 되고자 하는 모습이 달라서 자신을 부정하려 하거나 아예 자신을 알고 싶어 하지도 않는다. 하지만 자신이 누구인지 알지 못한 채 평생을 다른 사람의 시선에 맞추어 산다는 것은 공허한 일이다. 누군가에게 인정받기 위한 삶은 껍데기일 뿐이다. 어릴 때는 나의 생각보다는 다른 사람의 생각이 더 중요했다. 부모님에게 잘 보이고 싶었고 친구들에게 재미있는 친구이길 바랐으며 후배들에게는 쿨하고 멋있는 선배로 보였으면 좋겠다고 생각했다. 나 자신이 누구인가보다는 다른 사람이 생각하는 내가 누구인지가 더 중요했다. 상대방이 원하는 이미지에 맞춰 행동한 적도 많았고 기대에 맞춰 나 자신을 과장한 일도 많았다. 그러나 그런 식으로 조금 있어 보니 맞지 않는 옷을 입은 것처럼 어색했고 참을 수 없이 불편했다. '나는 도대체 무엇을 바라고 이토록 억지로 애를 쓰고 있는가'라는 생각이 들었다. 그 순간 잘 보이고 싶던 나의 허영심을 알게 되었고 더 이상은 이렇게 살지 말아야겠다는 생각이 들었다.

내가 원하는 것은 '남의 눈을 신경 쓰지 않고 언제나 내가 원하는 바를 하는 것'이다. 치유서를 읽으며 내가 원하는 삶이 잘못되지 않았음을 확인할 수 있었다. 다른 사람의 평가에 의해 자기의 가치를 섣불리 판단해버리는

---

2) 이무석, 『(마음의 평안과 자유를 얻은) 30년 만의 휴식』.

것은 어리석은 짓이다. 다른 사람들이 어떻게 생각하든 내가 원하는 것을 표현할 수 있는 용기와 배짱이 필요하다는 생각이 들었다. 자신의 단점을 인정하고 편안하게 받아들이기란 매우 힘든 일이다. 바보 같다고 느껴질 때면 급격한 자기비하로 빠져드는 것이 나의 문제라는 걸 깨달았다. 사고가 극단적이면 삶이 위태로워진다. 작은 일에 산산이 무너질 수 있는 사람은 되고 싶지 않다. 그래서 지금은 극단적으로 생각하는 버릇을 버리고 조금 더 유연하고 여유롭게 생각하는 자세를 기르려고 노력하고 있다. 유연해지니 부러질 일이 줄었고 평정심을 유지할 수 있어서 다른 사람을 대할 때도 그 사람을 더 많이 이해할 수 있게 되었다.

2) 가족

이 세상에는 가족만큼 특이한 공동체도 없을 것 같다. 같은 피를 나눴다는 것만으로 같이 산다는 것은 생각해보면 참 단순한 논리다. 아버지, 어머니, 형제, 자매의 전형적인 가족 구성은 각 구성원들에게 전형적인 위치를 부여한다. 어렸을 때는 텔레비전에 나오는 엄한 아버지와 자상한 어머니, 화기애애한 가족분위기가 전부라고 생각해서 가족이란 그래야만 한다고 스스로 세뇌한 것 같다. 그래서 우리 가족은 어딘가 잘못되었다고 생각한 적도 있었다. 커가면서는 그게 다가 아니며 모든 가족에게는 그들만의 애로사항이 있다는 걸 알게 되었다. 한국 사회에서 가장 이상적으로 생각하는 가족의 형태도 사실 모두 허구라고 생각한다. 가족은 혈연을 기반으로 한 폐쇄적인 공동체가 아니라 사랑으로 묶인 개방적인 공동체가 되어야 한다.

부모의 역할에 대해 심각하게 고민했던 것도 기억에 남는다. 아무나 부모가 되어서는 안 되며 부모도 준비가 필요하다는 것을 깨달았기 때문이다. 참여자들 중 나이가 비슷한 동기들은 모두 좋은 부모 되기가 정말 어렵다는 얘기를 했다. 아이를 기를 때는 물질적인 뒷받침과 함께 적절한 훈육이 필요하다. 예전부터 결식아동 또는 소년소녀 가장에 대한 텔레비전 프로그램이나 기사를 접할 때면 가슴이 아팠다. 요즘도 자주 등장하는 "양부가 딸을 성폭행", "아이를 굶기고 매질, 학대" 같은 뉴스를 보면 매우 화가 난다. 아이들은 태어나고 싶어서 태어난 것도 아닌데 왜 낳아놓고 모른 척하는 것일까. 아이들이 마음껏 자라날 수 있는 환경을 제공해주는 게 부모의 기본적인 의무일 것이다. 풍족하진 않더라도 아이들이 바르고 튼튼하게 자랄 수 있도록 최소한의 조건이 갖추어져야 한다. 아이를 훈육할 때 부모는 아이를 소유물로 생각해서는 안 된다. 자신의 소유라고 생각하는 순간부터 부모의 생각을 강요하게 되고 아이는 부모의 복제품으로 자라나게 된다. 나의 경우는 부모님이 여러 가지 강요하는 성격이 아니셨기 때문에 이런 식의 간섭을 느끼지는 않았다. 하지만 친구들 중에서는 어릴 때부터 부모의 지시대로 살도록 강요받는 아이들도 있었다. 아이가 자라면 어른이 된다는 단순한 진리도 맹목적인 자식사랑 앞에서는 무색한 것 같다. 부모의 가치가 최고의 가치라고 가르치는 것은 아이를 무시하고 짓밟는 일이다. 좋은 부모라면 자식이 자신과는 전혀 다른 동등한 인격체라는 사실을 인식해야 할 것이다.

3) 여성으로 살아가기

가부장제 사회에서는 스스로를 온전히 여성으로 규정지으면서 긍정적인 생각을 갖기가 거의 불가능하다. 나는 살아오면서 차별을 많이 당했다고 생각하지는 않았는데 학부 시절 동아리 활동을 하며 그 생각이 틀렸다는 걸 알게 되었다. 가부장제는 내가 여자임을 끊임없이 규정짓는다. 내가 여자인 것은 사실이지만 문제는 전형적인 여자의 이미지가 그다지 긍정적이지 않다는 데 있다. 흔히 여성성은 소극성, 수다스러움, 좁은 시각, 무능력 등의 이미지를 내포하고 있다. 나는 그 점을 견디기가 힘들었다. 하지만 이 사회에서 살아오면서 나도 모르게 그런 생각들이 깊이 각인되었다는 사실이 더욱 싫었다.

'여성은 여성으로 태어나는 것이 아니라 여성으로 길러지는 것이다.' 물론 남성도 마찬가지겠지만 여성으로 태어나 겪는 차별은 남성으로 태어나 짊어지는 책임감보다 더 끔찍하다. 성역할이 고정된 사회는 모든 사람을 한 가지 성으로만 구분하고 규정지으려는 성향을 가지고 있다. 만약 똑똑하고 운동을 잘하고 건강하며 자기 발언을 잘하는 여성이 있는데 그녀의 얼굴이 전형적인 미인형이 아니라면 그 장점들은 단점으로 폄하되기 쉽다. "여자가 말도 잘하고 운동도 잘하네. 기가 세니까 남자 같아. 여자가 뭐 저래?"라는 말을 듣게 되는 것이다. 실제로 내가 아는 한 여자 후배는 성격도 착하고 머리도 매우 좋다. 하지만 그녀는 외모로 자신의 여성성을 강조하지 않기 때문에 남자선배들은 "○○는 사나이지. 여자가 아니라니까"라며 그녀를 놀리곤 했다. 왜 여성에게는 한 인간이 가질 수 있는 모든 특성 가운데 공격성, 능동성 같은 특정한 성격이 거부되는 것일까? 고정된 성관념은 수많은 여성을 아주 좁은 틀 안에 끼워 넣고 여성이 그 틀 속에서만 존재하기를 강요한다. 그나마 성역할이 유동적으로 변한 요즘도 이런 생각을 가진 사람이 많다. 그런 사람들을 겪으면서 나는 나만의 개성을 일정 부분 차단당하고 '여성은 아름답지 못하면 어떤 장점을 갖고 있어도 폄하될 것이다'라는 사회적 협박을 당하는 기분이 들었다. 모든 매체가 여성에게 아름다움을, 그것도 각자의 개성이 드러나는 아름다움이 아닌 전형적인 아름다움을 강요한다. 여성적인 것을 부정적으로 몰아가면서 한편으로는 여성이 여성적이지 않다고 질책하는 이 사회는 모순적이다. 진정한 나 자신과 여성으로서의 나 자신 간에 화해를 이루기 위해서는 앞으로도 많은 장벽을 넘어야만 할 것 같다.

4) 사랑

흔히 사랑을 잘하기 위해서는 먼저 자신을 사랑하는 법을 알아야 한다고 말한다. 나는 사실 자신에게 매몰되어 있어서 다른 사람을 제대로 사랑하지 못하는 사람이다. 나의 문제를 해결하기도 힘든데 다른 사람을 진심으로 사랑할 수 있을지 지금도 사실 자신이 없다. 사랑의 영원함을 믿는 사람을 보면 의아할 때가 있다. 만약 내가 지금 어떤 물건을 갖고 싶다고 하더라도 그 마음은 결국 변하기 마련이다. 사람을 물건과 비교할 건 아니지만 결국 사람의 마음도 변하게 되어 있다. 매스컴에서 만들어놓은 사랑의 이미지는 허구에 가깝다. 연애를 할 때도 왜 서로를 좀 더 이해하면서 사랑할 수 없는 건지 회의를 느낀 적이 많았다. 생각하는 마음이 진실하다면 이를 표현하는 방법은 다양한데 말이다.

나는 스스로 사람에 대한 불신을 버려야 하고 상처받는 것을 두려워하지 말아야 한다고 생각한다. 나 자신이 변했다고는 아직 생각하지 않지만 점차 나아질 것이라고 믿는다. 나 자신에 대한 생각이 너무 많아서 다른 사람을 이해하기 힘든 건 아닐까 싶기도 하다.

5. 나가며

나는 행복하고 싶다. 늘 즐거울 수는 없지만 마지막 순간에 '내 삶은 행복했었어'라고 회고할 수 있는 삶을 살고 싶다. 행복을 느끼기 위해서는 나 자신이 원하는 바를 이루었다는 생각을 가져야 하며 자신이 한 일을 후회하지 않아야 한다. 나 자신이 원하는 것이 무엇인지 알기 위해 지금까지 살아왔고 그 원하는 바를 이루기 위해 생은 계속되는 것 같다. 스물네 살인 내가 원하는 것은 온전한 나로 살아가는 것, 누구의 시선도 신경 쓰지 않고 자유롭게 살아가는 것이다. 내 안에는 이미 너무 많은 검열이 있어서 남의 눈보다 오히려 나 자신의 눈이 더 무섭기도 하다. 억압되어 있는 나의 모습은 지루하고 불편하다. 지금 나는 마음껏 자신을 펼칠 수 있고 관습이나 고정관념에 얽매이지 않고 사람을 그 자체로 이해할 수 있는 그런 사람이 되기를 간절히 바라고 있다. 그렇게 되기까지 많은 노력이 필요하겠지만 그런 사람이 된다면 무척 행복할 것이라는 믿음이 있다.

행복은 철저히 주관적이다. 그렇기 때문에 모든 사람에게 평등하다. 행복해지는 것은 마음먹기에 따라 얼마든지 가능하다. 과거의 나는 많은 상처를 입었고 그 상처로 아파했지만 삶은 흘러가는 것일 뿐 머물러 있는 것이 아니므로 그 상처들은 회복될 것이다. 내가 어떤 면을 갖고 있더라도, 그것이 설사 매우 부정적인 면이라 하더라도 나의 한 모습으로 안고 살아가야 한다. 나의 부정적인 면을 인정해야만 진정으로 자신을 이해할 수 있다.

나는 나의 부정적인 면을 인정하기가 무척 힘들었다. 지금도 그렇지만 내가 불완전한 인간이며 가끔은 말도 안 되는 바보짓을 하며 가족과 친구와 연인을 괴롭히는 이기적인 인간이라는 사실을 인정하기 힘들었던 것이다. 하지만 결국엔 이런 나 자신의 모습과도 화해해야 하며 내가 사랑하는 사람들에게서 발견한 단점도 이해해야 한다. 완벽하기 때문에 사랑하는 것이 아니라 사랑하기 때문에 완벽한 것이라고 했다. 자신과 화해하는 것, 내가 사랑하는 사람들을 더 많이 이해하고 그들에게 더 너그러워지는 것, 그게 바로 성숙이지 않을까 한다.

내 안의 나를 만나다

손천주

1. 들어가며

세상에 좋은 책이 많다는 것은 알고 있었다. 또 시간을 내어 그런 책은 꼭 읽어야겠다는 생각은 늘 하고 있던 터였다. 그러나 얄팍한 지적 호기심이나 단지 좋은 책이니까 읽어야 한다는 의무감만이 나를 책과 만나게 하는 유일한 동력이었다. 지금까지 내게 독서란 이런 것이었다. 게다가 이런 독서도 생활이 바쁘다는 핑계로 미루기 일쑤였으니 여태껏 내게 좋은 책이란 신기루나 안개 같은 존재였다.

돌이켜보니 나에게 독서란 참 허무맹랑한 것이었다는 생각이 든다. 책을 많이 보긴 했지만 주로 가르치는 데 필요한 도구가 될 만한 책을 주로 다루었고 좋은 책을 읽어야 한다는 생각은 늘 했지만 교양 수준에서 머물렀다.

영양제나 보약을 먹는 것은 몸이 안 좋을 때를 대비해서다. 그러므로 배가 아픈데도 영양제와 보약의 힘을 믿는 것은 어리석다. 이럴 때는 배 아픈 상황에 맞는 처방이 필요하다. 이처럼 우리는 대부분 상황을 고려하며 살아간다. 문제는 물질이나 육체에 문제가 생겼을 때만 상황에 맞는 처방을 내린다는 것이다.

마음의 상황에 맞추어 책읽기를 한다는 생각은 여태 하지 못했다. 그만큼 내게 독서치료는 새로웠고 다소 충격으로 다가왔다. 교양도서를 읽는 것이 마음의 영양제나 보약을 섭취하는 것이라면, 치유서를 읽는 것은 마음 아픈 상황에 적절한 처방을 하는 것이라고 할 수 있다. 또 같은 책이라도 어떤 사람에게는 영양제가 될 수 있고 어떤 사람에게는 치유서가 될 수 있다는 생각이 들었다.

이번 기회에 독서치료를 경험하면서 여러 가지 상황에 직면했다. 그 상황들 가운데는 나에게 무게 있게 다가온 상황도 있었고 가벼이 생각하고 넘어갈 만한 상황도 있었다. 이 글에서는 내게 다소 의미 있고 묵직하게 다가왔던 몇 가지 상황을 중심으로 이야기를 할까 한다.

2. 나를 지배하는 나의 내면으로 들어가기

여태껏 살면서 지금의 나를 이해하기 위해 과거의 나를 떠올린 적은 거의 없었다. 과거는 가끔 추억으로 떠올리는 한 편의 마음속 그림일 뿐이었다. 지금 내 생각과 행동이 어수선한 것은 현재 나를 둘러싼 환경이나 인간관계에서 비롯된 문제라고 생각해왔다. 그러나 인간의 행동을 지배하는 것은 본질적으로 의식보다는 무의식이라는 다소 생소한 말을 들었다. 유년기의 경험에서 형성된 무의식이 마음속 깊이 자리 잡고 있으면서 현재의 나에게 끊임없이 영향을 끼친다는 것이다. 이러한 주장을 확인시켜준 책이 이무석의 『30년 만의 휴식』과 김형경의 『천 개의 공감』이었다.

우리들은 대부분 성숙한 관계를 방해하는 장애물들을 우리 안에 갖고 있다. 정신분석에서는 그 장애물을 '유년기의 상처' 또는 '심리적 갈등',

'마음속의 아이'라고 한다. 내적 치유를 하는 사람들은 이를 '쓴 뿌리'라고
도 일컫는다. 이 무의식의 장애물을 그대로 놔둔 채 겉으로만 웃으면서
상대방을 대한다면 이는 일시적으로 상대의 환심을 사려는 얄팍한 기술일
뿐 진솔하고 오래가는 인간관계를 맺지 못할 것이다. 자기 안의 장애물을
이해하고 그 장애물을 제거하는 것은 좋은 인간관계를 맺기 위한 진정한
시작이라고 할 수 있다. 자신의 내면을 이해하는 과정을 통해 비로소 편안
하며 자유롭고 행복한 관계를 회복할 수 있는 것이다.[1]

과연 그럴까? 지금의 나를 이해하고 지금의 인간관계를 제대로 풀어나갈
수 있는 열쇠가 정말 유년기에 있을까? 자존감은 강하지만 늘 고독감을
느끼고 내 가족과 내 물건에 대한 집착이 강하며 무슨 일이든지 결단력 있게
행동하지 못하고 이럴까 저럴까 고민하다가 일을 그르치는 경우가 많은 현재
의 내가 과거의 나와 관련이 있을까? 이런 의문들이 꼬리를 물고 일어났다.
돌이켜보면 나는 매우 귀한 아들이었던 것 같다. 4녀에 1남이었으니 말이
다. 게다가 아버지가 아들 셋인 집에서 태어나서 아들이 없었던 집에 양자로
왔기 때문에 나는 아버지보다 더 귀한 아들 대접을 받았다. 상대적으로 네
명의 딸은 찬밥 신세를 면할 수 없었다. 먹고 입는 것에서부터 모든 것이
나를 중심으로 돌아갔다. 아주 어릴 때 일이라 정확하게 기억나는 일은 몇
되지 않지만 대체로 그런 분위기였다. 요즘도 누나들은 내가 맛있는 걸 먹을
때면 자신들도 먹고 싶었는데 못 먹을 때가 많았다며 억울해한다. 그래서
그게 아직도 상처로 남아 있단다.
이런 일은 크면서도 계속되었다. 내가 자란 곳은 시골이라 조금만 크면
산으로 들로 다니며 일을 해야 했다. 실제로 친구들은 아주 어릴 때부터
소 먹이러 산에 가거나 꼴(소 먹일 풀) 뜯으러 낫과 비료포대를 챙겨들고
나가곤 했다. 그런데 우리 부모님은 소 먹이는 일과 꼴 뜯는 일을 나에게는

---

1) 이무석, 『(마음의 평안과 자유를 얻은) 30년 만의 휴식』, 36~37쪽.

거의 맡기지 않았다. 나는 늘 일하는 친구들을 찾아 함께 놀기 위해 산과 들로 나갔지 일을 하러 나간 경우는 별로 없었다. 그리고 중학생쯤 되는 시골 아이라면 누구나 몰고 다녔던 농사용 경운기도 부모님은 절대 몰지 못하게 했다.

이런 분위기는 공부하는 데도 똑같이 적용되었다. 누나들은 어려운 가정형편 때문에 중학교를 마치고 바로 부산으로 가서 취직을 해야 했다. 예민한 청소년기에 누려야 할 다양한 경험은 물론이고 부모님들로부터 정서적으로 지원조차 받지 못한 채 성장기의 대부분을 어두침침한 공장에서 보내야 했던 것이다. 그에 비해 나는 정상적으로 고등학교에 진학을 했고 공부를 위해 하숙까지 했다. 아무 걱정 없이 공부에 전념할 수 있게 해준 것이다. 그래서 우리 집에서 처음으로 대학 문도 두드리게 되었다.

내가 교대로 진학을 한 것은 나의 의지가 아니었다. 순전히 아버지의 뜻이었다. 당시 교대에는 남학생 유치를 위한 군 혜택이 있었으며 등록금도 일반 국립대학의 3분의 1 수준이었다. 게다가 졸업 후 진로가 보장되었기 때문에 아버지는 이 삼박자가 모두 마음에 들었던 모양이다. 나는 다른 진로를 생각하고 있었지만 아버지의 권유를 뿌리치기는 힘들었다.

이것이 두 권의 책을 읽으면서 떠올려본 간략한 나의 성장기다. 확신은 할 수 없지만 강한 자존감, 고독한 정서, 가족이나 물건에 대한 집착, 결단성 부족 같은 나의 성격은 나의 성장과정에서 생겨난 문제라는 생각이 얼핏 든다. 현재의 나를 이해하기 위해 과거의 나를 돌아보는 것은 매우 흥미로운 경험이었다.

3. 사랑과 결혼에 대한 환상 깨기

올해로 결혼한 지 만 7년이 조금 넘었다. 그동안 두 딸을 두었고 같은 직업의 아내와 서로 힘이 되기도 하고 때로는 다투기도 하면서 결혼생활을 이어왔다. 돌이켜보면 결혼 전 우리는 진정한 사랑에 대해 그다지 깊이 생각해보지 않은 것 같다. 서로 좋아하니까 이것이 사랑인가 보다 하고 생각했고 사랑하니까 결혼해야겠다며 덥석 결혼식을 올렸다. 그러다가 얼떨결에 아이를 낳아 키우다 보니 어느새 나는 아빠가, 아내는 엄마가 되어 있었다. 직장에서는 일로 바쁘고 집에 돌아오면 집안일과 아이들 돌보는 데 몸과 마음을 바치다 보니 우리는 단순히 같은 공간을 공유하는 두 생활인 그 이상도 이하도 아니었다. 사랑하고 결혼한다는 것이 서로의 발전에 도움이 되기는커녕 자칫 잘못하면 걸림돌이 될 수 있는 상황이었다.

이럴 즈음 우연히 대학 시절 좋아했던 한 선배를 만나게 되었다. 사귀지는 않았지만 거의 3년 동안 일방적으로 좋아했기 때문에 나에게는 절대적인 존재였다. 눈만 뜨면 얼굴이 떠오르고 일거수일투족이 궁금했으며 꿈속에서조차 놓치지 않으려고 노력했던 사람이었다. 하지만 선배의 졸업과 함께 내 마음속에서 선배의 모습은 서서히 지워졌다.

우연한 만남 이후 잠깐 혼란스러웠다. 예전의 감정이 되살아났기 때문이다. 지금 그 감정이 되살아나는 것이 결코 달갑지 않았지만 그렇다고 눈에 보이지 않는 감정을 물리적으로 막을 방법은 없었다. 가슴은 다시 설레었고 선배가 살아가는 모습이 궁금했다. 나는 이것이 선배를 향한 사랑의 불씨가 남은 것이라고 생각했다.

선배를 향한 내 마음이 사랑이 아니라는 힌트를 준 것은 다름 아닌 스캇 펙의 『아직도 가야 할 길』이라는 책이었다. 솔직히 나는 사랑이 무엇인지 잘 몰랐다고 볼 수 있다. 막연히 다른 사람을 좋아하면 사랑이고, 좋아하는 정도가 깊어지면 그것이 진정한 사랑이라고만 생각했다. 그러나 이 책에서는 이런 사랑은 오로지 환상일 뿐이며 일시적인 감정의 몰입 현상이라고 말한다.

사랑에 빠지는 것은 의지적인 행동이 아니다. 그것은 의식적인 선택도 아니다. …… 사랑에 빠지는 일은 한 개인의 한계나 영역을 확장시키는 것이 아니다. 그것은 부분적인 그리고 일시적인 자아 영역의 붕괴다. 한 개인의 한계를 확장시키는 데는 반드시 노력이 뒤따라야 하지만 사랑에 빠지는 일에는 노력이 필요 없다. 한번 사랑에 빠지는 귀중한 순간이 지나가고 자아 영역이 제자리로 돌아오면 사람들은 환멸을 느끼게 될지도 모른다. 참사랑은 영구적인 자기 확장의 경험이지만 사랑에 빠지는 것은 그렇지 않다.[2)]

이 책에서 줄곧 주장하는 것은 자신의 의지와 정신적 성장이다. 의지라는 건 노력과 용기라고 볼 수 있으며 사랑이라는 것은 단순히 자신의 감정을 표출하는 것이 아니라 나와 상대방의 정신적 성장을 위해 노력하는 것이라는 지적이 가슴을 파고들었다.

과거 내 감정을 선배에게 털어놓았을 때 다행히 선배도 솔직한 조언을 해주었다.

> 내가 너의 사랑이란 것에 대해 다소 가볍게 느껴지는 것은 말이야, 사랑이란 그런 환상과 공상이 아니라고 생각하기 때문이야. 사랑이란 치열한 싸움이고, 치열한 부딪힘이고, 치열한 열정이고, 치열한 포옹이고, 치열한 나눔이거든.[3)]

선배에 대한 사랑의 환상을 깨고 난 뒤 나와 아내의 사랑에 관해 생각해보았다. 어쩌면 나와 아내도 사랑의 환상에 사로잡혔던 건 아닐까. 참사랑의 과정으로 결혼을 한 게 아니라 서로에 대한 일시적인 환상으로 결혼을 하게 된 건 아닐까. 어쩌면 그럴 수도 있겠다 싶었다. 묻어두고 있던 묵은 기억을 되살렸다. 실제로 우리는 환상이라는 신기루가 사라지는 지점에서 진정한

---

2) 스캇 펙, 『아직도 가야 할 길』(2002), 128~129쪽.
3) 선배가 보내온 메일 내용.

사랑을 엮어가지 못했던 것 같다. 서로를 이해하는 고통을 이겨내지 못하고 수차례 다투기도 했다. 상대방을 이해하고 배려하기보다는 자기중심적인 생각과 행동으로 서로를 공격할 때도 있었다. 다소 늦었지만 지금 이 시점에서 우리에게 필요한 것은 서로의 존재를 새롭게 규정하는 일이라는 생각이 들었다.

> 사랑은 우리 자신들의 확대를 요구하기 때문에 언제나 노력과 용기가
> 필요하다. 어떤 행동을 행하면서 노력과 용기가 가미되지 않는다면 그것은
> 사랑의 행동이 아니다. 여기에 예외란 없다.[4]

우리에게 필요한 것은 바로 노력과 용기에 바탕을 둔 사랑의 행동이었다. 나 자신이 노력하지 않고 아내의 사랑을 바랄 수는 없으며 아내 역시 그러하다. 하지만 상대방이야 어떻든 나 자신부터 그렇게 변화해 나가야겠다는 마음을 먹고 아내에게 다가갔다. 무엇보다 진정한 사랑에 대한 갈증이 밀려올라왔다. 그래서 아내에게 "우리 다시 사귀자"라는 말까지 건넸다. 이 말을 한 것은 지난 7년 동안의 결혼생활이 남들의 시선을 의식해서 어쩔 수 없이 살아왔던 면도 있고 겉모습이나 형식에 얽매인 면도 있으므로 여기에서 벗어나 좀 더 질적인 만남, 내면의 만남을 가져야겠다고 판단했기 때문이었다. 이것이 앞으로 결혼생활을 이끌어줄 새로운 에너지가 될 것을 기대하면서 말이다.

나의 조그만 변화를 아내는 무척 반겼다. 만나는 사람마다 "남편이 대학원 가더니 사람이 변했다"라고 말했다. 그것이 불씨가 된 것일까. 지금 우리 관계는 결혼 이후 최고조에 이른 것 같다. 아내에게 상처를 주곤 했던 말의 변화를 이끄는 데는 배르벨 바르데츠키의 『따귀 맞은 영혼』도 큰 몫을 했다.

---

4) 스캇 펙, 『아직도 가야 할 길』(2002), 175~176쪽.

4. 삶과 죽음에 대한 경계 허물기

죽음이라는 단어는 늘 무섭다. 아직 나와는 상관없는 말이라 여기고 마음의 골방에 밀어둔 채 문을 열어보려고 생각조차 하지 않던 터였다. 지금까지 살아오면서 늘 앞날의 삶을 생각했지 그 삶 곁에 죽음이 있다고는 믿으려 하지 않았다. 한마디로 나와는 관련짓고 싶지 않은 단어였다. 그러나 최화숙의 『아름다운 죽음을 위한 안내서』를 읽으면서 조금은 생각을 달리하게 되었다. 누구에게든 삶 옆에는 죽음이 함께 가고 있다는 사실을 알게 된 것이다. 그 죽음이 언제 자기한테 올지는 아무도 모르지만 언젠가 한 번은 겪어야 할 삶의 과정이라는 사실을 깨닫게 되었다. 죽음은 삶 끝에 홀로 존재하는 것이 아니라 삶의 한 여정인 것이다.

돌이켜보면 나도 죽음이라는 단어를 떠올렸던 적이 있다. 스물여섯 살 때의 일이다. 몇 해 전 파손된 무릎 관절에 염증이 재발되어 병가를 내고 집에서 쉬고 있었다. 쉬고 있다기보다는 고통을 억누르며 인내의 시간을 보냈다고 볼 수 있다.

스물여섯이라는 팔팔한 젊은 나이에 움직이지도 못하고 집에만 누워 있으면서 스트레스를 많이 받았던 탓인지 나는 한 번도 경험하지 못한 질병들을 앓게 되었다. 제일 심각했던 것은 심장 관련 질병인 부정맥과 협심증이었다. 1분당 15차례 이상 잡히는 부정맥으로 몸이 무기력해졌으며 가슴을 조여오는 통증으로 인해 꼼짝하지 못하는 협심증은 죽음의 공포를 불러왔다. 여기에 위의 통증, 간의 피로, 허리 디스크, 만성 두통 등 한 번도 앓은 적 없는 병까지 한꺼번에 몰려들었다. 이런 낯선 손님들과 몇 년을 공존하면서 죽음이란 게 남의 일만은 아니구나 하는 생각을 하게 됐다. 여기서 조금만 더 스트레스를 받고 회복되지 않으면 나도 헤어날 수가 없겠구나 싶었다.

이에 비해 최근에 겪은 일들은 중년을 향해 달려가는 내 나이와 결부되어 죽음의 의미가 새롭게 다가왔다. 하나는 장인어른의 죽음이다. 결혼할 때까지만 해도 건강하시던 장인어른은 직장에서 은퇴한 지 2년 만에 말기 암을 선고받고 7개월 정도 투병하시다가 돌아가셨다. 퇴직 후 경제적인 문제로 어려움을 겪으면서 생긴 스트레스가 병을 키운 모양이었다.

암 진단을 받고 처음에는 어떻게든 살려보려고 병원과 민간요법도 알아보고 공기 좋은 요양원에 보내드리기도 했으나 이 책에 언급되어 있는 여느 환자들과 비슷한 과정을 거쳐 결국 7개월 만에 세상과 이별하시고 말았다. 호스피스 제도가 가까이 있다는 사실을 알았으면 그처럼 허무하게 생을 마감하게 하지는 않았을 것이다. 장인어른의 죽음을 접하면서 죽음은 정말 인간의 힘으로는 어찌할 수 없음을 몸으로 느꼈다.

또 하나는 작년에 맞은 우리 아버지의 죽음이다. 아버지는 병을 앓으셨던 것도 아니었기에 죽음과는 전혀 관련이 없다고 여기고 있었다. 그런데 불의의 사고로 인해 하루아침에 심장마비로 세상을 떠나셨다. 그때의 충격이란 이루 말할 수 없고 6개월이 지난 지금도 그 여파가 크다. 아버지가 갑작스럽게 세상을 등지는 바람에 우리는 이별을 맞을 준비를 전혀 할 수 없었고 슬픔조차 제대로 느끼지 못한 채 지금까지 이르고 있다.

장인어른과 아버지는 모두 63세라는 한창인 나이에 돌아가셨다. 연이은 두 번의 죽음을 겪으면서 '인생이란 무엇인가'에 대해 진지하게 생각해보게 되었다. 부모님 다음은 바로 우리가 아닌가 하는 위기감이 생겼고 마음이 조급해지기도 했다.

죽음이 어쩔 수 없는 삶의 과정이라면 막상 죽음이 내게 다가왔을 때 나는 가족과 세상을 향해 어떤 말을 할 수 있을까. 이런 생각을 하니 지금 내가 선 자리가 눈에 보였다. 자연스럽게 '나는 어떻게 살다가 죽을 것인가'라는 질문을 하게 되었다.

이 책을 보면서 이러한 생각들이 더욱 구체화되었다. 삶을 이야기하자면 죽음도 이야기해야 한다는 것, 다시 말해 죽음은 바로 삶 곁에 있다는 것을 조금 더 깊이 느끼게 되었다. 또한 죽음도 준비 과정이 필요하다는 사실을 깨달았다. 어느 날 불시에 찾아오는 죽음을 아무런 준비 없이 맞기보다 평소에 죽음에 대해 성찰하는 훈련을 한다면 더욱 자연스럽게 생과 사를 드나들 수 있을 듯싶다. 그리고 아름다운 죽음이란 무엇인지 진지하게 성찰해보고 지금 내가 선 자리를 되돌아보는 것을 생활화해야겠다는 생각도 들었다.

이 책은 만약 지금 내게 죽음이 찾아온다면 무엇을 놓아두고 무엇을 가져가야 할 것인가에 대한 힌트도 주었다. 이 힌트를 유념한다면 삶이 그렇게 고통스럽게 느껴지지 않을 듯하다. 왜냐하면 죽을 때 가져갈 수 있는 건 이 책에서 언급한 것처럼 눈에 보이지 않는 것들밖에 없기 때문이다.

5. 나오며

책을 통한 마음의 치유 과정을 체험하면서 든든한 후원자를 만난 느낌을 받았다. 독서를 이렇게도 할 수 있구나 하는 신선함과 아울러 삶이 답답하고 사람들과의 관계가 잘 풀리지 않을 때 언제나 곁에 있어줄 책이 생겼다는 든든함을 느꼈다. 좀 더 일찍 이 책들을 만났더라면 하는 아쉬움도 없지 않다. 하지만 나이 마흔을 눈앞에 둔 시점에서 이 책들이 인생의 훌륭한 구원투수가 되어줄 것임을 의심치 않는다.

문제는 오남용 없는 바른 처방일 것이다. 어떤 병이든지 제대로 고치기 위해서는 정확한 진단과 올바른 처방이 어우러져야 한다. 사람의 마음에 생기는 상처는 눈에 보이지 않으므로 더욱 주의를 기울여야 할 것이다. 참여자는 자신의 마음 상황을 솔직하게 밝혀야 하며 진행자가 있다면 상황을 잘 파악한 뒤 정선된 치유서를 제공하는 것이 무엇보다 중요하다.

나는 독서치료는 혼자서 하는 것보다 가능하다면 진행자를 중심으로 다른 사람들과 함께하는 것이 좋다고 본다. 개인적인 독서는 주로 머리를 중심으로 내용을 이해하는 차원에서 이루어지므로 단지 아는 것에 머물 수 있다. 이에 비해 독서치료 과정에서 제시하는 가이드라인,[5] 즉 치유적 책읽기,

---

5) 김정근, 「소규모 독서치료 모임을 위한 가이드라인」, ≪사람과 책≫, 2004년 8월.

치유적 글쓰기, 치유적 말하기로 이어지는 일련의 과정은 머리에서 이루어진 각성의 과정을 글로 표현하고 타인 앞에서 말로 표현하는 과정을 거치며 행동의 변화를 동반할 가능성이 크다. 이러한 체험을 통해 생각과 신념이 내면화될 수 있는 것이다. 이는 마치 어린이들이 학교에서 도덕 수업을 받는 것과 흡사하다. 교과서를 통해 '장애우의 고통'에 관해 읽고 이해하고 공감하는 수준에서 그치는 공부와 직접 장애 체험을 해보거나 장애우를 돕는 프로그램에 참여해 실천하는 방식의 공부는 효과 면에서 큰 차이가 있다. 아는 것과 행동하는 것의 차이는 매우 크다.

앞으로 나의 상황에 맞는 치유서를 발굴해보고 싶다. 또한 아내와 딸, 그 외 다른 가족의 상황에 맞는 치유서도 고민해 개발해보고 싶다. 그리고 직업상 어린이들의 상황을 꾸준히 관찰한 뒤 적절한 치유서를 찾아 아이들에게 적용해보고 싶기도 하다.

나의
독서치료
체험기

13

잃음, 앓음…… 그리고……

김은엽

"이 사람, 말해도 기억 못 해요. 자기한테 안 중요한 건 들어도 잊어버려요."

놀라웠다. 나에 대해 다소 단정적으로 말하는 동료의 표정도 놀라웠고 그렇게 말할 수 있는 빌미를 제공한 것도 놀라웠다. 누군가에게 건넨 사소한 농담 한 마디도 절대 잊는 법이 없고 아주 오래된 일도 어제 일처럼 정확히 기억하는 동료가 보기에 난 참 허술해 보였을 것이다. 이는 예전에도 언급된 적 있는 또 다른 동료의 '이사 이력'에 대한 이야기를 나누던 중 나온 말이었다.

놀라움과 당혹감이 교차했던 그 순간, 자세한 내용을 기억하고 있는 사람과 기억하지 못하는 사람의 대비된 표정보다 더 선명하게 인지되는 것은 변한 내 모습이었다. 예전 같으면 누가 어느 동네에 살았는지 당연히 잊지도 않았겠지만 만약 잊었다면 무척 미안해했을 것이다. 주변 사람들의 시시콜콜한 모든 이야기를 알고 있어야 친하다고 생각했던, 그래서 나 자신에 대한 관심보다도 내가 아닌 것에 대해 온통 신경을 집중했던 시기가 있었다. 그때

난 참 여러모로 지금과는 다른 모습이었던 것 같다.

1. 지난 시절, K의 이야기[1]

K는 다분히 그런 편이었다. 단정하고 성실하고 꼼꼼하고 정확하고 순종적인 사람. 어릴 때부터 그랬다. 필통 안에 키 맞춰 세워둔 연필이 흐트러지는 것이 싫어서 천으로 만든 필통 대신 쇠로 만든 필통만 사용했다. 색깔별로 규칙을 정해두고 정리하는 공책 필기는 시험 치기 전 마지막 정리 때 친구들이 서로 찾는 요약본이었다. 바람이 불어도 좀처럼 뒤집어지지 않는 청치마를 좋아했으며 갑갑해 보인다며 친구들이 말려도 셔츠 단추는 목까지 꼭 채웠다. 구두를 사러 가서도 그랬다. 가장 낮은 굽에 가장 무난한 것으로 골랐다. 미용실에 가서도 "어떻게 해드릴까요?"라는 질문에 늘 "단정하게 해주세요"라고 대답했다. 지갑 안의 모든 지폐는 한 방향으로 들어가 있었으며 지폐와 동전이 섞이는 것이 싫어 동전 지갑을 따로 썼다.

맡은 일은 무슨 일이 있어도 빠뜨리지 않았으며 그 일을 미루지 않고 다 해야 직성이 풀렸다. 벼락치기로 시험공부를 할 때에도 조사 하나 빠뜨리지 않고 교과서를 다 읽었으며, '독후감 20편 제출'이 방학 숙제일 때면 개학 일주일 전에 시작하면서도 밤을 새서 단편이라도 20편을 다 읽은 뒤 수를 맞춰 독후감을 제출했다. 이런 K에게 과외는 너무 힘든 아르바이트였다. 정해진 보수를 받고 일정 목표까지 성적을 올려주는 역할을 해야 하는데 K 자신의 사정과 컨디션에 따라 시간을 조정하거나 불성실한 수업을 하게

---

[1] 나를 사례로 해서 독서치료 경험 후의 변화에 대한 실증적 연구를 진행한 학위 논문에서는 글을 쓰는 나와 구분하고 변화를 체험한 나를 객관화하기 위해 나를 임의로 K라고 지칭했다. 김은엽, 「20대 여성의 상처와 독서를 통한 치유에 관한 연구: K의 이야기를 중심으로」(부산대학교 일반대학원 석사학위 논문, 2005).

되는 건 참으로 마음 불편한 일이었다. K는 밥을 담아 먹은 그릇은 즉각 씻고 쓰레기통은 차기 전에 비워야 마음이 편한 성격이었다.

또한 K는 기억하는 것에 대한 집착이 강했다. 누구의 생일이나 기념일 같은 특별한 스케줄을 참 잘 기억하고 꼼꼼하게 챙겼다. 약속시간에는 늦지 않게 5분 먼저 나가 기다렸다. 늘 가는 길로 가고 늘 앉는 지하철의 그 자리에 앉는 걸 좋아했다. 새로운 일을 시작하기 전엔 철저하게 계획부터 세우느라 준비 시간이 다른 사람들보다 훨씬 오래 걸렸다. 그런데 그 계획이 계획대로 되지 않기라도 하면 다음 일을 진행시키기까지 또 한참이 걸렸다. 비뚤어진 액자는 꼭 바로 해야 했고 반쯤 밀어 넣다 만 의자는 꼭 마저 넣어야 했다.

초등학교 2학년 때에는 이런 일도 있었다. 직육면체 그리는 법을 배우는 날 K는 수업시간 내내 도형을 그리지 못해 방과 후 학교에 남았다. 비스듬한 평행사변형을 그려야 직육면체의 옆면을 그릴 공간이 생기는데, K는 평행사변형 자리에 자꾸 네모반듯한 직사각형을 그렸던 것이다. 또 처음으로 자의 눈금을 보고 센티미터를 읽는 훈련을 하는 시간이었다. 선생님이 공책에 선을 그어주시면 각자의 자로 그 선분의 길이를 재어 검사를 받고 통과하면 집에 돌아갈 수 있었다. 그날도 K는 제일 늦게까지 남았다. 계속 선생님보다 0.5센티미터 짧은 오차가 생겼던 것이다. 길이가 다른 선분으로 몇 차례를 반복했지만 마찬가지였다. 이해가 안 된 선생님은 자를 바꿔주기도 했지만 그래도 마찬가지였다. "이번에도 안 되면 내일 다시 하자"라고 말씀하시는 선생님의 마지막 과제를 풀기 전에야 비로소 K는 무엇을 잘못했는지 알아차렸다. K는 자의 눈금이 시작되는 지점, 그러니까 숫자 0이 나오기 전의 빈 공간부터 갖다 대어 길이를 재고 있었던 것이다. 반듯한 것, 가장 처음부터 시작하는 것에 남다른 강박을 갖고 있던 K였다. 김밥을 먹을 때나 카스텔라 빵을 먹을 때도 첫 줄부터 하나씩 집어먹는 K였다.

그런가 하면 잘못된 물건을 바꾸러 가거나 잘못한 돈 계산을 확인하러 가는 건 K가 꺼려하는 일 중 하나였다. 정당한 요구임에도 누군가에게 싫은 소리를 하는 건 무척 어려워했다. 무언가를 부탁하는 일에는 더더욱 익숙하지 않았다. 애초에 그런 상황을 만들지도 않았지만 술값이 없다고 친구를 부르거나 택시에서 내릴 때 보니 택시비가 없어 식구 중 누군가를 부르는 일 같은 건 절대 없었다.

늘 예상할 수 있고 정의할 수 있는 범위 내에서 움직이고 융통성이 없을 정도로 매순간에 너무 경직되어 있던 K는 못 말리는 완벽주의자였다. 대학에 들어와서 실시한 MBTI 성격유형 검사[2]에 따르면 K는 실제 사실에 대해 정확하고 체계적으로 기억하며 일처리에도 신중하고 책임감이 강하다는 ISTJ형[3]이었다. 좋은 성격, 나쁜 성격이 따로 있는 것은 아니지만 이러한 특성을 갖고 있는 K는 일상에서 힘든 일이 참 많을 수밖에 없었다. 우선 자신과는 반대적인 성향을 갖고 있는 사람을 대하는 게 쉽지 않았으며 계획 했던 일이 성공하지 못할 때는 자신의 가치를 인정하지 못했다. 자신보다

---

2) MBTI(Myers-Briggs Type Indicator). 마이어와 브릭스(Myers-Briggs)는 융이 사람의 성격 유형을 살필 때 나누었던 자아 오리엔테이션(외향 E/내향 I), 인식기능과 정보 수집 방식(감각 S/직관 N), 삶의 경험에 관한 판단(사고 T/감정 F)이라는 3개의 축에 생활양식과 이행양식(판단 J/인식 P)을 추가해 16개의 성격유형을 제안하고 이를 측정하는 검사를 개발했다. 민경환, 『성격심리학』(법문사, 2002), 69쪽.

3) "내향성 감각형. 어지간한 위기 상태에서도 침착하며 충동적으로 일을 처리하지 않고 일관성 있으며 관례적이고 보수적인 입장을 취하는 경향이 있다. …… ISTJ 선호경향이 있는 사람들은 매우 신뢰성이 있으며 사실에 대한 완전하고 현실적이며 실용적인 면을 가지고 있다. 어떠한 분량의 사실이라도 몰두하고, 이를 기억하고 이용하며, 정확도에 대해 매우 세심하다. 위기상황에 대처할 때에도 차분하며 안정 되어 있다. 그들이 어떤 사람인가를 아는 데는 상당한 기간이 걸린다. …… 사람들 에 대해 적절하지 못한 판단을 내려버리거나 자신과 타인의 감정이나 기분을 무시 할 위험성이 있다. 다른 사람을 이해하는 데 감정(F)기능을 활용하는 노력이 필요하 다. ISTJ형의 사람들은 자신이나 타인의 감정에 귀를 기울이며 결정상황에서 타인 들의 직관(N)력에 주의를 기울일 필요가 있다. 왜냐하면 ISTJ형들은 상상력과 추상 적이고 이론적인 직관력에 대해 의미를 부여하지 않고 이를 소홀히 취급하기 쉽기 때문이다." 김정택·심혜숙 엮음, 『MBTI 16가지 성격 유형: 성격 선호도 검사』, 한국심리검사연구소, 4~5쪽.

잘하는 사람만 보였고 그 사람만큼 안 되는(또는 못하는) 스스로를 철저하게 타박했다. 늘 사소한 접촉 사고 정도의 있을 법한 일 대신 사망 사고[4] 같은 악성 시나리오만 썼다. 어른들은 K에게 '지금이 한창 좋을 때', '꽃띠'라고도 했지만 K는 너무 심각했고 자주 우울해했다.[5]

2. 앓은 후에 얻은 것들

계기는 독서치료였다. 태어나서부터 지금까지의 K에게 영향을 준 많은 일을 챙겨보고 새롭게 자신을 이해하게 된 것. 치유서로 지정된 책을 한 권씩 읽어가면서 자신의 넘치는 단정함과 성실함이, 답답할 정도의 꼼꼼함과 순종적인 기질이 어디에서 비롯됐는지 알 수 있었다. 놀랍도록 신기하게 자신의 성장 과정을 새롭게 들여다볼 수 있었다. 책을 읽는 동안 당황스럽게 떠오르는 과거의 몇 장면과 대면하기도 했으며 아주 어릴 적 일어난 일인데도 아직까지 선명하게 기억되는 일이 왜 그런지도 알 수 있었다.[6]

"지 엄마 힘들까봐 어지르지도 않네", "이 집 애들은 확실히 뭐가 달라"라는 어른들의 칭찬에 강화되어 K는 아주 어릴 때부터 갖고 놀던 장난감과 읽던 책은 제자리에 항상 그대로 뒀다. 강요하거나 금지하지 않더라도 해서는 안 된다고 감이 잡히는 일들은 부모님 '신경 안 쓰이게', '가르쳐주지 않아도 미리 알아서' 잘했으며, 부모님 속상하지 않도록 마음에 들지 않을 행동은 애초에 하지 않았다. 헌신적인 K의 부모님이 자식들에게 못 해주는

---

4) 김형경, 『사랑을 선택하는 특별한 기준 1』, 217쪽.

5) 김정근 외, 『독서치료 사례 연구』, 103~106쪽.

6) "잊었던 기억을 찾는 것은 정신분석의 목적이 아니라 결과라는 글을 읽은 적이 있다. 그 고통을 감당할 힘이 생기면 외면했던 기억이 떠오른다는 것이었다. 한 번도 떠올려본 적이 없는, 그리하여 까맣게 잊은 줄 알았던 그 다음 장면들까지 선명하게 되살아났다." 김형경, 『사랑을 선택하는 특별한 기준 2』, 19쪽.

것은 안 해주는 게 아니라 정말로 못 해주시는 거란 걸 알고부터 K는 부모님께 떼쓰거나 요구하지 않았다. 행여나 부모님이 미안해하시는 모습을 다시 볼까 봐서였다. "언제 어디서나 필요한 사람이 되자"라는 집안의 가훈도 잊지 않았다.

늘 정리정돈 잘하고 할 일 미루지 않고 책임질 수 있는 만큼의 일을 열심히 하는 K는 '착한 딸', '막내 같지 않은 막내', '조숙한 아이'라는 칭찬을 들었고 점점 더 그 기대에 맞는 모습으로 자랐던 것이다. K가 순종적이고 침착해 보였던 것 역시 착하거나 공부라도 잘하지 않고서는 인정받지 못하는 여리고 어린 한 여자아이[7]가 자신이 속한 세상에 적응하는 나름의 방식이었던 것이다.

그래서 K는 김형경의 책을 읽고 그렇게 놀랐던 것인지도 모른다. "연탄재 함부로 차지 마라. 너는 누구에게 한 번이라도 뜨거운 사람이었느냐"[8]라는 시 구절에 가슴 무너지던 소설 속 세진이 남 같지가 않아서, 그녀의 '사랑불능'이 도무지 남의 일 같지가 않아서 어쩔 줄 몰라했다. 실제 K도 "너 한 번도 차가웠던 적 없어. 너 그렇다고 따뜻했던 적 없어"[9]라는 노래를 듣고서 안도현의 그 물음 앞에서 속수무책으로 무너지고 있던 터였다. 혼자서 모든 것을 다 처리하겠다며,[10] 자신의 감정을 들키지 않고 애초에 상처가 될 일은

---

7) K의 할머니 입장에서는 당신의 아들인 K의 아버지가 나이 차이도 많이 나는 어린 신부와 결혼하는 것을 썩 좋아하지 않았으며 당시로서는 결혼도 늦은 편이었는데 아이도 늦게 낳는 며느리가 못마땅했다. 게다가 고대하던 첫째도, 혹시나 했던 둘째도, 설마 했던 셋째도 모두 딸인 것에 무척 분개하셨다. 따라서 셋째 딸인 K는 출생부터 환영받지 못했다.

8) 안도현, 「너에게 묻는다」, 『외롭고 높고 쓸쓸한』(문학동네, 1994), 13쪽.

9) 스웨터(Sweater) 1집 <스타카토 그린>(2002) 5번 트랙, '멍든 새'.

10) "'세상에는 혼자서 하는 일, 둘이서 하는 일, 타인의 도움을 받아야 하는 일, 그런 것들이 다 다릅니다.' 그럴 것이다. 그렇지만 타인에게 도움을 청하는 일, 무언가를 부탁하는 일이 너무 어렵다는 것이 문제였다. …… '전번에 얘기했잖아요. 크라잉

만들지 않겠다며[11] '삶의 최소주의자'[12]가 되어 힘들게 살았던 지난 시간이 너무 아프게 다가왔다.

K는 자신의 일로 다른 사람이 수고해야 하는 게 부담스러워 좀처럼 부탁 같은 건 하지 않았다. 그래서 무거운 짐을 옮길 때도, 급하게 돈을 빌려야 할 때도 혼자 끙끙거렸다. 친구 커플과 셋이서 만나는 자리에서는 함께 영화 보러 가자는 친구의 권유에 "나 신경 쓰지 말고 둘이 가"라며 자리를 비켜주 곤 했다.

K는 책을 읽어나가면서 자신이 자주 하는 말과 말하지 않고 가슴 속에 담아두는 말을 관찰할 수 있었다. 늘 비슷한 상황에서 초라해지는 자신의 행동이 무엇인지도 파악할 수 있게 되었다. 자신과 다른 사람들을 보며 '어떻게 저렇게 말하고 행동할 수 있을까'라고 여겼던 것이 실은 상대적으로 K 자신이 못 그래봐서 갖는 질투 어린 부러움을 반영[13]하고 있다는 걸 알게 되었다. 집안에서도 친구 사이에서도 "나 신경 쓰지 마" 또는 "내 걱정 하지 마", "난 괜찮아"라는 말을 늘 입에 달고 있었다는 것이 실은 '나에게도 신경 좀 써달라'는 말과 다르지 않다는 것,[14] 덩치에 안 맞게 날아다니는

포 헬프를 하지 않는 영혼. 처음에는 그걸 할 대상이 없었겠고, 다음에는 버릇이 되어 그런 말을 입 밖에 내지 못했을 테죠. 더 커서는 자존심 때문에 그런다고 생각했어요.'" 김형경, 『사랑을 선택하는 특별한 기준 1』, 108쪽.

11) "'저는 서른일곱이 될 때까지 인생에 아무 일도 일어나지 않기만을 바라며 살아왔어 요. 제가 온 힘을 다해 매진하는 곳은 오직 일과 직업과 관련된 것뿐이죠.'" 같은 책, 85쪽.

12) 김영민, 『사랑 그 환상의 물매』(마음산책, 2004), 196쪽.

13) "그동안 타인에 대해 함부로 평가하고 비판했던 모든 일들이 우스워졌다. 결국 내 얘기를 했을 뿐이구나. …… 모성 부족, 자기중심성, 질투심, 그 모든 것이 고스 란히 내 안에 있는 것들이었다. 앞으로는 누구에 대해서도 비판하거나 평가할 수 없다는 것을 알게 되었다." 김형경, 『사랑을 선택하는 특별한 기준 2』, 165쪽.

14) 이런 통찰을 얻는 순간 K는 "신경 쓰지 마"라는 짧은 말을 입 밖으로 내어 발음할 수가 없었다. 김형경의 표현대로 "그 말이, 그 정서가 그토록 나를 고단하게 만들었

모든 벌레를 무서워하는 것이 자신이 예상할 수 없고 통제할 수 없는 상황에서 휘둘리는 것이 싫었던 과거의 기억과 결부되어 있다는 것,[15] 화려하게 튀는 옷차림과 화장을 한 친구에게 "대단하다"라고 했던 말이 '나도 한번 그래봤으면' 하는 숨겨진 욕망을 대신하는 것임을 알 수 있었다.

　K를 가장 힘들게 하는 주체가 다름 아닌 자신임을 인정하는 일[16]은 쉽지 않았다. 또 그 사실을 인정하기까지, 인정하는 내내 실제로 몸이 아프기도 했고 울기도 많이 울었다. 하루하루 너무 긴장해서 고단하게 살아온 날들[17]

구나. 아, 이렇게 나를 억압해왔구나. 괜찮다고, 나는 괜찮다고, 평생을 두고 나를 속여왔구나. 정직하게 슬픔을 마주보지도 솔직하게 고통을 표현하지도 못했구나" 라는 말을 되뇔 뿐이었다. 김형경, 『사랑을 선택하는 특별한 기준 1』, 110쪽.

15) 근원가족과 관련 있는 동물이나 색깔을 떠올려보라는 식의 테스트를 할 때면 그런 생각이 참 많이 들었다. 벌레, 뱀, 쥐…… 모두 원래 혐오감을 주는 동물이기도 하지만 K에게 그 동물들은 혐오스런 생김보다 예측할 수 없는 움직임이 싫었다. 가만히 있는 듯하면서 어디로 튈지 모르는, 그래서 K를 어떻게 흔들지 모르는 그것들의 예상할 수 없는 동선이 겁이 났던 것이다. 마치 어린 시절 예고 없이 오셔서 K를 우울하게 한 작은아버지처럼, 말없이 집안의 분위기를 좌지우지하셨던 K의 할머니처럼…… 다음 책의 「기생감정」, 특히 '공포증'과 관련된 부분이 많은 도움이 되었다. 이자벨 피이오자, 『도대체 내가 왜 이러지?』, 남윤지 옮김(여성신문사, 2004), 117~123쪽.

16) "정신분석이 유익했던 것은 무의식에 억압된 자아의 다양한 파편들을 보았다는 것이었다. 추악하고 모멸스러워 죽고 싶다는 나의 모습도 보았다. 이제 남은 것은 스스로의 힘으로 해결해나가는 일일 것이다. 우선은 그 모든 것이 나라는 사실을 인정하고, 내 안의 상처 입은 채 남아 있는 유년의 아기를 보살피면서, 억압해둔 무의식과 꾸준히 소통하면서 살면 될 것이다. 생에서 앞으로 해결해야 하는 문제가 무엇인지 알았다는 것, 그것만으로도 충분한 소득이었다." 김형경, 『사랑을 선택하는 특별한 기준 2』, 61쪽.

17) "파괴당하기를 두려워하는 마음은 곧 사랑을 두려워한다는 의미였다. 내 불능의 한 모서리가 또 드러나고 있었다. 나는 전 생애에 걸쳐 나를 방어하기 위해 죽을힘을 써왔을 뿐이었다. 완강한 자의식, 고착된 통념, 반듯한 일상, 폐허처럼 우뚝한 기억, 그 어느 것 하나 허물지 못했던 것이다." 같은 책, 40쪽.

이 너무 안쓰러워서, 스스로를 지독하게 몰아붙이고 미워했던 자신이 너무 안타까워서 마음이 많이 아팠다. 자기를 사랑하는 것이 고집스러운 당위(當爲)이기만 했던 K, 스스로를 사랑할 수밖에 없어서 사랑할 수 있는 복된 경지에 이를 수 있게 해달라고 기도하던 K는 그 사랑이 삶의 목표가 아닌 과정이라는 사실과 그 사랑의 기준 또한 자기정이라는 사실을 알게 되었다. 그래서 이젠 조금 모자라도 조금 서툴러도 덜 완벽해도 있는 그대로의 자신을 애틋하게 여기고 아끼고 싶다고 생각하게 되었다. 더 이상 질투와 결핍이 행동의 추진력이 되지 않도록[18] 애쓰게 된 것이다. 참 오랜 시간이 걸렸으며 제자리걸음 같아 보이는 잰걸음을 많이도 걸어왔다.[19]

아직 완성되지 않았다. 그러나 이제 K는 완성을 바라지 않는다. 계속 담금질하며 한걸음씩 내딛을 것이다. 독서치료가 책읽기를 통해 지속적으로 자신을 돌보는 것임을 알았기에 욕심내지 않는다. 문제가 생기지 않도록 하는 게 아니라 문제가 생겨도 예전과 다른 방식[20]으로 대처할 수 있게 된 것만으로 K는 치료의 효과를 톡톡히 보고 있다.

K는 여전히 단정하고 성실하고 꼼꼼하고 정확하고 순종적인 편이다. K 필통 속의 필기구와 K 지갑 속에 돈은 아직 가지런하다. 청치마와 민무늬

---

18) 기형도, 「질투는 나의 힘」, 『입 속의 검은 잎』(문학과지성사, 1989), 53쪽.

19) 김정근 외, 『독서치료 사례 연구』, 112쪽.

20) "이제 내 삶의 패러다임이 바뀌는 것을 느낀다. 인생이란 목표를 향해 매진하는 것이고, 일상이란 성실하고 빈틈없이 운용되어야 하며, 나라는 존재가 살아 있다는 것이 세상에 조금이라도 도움이 되어야 한다는 것, 그것이 지금까지 내 삶의 가치였다. 그러나 이제는 그 모든 것이 무의식에 깃든 결핍감, 생존에 대한 불안, 사랑받고자 하는 욕구…… 그런 것들의 결과물임을 알았다. 무의식에 있던 덩어리들이 휘발하면서 동시에 예전의 욕망들이 무의미해지고 있었다." 김형경, 『사랑을 선택하는 특별한 기준 2』, 287쪽. "새로운 삶의 방식을 배우고, 새로운 사람의 목표를 정해야 했다. 새로운 삶은 그 일과 함께 영혼이 성장하고, 그 일과 함께 자아를 실현하고, 그 일이 또한 세상에도 유익한 것이어야 했다. 그리고 또한 그것이 환갑이 되어도 유효한 방법과 목표여야 했다." 같은 책, 297쪽.

구두도 아직 좋아한다. 하지만 이제 천으로 만든 필통 속에서 필기구가 섞여도, 지폐들이 빳빳한 순으로 정리되어 있지 않아도 속상해하지 않는다. 단지 정리된 것을 조금 더 좋아할 뿐이다. 청치마도 좋아하지만 바람 불면 하늘거리는 스커트도, 목이 파인 니트 옷도, 굽이 있는 높은 구두도 좋아하게 되었다. 아직 K의 옷은 대부분 무채색 계열이지만 요즘에는 예전 같으면 엄두도 못 냈을 색깔과 디자인의 옷을 한 번씩 사기도 한다. 그런 작은 변격이 좋다. 그런 작은 일탈이 좋다. 스타카토 음표 같은, 쉼표 같은 그런 변화가 좋다. 그로 인한 설렘이 좋다.

늘 단발 아니면 긴 생머리이기만 했던 헤어스타일을 유행하는 머리로 해보라고 권유하는 미용사에게 맡겨보기도 한다. 이제 K는 도저히 끝까지 읽고 싶은 마음이 들지 않는 책은 과감히 덮을 수도 있게 되었다. 또한 한 권을 다 읽지 않은 상태에서 여러 권의 책을 함께 읽을 수도 있게 되었다. 또 자신이 하는 일에 예전만큼 정성을 다하면서도 일의 성과나 결과보다는 일을 하는 과정에서 의미를 찾는 것이 보람 있음을 알고 '무조건, 막무가내로, 열심히'만 하지는 않는다. 설거지나 청소 역시 조금 느긋하게, 지저분하지 않을 정도로 하더라도 마음이 불편하지 않다. 웬만해서 지인들의 기념일을 잊지는 않지만 예전처럼 일주일 전부터 책상 위 메모지에 적어두곤 하지 않는다. 행여나 기념일을 잊는다고 해도 그것도 기억 못 한다고 자신을 면박 주지 않는다. 그럴 수도 있는 일일 뿐이다.

너무 재미있게 읽고 있는 책을 마저 다 읽고 나가느라 약속 시간에 조금 늦어도 능청스러운 변명을 할 수 있게 되었다. 바쁜 시간에 핸드폰으로 전화를 건 광고 안내 상담원에게 다음에 다시 걸어달라는 말도 상냥하게 할 수 있게 되었다. 아직 익숙하지는 않지만 친구들에게 같이 가고 싶지 않은 장소엔 가기 싫다는 말도 할 줄 알게 되었고, 맛있는 것 사달라는 말이나 힘들 때 "목소리 들으면 힘이 날 것 같아서 전화했다"라는 말도 할 줄 알게 되었다. 이제 남에게 보이기 위해, 칭찬받기 위해 무언가를 하는 것이 아니라 자신에게 기쁜 일을 자기가 하고 싶은 만큼 할 수 있게 되었다. 다른 사람들의 시선으로부터 완전히 태연해질 수는 없지만[21] 이제는 '남들처럼, 남들만큼' 이 아닌 '자기 방식대로, 자기 스타일로' 사는 것이 중요하다는 것을 안다.

K와 스타일과 취향이 비슷하면서도 K보다 탁월한 센스와 특출한 재능을 가진 사람이 있더라도 그 사람이 목표와 기준이 되는 것이 아니라 동행으로 받아들여진다. K가 좋아하는 것, K가 할 수 있는 것을 다른 사람도 그만큼 좋아하고 잘한다 하더라도 이제 K는 위협을 느끼지 않는다. 그 일을 해서 K 자신이 즐겁고 행복하다면 그뿐이라는 걸 알았기 때문이다.

K는 근 6년 만인 2004년 10월 13일에 MBTI 검사를 다시 받았다. 놀랍게도 K는 창의력과 통찰력이 뛰어나고 강한 직관력으로 의미와 진실한 관계를 추구하며 뛰어난 영감으로 말없이 타인에게 영향력을 가진다는 INFJ형[22]으로 바뀌어 있었다. 이 유형 역시 자신의 영감 속에 갇혀 현실과 유리될 우려가 있으므로 감각 기능을 개발할 필요가 있는 완벽하지 않은 한 가지 성격유형 일 뿐이지만 K는 그렇게 달라졌다. 그토록 스스로를 힘들게 했던 강박증적이

---

21) "이제 내 속에서 타인의 시선에 신경 쓰는 마음, 타인의 이해나 인정을 원하는 욕구가 엷어졌다는 점이 가장 좋았다. 내면으로부터 진심으로 나를 보살피고 사랑 하는 마음이 생긴 것도 같았다. 무엇보다 좋았던 것은 나르시시즘이 확실하게 깨졌 다는 점이었다. 그들이 말하는 이기적이고 분노하고 예민한 모습이 나라는 사실을 저항 없이 받아들이는 내가 좋았다. 예전에 그런 말들 앞에서 상처 입었던 이유가, 내가 만들어둔 거짓된 자기 이미지에 흠집이 나서 그랬던 거구나 하는 사실도 이해했다." 같은 책, 283쪽.

22) "내향성 직관형. 독창성과 사적인 독립심이 강하며, 확고한 신념과 뚜렷한 원리원칙 을 생활 속에 가지고 있으면서 공동의 이익을 가져오는 일에 심혈을 기울이고 인화 와 동료애를 중요시하는 경향으로 존경을 받고 사람들이 따른다. 남에게 강요하기 보다 행동과 권유로 사람들의 마음을 움직여 따르게 만드는 지도력이 있다. …… 만약 그들의 '판단기능'이 개발되어 있지 못하면 그들은 그들 내면의 비전을 평가 할 수 없게 되고, 다른 사람들이 해주는 피드백을 경청할 수도 없게 된다. 그들의 직관기능이 일상적인 일에서 억압되지 않으면 어떤 분야에서도 큰 가치를 발휘한 다." 김정택·심혜숙 엮음, 『MBTI 16가지 성격 유형: 성격 선호도 검사』, 20~21쪽.

고 신경증적인 완벽주의가 많이 누그러지고 완화되었기 때문이다. 논리보다는 감성이 앞서고 분석보다는 공감을 먼저 할 수 있게끔 바뀐 것이다.

K는 자신의 상처를 이해하고 보듬어 안게 되면서 다른 사람들도 달리 보기 시작했다. 자신만큼 자세히는 아니더라도 모든 사람, 모든 일에는 그럴 만한 이유가 있음을 짐작하게 되었다.

말을 크게 하는 사람, 말을 빨리 하는 사람, 말을 많이 하는 사람, 별로 말이 없는 사람, 공적인 자리와 사적인 자리에서 매우 다른 사람, 돈을 잘 쓰는 사람, 돈 쓰는 데 인색한 사람, 약속 장소에서 5분을 못 기다리는 사람, 30분도 말없이 기다리는 사람……. 그 어떤 사람에게도 그렇게 삶에 적응한 나름의 세월이 있었을 것이고, 그 세월 속엔 연약한 그 사람이 무방비로 견뎌내야 했던 그 사람만의 상처가 있을 것이다.[23] K는 이제 이런 사실을 잊지 않으려고 한다. 물론 '평범한' K인 만큼 성직자나 수도자들처럼 모든 사람에게 관대할 수 없고 모든 사람을 다 헤아릴 수는 없지만 세상 모든 사람에게는 가장 쓰라리고 아팠던 자신만의 흔적이 있다는 것, 그 사실에 무뎌지지는 않으려고 한다.[24]

3. 그리고 계속되는 나의 이야기

직장은 실험의 장이자 실천의 장이 될 것이라 믿었다. 마음 충만한 상태에서 전혀 새로운 사람들과 새롭게 시작하는 관계는 관성을 거스르기에도 유리할 줄 알았다. 하지만 직장이 마치 모든 것을 다 깨달은 사람처럼, 인생의

---

23) "이제 내 눈에는 사람들이 거대한 상처덩어리로 보였다. 그들은 콤플렉스로 먹고 노이로제로 일하고 상처로 말하면서 살아가는 것 같았다. …… 그러니 그들의 생존 법도 사회적 억압에 대항하는 방법도 결국은 저마다의 상처일 뿐이라는 생각이 들었다." 김형경, 『사랑을 선택하는 특별한 기준 2』, 276쪽.
24) 김정근 외, 『독서치료 사례 연구』, 117~122쪽.

모든 아픔을 태연하게 수용할 수 있을 것처럼 자만했던 나를 보란 듯이 여지없이 흔들어놓는 데는 그리 긴 시간이 걸리지 않았다.

마음만으로 일을 할 수는 없다는 것과 늘 마음을 나누는 일만 할 수도 없다는 것을 알게 되면서, 또 내 마음처럼 받아들여지지 않는 일과 내 마음대로 할 수 없는 일이 늘어가면서 다시 징징거리거나 누군가를 원망[25]하기도 했다. 다급할수록 오랫동안 몸에 밴 묵은 습관이 나오기도 했고 똑같은 실수를 반복하는 날엔 스스로를 벌하기도 했다. 입사 후 초반엔 나라는 사람의 가치를 한순간에 증명이라도 할 것처럼 오기를 부린다는 표현이 적합할 정도로 바쁘게 일에 매달린 면도 있다. 나의 존재가 '쓸모'나 '용도'이기 전에 '의미'였으면 좋겠다고 불평하면서도 당장의 일에 집중하는 경우가 많았다. 독서치료를 접하고 내 삶에 획기적인 변화가 있은 뒤로는 난생 처음 해방감을 느낀 부분에 있어 오해를 받는 일이 종종 생겼다. 서두에서처럼, 예전과 비교해서 기억하는 것에 대한 강박, 꼼꼼하고 완벽해야 한다는 것에 대한 강박이 옅어지고 나서는 들었던 이야기를 다시 물어보거나 같은 실수를 반복하는 일이 종종 생겼다. 오랜 시간 함께하면서 특별히 해명하지 않아도 이해받게 되었지만 처음엔 사람에 대해 무심하다는 이야기를 듣기도 했다.

직장은 매우 긴 호흡이 필요한 곳임을, 한결같은 보호나 지속적인 교육이 제공되던 가정이나 학교의 질서와는 다른 곳임을, 다정하게 앞뒤 맥락을 살펴주지 않고 지금의 내 모습만으로 나를 평가하는 공간임을 처음엔 잘 몰랐다. 다른 사람의 시선보다 중요한 건 나에 대한 집중이라고 생각했고 내가 맡은 일만 잘 챙기면 일을 잘하는 것인 줄 알았다. 학위 논문을 쓰면서 느낀 벅찬 감동을 과한 자신감으로 오인한 탓이기도 했고 새로운 세계에서 마음을 활짝 열지 못한 탓이기도 했다. 사회에서 세심하게 마음을 살필 수

---

25) "내 인생을 스스로 책임지기 위해 정해둔 규칙 같은 건 있어. 징징거리지 않기, 변명하지 않기, 핑계대지 않기, 원망하지 않기. 그 네 가지만 안 해도 성공한 삶이라고 생각하지." 김형경, 『꽃피는 고래』(창비, 2008), 220쪽.

없는 이유는 사회가 처음부터 끝까지 살벌하거나 삭막하기만 한 곳이어서가 아니라 여러 사람이 함께 일을 해내며 또 다른 가치를 만들어내는 곳이기 때문이다.

다행스럽게도 도서관은 혼자서 단박에 잘 해내야 하는 일보다 여럿이서 협조해서 하는 일이 많은 곳이다. 또한 다양한 분야의 사람들을 계속해서 만나는 곳이기도 해서 일을 하는 중에 자연스럽게 단련되는 면이 있다. 또한 워낙에 모두에게 열린 공간이기에 다양하게 일어나는 생소한 상황에 대처하다 보면 융통성과 유연성이 발휘되기도 한다.

세상 다른 곳이 다 그러하듯 완벽하지 않고 결함과 오류가 많기도 한 곳이지만 새롭게 배우고 스스로를 책임지지 않으면 안 되는 야생의 공간인 만큼 사회는 분명 훈련의 장이라는 생각이 든다. 지금은 조직과 나를 헷갈리지 않으면서 조직 내에 나를 배치하는 방법과 조화로운 관계를 맺는 방법에 대한 감을 잡아가고 있다.

그렇다고 해도 매번 쉽지는 않다. 어려운 일 하나를 끝내고 나면 다른 일이 하나 오는 게 아니라 예고 없이 한순간에 폭탄처럼 터질 때도 많다. 또한 항상 꿈꾸던 가족으로부터의 독립이 순식간에, 준비되지 않은 타이밍에, 원하지 않았던 방식으로 진행되기도 했다. 그간의 무심함을 벌 받듯 이제껏 어머니 한 사람에게 절대적으로 의존했던 생활 전반의 소소한 일들을 혼자서 해나가는 것도 힘들고 더 나은 나중을 기약하며 독립을 감행했으나 상황이 당장에 좋아지지 않는 것을 보는 일도 힘겹다.

늦은 퇴근길 불이 켜진 층층 아파트 사이로 들리는 웃음소리가 마음 한편에 스산한 바람을 일으키기도 하고 항상 바쁘다는 핑계로 계속해서 미루는 지인들과의 약속이 무겁게 남아 마음속이 비좁아지기도 한다. 또 옆에 있는 동안에는 모르다가 빈자리가 생기고 나서야 나보다 상대를 더 헤아려보는 서툰 모습도 여전하다. 평소에는 크게 신경 쓰지 않는다고 말하는 서른이라는 나이에 대해서도 어느 순간 날 세워 반응하기도 한다.

그렇다 해도 대책 없이 나를 몰아붙이거나 닦달하지는 않는다. 자주 무력하고 자주 외로워도 지금 내 마음의 결이 이렇구나 알아채고 이럴 수도 있고 저럴 수도 있다며, "괜찮다, 괜찮지 않아도 괜찮다"[26]라며 토닥거려 준다. 외로우니까 사람이고[27] 외로움 역시 인생의 한 부분이라고 받아들이면서.

흐트러진 균형 감각을 잡기 위해 가끔씩 K의 이야기를 꺼내보기도 한다. 다시 볼 때마다 꿈틀거리는 무엇이 느껴지곤 하는데, 그건 바로 글을 쓰는 동안 스스로에게 거짓 없는 글을 쓰겠다고 다짐했던 고집스러운 나와의 약속 때문이다. 순도 높은 그 마음을 다시 올올이 느끼며 나도 계절이 바뀌듯이 자연스럽게 살아갈 수 있으면 좋겠다고 생각한다. 한 화가가 예수와 예수를 배반한 유다의 초상화를 그리라는 명을 받고 예수처럼 선해 보이는 사람과 유다처럼 간교해 보이는 사람을 각각 모델로 삼아 그림을 완성했는데, 알고 보니 두 모델이 같은 사람이었다는 이야기를 들은 적이 있다. 예수의 초상화를 완성하고 다시 유다의 초상화를 그리기까지의 세월 동안 그 모델이 살아낸 시간을 얼굴에서 읽을 수 있다는 것을 말하고자 하는 이야기다.

나는 이 정도의 급진적인 변화는 아니기를, 추억처럼 K를 꺼내보는 일이 없기를 바랄 뿐이다. 나의 글이 어느 좋았던 한 시기를 밀봉하거나 박제한 것이 아니라 지나간 시간과 앞으로의 시간을 단절시키지 않는 차분한 이음새가 되어주었으면 좋겠다.

독서치료를 처음 만났을 때와 지금은 약간의 시간 간격이 있다. 이제 극복했다고 확신하는 문제도 있고 아직 계속 노력하고 있는 문제도 있다. 또한 그때는 없었던 새로운 문제와 어려움도 생겼다. 누군가의 말처럼 "바야흐로 한 인간이 세상에 나오고 이론과 실재, 꿈과 현실의 명확한 구분을 받아들이기까지 그가 바깥세상과 섞이고 부딪치면서 일으키는 마찰열은 간혹 혁명이 되기도 하고 시가 되기도 하고 록이 되기도 한다"[28]는 20대를 지나 "내

26) 박미라, 『천만 번 괜찮아』(한겨레출판, 2007).
27) 정호승, 『외로우니까 사람이다』(열림원, 1998).

몸에 깃들여 사는 소녀와 처녀와 아줌마와 노파에게, 누구에게도 길들여지지 않는 그 늑대 여인들에게 두려움이라는 말 대신 사랑이라는 이름으로"[29] 살아갈 30대를 맞을 것이다.

매일의 일상에서 어쩔 수 없는 고단함과 적막함이 기다리리라 예상하면서도 앞으로의 시간이 막막하지만은 않은 건 내가 어디에 있든 지금처럼 책을 읽고 사람들과 삶을 나누는 일을 할 것 같다는 느낌[30] 때문이다. 나는 여러 가지 잡다한 사무를 처리하면서도 책을 소개하는 글을 쓰거나 책을 읽고 나누는 모임을 갖는 식의 사서 본연의 업무를 하는 동안에는 매우 충만한 기쁨을 느낀다.

치유서를 소개하는 칼럼을 챙겨 읽은 이용자가 보낸 "글 너무 잘 읽었어요. 다 읽은 책들이지만 새록새록 새롭네요. 사서라는 직업이 부럽습니다"라는 문자메시지, 매달 한 번씩 정기적인 독서치료 모임을 갖고 있는 고등학생이 수학여행 기념품으로 사온 북마크와 함께 건넨 "이렇게 좋은 시간 만들어주셔서 감사해요. 언제나 기다려지는 독서치료 시간, 잊지 못할 거예요"라는 카드는 무척 나를 힘나게 했다. 목서치료를 개인적으로 체험할 때도 물론 그랬지만 현장에서 직접 모임을 진행할 때는 내가 살아 있다는 기분을 더 직접적으로 느낀다.[31]

---

28) 조선희, 「좋은 나이 마흔」, 『설운 서른』(버티고, 2008).

29) 나희덕, 「다시 십년 후의 나에게」, 『어두워진다는 것』(창작과비평사, 2001).

30) "나는 이제 어른이 된다는 것의 핵심에 무엇이 들어 있는지 알 것 같았다. 나이를 먹고 몸이 커지고, 고래배를 타거나 시집을 가는 것 말고, 엄살, 변명, 핑계, 원망하지 않는 것 말고 중요한 것이 그것 같았다. 자기 삶에 대한 밑그림이나 이미지를 갖는 것. 그것이 쨍쨍한 황톳길을 땀 흘리며 걷는 일이든, 미끄러지는 바위를 한사코 굴려 올리는 일이든, 푸른 하늘에 닿기 위해 발돋움하는 영상이든, 갑자기 눈앞이 환해지는 느낌이었다." 김형경, 『꽃피는 고래』, 256쪽.

31) "타인에게 뭔가를 주는 것이야말로 내게 살아 있다는 기분을 느끼게 해주지. 자동차나 집은 그런 느낌을 주지 않아. 거울에 비친 내 모습으로는 그런 느낌을 받지

"사랑과 의무가 일치하면 축복"이라던 어느 수녀님의 말씀처럼 나는 앞으로도 책을 읽으며 사람들과 삶을 나누는, 본업이기도 하고 내 생의 기쁨이기도 한 독서치료 활동을 계속해서 진행해나갈 것이다.

못해. 내가 그들을 위해 시간을 할애할 때, 그들이 슬픈 감정을 느낀 후에 내 말을 듣고 미소 지을 때, 그럴 때의 느낌은 건강할 때의 느낌과 거의 비슷하네." "마음속에서 우러나는 일들을 하라구. 그런 일들을 하게 되면 절대 실망하지 않아. 질투심이 생기지도 않고 다른 사람의 것을 탐내지도 않게 되지. 오히려 그들에게 베풂으로써 나에게 되돌아오는 것들에 압도당할 거야." 미치 앨봄, 『모리와 함께한 화요일』, 공경희 옮김(세종서적, 2008), 138쪽.

나의
독서 치료
체 험 기

14

아직도 상처, 그리고 치유

하민지

1. 시작

주위를 통해 얘기는 많이 들어왔지만 나로서는 경험해본 적 없는 독서치료였기에 많은 기대가 되었다. 하지만 지나치게 큰 기대는 일부러 하지 않기로 했다. 기대가 크면 실망도 크다는 것을 알기 때문이었다.

긴 시간은 아니었지만 독서치료의 한 과정을 마무리한 지금, 결론부터 말하자면 기대 이상이었다. 내가 꼽는 가장 큰 성과는 나를 돌아볼 수 있게 된 것이다. 그것은 흔한 회상이 아니다. 그 자체의 나에 대해, 어린 시절의 나에 대해, 청소년기의 나에 대해, 가족 안에서의 나에 대해, 다양한 인간관계 속의 나에 대해, 앞으로의 나에 대해 돌아볼 수 있었고, 더불어 가족에 대해서도 돌아볼 수 있었다. 그것은 마치 어떤 깨달음과도 같았다. 다시 말해 '왜(why)'를 알게 된 것이다. '도대체 왜?'라는 물음표를 달고 살면서 답답한 가슴을 치던 때가 있었다. 독서치료를 체험한 이후 같은 상황에서의 나의 모습은 달라졌다.

무엇보다 모임에 참여한 구성원의 규모와 연령층이 매우 적절했다. 이야기를 하고 이야기를 듣기에 적당한 인원이었고, 여러 선생님을 통해 많은 이야기를 들을 수 있었다. 그것은 그들 개인의 이야기였지만 나에게는 인생 선배가 들려주는 생생한 경험담과도 같았다. 나는 그들의 이야기 속에서 내 부모님을 떠올릴 수 있었고 미래의 나를 생각해볼 수 있었다. 수업 자체가 치유서가 주는 효과의 연장이었다. 넘치지도 부족하지도 않았던 진행자도 최소한의 개입으로 최대한의 진행을 해주었다.

모임을 갖는 동안 상황별로 여러 권의 치유서와 매체를 접했고 주당 3시간의 수업을 통해 사람들을 만나면서 자신의 이야기를 하고 타인의 이야기도 들었다. 참으로 소중한 시간이었다. 앞으로도 계속될 나의 독서치료의 시작이었던 셈이다.

2. 울림

그동안 접한 치유서 중에는 더 와 닿는 책도 있었고 조금 덜 와 닿는 책도 있었다. 각 치유서에 대한 이야기는 조금 미루기로 하고 '와 닿는다'는 느낌에 대해 이야기하자면 그것은 고작 네 음절로 표현한다는 게 안타까울 정도의 느낌이었다. 모임 중에 나에게 가장 많이 와 닿은 두 권의 치유서, 『30년 만의 휴식』[1]과 『사랑을 선택하는 특별한 기준』[2]을 만났을 땐 내 가슴 속을 휘젓는 울림과 육체적으로도 감지될 만큼의 떨림으로 마음이 따뜻해졌다. 하지만 왠지 모르게 조금은 불안한 마음의 요동도 있었다. 이 정도로 풀어내도 그 느낌을 다 표현할 수는 없다.

치유서라는 이름으로 책을 접하기 전에도 그런 느낌을 가진 적이 한 번

---

1) 이무석, 『(마음의 평안과 자유를 얻은) 30년 만의 휴식』.
2) 김형경, 『사랑을 선택하는 특별한 기준 1, 2』.

있었다. 류시화가 엮은 시집 『사랑하라, 한 번도 상처받지 않은 것처럼』[3]을 늘 가방에 가지고 다니던 때였다. 책에 실린 많은 시 가운데 나에게 특별히 다가온 것은 「이것 또한 지나가리라」라는 제목의 시였다. 그 시를 읽었을 때 나는 앞에서 어설프게나마 글로 풀어낸 바로 그 느낌을 가졌다. 당시 나는 매우 힘든 상황을 겪고 있었기에 그 글은 나에게 아주 큰 울림을 주었다. 그 시는 이후 나의 지침이 되었고 그 시집은 나에게 가장 소중한 책이 되었다.

이후 그러한 느낌을 다시 극도로 안겨준 책이 바로 첫 치유서로 만난 이무석의 『30년 만의 휴식』이었다. 책을 읽고 나의 느낌을 정리하고 모임에 참여해 나의 이야기를 하고 남들의 이야기를 들으면서 나는 독서치료를 조금씩 더 깊이 알아갔고 말 그대로 치료를 받게 되었다. 치료라는 단어의 의미는 굳이 따져 묻지 않아도 된다. 치료, 치유, 요법……. 어떤 어휘를 선택하느냐는 나에게 중요하지 않았다. 나는 한 사람의 참여자로서 치유서를 통한 '나아짐'의 과정을 겪었다. 그 사실이 나에게는 소중했으며 그것만으로도 충분히 가치 있는 경험이었다.

3. 내가 만난 치유서

모든 치유서는 울림의 정도를 떠나 내 인생에서 가치 있고 무게 있는 책이 되어줄 것이다. 그중 다소 특별한 여덟 권의 치유서에 대해 이야기해보고자 한다.

대부분 치유서를 접할 당시의 메모를 바탕으로 내용을 덧붙여 정리했으며 이 이야기들은 나의 지극히 개인적인 관점임을 밝혀둔다.

---

3) 류시화 엮음, 『사랑하라, 한 번도 상처받지 않은 것처럼』(오래된미래, 2005).

1) 이무석, 『30년 만의 휴식』

내 인생의 지침서라고 말하기에 망설임이 없는 책이다. 앞서도 이야기했지만 이 책이 준 느낌은 형언할 수 없을 정도다. 책을 읽는 속도가 매우 느린 내가 앉은 자리에서 한 호흡에 책을 읽어 내려갔다는 것만으로도 이 책이 나에게 얼마나 큰 의미로 다가왔는지 알 수 있다. 책을 읽고 나는 주위의 많은 사람에게 이 책을 홍보했다. 특히 아이를 둔 부모라는 이름의 이들에게 말이다. 아이를 키운다는 것, 부모가 된다는 것이 얼마나 어려운 일인지, 그러면서 얼마나 소중하고 중요한 일인지 나는 이 책을 보면서 새삼 깨닫게 되었다. 이 책은 평생 내 곁에 있어줄 책이다.

가끔 주위에는 보통의 상식으로는 도통 이해할 수 없는 행동을 하는 사람들이 있다. 나 역시 타인에게 이러한 느낌을 주는 부분이 분명 있을 것이다. 나 스스로도 자각하는 알 수 없는 성향이 나에게 있으니까.

책을 통해 내 무의식에 숨어 있는 여러 자아, 상처받은 아이들에 대해 알게 되면서 나 자신을 조금씩 이해할 수 있게 되었다. 하지만 아직 모두 이해할 수 있게 된 것은 아니다. 하지만 이해하기 시작했다는 점을 높이 사고 싶다. 이 책이 아니었다면 그 시작조차 하지 못했을 테니까 말이다.

힘든 상황이 닥치면 '이 순간 세상에서 내가 가장 불행하다'라는 생각이 들면서 한없이 가라앉는 기분을 느낄 때가 있다. 그럴 때는 버스를 타면 버스에 있는 모든 사람이 적어도 나보다는 행복할 것이라고 생각하고 묵묵히 운전을 하고 계신 기사 아저씨를 보면서도 '아저씨 역시 나보다 행복할 거야'라고 생각하게 된다. 친구들을 보면 더욱 그렇다. 함께 웃으며 이야기를 나누면서도 나는 '모두들 나보다 행복하겠지'라고 생각한다. 이 사실을 알게 되면 나를 아는 많은 사람들은 깜짝 놀랄 것이다. 보이는 나와 보이지 않는 나는 이렇게 다르다. 나이를 먹어갈수록 보이는 나의 모습에 더 짓눌렸던 것 같다. 직장을 가지고 사회인이 되면 아마 더 그랬을 것이고 그러면 나는 심각한 우울증에 빠졌을지도 모른다. 하지만 그전에 이 책을 만났으니 얼마나 다행인가.

2) 이희경, 『마음속의 그림책』

20대 이상이라면 이 책을 읽고 놀라지 않을 수 없을 것이다. 청소년들의 상처와 아픔, 그리고 삶에 대한 진짜 이야기를 담고 있기 때문이다.

무엇보다 책 속의 어떤 아이가 했던 말, 자격이 없는 사람은 부모가 되지 말라던, 자신은 지금까지의 삶이 너무나도 힘들었다는 말은 잊히지 않는다. 얼마나 힘들었으면 그런 말을 했을까? 하지만 그토록 상처받았더라도 그들은 아이들이기에 더 빨리 회복될 수 있었다. 저자는 다음과 같이 상처받은 아이들의 회복에 대해 이야기했다.

> 아이들은 그런 것이다. 슬픔과 괴로움을 겪어도 적절한 시기에 누군가 가 그 아픔을 공감만 해주어도 언제 그랬냐는 듯 대지에 두 발을 딛고 씩씩하게 뛰어간다.[4]

또 한 가지, 저자가 인용한 다음 글은 부모라면 누구나 가장 눈에 띄는 곳에 메모해두어야 할 글이다.

> 비극적인 것은 부모들이 자기들이 하는 것은 무엇이건 다 아이들에게 좋다고 믿고 있다는 사실이다.[5]

애석하게도 현실적으로 부모들은 완벽하게 부모됨을 다하고 있지 못하다. 부모라는 최초의 울타리가 그 역할을 할 수 없다면 교사 또는 사회가 아이들

---

4) 이희경, 『마음속의 그림책』, 135쪽.
5) 같은 책, 175쪽.

을 보살펴주어야 한다. 이 책의 저자처럼 말이다. 그런 관점에서 본다면 아무나 부모가 되어서는 안 되는 것과 마찬가지로 교사 또한 아무나 되어서는 안 될 것이다. 흔한 말로 교사, 즉 스승은 제2의 부모라고 하지 않는가?

나의 초등학교 6학년 담임선생님은 처벌 방식이 독특했다. 그 선생님의 처벌 방식은 손바닥 때리기도 종아리 때리기도 손들고 벌서기도 아닌 **뺨** 때리기였다. 곧 중학생이 되지만 여전히 어린아이이며 꿈나무인 우리들의 **뺨**을 선생님은 가차 없이 때리셨다. 졸업을 할 때 즈음에는 반에서 한 번이라도 **뺨**을 맞아보지 않은 아이가 없었다. 불행 중 다행인 것은 모두 **뺨**을 맞았기 때문에 우리는 더 이상 수치심을 느끼지 않았다는 것이다.

부모나 교사, 특히 초등학교 시절의 선생님은 아이들에게는 절대적인 권력이며 가장 큰 울타리이자 본보기다. 그렇게 본다면 세상에서 가장 중요한 역할은 바로 그 두 가지인지도 모르겠다.

3) 이훈구, 『미안하다고 말하기가 그렇게 어려웠나요』

읽는 내내 매우 힘들었다. 마음도 힘들었고 몸도 무척 힘들다는 기분이 들었다. 이 책은 본격적으로 모임이 시작되기 전인 한여름에 읽었는데 무더운 여름 날씨 탓도 어느 정도는 있었을 게다. 나는 사실 실제 사건을 기억하지 못하고 있었다. 그래서 일단 사건에 대해 알기 위해 더 집중해서 읽으려 했지만 워낙 무거운 소재를 다루고 있기에 내용에 빠져들기 어려워서 더 힘들었는지도 모르겠다.

수업시간을 통해 해당 사건을 소재로 한 <추적 60분> 영상자료[6]를 보았을 때도 그랬다. 책을 읽으면서 내 머릿속에 무의식적으로 그려진 화면이 브라운관에 나타나 두 눈으로 확인하고 있자니 괜한 죄책감마저 들 정도였다. 책을 읽고 잠자리에 들 때면 잠까지 설쳤다. 자꾸만 은석이 생각났고

---

6) <추적 60분> '명문대생, 그는 왜 부모를 살해했나'(KBS, 2000. 7. 23).

그의 부모와 그의 형이 떠올랐기 때문이다. 일기를 통해 그의 일상을 마주하면서 은석에 대한 안타까움과 연민이 들었다. 그가 극단적인 선택을 할 수밖에 없었던 상황과 "동생을 이해할 수 있다"라는 형의 말에 가슴이 아팠다.

요즘 부모들은 아이들에게 많은 것을 요구한다. 게다가 시간이 지날수록 더 많은 것을 아이들에게 강요하고 있다. 영어를 더 잘 발음하기 위해 아이의 혀를 잘라내는 수술을 받게 한 어느 어머니의 이야기가 이슈거리가 되던 때가 있었다. 엄마와 마주앉아 간식을 먹거나 일상에 대한 시시콜콜한 이야기를 할 시간도 없이 아이들은 여러 군데 학원으로 떠밀려 다니고 있지 않은가. 부모의 교육 수준이 높아질수록 자식을 통해 이루고자 하는 게 더 많아져 부모의 대리만족 욕구에 아이들은 더욱 지쳐가고 있지 않은가.

자식이 부모를 살해하는 반인륜적 행위가 이후로는 표면적인 사회 문제가 될 가능성이 다분한 것이 우리의 현실이다. 사회가 고도화될수록 기본조차 지키지 못하는 문제는 더욱 심각해지고 있다. 더 많이 누리는 것 같아 보이지만 그 속을 가만히 들여다보면 더 많은 것을 잃어가고 있다. 마음이 병들어가고 있는 것이다. 마음의 병이 깊으면 그 증세가 몸으로 나타난다. 그리고 한 사람의 마음속에 있는 병은 가족을 비롯한 타인에게도 영향을 미친다. 그렇게 사회 전체가 상처받고 병들어갈 수 있다. 세월이 약이 될 수 없다. 마음의 병에 세월이라는 약을 처방하는 것은 병을 더 어두운 곳에서 깊어지게 할 뿐이다. 책을 다 읽고도 계속해서 마음이 무거웠다. 이 같은 우울하고 불안한 생각만 들 뿐이었다.

4) 버지니아 M. 액슬린, 『딥스』

책을 읽는 내내 안타까운 마음이 더해갔다. 이는 지극히 내 개인적인 경험 때문이었다. 책의 주인공인 딥스의 변화 대신 내가 알고 지내는 발달장애 아이들의 변할 수 없는 모습이 자꾸 맴돌아 정작 딥스의 이야기에는 깊이 빠져들 수 없었다.

그래서 모임 이후 마음을 가다듬고 다시 책을 들었다. 이 책은 부모가 되는 것이 어떤 것인지를 딥스의 치료 과정을 통해 스며들 듯 알려주고 있다.

나는 결혼을 하면 아이를 적어도 셋 이상 낳을 것이라 생각했다. 그런데 책을 읽고 나자 양육비가 날로 급증한다는 뉴스 보도를 접했을 때보다 더 이 문제에 대해 진지하게 고민하게 되었다. 그리고 또 한 가지, 출산 후 내 직업은 어떻게 해야 하는가에 관해서도 함께 고민하게 되었다. 부모의 몰이해로 상처 입은 딥스를 보면서 머지않아 가정을 꾸리고 부모라는 역할을 얻게 될 내 자신에 대한 걱정과 고민을 한참 동안 했다.

고민과 함께 칼릴 지브란의 『예언자』[7]에서 '어린이에 대해'를 찾아보았다. 모든 부모가 이 글의 다음 단 한 줄만이라도 가슴에 새겨둔다면 딥스와 같은 경우는 발생하지 않을 것이다.

그대 어린이라도, 그대의 어린이는 아니다.[8]

부모됨에 대한 모든 것을 함축하고 있는 말이라고 생각했다. 명심, 또 명심할 것이라고 다짐했다.

5) 김형경, 『사랑을 선택하는 특별한 기준』

이 책을 통해 정말 어느 때보다도 많은 생각을 했다. 이 책을 읽는 동안, 또 다 읽고 난 후 상당 기간 여러 가지 생각이 들었다. 신호등을 놓친 적도 있었다. 길을 걷다가도, 버스 안에서도, 친구들과 이야기를 하다가도, 잠자리에 누워서도 그저 멍하니 참 많은 생각을 했다. 특히 그 생각은 나와 가족에 관한 것으로 집중되었다.

---

7) 칼릴 지브란, 『예언자』, 유제하 옮김(범우사, 1979).

8) 같은 책, 36쪽.

세진을 보면서 나라는 사람의 '동전의 뒷면'에 대해 생각해보았다. 사람들이 볼 수 없는 나라는 사람의 이면, 무의식 속의 내 모습에 대해 말이다. 생각은 청소년기였던 어린 시절로 거슬러 올라갔다. 그러다가 발견한 사실이 있었다. 지금도 그렇지만 나는 귀신의 존재를 매우 무서워했다. 그 정도가 보통 사람들이 귀신을 무서워하는 것보다 훨씬 더했는데, 청소년기 이후 친구들은 이런 나에 대해 '너답지 않다'는 반응을 보였다. 귀신에 대한 두려움 때문에 나는 방문을 닫고 잠을 잘 수 없었다. 방문을 닫으면 무언가가 나를 해코지하기 위해 나타날 것 같아 두려웠다. 실제로 귀신을 본 적도 없었고 그 흔한 가위눌림 한 번 겪어보지 않았으면서도 잠자리에 누워 잠이 드는 순간까지 늘 한 번은 귀신이 나타나는 것에 대해 생각했고 그 생각을 떨치기 위해 애를 먹어야 했다. 공포영화를 보고 나면 더욱 그랬다. 왜 그랬을까 곰곰이 고민해보니 그것은 부모님의 부재 때문이었다. 부모님은 맞벌이를 하셨기 때문에 고학년인 오빠보다 먼저 학교를 마치고 집에 돌아왔을 때면 집에 나 혼자인 적이 많았다. 그래서 나는 내 나이 어디쯤에서 알게 된 귀신이라는 존재가 나타나는 것에 대한 두려움이 컸던 것 같다. 귀신이 나타나도 구해줄 부모님이 집에 계시질 않으니 말이다. 책에서는 분노의 감정이 가장 마지막에 도달하는 현상이 공포심이라고 했다. 그때의 나는 부모님의 부재에 대한 나름의 분노를 가지고 있었을 것이고, 그 분노가 막연한 두려움과 공포로 바뀌었던 것 같다.

한편 가족에 대해 생각해보았다. 그 가운데서도 부모님과 나의 관계에 대해 생각해보았다.

먼저 엄마에 대해 생각해보았다. 엄마와 나는 자주 싸운다. 사소한 일상의 일들로 늘 부딪힌다. 『딸들이 자라서 엄마가 된다』9)라는 책에 등장하는 모녀의 모습에 엄마와 나 둘 다 깊이 공감했다. 바로 우리의 모습이라고 말이다.

---

9) 수지 모르겐스턴·알리야 모르겐스턴, 『딸들이 자라서 엄마가 된다』, 최윤정 옮김 (웅진닷컴, 1999).

그 싸움은 엄마의 가치관과 청소년기의 나의 가치관, 그리고 성인이 된 나의 가치관이 끊임없이 충돌하는 데서 비롯되었다. 엄마의 가치관에 대해 나는 엄마의 어린 시절로 거슬러 올라가 보았다. 엄마는 모두 배고팠던 그 시절 평범한 집안의 장녀였다. 밑으로는 남동생이 둘이었다. 따라서 엄마는 늘 당연한 듯 희생을 치러야 했다. 가끔 외할머니는 나에게 "너희 엄마는 공부하고 싶어 했어도 돈이 없어서 못 시켜줬다"라고 말씀하시곤 했다. 결혼을 한 뒤 엄마에게는 제2의 인생이 시작되었다. 어떻게 보면 희생의 굴레에서 벗어난 진짜 자신의 인생이 시작된 것이다. 그리고 자아실현에 나섰다. 엄마는 중국어, 테니스, 퀼팅, 사물놀이 등 늘 무언가를 배우러 다니셨으며 늘 새로운 것을 하려고 하셨다. 여러 가지 일로 항상 바쁜 엄마를 나는 이해할 수 없었다. 아니, 이해하지 않으려 했다. 왜냐하면 그때는 엄마가 왜 그런가에 대해 생각해보지 않고 그저 '도대체 왜?'라고 물음만 던지고 있었기 때문이다. 그러니 충돌의 연속일 수밖에 없었다.

아빠에 대해서도 생각해보았다. 아빠는 말 그대로 무뚝뚝한 가장이시다. 아빠와는 충돌은 거의 없다. 단 한 가지만 제외하고 말이다. 그것은 아빠의 특별한 당부 때문이다. 부모님께서 일정 기간 집을 비우실 때면 아빠는 꼭 나에게 오빠 밥을 챙겨주라고 당부하신다. 아빠가 그 말씀을 하실 때마다 나는 짜증이 솟구쳐 화를 낸다. 그러면 아빠 역시 무안해하시면서도 다음번에도 그 다음번에도 그 말을 빼먹지 않으신다. 아빠가 왜 그런가에 대해 생각해보았다. 역시 아빠의 어린 시절이 원인인 것 같았다.

아빠는 부잣집 아들이었다. 8남매 중 다섯째였고 부족한 것 없이 자라셨다. 네 명의 누나와 여동생들은 아마 그 시절 남동생과 오빠를 위해 희생을 당연히 여기며 감수했을 것이다. 아빠는 자신이 그렇게 컸기 때문에 자신의 아들인 오빠도 그렇게 커야 한다고 생각하시는 것 같다. 모임 중에 나는 이것에 대한 이야기를 나누었다. 그리고 며칠 전 참여자들의 조언을 실행에 옮겨보았다.

마침 아빠와 나만 집에 있는 상황이었다. 나는 아빠에게 오빠 밥만 걱정되고 내 밥은 걱정되지 않느냐고 물었다. 아빠는 "물론 걱정되지"라고 하시면서도 "너는 그래도 알아서 하고 다니잖아"라고 하셨다. 나는 오빠도 놔두면 알아서 다 하는데 아빠가 오빠를 알아서 할 수 없게 만든다고 말했다. 아빠는 아무 말씀이 없으셨다. 나는 조금 더 보태었다. 이제 나한테 오빠 밥 챙겨주라는 이야기를 하지 말라고, 공부하려고 마음먹었는데 공부하라고 말하면 공부하기 싫어지는 것과 같다고, 그냥 두면 알아서 챙겨먹고 때론 챙겨줄 거라고, 둘 다 어리지 않으니까 그렇게 할 거라고 했다. 아빠는 여전히 아무 말씀이 없으셨다. 그것이 아빠의 암묵적 동의라는 것쯤은 딸로서 알고 있다.

그런데 그 후 아빠는 작은 실수를 하셨다. 나와 전화통화를 하다가 "오빠랑 밥……" 하시고선 잠시 가만히 계시다가 "같이 먹어라"라고 말씀하시는 것이었다. 하긴 '챙겨주어라'에서 '같이 먹어라'라니, 변화는 변화다. 너무 빨리 변하는 것도 쉽지 않을 테니 그 정도는 눈감아드리기로 했다.

이 책은 책 내용 자체도 나에게 많은 울림을 주었지만 모임 중에 인생 선배, 선생님들의 이야기를 들으면서도 많은 생각을 할 수 있었다.

이 책 역시 『30년 만의 휴식』과 함께 내 곁에 오래도록 남을 책이며, 참으로 고마운 책이다.

6) 최현주, 『위장된 분노의 치유』

자전적으로 쓰인 글이라 쉽게 읽혀졌다. 아직 결혼을 하지 않은 탓인지 전체적인 저자의 이야기 흐름보다는 어떤 말에 특별히 집중되었다.

저자는 오래된 상처가 20~30년 후에도 자신에게 영향을 미치는 것을 알고선 매우 놀랐다고 했다. 그리고 그 사실을 알게 된 것이 치유의 시작이었다고 했다. 그 책을 읽을 즈음 우리 모임은 종반으로 향하고 있었는데, 나도 저자의 말처럼 그렇게 생각했다. 상처를 알게 된 것부터가 바로 치유의 시작이기도 하지만 자기 상처를 아는 것만으로도 큰 의미가 있다고 말이다. 그리고 내가 앞으로 또 상처를 받거나 더 큰 정신적 고통에 시달리거나 삶의 고통에 부딪히더라도 나는 이제 상처에 대해 생각하는 법과 그 상처를 낫게 해줄 치유서에 대해 알게 되었기 때문에 겁먹을 것 없다고 생각한다. 책 자체의 내용보다는 내 상황에 따른 저변적인 생각을 많이 하게 만든 책이었다.

7) 이시형, 『대인공포클리닉』

'나는 대인공포 없는데……' 하는 조금 꺼리는 마음을 갖고 책을 읽기 시작했다. 그런데 이게 웬걸, 나를 솔깃하게 한 부분이 있었다. 그것은 평가불안에 관한 내용이었다. 나는 어린 시절의 한 장면을 떠올릴 수 있었다. 그날은 엄마를 모시고 아이들이 직접 샌드위치를 만들어 대접하는 날이었다. 우리 조의 차례가 다 되어가는데도 엄마가 나타나질 않았다. 나는 조급한 마음이 들었다. 이미 다른 친구의 엄마들은 한껏 꾸민 모습으로 모두 도착해 있었기 때문이었다. 나의 차례가 막 시작되고 나서야 엄마는 겨우 도착하셨다. 그런데 급하게 나오셨는지 일상적인 평범한 복장이었다. 나는 엄마가 왔다는 안도감에, 엄마만 늦었다는 열등감에, 그리고 엄마가 가장 못나 보인다는 부끄러움에 그만 울음을 터뜨리고 말았다. 그 이후로 나는 적어도 내가 그 일을 잊을 때까지 조금 조용한 아이가 되었다. 그 일로 인해 친구들이 나를 어떻게 볼지, 행여 놀림감이 되진 않을지 두려웠기 때문이다. 물론 친구들 중 어느 누구도 그 일에 관해 이야기하거나 놀리지는 않았다. 그저 내 마음속에서 일어난 일이었다. 내 상상속의 친구들은 그 일로 인해 속으로 나를 무시하면서 나를 놀리고 있었기 때문이다.

대학원 진학으로 진로를 선택하면서 나는 더욱 평가불안에 시달리게 되었다. 나이가 들수록 남들 눈을 의식하는 내 모습을 발견할 수 있었다.

저자는 다른 사람들이 나를 어떻게 보는가 하는 것은 나의 문제가 아니라 그들의 문제라고 했다. 그 표현이 무척이나 마음에 들었다. 안심이 되는 기분이었다. 그래, 그건 그들의 문제일 뿐이다.

나에겐 세 살 터울의 오빠가 있다. 오빠와 나는 외모도 성격도 정반대다.

그래서 우리는 어릴 때부터 싸우는 일이 잦았다. 오빠와 나의 사소한 싸움이 부모님의 싸움으로 커진 적도 몇 번 있었다. 둘 다 20대 중반을 넘어선 지금도 우리는 종종 싸운다. 나는 오빠를 이해할 수 없었다. 답답한 부분이 한두 가지가 아니었다. 내 가치관이나 기준으로는 도대체 이해할 수 없는 부분이 많았다. 독서치료 활동을 계속해가면서 나는 나의 상처에 대해 알아가듯 오빠의 상처에 대해서도 생각하게 되었다. 나의 어린 시절, 그리고 오빠의 어린 시절, 부모님의 교육방식 등에 대해 생각해볼 수 있었다. 더불어 이 책을 읽으면서 모든 것이 나와 반대인 오빠에 대해 더 깊이 생각해볼 수 있었다.

오빠의 내향적 성격은 어린 시절 부모님의 양육방식에서 비롯되었다. 오빠는 장손으로 많은 기대를 받았고 부모님 역시 많은 것을 요구했다. 초등학생 때만 해도 오빠는 매우 씩씩한 사내아이였는데 중학교 이후부터 말수가 적어지기 시작했다. 심화되는 교과과정과 본인보다 키도 덩치도 커지는 친구들 틈에서 자신의 부족함과 함께 스스로 위축됨을 느꼈을 것이다. 하지만 집안과 부모님의 기대는 줄어들지 않으니 이로 인해 오빠는 내향적인 성격이 형성되었을 것이다.

오빠에 대해 이해하기는 정말이지 처음이었다. 나는 죽을 때까지 오빠를 이해할 수 없을 것이라고 생각했던 때도 있었고 끝없이 분노하던 때도 있었다. 늦게나마 오빠에 대해 생각해보고 이해의 접점을 찾을 수 있어서 다행이었다.

8) 스캇 펙,『아직도 가야 할 길』

예정된 모임을 마무리하며 이 책을 만나 무척 아쉬웠다. 책의 내용이 조금 어려웠기 때문에 나는 모임을 통해 다른 동기들과 여러 선생님의 다양한 이야기를 듣고 싶은 마음이 간절했다. 저자는 "삶은 고해이고 문제의 연속"이라고 말한다. 한 해 두 해가 지나면서 나이가 들수록, 만나는 사람의 폭이 넓어질수록, 내가 진 짐이 많아질수록 나는 삶이 결코 만만치 않다는 사실을 더욱 절실히 느끼고 있다.

아직 책을 끝까지 다 읽어보진 못했다. 일부러라도 조금 천천히 되새겨가며 읽을 작정이다. 이 책 역시 내 치유서 등급 중에서 『30년 만의 휴식』, 『사랑을 선택하는 특별한 기준』과 비슷한 수준이 될 것 같다. 하지만 아직은 아니다. 일단 책을 끝까지 다 읽고 몇 번을 더 읽어본 후에야 무언가 말할 수 있게 될 것 같다.

4. 상처 입은 치유자

얼마 전 나는 조금은 특별한 경험을 했다. 그 경험에 대해 나는 '상처 입은 치유자'의 경험이었다고 나름 정리를 하고 싶다.

고등학교 2학년인 외사촌동생에 관한 이야기다. 편의상 그녀를 J라고 하겠다. J와 나는 때때로 목욕을 같이 가곤 한다. 그날도 J에게서 목욕을 함께 가자는 연락이 왔다. 나는 수락했고, J의 집으로 향했다.

그때였다. J의 집으로 향하는 길에 J의 엄마, 즉 외숙모의 전화를 받게 되었다. 외숙모는 다소 차분하고 심각한 어조로 J의 최근 근황과 몇 가지 문제에 관해 이야기하시며 J가 마음을 다잡을 수 있도록 언니로서 타이르고 조언해주길 부탁하셨다. 전화를 끊고도 나는 별 부담이 없었다. 평소 나를 잘 따르는 J였기에 나는 그저 '이러저러하다는 이야기를 들었다, 이제 곧 3학년이 되니 마음잡고 열심히 공부해라, 언니 경험을 보면 지금 네가 처한 시기가 정말 중요하다' 정도로 언급하면 될 것이라 생각했다.

하지만 정작 J를 만난 순간 그 정도의 언급으로는 안 되겠다는 생각이 들었다. 추석 이후 몇 달 만에 본 J이기도 했지만 J의 모습은 J답지 않았고 많이 지친 듯 보였다. 평소 J의 색이 맑은 날씨의 파란 하늘빛이라면 그때 J는 본래의 빛에 검은 물감이라도 쏟은 듯 흐려져 있었다. 그저 그 시기에 겪는(이미 나도 겪은) 사소한 일상의 문제가 아니라는 느낌이 왔다. 나는 직감했다. J에게 '상처'가 생긴 것이다. 나에게도 상처가 있기 때문에 나는 분명히 알 수 있었다.

나는 도대체 어떻게 이야기를 시작해야 할지 막막했다. 그것은 비단 외숙모의 부탁 때문만은 아니었다. 사랑하는 가족이자 소중한 사촌동생인 J에게 심각한 문제가 발생했고 상처가 생겼다는 것은 언니로서 충분히 가슴 아픈 일이었다.

우리는 서로 일상에 대한 자질구레한 이야기를 한참 늘어놓았다. 평소 수다스럽고 나에게 별의별 이야기를 종알종알 잘도 하는 J가 문제에 대한 이야기는 일언반구 꺼내지도 않으니 나는 더 조급해졌다. J를 만나기 전 내가 생각한 대로 '이러저러하니 공부 열심히 해라'라고 말한다면 J는 '언니도 어쩔 수 없는 어른이구나'라고 생각할 게 뻔해 보였다. 그것은 J에게 또 다른 상처를 줄 테고 J는 더 이상 나에게 자신의 이야기를 들려주지 않게 될지도 모를 일이었다. 흔한 말로 마음의 문을 닫을 것 같았다.

그러다가 문득 한 권의 책이 생각났다. 『마음속의 그림책』이었다. 나는 문제에 대해서가 아니라 상처에 대해 이야기하는 편이 낫겠다고 결정했고 먼저 나의 이야기를 시작했다. "언니가 이번 학기에 독서치료라는 걸 경험했는데……"라며 말문을 열었다. 다행스럽게도 J는 관심을 가지고 귀를 기울여 주었다. 한참을 이야기했다. 그동안 실제 수업시간에 했던 이야기보다 더 많은 이야기를 했다. 수업이 어떤 방식으로 이루어지고 있는지, 어떤 책을 읽는지, 그 책들은 어떤 내용을 담고 있는지, 나에게 상처는 무엇이었는지, 그것을 어떻게 알게 되었는지, 그리고 나는 어떻게 대응했는지에 관한 이야기를 포함해 가족에 대한 이야기, 나 자신에 대한 이야기도 모두 토해냈다. 이야기를 하면서 '이거 내가 치료받는 거 아닌가' 하는 생각이 들 정도였다. 수업의 구성원보다 나와 내 가족에 대해 더 잘 알고 있고 그 또한 내 가족인 J이기에 나는 말을 꺼내기가 한결 수월했고 드러내는 수위를 조절할 필요도 없었다. J는 여러 부분에서 고개를 끄덕이고 맞장구를 쳐주며 내 이야기에 몰입했고 마침내 자연스럽게 자신의 이야기를 꺼냈다. J는 자신의 친구들 이야기부터 시작했다.

친구 A는 아버지가 술을 마시고 오면 자신의 어머니에게 폭력을 가하고 A에게는 공부를 하지도 잠을 자지도 못하게 한다고 한다. 어릴 때만 해도 당하기만 했던 A는 이제 늦은 밤 집을 나와 다음날 들어가는 것으로 그 상황을 피하고 있다고 한다.

친구 B는 아버지의 외도를 얼마 전 알게 되었고 큰 충격을 받은 상태라고 한다.

친구 C는 본인의 미술 공부 뒷바라지를 위해 어머니께서 목욕관리사 일을 시작한 사실을 알게 되었다고 한다. 게다가 일터에서 미끄러져 다치시기까지 했다는 것이다. 어머니는 C가 알고 있다는 사실을 모르시기에 아는 내색을 할 수도 없고 마음 편하게 미술 공부를 할 수도 없었던 C는 결국 몸이 안 좋아져 병원을 찾았고 스트레스성 신장염이라는 진단을 받았다고 한다.

J의 이야기를 들으면서는 놀라지 않을 수 없었다. 나는 평소 J에게서 친구 A, B, C에 관한 이야기를 종종 들어왔다. 그들은 그야말로 활기차고 발랄한 10대 여학생들이었다. 그런 아이들이 그러한 상처에 몸과 마음을 앓고 있다는 사실이 안쓰럽기도 했고 괜히 내가 미안해지기도 했다.

J는 가까운 친구들의 여러 가지 어려운 상황 때문에 본인도 의욕과 자신감을 잃어가고 있다고 했다. 나는 매우 안타까웠다. 하지만 내색하지 않았다. 거기서 내가 나서면 J가 이야기를 그만둘 수도 있기 때문이었다.

나는 모임 중의 진행자 모습을 떠올렸다. 내가 해야 할 일은 말을 자르지도 너무 많이 보태지도 않고 적당하게 거리를 두고 들어주는 것이었다.

J는 친구들에 대한 이야기를 자연스럽게 자신의 이야기로 이어갔다. 다행이었다. 며칠 전 학교를 무단결석했다고 한다. 하룻밤을 집 밖에서 보냈다고 했다. 놀랄 수밖에 없었지만 역시 내색하지 않았다. 가출과 무단결석의 이유로 J는 엄마와의 충돌을 이야기했다. 사실 그 시기의 여학생들은 엄마와 잦은 충돌을 겪기 마련이다. 언급했던 책 『딸들이 자라서 엄마가 된다』를

읽고 일정 부분 공감하지 않는 모녀는 거의 없을 것이다. 각설하고, J는 그러면서 자연스럽게 가족에 대한 이야기를 했다.

J는 할머니, 부모님, 남동생과 함께 살고 있다. 요즘 들어 부쩍 잦아진 부모님과의 충돌, 남동생과 자신에 대한 부모님의 다른 대우, 부모님과의 충돌이 있은 후 할머니의 대처 등에 대해 이야기했다. J의 이야기에서 많은 부분이 충분히 이해되었다. 생각해보건대 이해가 가능했던 까닭은 J의 가족에 대해 잘 알고 있기 때문이기도 했지만 다른 한편으로는 사람들 마음속에 있는 상처를 바라볼 수 있게 되었기 때문일 것이다.

부모님을 도저히 이해할 수 없다는 J에게 나의 이야기를 다시 언급하며 부모님에게도 상처가 있기 때문이라는 것과 내면아이에 대해 다시금 강조해주었다. 부모님의 상처를 알기 위해 J와 내가 공감하는 선에서 J 부모님의 어린 시절에 대해 이야기를 나누자 J는 눈물을 보였다. 부모의 상처가 자식의 상처를 만든다는 이야기를 하면서 J는 근심 가득한 얼굴로 이런 말을 했다. "나 같은 딸을 낳으면 어쩌지? 그냥 아기 낳지 말까?"라고. 나는 "상처에 대해 알았기 때문에 걱정할 필요 없어. 이제 계속 독서치료를 받으면 낳아도 괜찮을 거야"라고 말해주었다.

J의 관심을 끌고 J가 이야기를 듣게 만들고 또 J가 스스로 이야기를 꺼내어 마침내 무언가 느낄 수 있게 되기까지는 짧은 시간이었지만 그것이 가능했던 이유는 앞서 말했듯이 '문제'에 대해서가 아니라 '상처'에 대해 다가섰기 때문인 듯하다. 나 역시 상처가 있다. 그 시기 J와 유사한 충돌을 경험했기 때문이다. '아, 그 상황에서 내가 바로 상처 입은 치유자구나'라는 생각이 들었다. 이 때문에 우리는 감정을 공유할 수 있었던 것이다. 새삼 언니 역할을 톡톡히 하게 해준 수업이 참 고마웠다.

이후 나는 J를 위해 J가 관심을 두고 있는 유아교육학과 및 건축학과와 관련한 부산대학교 진학 정보를 모아 출력했고 『마음속의 그림책』을 준비했다. 곧 이 자료들과 책을 J에게 우편으로 보낼 것이다. 직접 전해주지 않고 우편을 택한 것은 J가 치유서와 처음 마주칠 기회를 열어두기 위해서이며,

조금 미룬 이유는 한창 바쁠 기말고사 기간을 피하기 위해서다. 봉투를 뜯고 책을 꺼내 한번 훑어보다가 그 자리에 앉아 또래 친구들의 마음속의 이야기에 푹 빠질 J의 모습을 그려본다. 그리고 J를 만나 나는 또 이야기를 나눌 것이다. 우리의 '상처'에 대해.

5. 아직도 상처, 그리고 치유

이 글을 마무리할 즈음 SBS의 <긴급출동 SOS>라는 프로그램을 우연히 보게 되었다. 명백한 역기능 가정이었다. 역기능 가정 중에도 조금 특이한 경우였는데, 쇼핑 중독 증세가 있는 서른 살 된 딸이 여의치 않으면 부모님에게 폭행을 가하는 문제를 다루고 있었다. 부모님은 시장에서 정육점을 운영하고 계셨고 그녀의 어머니는 심한 림프부종으로 하체가 코끼리 다리같이 부어 제대로 걸을 수도 없었다. 그녀의 아버지 역시 호흡기 질환에 시달리고 있었다. 이 가정의 한 달 소득은 100만 원 정도라고 했다. 그중 그녀의 쇼핑에 드는 돈이 50만~60만 원이란다. 요즘 젊은 여성의 쇼핑 중독이라고 하면 으레 명품이라 불리는 값비싼 물건에 대한 과소비를 말하는데 그녀의 쇼핑 중독은 조금 달랐다. 대부분 시장에서 구할 수 있는 물품이었다. 이날 방영된 내용 중에는 안경을 다시 맞추겠다는 자신을 나무라는 부모님께 흉기를 휘두르고 창문을 부수는 그녀의 모습이 나왔다. 또 미용실에 가겠다며 흉기로 부모님을 위협하는 장면도 있었다. 이 장면은 안경 사건 이후 제작진의 중재로 진행된 가족 간의 대화에서 자신의 잘못을 뉘우치고 후회한다며 조심하겠다던 그녀였기에 더욱 놀라웠다.

제작진은 가족의 문제를 진단하기 위해 전문가팀을 소집했고 딸에 대한 다각도의 치료에 들어갔다. 신경정신과 검사를 한 결과 딸은 심한 우울 상태라는 판정을 받았다. 딸은 뇌파 검사 등 다양한 신체적 검사도 함께 받았다. 총체적 진단 결과는 '오랜 가정불화로 인한 쇼핑 중독 증세'였다.

나는 '오랜 가정불화로 인한'이라는 단서에 고개가 끄덕여졌다. 그녀의 무자비한 행동에는 오랜 가정불화라는 원인이 있었던 것이다. 몸이 성치 않은 부모에게 폭행을 가하는 그녀이지만 그녀 역시 깊고 오래된 상처를 갖고 있었던 것이다.

모든 사람은 저마다의 상처를 가지고 있다. 우리는 사회에서, 인간관계에서, 가정에서 상처를 주기도 하고 받기도 한다. 그리고 그 상처는 끊임없이 생겨나는 것 같다. 하지만 상처가 더 깊어지기 전에 적절한 치료를 받아야만 한다. 나는 그 상처를 책이라는 손쉽고 가까운 약을 통해 충분히 치료받을 수 있다는 임상성을 이번 수업을 통해 톡톡히 경험했다. 상처는 그리고 그 상처에 대한 치료는 모두 내 가까이 있음을 잊지 않기로 했다.

참 다행인 것은 도서관에 치유서 서가가 생겼다는 사실이다. 도서관의 독서치료 프로그램도 시작되었다. 고무적인 일이다. 공식적인 독서치료 모임은 끝났지만 나의 독서치료는 계속될 수 있는 탁월한 환경이 만들어졌기 때문이다. 치유서 코너에는 이미 만난 익숙한 치유서 몇 권이 눈에 들어왔다. 반가웠다. 그중 두어 권을 꺼내 괜히 한 번 책장을 넘겨보고 다시 꽂아두었다. 그리고 브라우징을 시작했다. 서가의 높이가 높지 않고 책의 범위가 지나치게 넓지 않아 좋았다. 그러다 한 권의 책에 눈길이 멈추었다. 『가족의 심리학』[10]이었다. 책을 읽기 시작하면서 눈길이 제대로 멈추어줬다는 생각이 들었다. 이는 진정 서가에서 발견한 '세렌디피티(serendipity: 우연히 발견하는 능력)'였다.

앞으로 나는 많은 치유서를 통해 나의 상처를 보고 깨달음을 얻고 치유될 것이다. 또한 계속해서 끈을 놓지 않고 책을 읽어가며 나를 알아갈 것이다. 또 다른 '세렌디피티'도 기대하며.

---

10) 토니 험프리스, 『(아는 만큼 행복이 커지는) 가족의 심리학』, 윤영삼 옮김(다산초당, 2006).

삶의 비밀을 풀며

채우경

1. 시작을 떠올리며

"궁금하기는 하지만 상처라는 게 뭘 말하는 건지도 모르겠고 책이 어떻게 치유를 해준다는 것인지, 사람이 얼마나 잘났기에, 인격적으로 자신은 얼마나 문제가 없기에 사람을 치료해준다는 것인지 저는 잘 모르겠습니다."

건방지게도 첫 모임에서 내가 했던 말이다. 사실 이 말에는 어떤 비밀이 있었는데 이 말을 한 후 얼마 있지 않아 생각에 많은 변화가 있었다.

3개월 전 독서치료에 대해 호기심 반 의구심 반이던 나는 요즘은 어딜 가나 독서치료 이야기를 하고 다닌다. 가족에게나 친구들에게는 내가 읽었던 책을 막무가내로 또는 은근슬쩍 내밀고 "독서치료 좋더라", "그 책 한번 읽어보지. 좋던데?"라며 자꾸만 이야기를 한다. 사실 그들에게는 독서치료가 익숙하지 않기 때문에 더더욱 독서치료를 알리고 싶어 하는 것 같다. 나는 독서치료의 어디가 그렇게 좋았던 걸까? 실제로 나에게 많은 변화가 일어난 것일까?

처음 책을 읽기 시작했을 때는 공감하기에 바빴다. '어쩌면 나랑 이렇게 비슷할까? 이건 실제 그 사람의 이야기인데' 하면서 말이다. 평소에 사람들이 나에게 말하던 내 모습 – 마음을 잘 열지 않는다, 화를 잘 낸다, 의심이 많다, 말이 없다, 차가워 보인다 – 을 한 번 더 돌아보았고 내가 생각했던 내 모습, 병적 자기애를 가진 나, 조급한 나, 완벽주의적인 나, 두 얼굴을 가진 나, 사랑할 때의 나, 관계에 너무 깊이 빠져들지 않으려는 나, 지지 않으려는 나, 인정받고 성공하고 싶어 하는 나, 일이나 공부가 제일 우선인 나의 모습을 생각했다.

또한 그 속에서 나의 새로운 모습을 발견할 수 있었다. 동전의 양면[1]이라는 말이 정말로 맞았다. 독립적인 것을 좋아하고 구속과 집착이 싫다던 나는 상대와 분리되지 못하고 상대의 개별성을 존중해주지 못하는 나와 맞닿아 있었다. 그리고 그 이면에는 물건에 대한 소유욕도 있었다. 무관심한 태도를 유지하고 한발 떨어져 있으려던 내 모습에는 버림받을까 봐 두려워하는 아이가 있었다. 나는 나 자신을 사랑하고 나에 대한 존중감이 크다고 생각했지만 다른 사람의 눈을 신경 쓰고 평가에 민감한 내 모습도 있었다. 완벽하려 하고 의욕이 넘치는 모습과 한없이 게을러져서 무기력하게 지내는 모습이 모두 내 속에 있었다.

그렇다고 나의 좋지 않은 면, 부족한 면만 보게 되고 반성만 하게 된 것은 아니었다. 좋은 점 또한 발견하게 되었고 그로 인해 자신감을 갖게 되었으며 더 좋지 않은 환경과 상황이 있다는 사실을 알고 내가 가진 것들에 감사하게 되었다.

독서치료는 내 안을 들여다보고 내 모습을 발견하는 것에서 그치지 않았다. 내가 그런 모습을 갖게 되고 그런 행동을 하게 된 데는 다 원인이 있음을 알게 되었다. 그 원인을 찾기 위해 어린 시절의 기억을 이끌어내고 내 마음의 더 깊은 곳을 돌아보았다. 부모님의 양육태도, 할머니와 엄마 사이에 있었던

1) 김형경, 『사랑을 선택하는 특별한 기준 1, 2』.

갈등, 지방 소도시에서 부족함 없이 우물 안 개구리로 자란 일, 이때까지 우리 가정에 일어난 일들, 책에 나오는 알코올 중독 가정이나 폭력 가정은 아니라는 점에 감사했지만 비교적 평범한 환경 속에서도 어린 내가 느꼈을 불안감, 학창 시절이 나에게 미쳤을 영향, 나도 모르는 사이에 사회로부터 받았을 상처에 대해 생각했다. 남들 앞에 섰을 때 나를 떨게 만드는 원인이 완벽하고 싶고 인정받고 싶은 욕구와 평가받는다는 생각에 있다는 사실도 알게 되었다. 개인이 개인에게 주는 상처뿐만 아니라 사회가 개인에게 주는 상처가 있다는 사실도 충격이었다. 또한 무의식이 사랑까지 결정하며 사랑을 선택하는 데 영향을 미친다는 것도 충격으로 다가왔다.

그리고 나 또한 다른 사람들에게 가족에게 남자친구에게 친구들에게 얼마나 많은 상처를 줬는지, 지금도 얼마나 많은 상처를 주고 있는지 생각해볼 수 있었고 반성도 많이 했다.

이런 과정을 거치면서 무엇보다도 이해심이 많아진 것 같아 좋다. 상대방과 여러 상황을 이해할 수 있게 되었으며 이전에 있었던 상처의 원인에 대해서도 이해할 수 있게 되었다. 그로 인해 치유가 되고 있는 것 같다. 또 현재 일어나는 일들에 대해서도 이해심이 많아졌다. '이 사람도 마음속의 상처 때문에, 마음속의 아이 때문에 이런 행동과 말을 하는 것이겠지' 하고 이해하게 되는 것이다. 또한 이로 인해 상처를 덜 받게 되었다.

이해심이 많아졌다고 해서 화가 나지 않고 화를 참을 수 있게 된 것은 아니지만 화가 나더라도 그 상황과 내 마음 상태의 원인에 대해 생각해볼 수 있게 되었다. 이게 정말로 화가 날 상황인지 아니면 무의식이 튀어나온 것인지 생각해보는 것이다. 다른 사람이나 사회의 영향으로 인해 생긴 내 마음속의 아이 때문에 내가 그런 행동을 한다는 것은 그리 기분 좋은 일이 아니다. 외부의 요인에 휘둘리고 싶지 않은 것이다. 또한 내가 가진 여러 가지 문제들이 진정한 나의 모습이 아니라 타인이나 사회로부터 받은 상처로 인해 생긴 것이라고 생각하면 그 문제들이 조금 더 작게 느껴졌다.

글을 시작하면서 상처라는 것에 대해 의문을 가졌다고 말했는데 그 상처라는 건 알고 보니 대단한 게 아니었다. 생활하면서 '저 사람 성격 참 이상하다' 라고 느끼는 면도 그 사람이 살아오면서 생긴 상처로 인한 것일 수 있음을 알게 되었다. 우리는 생활 속의 관계에서, 길에서, 텔레비전에서 상처 입은 사람들이나 그 상처에 휘둘리는 사람들을 어렵지 않게 볼 수 있다. 사소한 일에 화를 내는 사람, 사람이나 물건에 병적으로 집착하는 사람, 입만 열면 자랑인 사람, 이유도 없이 짜증을 내는 버스 기사와 승객 또는 가게 주인과 손님, 자신의 아이를 무관심으로 방치해두는 부모 모두 다 상처에 휘둘리는 사람들이다. 또 자신을 무시한다는 이유로 폭행이나 살해가 공공연히 일어나기도 한다. 주변이 모두 상처투성이다. 하지만 이제는 이상하고 도저히 이해되지 않는 사람들이라며 인상을 찌푸리게 되는 것이 아니라 그 사람에게도 상처가 있구나 하고 생각하게 된다. 그들이 불쌍하게 여겨지기도 한다.

사실 나는 상처가 뭔지 이미 알고 있었을 것이다. 또한 내 마음에 상처가 많다는 사실도 알고 있었을 것이다. 그렇지만 독서치료 수업을 들으면서 사람들 앞에서 그 상처를 이야기하기가 싫었다. 그리고 그 상처로 인해 울음을 터뜨리는 모습을 보이기가 싫었다. 이것이 첫 시간에 했던 나의 철없던 발언의 비밀이다.

2. 나의 체험을 통해 본 독서치료

본격적으로 책읽기에 들어가지 않았던 첫 2주 동안에도 독서치료에 대해 부정적이던 나는 어떤 사실을 깨닫게 되었다. 생각해보니 이미 나도 책을 통해 마음이 편해지고 안정을 찾았던 경험이 있었던 것이다. 그게 치유였던 것 같다는 생각을 했다. 지식을 쌓기 위해 또는 여가시간을 즐기기 위해 책을 읽은 것이 아니라 마음이 불편하고 힘든 시기에 책을 읽음으로써 나아짐을 느끼고 편안함을 경험한 적이 있었다. 또 그럴 때면 의식적으로 또는 무의식적으로 책을 찾기도 했다. 우울할 때도 책을 찾았다.

'그 사람이 생각나기도 하고, 저 사람이 생각나기도 하고, 그중에서도 내가 제일 많이 생각나고……. 사람의 감정에는 사랑이 관여되지 않은 부분이 없더라.' 『사람풍경』2)을 읽고 썼던 내 일기 가운데 일부분이다. 이처럼 우리는 이미 책을 읽고 자신과 주변을 돌아본 경험이 있으며 책에서 마음의 안정을 찾았던 경험이 있다.

독서치료에 대한 내 생각에는 어떤 변화가 있었는지 그리고 내가 체험한 진행자, 치료자, 치유서는 어떠했는지 지금부터 이야기해보겠다.

1) 진행자

'상처 입은 치유자'3)라는 말이 있듯이 독서치료를 진행하는 사람이 상처를 입은 경험이 있고 상처를 치유한 경험이 있다면 그 점이 독서치료를 진행하는 데 매우 도움이 될 수도 있겠다는 생각이 들었다. 그래서 체험형 독서치료라고 하는 것이리라. 사람을 통해서가 아니라 책을 통해서 치유를 하는 것이므로 진행하는 사람은 모임을 진행할 뿐, 치유는 각자 개인이 책을 읽고 얼마나 마음을 여는가에 달린 문제라는 생각이 들었다.

진행자는 말 그대로 진행을 잘해야 한다. 책을 통해 건드려진 상처를 다시 한 번 밖으로 이끌어낼 수 있도록 진행하는 사람이 도와야 한다. 그리고 진행자는 치유의 경험이 있어야 한다. 그래야 참여자의 상처에 공감할 수 있고 참여자에게 맞는 처방으로 치유서를 제공해줄 수 있다. 또한 참여자와 신뢰관계가 형성되어 있어야 한다.

진행자의 체험이 중요한 이유는 모임을 이끄는 시작 또는 중간 중간에 진행자도 자신의 이야기를 하기 때문이다. 이를 통해 참여자들의 이야기를 끌어내거나 그들의 마음에 공감을 줄 수 있으며 진행자 자신도 한 번 더

---

2) 김형경, 『사람풍경』(아침바다, 2004).

3) 헨리 나우웬, 『상처 입은 치유자』, 최원준 옮김(두란노, 1999).

치유될 수 있다. 실제로 우리 모임에서도 진행자는 모임을 이끌면서 본인의 이야기를 해주었다. 그 이야기를 들으며 공감했고 나 자신을 한 번 더 돌아볼 수 있었다. 또한 우리 모임의 진행자는 모임 계획서에 제시한 치유서들 외에도 모임 때마다 각 상황에 맞는 치유서들을 많이 알려주었다.

진행자는 중간중간 주제와 관련된 이야기를 하고 질문을 던지는데 그 과정에서 마음이 울컥할 때가 있었다. 이 또한 진행자가 가진 하나의 역할과 능력이 아닐까 싶다. 이 모든 게 체험적 독서치료가 아니면 있을 수 없는 일이다. 그중에서도 '시간이 약이다', '시간이 해결해준다'라는 생각이 잘못되었다던 말이 아직도 생각난다. 정말로 와 닿았다. 우리는 살면서 힘든 일을 겪을 때면 이 말을 많이 듣게 되고 다른 사람을 위로해줄 때면 이 말을 많이 하게 된다. 상처를 시간에 맡기고 묻어둘 게 아니라 책을 읽음으로써 상처를 자꾸만 끄집어내 그때그때 치유를 해야겠다.

2) 참여자

사실 친하지도 않고 그렇다고 아예 모르는 사이도 아닌 사람들에게 내 이야기를 해야 된다는 게 싫었다. 이 점이 처음에 독서치료에 선뜻 다가가지 못한 가장 큰 이유인 것 같다. 하지만 꼭 모든 이야기를 해야 되는 건 아니라는 걸 알게 되었다. 그래서 처음에 가졌던 마음의 부담이 좀 덜어졌다. 물론 이야기하면서 치유되는 부분도 있겠지만 일단은 책을 읽음으로써 책과 나 사이에 생기는 관계가 제일 중요하다고 생각한다.

참여자는 무엇보다도 마음의 문을 열어야 한다. 치유의 도구라고 할 수 있는 책에 대해서는 물론이고 함께 치료를 해나가는 모임에 대해서도 마음을 열어야 한다. 그래서 모임 구성을 위한 방법이 따로 있으면 좋을 것 같다는 생각이 들었다. 나의 경우에는 이번 모임이 아예 모르는 사람들과의 만남에서 시작되었다면 더 많은 이야기를 했을지도 모른다. 내 안의 상처를 직면하게 되고 그걸 다루기도 힘든데 절제까지 하면서 이야기를 하려니 더 힘이 들었다. 이런 면 또한 나의 어떤 상처로 인한 것인지도 모르겠다. 아니면 반대로 정말 가까운 관계인 사람들끼리 자발적인 모임을 갖는 것도 괜찮을 듯하다.

우리 모임의 진행자는 특히 사회적 지위가 있는 남성 참가자들이 모임에 와서는 지식형 독서의 결과물들을 나열해놓고 체험형 독서를 하지 못하는 경우가 많다고 지적한 적이 있다. 나는 그들이 완전히 마음을 열지 못한 것이 아니라 책을 통해서는 충분히 많은 것을 느꼈는데 모임의 특성상, 그리고 자신의 지위상 모임에서는 겉도는 이야기만 했을 수도 있다는 생각을 했다. 참여자는 능동적인 주체로서 독서치료에서 큰 부분을 차지하지만 상대적으로 그 역할은 적다. 마음을 열고 책을 읽기만 하면 된다. 게다가 독서치료는 책만 있으면 되고 무료인데다 자가치유가 가능하다. 정말이지 참여자 입장에서는 이보다 더 좋을 수 없다.

또한 모든 것을 다 열고 매시간 눈물바다를 이루는 모임이 꼭 좋다고만은 할 수 없을 것이다. 다함께 슬픔에만 잠겨 있어서는 안 되기 때문이다. 깨달을 건 깨닫고 벗어나야 할 건 빨리 벗어나야 한다. 어찌되었든 참여자가 마음의 문을 여는 것은 독서치료에서 매우 중요한 문제다. 마음의 문을 열고 치유해 나가야 모임 내의 다른 사람의 이야기에도 공감할 수 있을 것이며 이를 통해 한 번 더 자신을 치유할 수도 있을 것이다.

상황과 치유서에 따라 참여자들이 느끼는 점이 각기 달랐던 것은 개인마다 상처가 다 다르기 때문일 것이다. 모임을 통해 다른 사람의 이야기에 공감하고 다른 사람을 이해할 수 있어서 좋았다. 또 집단상담과 약간은 비슷한 방식으로 서로에게 도움이 되는 모습도 인상적이었다.

3) 치유서

치유서는 우선 공감을 이끌어내어 참여자가 자신의 모습을 돌아볼 수 있도록 만들어야 한다. 또한 원인이 되는 상처를 건드려서 상처를 직시할 수 있게 해주어야 하며 내면을 돌아보고 마음 깊숙한 곳에 있는 상처의 원인을 살펴볼 수 있도록 도와야 한다. 거기에 앞으로 나아갈 방향을 제시해주거나 나아갈 힘을 줄 수 있다면 더 좋을 것이다.

이번 모임이 진행되는 동안 여덟 가지 상황과 10권의 치유서, 3종의 영상 자료[4]를 접했다. 상황이 상처의 부위라면 치유서는 그에 대한 처방이라고 한다.[5] 여기서는 치유서가 나에게 직시하게 해준 상처들과 그 당시 내가 가졌던 생각들을 간단하게 정리해보겠다.

(1) 마음의 비밀: 『30년 만의 휴식』[6]

내 모습에 대해 생각했다. 그리고 책 속 주인공과 비슷한 내 모습의 원인이 무엇인지 생각했다. 여동생이 있다는 점과 엄마와 아빠의 관계가 일정 부분 나에게 영향을 미쳤을 것이다. 나와 부모님 사이의 관계 그리고 그분들의 성향이 나에게 미쳤을 영향에 대해서도 생각했다. 초·중·고등학교 시절에 있었던 굵직한 일 몇 가지와 나의 사랑 방식에 영향을 미친 누군가에 대해서도 생각했다. 그리고 지금 대학원 생활에서도 항상 평가받고 있다는 느낌이 다른 사람, 특히 교수님들이나 동료들을 의식하게 만든다는 생각이 들었다.

무엇보다도 상처를 주는 것도 사람이고 치유해주는 것도 사람이라는 점에 크게 공감했다. 엄마와 나 사이의 관계에서는 엄마의 일관성 부족으로 인해 유달리 구속받는 것을 싫어하고 사람을 쉽게 믿지 못하는 나의 성격이 형성되었을 것이라는 생각이 들었다. 하지만 분명하게 밝혀둘 것은 나와 엄마의 관계가 다른 모녀에 비해 좋지 않은 편은 아니라는 점이다. 아니 오히려 나는 상당히 좋은 편이라고 생각한다. 나는 엄마를 매우 좋아하고 평소에

---

4) <추적 60분> '명문대생, 그는 왜 부모를 살해했나'(KBS, 2000. 7. 23), <코리 부부의 집단상담 관련 자료>, 영화 <돌로레스 클레이본>.
5) 김정근, 「독서치료에서 '진정성'의 요소」, 《도서관》, 60권 2호, 163~186쪽.
6) 이무석, 『(마음의 평안과 자유를 얻은) 30년 만의 휴식』.

우리는 많은 이야기를 나누었다. 그래서 이 발견이 더욱 새로웠다고 할 수 있다. 엄마로 인해 생긴 마음속의 아이가 있다는 사실을 알게 되었지만 나에게 엄마는 나를 치유해주고 나에게 안정을 주는 가장 큰 존재이기도 하다. 또 배우자가 상처를 해결해줄 수도 있다고 했는데 이전 남자친구에게서 내가 해결받은 부분이 분명히 있는 것 같아 뭔가 씁쓸한 기분도 들었다.

(2) 청소년기의 성장의 아픔: 『마음속의 그림책』[7)

나는 사람들에게 얼마나 많은 상처를 주었는지, 또 지금도 얼마나 많은 상처를 주고 있는지에 대해 돌아볼 수 있는 시간이었다. 특히 누구보다 가까운 사람들이라 할 수 있는 가족과 남자친구가 생각났다.

좋은 교사, 좋은 엄마가 된다는 게 얼마나 어려운가에 대해서도 생각했다. 상처를 가진 부모와 교사가 다시 상처를 주게 되며 상처가 돌고 돈다는 사실을 알게 되었다. 그 상대가 주로 아이들이기 때문에 문제가 더 심각하며 때문에 사회적 프로그램이 필요하다는 생각이 들었다. 도서관이 그 역할을 담당해야 된다는 생각과 함께 사회적 장치로서의 도서관에 대해서도 생각해보았다. 이처럼 이론적이라면 이론적이랄 수 있는 생각 가운데서도 내 마음속의 아이는 튀어나왔다. 나는 초등학교 고학년 즈음부터 선생님들을 유달리 경계했고 싫어했다. 특별한 계기가 있었던 것은 전혀 아닌데도 말이다. 그래서 교사를 선발할 때나 교육할 때는 치료와 상담을 통해 그 교사의 상처를 치유해주고 나서 아이들을 가르치게 해야 한다는 생각을 하기도 했다. 이 책을 읽으면서는 텔레비전에서 집중력 장애 아이에게 교사가 '인간쓰레기'라고 말하는 장면을 본 기억이 함께 떠오르기도 했다.[8)

---

7) 이희경, 『마음속의 그림책』.

8) <VJ 특공대> '엄마, 마음이 아파요: 소아 정신건강 적신호'(KBS, 2006. 9. 15).

(3) 조부모: 『달의 제단』,[9] 『나의 아름다운 정원』[10]

책에서 상처를 주는 인물들도 그전의 상처로 인해 그러는 게 아닌가라는 생각이 들었다. 역시 상처가 상처를 낳는구나 하는 생각에 안타까웠다. 나는 다른 사람에게 말과 행동으로 얼마나 많은 상처를 주고 있을까 또 한 번 생각하게 되었고 엄마가 나에게 상처를 준 부분이 있다면 엄마 또한 내가 어렸을 때 할머니와의 갈등으로 힘든 시기여서 그랬을 것이라고 이해가 되었다.

이는 우리나라 특유의 정서와 문화에 대해 생각해보는 기회이기도 했다. 우리나라는 한(恨)이 대물림되는 참으로 안타까운 구조다. 더군다나 고단한 정신을 치유하기 위한 장치는 거의 없는 실정이다. 한국 사회는 사회적으로 문화적으로 상처를 많이 주는 구조지만 이를 해결할 수 있는 장치는 거의 없다. 정신분석이나 집단상담은 아직 한국 사회에서 익숙하지 않다. 가부장적인 유교문화나 식민지, 독재정치 같은 역사만 보더라도 상처가 될 만한 요인이 너무나 많다. 사람들 또한 자신을 잘 드러내지 않으려는 정서가 강해 상처를 치유하기가 쉽지 않다. 이는 국가경쟁력과도 연결되는 문제이므로 사회적으로 정신건강을 돌보는 것은 시급한 일이다. 그렇기에 독서치료가 하루빨리 더 널리 확산되었으면 좋겠다. 독서치료는 책을 통해 혼자서 할 수 있는 치료이므로 정신상담이나 정신분석보다 한국 사회에 더 적합할지도 모른다는 생각도 들었다.

(4) 자아를 찾아서: 『내 딸이 여자가 될 때』[11]

문화와 사회가 개인에게, 특히 청소년기 여자아이에게 상처를 준다는 것을 보여주는 사실적인 사례들은 정말이지 충격적이었다. 사춘기를 겪으면서 아

---

9) 심윤경, 『달의 제단』.

10) 심윤경, 『나의 아름다운 정원』.

11) 메리 파이퍼, 『내 딸이 여자가 될 때』.

이는 사회의 인식 때문에 자아를 상실한다는 것이다. 여자는 진정한 자아를 지키는 것과 사회적 요구인 사랑받는 여자, 여자다운 여자가 되는 것 가운데 하나를 선택해야 하고 둘 중 어느 것을 선택하든지 간에 상처를 받게 되어 있다는 내용이었다. 나도 어렸을 때엔 적극적이고 되고 싶은 것도 많았는데 중학교 때부터 장래희망이 없다고 말하거나 현모양처 또는 웃가게 주인이 장래희망이라고 말했던 원인이 거기에 있나 생각해보기도 했다. 그리고 유독 중학교 때 학년마다 한 반에 한 명 이상씩 친구들이 퇴학을 당했던 기억도 함께 떠올랐다. 당시의 내 기억으로는 선생님들이 그 친구들을 이해해보려는 노력 없이 퇴학을 시키려고 안달이었고 우리는 정말 갖가지 체벌과 모욕을 당했었다. 그때 우리 주변에는 『마음속의 그림책』에 나오는 선생님이나 『내 딸이 여자가 될 때』의 상담교사, 정신분석의처럼 아이의 상처부터 이해하려고 애쓰는 사람이 없었다.

(5) 사랑: 『사랑을 선택하는 특별한 기준 1, 2』,[12] 『나는 정말 너를 사랑하는 걸까』[13]

사랑은 내가 취약하다고 생각하는 부분이었다. 사랑은 별거 아니라고, 중요한 문제가 아니라고 여기면서 내 문제와 내 공부를 언제나 우선시하고 때론 사랑을 귀찮고 시간낭비라 생각하는 내 모습은 책 속 주인공과 많이 닮아 있었다. 그래서 '사랑에 목마른, 그러나 사랑이 두려운……'이라는 구절이 더 와 닿았던 것 같다. 나는 친구들에게 소외감을 많이 주었을 것이다(사실 이미 알고 있었으면서 모른 척하고 싶던 문제였다). 또한 이전 남자친구에게 상처를 많이 줬구나 하는 생각도 했다. 또한 반드시 좋은 사람을 좋아하는 것은 아니며 무의식이 조건적으로 사랑을 선택한다는 내용은 그 무렵 나에게 일어난 일들과 겹쳐지며 더 공감이 되었다. 동시에 열등감을 가진 누군가가 생각

---

12) 김형경, 『사랑을 선택하는 특별한 기준 1, 2』.

13) 김혜남, 『나는 정말 너를 사랑하는 걸까』(중앙M&B, 2002).

나면서 내가 사랑으로 대해주었으면 좋았겠구나 하는 생각이 들었다. 또한 독립적인 사람은 의존적인 사람을 선택하기 쉬운데 의존적인 사람을 선택하고 난 뒤에는 어느 순간 그 사람을 쫓아내려 한다는 내용에 너무나 공감했다. 열등감을 가지고 있거나 의존적인 사람을 분명 내가 선택해놓고는 의존적이라며 싫어했던 것이다. 사랑의 힘에 대해서도 생각해보았다. 사랑은 정신분석과 같이 자신이 누구인지 알아가는 과정이기 때문에 사람들은 연애를 하면서 자신의 모습을 알게 되며 그 과정을 한 번씩 겪고 나면 자기 내면의 부정적인 증세가 완화된다고 말하고 있다. 나도 지난 사랑을 통해 불신과 이기심이 어느 정도 완화되었다고 생각하기도 했다. 어쨌든 얻은 게 많았던 사랑의 시간이지만 그만큼 내게 힘든 시간이기도 했다.

(6) 성인아이: 『상처받은 내면아이 치유』[14]

내 안에 있는 내면아이의 원인을 찾아본 시간이었다. 어린 시절을 집중적으로 돌아본 시간이기도 했다. 분노에 대해서도 생각했다. 내 안의 분노와 그 이유, 그걸 표출하는 방식에 대해서 말이다. 또한 지속적인 치유의 끝에 있을 것 같은 나의 선천적 아이, 창조적인 힘 그리고 잠재력을 믿게 되고 그에 대한 기대감을 갖게 된 시간이기도 했다.

(7) 대인불안: 『대인공포클리닉』[15]

완벽하려는 내 모습을 확실하게 확인한 시간이었다. 대학원이 문제가 아니라 완벽하고 싶은 내 모습이 문제였던 것이다. 나이가 들고 대학원에 들어오면서 평가와 타인을 의식하는 정도가 더 심해졌을 수는 있지만 이는 이미 내가 갖고 있던 모습임을 알게 되었고 이를 극복하고 싶다는 생각을 하게 되었다. 사람이 완벽할 필요는 없으며 남들 앞에서 떨리는 현상을 받아들여

---

14) 존 브래드쇼, 『상처받은 내면아이 치유』, 오제은 옮김(학지사, 2004).

15) 이시형, 『대인공포클리닉』.

야 한다는 사실, 그리고 이는 당연한 현상이라는 사실은 나에게 작지만 엄청난 발견이었다. 여유를 가져야겠다.

체험적 독서치료를 해야 한다는 것은 당연한 이야기다. 주위에 조언을 해줄 때도 경험을 갖고 있는 것과 경험이 전혀 없는 것은 차이가 크다. 어떻게 보면 모든 일에서 체험이 중요하다고 할 수 있다. 독서치료는 치유를 해야 하는 일이므로 치유를 받아본 사람이라야 치유를 위한 진행자가 될 수 있을 것이다.

3. 미처 다하지 못한 말

"삶은 고해다."[16] 삶이 원래 문제의 연속이라는 데 더 이상 무슨 말이 필요할까. 나만 문제를 갖고 있는 것이 아니며 삶이란 원래 문제의 연속이고 따라서 어려운 건 당연하다는, 이 간단해 보이지만 엄청난 진리를 깨닫고 삶에 다가서면 모든 것이 한결 편해진다. 『아직도 가야 할 길』까지 읽은 지금 나는 마음이 든든해진 느낌이다.

책에는 정말로 큰 힘이 있다. 기존에 알던 것처럼 지적 성장을 도와주는 힘뿐만 아니라 정신적인 성장을 도와주는 힘까지 있다. 내가 변화를 체험했기 때문에 나는 자신 있게 말할 수 있다. 실제로 나에게 변화가 있었는지는 사실 알 수 없다. 행동으로 드러나는 변화는 없을지도 모른다. 하지만 나는 사랑에 관한 생각이 바뀌었고 다른 사람을 이해하려는 노력을 하게 되었다. 스캇 펙이 말하는 참사랑, 진정한 사랑을 경험해보고 싶고, 사랑을 할 때 오는 자기확대와 정신적 성장도 느껴보고 싶다. 이는 어떤 느낌인지 알 듯도 하고 상상조차 되지 않기도 한다.

---

16) 스캇 펙, 『아직도 가야 할 길』(2004).

한 사람이 정신적 성장의 여로에 있다면 그 사람의 사랑할 능력은 점점 자라고 있는 것이라고 한다. 나는 이제 사랑할 준비가 된 것 같기도 하다. 나는 계속해서 나를 돌아볼 것이고 나를 사랑할 것이다. 그리고 더 이상 내 무의식으로 인해 나와 내 소중한 사람들을 괴롭히지 않을 것이다.

독서치료에 대한 나의 생각이 바뀐 것을 보면서 사람들에게도 독서치료의 묘미를 느끼게 해주는 것이 중요하다고 생각을 하게 되었다. 공공도서관은 물론 대학도서관으로까지 독서치료가 확산되고 있는 것은 분명 좋은 현상이다. 상처받은 사람은 다른 사람에게 다시 상처를 주기 마련이다. 상처가 상처를 낳게 되는 것이다. 상처는 개인의 문제이기도 하지만 사건, 사고를 일으키는 사회적 문제이기도 하다. '상처 주는 사회'에서 '치유하는 사회'로 가는 데 독서치료는 큰 역할을 담당할 수 있을 것이다.

가치관에 변화가 생기고 독서치료에 대한 태도도 갑작스럽게 변한 내 모습이 놀랍기도 하고 낯설기도 하다. 그래서 독서치료로 인해 나의 창의성이나 개성을 잃으면 어떡하느냐고 투정을 부리기도 했다. 그러나 사실 나는 나의 선천적 아이, 내 진정한 자아가 발휘할 창조적인 힘과 잠재력을 더 기대하고 있다. 어쩌면 그 모습을 기대하며 기다리는 것은 선물 같은 '삶의 비밀'이라는 생각도 든다. 나는 이제 지치지 않고 지루해하지 않으면서 그 비밀을 풀 수 있을 것 같다.

앞으로 살아가면서는 이제까지 살아오며 겪은 것보다 힘든 일을 더 많이 겪을 것이다. 하지만 나는 걱정하지 않는다. 삶은 원래 어려운 것이고 나만 어려운 것이 아니니 그 속에서 행복을 찾을 수 있을 것 같다. 그리고 내 옆에는 상황별 치유서와 사랑하는 사람들이 있지 않은가. 독서치료 모임을 통해 정말로 많은 것을 얻었다. 그리고 한 학기 동안 울음을 참느라 참으로 힘들었다.

작은 마무리, 큰 시작

손귀향

1. 어린 시절의 책읽기, 그리고 독서치료와의 만남

나는 책에 대해서라면 아주 할 말이 많은 사람이다. 나는 어릴 때부터
유달리 책읽기를 좋아했다. 초등학교 3학년 무렵 부모님이 큰맘 먹고 들여놓
으신 30권짜리 『한국·세계위인전』이 책읽기의 시작이었던 것 같다. 처음에
는 이름이 맘에 드는 인물만 쏙쏙 골라서 읽다가 마침내 30권을 다 읽게
된 후부터는 다른 것에 눈을 돌리기 시작했다. 그 후부터 나는 글자가 적혀
있는 것이라면 무엇이든 읽지 않고는 못 배기게 되어 하다못해 아침 신문에
딸려오는 전단지도 하나하나 빠짐없이 읽어야만 직성이 풀렸다.

그렇게 눈에 띄는 것이라면 종류 불문하고 닥치는 대로 책을 읽어대다가
점점 머리가 굵어지면서는 내 나름에는 멋지게 보이고 싶어서였는지 어려운
책에 손을 대기 시작했다. 예를 들어 고등학교 때는 프로이트의 『꿈의 해석』[1]

---

1) 프로이트, 『꿈의 해석』, 김인순 옮김(열린책들, 2004).

을 빌려 읽기도 했는데 당연히 그 내용을 이해하기에는 난 너무 어리고 철이 없었다. 하지만 주변 사람들로부터 "와! 너 이런 책도 읽니?"라는 말을 듣고 싶었던지 그처럼 어렵기만 한 책들을 고르다 점점 책에 대한 흥미를 잃게 되었고 결국에는 책에서 거의 손을 놓게 되었다. 재미있게 읽은 책들도 있었지만 대부분 책의 내용과 본질을 이해하는 데 집중하지 않고 그저 겉멋내기에만 맛을 들인 결과는 참담했다. 책에 집중하고 있을 때 누가 옆에서 건드리기만 해도 짜증을 낼 정도로 책에 대한 집착이 강하던 나였는데, 이제는 책을 거의 읽지도 않으면서 말로만 책을 좋아한다고 외치는 사람이 되어버리고 만 것이다. 책을 거의 읽지 않는 요즈음은 도저히 책을 읽을 시간이 없어서라고 스스로 변명해보지만 책읽기에 대한 흥미가 예전보다 훨씬 떨어진 것은 부정할 수 없다. 학창 시절 읽은 책에서 얻은 얄팍한 지식으로 근근이 버텨오다가 최근에는 그마저 바닥나고 있다는 게 조금씩 느껴졌다. 책에 관해서라면 둘째가라면 서러워할 정도로 자부심이 강하던 나였는데 이제는 주변 친구들보다 한참 뒤지고 있음을 스스로 느껴 은근히 자존심에 상처를 입기도 했다.

그러다가 4학년 마지막 학기에 '도서관학 특강'이라는 수업이 독서치료를 내용으로 한다는 소식을 들었다. 호기심이 일기는 했지만 아주 반갑기만 한 것은 아니었다. 이 수업을 듣기 전에는 독서치료에 대해 '독서치료= Bibliotherapy=책을 통한 치료'라는 정도로만 알고 있었지 구체적 내용이나 효과, 방법 등에 대한 지식은 전혀 없는 상태였으며 특별한 관심도 없었다. 더 솔직히 말하자면 첫 모임에서 매주 한 권씩 책을 읽고 과제를 제출해야 한다는 안내를 받자 정신이 멍해지면서 '어휴, 그냥 포기할까?'라는 고민에 빠지기도 했다. 나는 글을 읽는 것에는 자신이 있었지만 내 생각을 글로 표현하는 데는 영 서투르고 자신이 없어서 글쓰기는 나에게 항상 큰 고역이었기 때문이다. 과연 첫 모임 이후로 몇몇 사람들이 빠져나갔다. 결과적으로는 독서치료 모임이 적극적으로 진행될 수 있어서 잘된 일이었다. 그런데도 내가 결국 이 모임에 남기로 결심한 이유는 반강제로라도 그동안 소홀했던 책을 읽어보자는 마음과 무언가 배워갈 수 있을 것이라는 막연한 기대 때문이었다. 그리고 3개월 동안의 독서치료 과정을 모두 마친 지금 나는 이 결정을 결코 후회하지 않으며 참 잘한 일이었다고 생각하고 있다.

2. 첫 수업, 마음의 상처를 발견하다

첫날 오리엔테이션 후 몇몇 사람이 빠져나가고 우리는 큰 강의실에서 토론식 수업이 가능한 원탁이 있는 조그만 강의실로 자리를 옮겼다. 첫 모임은 평생을 남편과 자식에게 무시당하고 살다가 치매에 걸리게 된 한 가정주부의 이야기를 다룬 <길모퉁이>[2]라는 영상자료를 보는 것으로 시작되었다. 자료를 모두 시청한 후에는 시간이 촉박한 관계로 10여 분 정도밖에 이야기를 나누지 못했다.

그다음 주부터가 진정한 독서치료의 첫 수업이라고 할 수 있었는데, 첫 번째 치유서는 이호철의 『학대받는 아이들』이었다. 처음에는 무심코 책을 펼쳐 읽었다. 하지만 나는 이것이 나의 이야기일 줄은 꿈에도 상상하지 못했다. 나는 내가 학대받으면서 자랐다고 생각한 적이 한 번도 없었기 때문이다. 책을 처음 펼치면서 부모님께 매를 맞고 사는 불쌍한 아이들 이야기이겠거니 생각했으나 점점 책을 읽어가면서 완전히 잘못된 생각이라는 걸 깨닫게 되었다. 이 책은 부모의 폭력에 시달리며 사는 특수한 경우에 처한 아이들만의 이야기가 아니었다. 세상의 모든 아이에게 공통적으로 해당되는, 지극히 평범한 일상에서 끄집어낸 이야기였던 것이다. 일례로 저자는 부모가 아이들의 일기장을 검사하는 것이 아이에게는 정신적인 스트레스가 되고 그것이 곧 아이를 학대하는 것이라고 말하고 있다.

그렇다면 나도 어린 시절에 학대를 받았단 말인가. 실제로 책에 등장하는

---

2) 특집드라마 <길모퉁이>(MBC, 2001).

일화들을 읽어나가면서 깊은 무의식 속에 있던 기억들이 조용히 머리 위로 떠올랐다. 특히 초등학교 6학년 때 소풍날에 집에 빨리 들어가지 않아서 부모님께 심하게 꾸중을 들었던 일이 제일 먼저 떠올랐다. 당시 상황이 나에게 얼마나 충격적이었는지 나는 10년 이상 지난 지금도 그 장면을 그대로 떠올릴 수 있을 만큼 생생하게 기억하고 있었던 것이다.

모임 중에는 각자 써온 글을 바탕으로 한 사람씩 자신의 이야기를 해나갔다. 나는 발표순서가 조금 빨랐는데 처음이라 어떻게 말해야 할지 몰라서 특별한 이야기는 하지 못했다. 그런데 점점 순서가 뒤로 갈수록 수업에 참여한 친구들의 솔직한 이야기가 쏟아져 나오기 시작했다. 나는 한편으로는 내 친구들이 그렇게 많은 생각을 가지고 있다는 것에 놀랐고 다른 한편으로는 토론식 수업이 그렇게 활발하게 진행되는 것에 놀랐다. 다른 수업은 대부분 교수님께서 일방적으로 이끌어나가고 발표도 거의 이루어지지 않는데, 이 수업에서는 학생들이 너무도 적극적으로 이야기를 해나가는 것이었다. 모두 책을 읽고 느낀 점이 많은 듯했고 각자의 경험이 다르기 때문인지 감상도 다양했다. 그리고 그 이야기들은 굉장히 재미가 있어서 무려 세 시간이라는 수업시간이 전혀 지루하지가 않았다.

그런데 모두 하나같이 했던 말은 내가 앞에서 언급했듯이 학대라는 의미에 대해 새롭게 생각하게 되었다는 것이었다. 그리고 그 의미에 비추어 보자 어린 시절의 안 좋은 기억이 떠올랐다는 것이었다. 그 안 좋은 기억들이 바로 마음의 상처임을 수업을 통해 알게 되었다. 우리 모두는 자신도 모르는 마음의 상처를 간직한 채 살아가고 있었던 것이다.

대부분의 사람들은 자기 자신이 정신적으로 문제가 없다고 생각할 것이다. 살다 보면 간혹 '내가 정신병에 걸린 것은 아닐까'라는 생각이 들 때도 있지만 이를 심각하게 받아들이는 사람은 거의 없다. 그러나 사람들은 누구나 정신적인 문제를 안고 살아간다고 한다. 다만 이러한 문제는 정신병이라고 칭하기는 어려울 만큼 미미해서 겉으로 잘 드러나지 않을 뿐이다. 그런데 그 정신적인 문제라는 것은 자신도 모르는 사이에 축적되어온 마음의 상처에서 비롯된다고 볼 수 있다. 자신에게는 아무 문제가 없다고 주장하는 사람도 어떤 자극을 통해 건드려보면 깊은 곳에 숨어 있던 마음의 상처가 툭 튀어나오는 것을 볼 수 있다.

이처럼 첫 수업은 굉장히 성공적이어서 나는 마음의 상처를 끄집어내고 그 상처를 인정하는 방법을 톡톡히 배울 수 있었고 독서치료의 효과를 처음으로 경험할 수 있었다. 그리고 그 충격은 꽤 컸기에 뒤통수를 한 대 얻어맞은 것 같은 기분이 들기도 하고 마음이 흥분되기도 해서 수업이 끝나고 시간이 꽤 지나서야 비로소 마음이 진정되었다. 수업을 마치고 강의실을 빠져나오면서는 '이거 참 재미있네'라는 생각이 들면서 다음 번 수업과 치유서를 기대하게 되었다.

3. 독서치료에 대한 의문이 생겨나다

두 번째 치유서 심윤경의 『나의 아름다운 정원』은 가족 구성원 사이의 갈등을 다룬 소설이었는데, 책 내용이 굉장히 재미있어서 쉬지 않고 단숨에 읽어버렸다. 책은 주인공 동구가 성장하고 성숙하는 과정을 그리고 있는데 이야기의 주축은 동구의 할머니와 엄마 간의 고부 갈등, 그 사이에서 무능력한 아버지, 또 그 속에서 느끼는 동구의 아픔과 슬픔이다. 그런데 책을 읽고나서 막상 과제를 하려고 하니 쓸 말이 잘 떠오르지 않았다. 책은 분명 아주 재미있었고 한 장 한 장 읽어나갈수록 이야기에 빠져들었는데 막상 쓸 말이 떠오르지 않는다는 것이 이상했다. 가만히 생각해보니 이 책은 나에게 단지 재미와 교훈의 차원이었을 뿐 그 이상의 카타르시스는 주지 못했기 때문이었다. 나는 책에 등장하는 동구네 가족환경과는 완전히 동떨어진 삶을 살아왔기 때문에 등장인물들의 심리에 공감하면서도 그들을 나와 동일시할 수는 없었다. 나의 가족에게도 분명히 문제는 있지만 책에 등장하는 갈등의 구조와는 많이 달랐다.

결국 나는 내가 할 말을 거의 찾지 못한 채 책의 줄거리를 중심으로 글을 제출할 수밖에 없었다. 그런데 발표를 하는 친구들을 보니 책과 비슷한 가족 관계를 가진 사람이 몇 명 있었다. 그 친구들은 마치 자신의 이야기를 보는 것 같아서 책을 읽는 내내 너무 마음이 아팠다며 이야기를 하는 도중에 눈물을 흘리기도 했다. 그들은 나와는 다른 마음의 상처를 가지고 있었던 것이다. 그런 류의 이야기는 남에게 쉽게 드러내기 어렵기 때문에 책을 통해서 자극을 받지 않았다면 영원히 마음속에 꽁꽁 묶어놓았을지도 모른다. 나와 아주 친한 친구 한 명도 그런 고민을 말하면서 눈물을 흘렸는데 옆에서 지켜보는 나까지 덩달아 눈물이 날 뻔했다. 직접 경험을 하지 못한 나의 경우와 비교했을 때 친구에게 책이 가지는 의미는 훨씬 크고 가깝게 다가왔을 것이다.

이렇게 두 번째 수업도 진지하게 이루어졌는데 내게는 그 감동이 첫 번째 수업보다는 조금 덜했다. 첫 수업에서는 나 자신이 가지고 있는 문제를 직접적으로 드러낸 데 비해 두 번째 수업에서는 내 문제보다는 다른 사람들의 고민을 들어주는 정도였기 때문이다. 하지만 나와 반대로 두 번째 수업에서 훨씬 큰 독서치료 효과를 얻은 사람도 있었을 것이다.

그러자 한 가지 의문이 생겨났다. 이처럼 개인별로 모두 처한 상황이 다르고 치유받아야 할 상처가 다른데 그들을 한곳에 모아두고 똑같은 책으로 독서치료를 적용할 수 있느냐는 것이었다. 『학대받는 아이들』의 경우에는 우리 모두가 모르고 있던 상처를 끄집어내는 역할을 해서 누구나 공감할 수가 있었다. 그런데 『나의 아름다운 정원』은 고부간의 갈등이라는 특수한 경우가 책의 내용을 이루고 있으므로 나처럼 고부간의 갈등을 겪어보지 못한 사람이 그 책을 읽게 되면 과연 치료 효과가 있다고 말할 수 있을까? 나는 다른 사람의 이야기에 가슴이 아픈 정도였지, 내 마음이 시원해진다거나 상처가 치유되는 느낌을 받지는 못했다.

막연하게 들던 이런 의문은 존 그레이의 『화성에서 온 남자 금성에서 온 여자』를 치유서로 해서 토론하는 시간에 좀 더 확실하게 자리 잡았다. 이 책은 남녀 사이에 일어날 수 있는 문제를 다루고 있는데, 그 원인을 남자와 여자의 확실하게 다른 성향 때문이라고 설명하고 있다. 책의 제목부터 남녀의 다른 모습을 확실히 드러내주고 있는데, 불처럼 뜨겁고 정열적인 화성에서 온 남자와 미의 상징인 비너스라는 이름을 가지고 있는 아름다운 금성에서 온 여자, 이 두 사람이 운명적으로 만나 사랑을 하지만 서로의 차이를 느끼고 그 차이를 이해하지 못해 힘들어하게 된다는 것이다. 나는 이 책을 통해 독서치료의 효과를 많이 봤다. 나는 사귄 지 2년이 조금 넘은 남자친구가 있는데 초기에는 우리 둘의 성향이 너무 달라서 하루가 멀다 하고 다퉜다. 그러다가 책을 읽고 난 뒤부터는 말다툼을 하다가도 책의 내용이 떠올랐고 상황에 대처하는 방법을 떠올리면서 상대방을 이해할 수 있게 되었다. 나처럼 사귀는 사람이 있는 친구들은 대부분 책에서 얻는 것이 있었다고 말했다. 그런데 연애 경험이 한 번도 없는 사람이 이 책을 읽으면 그 효과를 보장할 수 있을까? 그들도 영화나 책을 통해 간접적인 경험을 해보긴 했겠지만 실제로 그런 부분에 대해 마음의 상처를 가지고 있다고 보기는 힘들 것이다.

이 의문을 정리해보니 결국 독서치료 모임의 구성원들을 모집하는 방법과 어떤 책을 치유서로 선택해야 하는지의 문제로 귀결되었다.

4. 의문의 해결, 상황별 독서치료

독서치료는 마음의 병이 있는 사람들을 위한 것이므로 책의 내용이 훌륭하다고 해서 다 좋은 치유서가 되는 것은 아니다. 독서치료를 받으려는 사람들의 상황이 어떠한지, 그리고 그 상황이 어떤 상처로 인해 만들어졌는지 잘 파악해야 좋은 치유서를 선정할 수 있을 것이다. 또 그렇게 해야 독서치료의 효과를 극대화시킬 수 있을 것이다.

그렇다면 사람들이 가지고 있는 마음의 상처는 성장배경이나 환경에 의해 발생하는 경우가 많으므로 이를 중심으로 살펴보아야 할 것이다. 국내의 문헌[3])에서 제시한 독서치료 대상자의 상황이나 범주를 보면 다음과 같다.

① 생활의 대처, 죽음, 이질성, 이혼, 가난, 관계, 자아관

② 가족관계, 책임, 이기심, 성격과 개성, 자율성, 용기, 새로운 가정과 친구들에 대한 적응, 병과 신체장애의 인정, 입양아, 두려움, 타인의 용납, 자아의 용납, 신체적 특성, 죽음

③ 외모, 감정 및 성격, 가족관계, 사회·경제적 문제

④ 역할 모델, 복합가정, 별거와 이혼, 아동학대, 대리보육, 입양, 아동기의 어려움

⑤ 약물 중독, 변화의 대응, 폭력적인 가정과 역기능 가정, 부모 역할, 개인 성장, 심각한 질병, 사회관계, 이혼과 복합가정

⑥ 자기 수용, 인간관계, 대인관계, 대화법, 상담 심리학, 내적 치유, 우울증, 성인아이, 알코올 중독, 정신분열증, 혼전 상담, 배우자 선택, 행복한 가정생활, 성 문제, 이혼, 부모의 역할, 자녀교육, 심신장애아를 둔 부모 및 기타

⑦ 자기애성 성격장애인, 알코올 중독자, 성폭력, 시설 아동들, 반사회성 성격장애자, 자폐아, 우울증, 스트레스

　분류가 체계적이지는 않지만 이는 그만큼 다양한 상황이 존재한다는 것을 보여주고 있다. 독서치료 대상자는 일반적인 독서상황에서 단순히 책을 읽고 싶어 하기보다는 심각한 괴로움이나 마음의 상처를 동반하고 있는 경우가 많다. 그리고 상처의 유형이나 유발요인들은 대상자가 처해 있는 입장에 따라 달라질 것이다. 그런데 그러한 상처가 대부분 정신과적 치료를 받아야 할 만큼 심각하지는 않다. 따라서 독서치료는 상황이 더 심각해지기 이전에 적용하거나 정신과적 치료를 보조하는 수단으로 이용될 수 있을 것이다.

---

3) 한윤옥, 「독서치료를 위한 상황별 독서목록의 기초적 요건에 관한 연구: 상황설정 및 분류체계와 관련하여」, ≪한국문헌정보학회지≫, 37권 1호, 5~25쪽.

도서관 사서는 상황에 따라 분류해놓은 도서목록을 작성함으로써 이용자에게 도움을 줄 수 있을 것이다. 상황별 도서목록은 도서관에서 독서치료를 실시하기 위해 필요한 가장 중요한 도구다. 따라서 상황별 독서목록을 제대로 만들기 위해서는 상황 분류에 대한 명확한 연구가 이루어져야 할 것이다. 우선 독서치료 대상자들을 분석하기 위한 요인을 밝히고 그들이 처해 있는 상황의 공통점과 특성을 파악해야 한다. 그런 뒤 치료 대상자가 앓는 마음의 병의 증상과 유형을 밝히고 이 요소들을 분석함으로써 상황에 대한 분류기준과 체계를 제시해야 한다. 그리고 이런 과정이 제대로 이루어지기 위해서는 무엇보다도 사서의 전문적인 능력이 요구된다. 사서는 단지 책 제목만 보고 책을 선택하는 것이 아니라 직접 풍부한 독서 경험을 쌓아야 한다. 치료 대상자의 상황을 모두 겪을 수는 없겠지만 책을 통해 간접경험을 해본 후 그 경험을 실제처럼 적용시켜보는 것도 좋을 것이다.

　독서치료는 방법에 따라 개별적으로 이루어지는 방식과 집단적으로 이루어지는 방식으로 나눌 수 있다. 개별적으로 이루어지는 독서치료는 개인이 가진 마음의 상처를 제대로 파악하고 그에 맞는 치유서를 적용하기가 가장 쉬울 것이다. 하지만 집단 토론 형식으로 이루어지는 독서치료는 개인의 성향이 모두 다르기 때문에 모든 사람에게 꼭 맞는 치유서를 선택하기가 쉽지 않다. 이번 수업에서 내가 느낀 의문사항과 비슷하다. 그러나 개별 치료에서는 볼 수 없는 집단 토론만의 장점이 있는데, 바로 다른 사람의 상황까지 나에게 동화시킬 수 있다는 것이다. 자신에게는 해당되지 않지만 다른 사람이 안고 있는 마음의 상처와 그 상처를 치유해나가는 모습을 보면서 그 사람의 상처를 이해하게 되며, 그러한 상처가 언젠가 나에게 발생했을 때를 대비할 수 있다. 나는 수업시간에 다른 사람의 이야기를 들으면서 눈물을 흘렸고 마치 나 자신의 일처럼 마음이 아팠다. 내가 미처 생각하지 못했던 사실을 알게 되고 다른 사람을 더 잘 이해함으로써 새로운 눈으로 세상을 바라보는 방법을 배웠던 것이다.

　개별적인 독서치료를 위해 개인의 상황을 분석하는 일도 중요하지만 치유서가 그러한 상황에 조금 맞지 않는다고 해서 효과가 전혀 없다고 할 수는 없다. 처음에는 '이 책은 나와 맞지 않아!'라고 생각했던 책들도 치유적 말하기를 통해 그렇지 않다는 것을 깨달았다. 무슨 일을 하든지 여러 명이 함께하면 혼자 하는 것 이상의 효과를 거둘 수 있다. 도서관에서는 상황별 독서목록을 작성해 이용자들에게 제공하는 것도 좋지만 사서가 독서치료에 대한 전문적인 지식을 쌓아 주기적인 독서치료 모임을 만드는 것도 좋은 방법일 것이다.

5. 그 외의 치유서

이런 의문과는 별개로 시간이 지나면서 읽은 책의 목록도 하나씩 늘어갔다. 우리는 책뿐 아니라 여러 편의 영상자료도 보면서 수업을 했다. 영상자료 중에서 기억에 남는 것은 자신의 부모를 잔인하게 살해한 이은석에 관한 비디오[4]였다. 사건 자체만 보면 이은석은 잔혹한 살인자이며 상식적으로 이해가 불가능한 사람이지만 결국 따지고 보면 이은석 자신이 아동학대의 희생양이었던 셈이다. 이은석은 어릴 때부터 부모님에게 억압을 받으면서 살아왔고 이는 성인이 되어서도 마찬가지였다. 그는 사건을 일으키기 전 부모님께 마지막으로 화해의 손을 내밀었지만 그의 부모는 그마저 차갑게 거절하고 말았다. 지금까지 부모에게 억눌려서 내성적이고 작은 반항조차 하지 못했던 이은석이 결국 부모를 살해하게 된 것은 그동안 쌓아왔던 감정이 마침내 폭발해버렸기 때문이다. 이는 결코 이은석의 잘못이라고 할 수만은 없다. 그는 부모로부터 자기 자신을 지키려고 했던 것이다.

이 비디오 자료는 어린 시절의 아픔이 성인이 되어서까지 큰 영향을 미친다는 사실을 보여주었고 더불어 그 아픔을 제때 치료하지 않았을 때 발생할

---

4) <추적 60분> '명문대생, 그는 왜 부모를 살해했나'(KBS, 2008. 7. 23).

수 있는 문제점을 극단적으로 보여주었다.

이와 비슷한 맥락의 책으로는 최현주 목사의 『위장된 분노의 치유』가 있었다. 이 책에는 '어느 성인아이 목사의 자기 고백'이라는 부제가 붙어 있다. 저자인 최현주 목사는 보통 사람이라면 숨기고 싶어 하는 자신의 과거 치부를 드러내고 있다. 그는 이 책을 통해 이른바 역기능 가정에서 성장한 과정과 결혼 후 아내에게 가한 폭력, 아이들에게 권위적인 가장으로 군림한 모습까지 고백하고 있다.

그는 자신이 성인아이였음을 고백하면서 그 원인을 자신이 자라난 가정환경에서 찾고 있다. 몸은 성인이 되었지만 어릴 때 정서적으로 받은 상처가 어른이 되어서도 영향을 미쳤다는 것이었다. 항상 긴장감을 조성하는 엄격한 성격에 알코올 중독자인 아버지, 대수롭지 않은 일도 남 앞에서는 항상 감추기를 원하고 사람들을 대할 때 앞과 뒤가 다른 이중적인 어머니 밑에서 저자는 혼란스러움을 느껴야 했다. 이는 결국 뒤틀리고 부정적인 의식을 싹트게 했고 그가 가정의 소중함이라는 개념을 제대로 정립하지 못한 이유가 되었다.

책에 제시된 38가지의 성인아이 모습 중 자신은 하나도 해당되지 않는다고 자신 있게 말할 수 있는 사람이 과연 얼마나 있을까? 나 자신을 비추어보면 나는 열등감으로 인해 내 자신이 나를 어떻게 보느냐보다 다른 사람들이 나를 어떻게 볼 것인가에 항상 신경을 썼다. 열등감 때문에 다른 사람의 자연스러운 행동이나 호의에 대해서도 결코 자연스럽지 못했다. 나보다 더 낫다고 생각하는 사람들 앞에서는 말과 행동이 자유롭지 못했으며 열등감과 수치심으로 인해 부끄러워했다. 그 밖에도 나는 많은 성인아이의 특징을 갖고 있었다.

저자는 아내의 도움과 책을 통해 성인아이의 모습을 극복할 수 있었다고 말한다. 최현주 목사는 독서치료의 효과를 크게 본 사람이라고 할 수 있다. 그리고 책을 통해 정신적인 문제를 바로잡을 수 있다는 사실을 보여주고 있다.

기억에 남는 또 다른 책은 최화숙의 『아름다운 죽음을 위한 안내서』다. 이 책은 호스피스 간호사로 활동하고 있는 저자가 그동안 임종을 도와주었던 말기 환자들의 이야기를 담고 있다. 호스피스가 하는 일은 환자가 죽음을 잘 맞이할 수 있도록 도와주는 것이다. 환자에게 신체적인 도움을 주는 데 그치지 않고 말기 환자가 원하는 장소에서 원하는 사람들과 함께 원하는 방식으로 삶을 마감할 수 있도록 돕는 것이다. 이 과정에서 환자는 자기 자신 및 주변 사람들과 화해하게 되고 가슴에 맺힌 응어리를 풀면서 정서적으로 안정을 얻게 된다.

내가 초등학생이었을 때 할아버지께서 간암으로 돌아가셨는데 할아버지는 서울에 계셨기 때문에 생전에 잘 뵙지 못해서 고인에 대한 기억은 거의 없다. 아버지와 할아버지는 사이가 좋지 않은 편이었는데 할아버지가 돌아가시기 전에도 아버지가 심한 말을 하셔서 두 분이 병원에서 말다툼을 하셨다고 한다. 하지만 할아버지가 돌아가시고 난 후 우리 집에서는 해마다 정성껏 제사를 지내왔으며 가끔 할아버지 이야기가 나올 때면 아버지는 우리에게 좋았던 기억만 들려주신다. 아버지는 할아버지를 원망하는 마음도 아직 갖고 있겠지만 그만큼 그리워하는 것 같기도 하다. 그리고 그 모습을 옆에서 지켜보면서 나는 '만일 이 책을 미리 알았더라면 도움을 받을 수 있었을 텐데'라는 안타까운 생각이 들기도 했다.

그 외에도 이규환의 『그래서 나는 오늘 정신과로 간다』[5] 등 몇 권의 책을 더 읽었지만 그중 특히 기억에 남는 책만 적어보았다. 아무래도 나의 상황과 관련이 있는 책들이 기억에 많이 남는 것 같다.

---

5) 이규환, 『그래서 나는 오늘 정신과로 간다』(그린비, 1997).

6. 맺는말

나의 대학생활도 이 글을 끝으로 드디어 종지부를 찍는다. 대학에서 보내는 마지막 시간이었지만 개인적으로 힘든 기간이었다. 무엇을 하든지 마음이 불안했고 무엇 하나 제대로 하는 일이 없었으며 혼자 있을 때면 갖가지 생각이 떠올라 우울해지곤 했다. 사실 이번 학기를 시작할 때만 해도 마무리를 잘하겠다는 의욕에 가득 차 있었는데 졸업할 때가 점점 다가오고 취업 문제가 겹쳐지자 진로에 대해 고민이 되기 시작했다. 우물 안 개구리처럼 멋모르고 자만심에 빠져 지내다가 이상과 현실이 다르다는 말을 직접 체감하면서 현실의 높은 벽을 뛰어넘을 자신감을 점점 잃었다.

마지막 학기인 만큼 수업도 많지 않았고 이미 아르바이트도 그만두었기 때문에 신체적으로 힘든 일도 없었다. 그러나 정신적인 스트레스를 혼자서 쌓아두고 있었으며 그 스트레스를 풀지 못해 전전긍긍하고 있었다. 본래의 나는 주위 사람들도 인정할 만큼 낙천적이고 여유로운 사람이라서 이런 내 모습은 스스로 익숙하지가 않았다. 내 마음에서 더 이상 여유라는 것은 찾아볼 수 없었으며 실제로는 전혀 급하지 않은데도 언제나 시간에 쫓겼다. 취업 준비 외에 다른 것을 하는 시간은 낭비라는 생각이 들어 친구들에게도 소홀해졌으며 여유 있게 책을 읽는 것도 내 마음이 허락하지 않았다. 그나마 독서치료 수업 때문에 반강제로라도 책을 읽게 되었는데 이것이 바짝 마른 나의 마음을 조금이나마 적셔주었던 것 같다.

치유서로 읽은 책들은 내가 현재 갖고 있는 고민에 대해 당장 해답을 제시해주는 것은 아니어서 내 문제에 대한 실질적인 도움은 크게 받지 못했다. 하지만 잠시나마 머리를 식혀주고 다른 것을 생각할 수 있는 여유를 갖게 해주었으며, 덕분에 수업이 진행될수록 독서치료에 대한 나의 관심은 점점 커져 갔다. 아니, 관심이라기보다는 애정이라는 말이 적합할 것 같다. 독서치료에 대해 알기 전에는 이 분야를 그다지 중요하게 생각하지 않았는데 독서치료가 마음의 상처를 치료하는 데 명약이 될 수 있다는 사실이 나를 흥분시킨 덕분에 4시간 가까이 쉬지 않고 진행되는 수업도 전혀 지루하지 않게 참여할 수 있었다. 요즘 도서관 사서들 사이에서는 독서치료를 배우려는 열풍이 불고 있다고 하는데 나 또한 그 매력에 빠져보니 그 열풍이 이해되었다. 문헌정보학에 새로운 길이 하나 열렸고 그 길은 무궁무진해서 앞으로 계속 나아갈 것이다. 기회가 닿는다면 독서치료에 대해 좀 더 깊이 있게 공부해보고 싶다.

독서치료를 통해 내가 얻은 것이 또 하나 있다면 다른 사람들을 바라보는 시선의 변화다. 오늘 신문에 아버지를 토막 살해한 딸이 무기징역을 선고받았다는 기사가 실렸다. 이 이야기의 내막을 알지 못한다면 딸은 절대 용서받을 수 없으며 단순히 패륜을 넘어선 끔찍한 범죄를 저질렀기 때문에 벌을 받아 마땅하다고 생각할 수 있다. 하지만 그 딸이 20년 동안 아버지의 가정폭력에 시달려왔고 사건 당일에도 술을 마시고 행패를 부리는 아버지를 견디다 못해 아버지를 살해했다는 사실을 안다면 누구도 그녀에게 쉽사리 돌을 던지지 못할 것이다. 이 사건은 이은석의 경우와 굉장히 닮아 있다. 무엇이 이 두 사람을 사지로 내몰았을까? 그 두 사람이 자신들의 고통을 달래줄 수 있는 책을 읽었더라면 이런 사건은 충분히 예방할 수 있지 않았을까? 나는 이제 사람은 누구나 마음의 상처를 가지고 산다는 것과 그 상처가 다른 모습으로 표출된다는 사실을 알게 되었다. 이해할 수 없는 행동을 하는 사람에게도 그 나름의 이유가 있다는 것도 알게 되었다. 그래서 이제는 그런 행동을 하는 사람들을 내 기준으로 재어가며 비난하기보다 '무엇이 저 사람을 저렇게 만들었을까?'라고 먼저 생각하게 되었다.

요즈음 뉴스에서는 집단 수능 부정, 밀양 성폭력 사건, 화성 여대생 살인 사건 등 안 좋은 소식들이 연일 보도되고 있다. 이렇게 흉흉해진 세상을 조금이라도 바로잡는 데 독서치료가 하나의 방법이 될 수 있을 것 같다. 요즈음 청소년 문제가 심각한 지경에 이르렀는데 사서가 전문 상담교사와 협력해 독서치료 프로그램을 만드는 것도 좋은 방법일 것이다. 좋은 책을 읽으면 마음이 정화되고 올바른 사고방식을 갖게 된다는 것은 누구나 아는 사실이다. 하지만 더 나아가 좋은 책을 읽는 행위가 상처를 치료할 수도 있다는 사실을 일반 사람들에게 인식시키고 이를 인정하게 만드는 데는 오랜 시간이 걸릴지도 모른다. 독서치료 열풍이 분다고 해도 우리 도서관계에는 아직 그 도구가 제대로 확립되어 있지 않다. 독서치료를 널리 알리고 주체적으로 만들어나가기 위한 문헌정보인들의 노력이 필요한 때다.

나의 독서치료 체험기

흔들리는 스물아홉, 마음을 열고 서른을 맞다

연이숙

1. 들어가며: 마음을 열 준비

겨우내 쓸쓸한 기분이었다. '쓸쓸하다'라는 말은 내 몸에 맞지 않는 옷처럼 호사스러운 단어이지만 정말로 쓸쓸했다.

> 잘 살고 계시죠? 사실 만하니까 연락을 안 하시는 거겠죠. 어쩌면 너무
> 힘들어서 그러신다면 제가 미안해지죠. 대부분 먹이 버는 것만으로도 벅차
> 고 불안하게 살고 있어요. 다들 인생의 십자가를 지고 살고 있으니 쓸쓸해
> 하지 마시고, 건강하고 사랑하는 식구들과 잘 지내세요. 샬롬.[1]

그리고 올 2월의 마지막 날이었다. 독서치료 첫 모임 준비로 신현림의 『내 서른 살은 어디로 갔나』를 읽으며 가족과 실패, 외로움에 대해 크게

---

[1] 신현림, 『내 서른 살은 어디로 갔나』, 65쪽.

공감을 했다. 하지만 작가는 때로는 고독해하고 어려움에 부닥치기도 하지만 서퍼들이 파도를 타듯이 그 어려움을 극복해냈다. 좌절이 있을 때마다 무릎을 꿇고 마는 나 자신과 작가를 비교하며, 모임이 시작되면 이런 나의 치부를 낯선 사람들에게 드러내야 하는 건 아닌가 싶어 다가오는 모임 날짜가 조금씩 두려워졌다. 그러면서도 엄마 얘기가 나오니 눈물이 났다. 문득 전날 밤 오랜만에 엄마와 한방에서 같이 잤다는 게 떠올랐다. 잠들어 있는 엄마를 보고 있으면 나도 모르게 마음이 짠해진다. 모녀 관계가 아니면 느낄 수 없는 그런 감정이다.

직감적으로 피하고 싶었던, 나의 감정을 들여다보는 시간이 될 것 같다는 생각이 들었다.

2. 우리들의 행복한 시간

이번 학기, 독서치료 모임을 참가하며 열 권 남짓의 치유서를 읽고 세 편의 영상물을 봤다. 그리고 함께 이야기를 나누었다. 놀랍게도 학기 전의 불안은 이야기하고 싶은 욕망에 잠식되어갔다. 이 책을 읽고 이렇게 느꼈으며 내 경험은 이러하다며 내 이야기를 하는 과정에서 나의 상처를 마주하는 게 생각했던 것만큼 아프지 않았다. 그리고 나처럼 다른 많은 사람들도 이제야 자신의 상처를 발견해 자기 자신을 보듬는 과정을 지켜봤다. 그 사람들의 이야기 또한 마치 내 이야기처럼 눈물겨웠던 이유는 그들의 경험이 어느 정도 보편성을 가졌기 때문일 것이다.

우연찮게도 이번 모임에 참여한 14명의 참여자는 모두 여성이었다. 딸 부잣집의 중간 딸로서 자신이 아들이 아니었기에 어머니에게 가졌던 죄책감, 남편과의 갈등, 자식을 키우는 어머니로서의 어려움 등은 내가 직접 겪은 일은 아니었지만 같은 여자로서 충분히 공감할 수 있었다. 여자로서의 공통적인 경험과 여러 사람과 함께 살아가야 하는 사회의 구성원이기에 겪어야 하는 고통, 그리고 이를 극복한 이야기를 하면서 우리는 마음을 열고 눈물을 나누었다. 수업을 통해 책을 읽거나 영화를 봄으로써 얻는 깨달음과 위로도 컸지만 14명의 '사람'들과 함께 이야기를 나누었던 30시간은 나에게 빛나는 보석과도 같은 시간이었다.

3. 책읽기와 몇 가지 열쇳말

1) 상처와 성장

내가 아이였을 때 부모님은 무척 자주 다투셨다. 내가 대여섯 살이던 어느 날, 식당에서 밥을 먹는데 엄마가 우리 셋이 하는 마지막 식사라고 말하던 장면이 아직도 기억에 남아 있다. 그리고 학교에 들어가기 전 나는 하루 종일 혼자 방에서 학교 놀이를 했던 기억도 난다. 나는 그때 선생님이자 학생으로 1인 2역을 맡아 선생님으로 유리창에 산수 문제를 내기도 하고 학생으로 그 문제를 열심히 풀기도 했다. 스무 살이 넘어서면서는 어렸을 때의 기억이 잘 나지 않는다고 생각했다. 이상했지만 생각이 나지 않으니 어쩔 수 없다며 스스로를 위로했다. 하지만 지금 돌이켜보면 잊고 싶다는 욕구가 그 시절을 잊게끔 만든 것 같다. 불안했고 외로웠던 날들이었으니 분명 기억하고 싶지 않았을 것이다. 많은 사람들도 마찬가지일 것이다. 하지만 상처를 그런 식으로 덮어두기만 해서는 문제가 해결되지 않는다. 상처는 사라지는 게 아니라 예기치 못한 순간에 다른 방식으로 튀어나와 또 다른 사건을 만들지도 모를 일이다.

지금도 나는 엉뚱한 순간에 갑자기 불안해진다. 세상 어느 누구도 내 마음을 알아주지 않을 거라는 생각을 늘 품고 있기도 하다. 그때의 상처를 치유하지 않고 어른이 되었기 때문이다. 나는 어른인 동시에 어른아이(adult child)[2]였던 것이다.

엄마, 아빠랑 싸워도 좋으니까 집에 돌아와. 나는 요즘 이유도 없이 눈물이 날 때가 많아.[3]

나는 『상처받은 아이들』,[4] 『마음속의 그림책』,[5] 『흔들리는 부모들』[6]을 읽거나 <추적 60분> '명문대생, 그는 왜 부모를 살해했나'[7]를 보면서 아이들의 상처에 같이 슬퍼하는 한편 부모됨의 어려움을 절감했다. 부모는 아이에게 절대적인 권력이기 때문에 오히려 아이의 등불이 되어야 하며 아이에게 무조건적인 사랑을 주어야 한다는 것도 가슴에 와 닿았다. 하지만 그런 부모가 되기란 쉬운 일이 아니며 부모로서의 올바른 인격을 갖추기 위해서는 많은 훈련과 노력이 필요하다는 사실을 알게 되었다. 이는 부모와 자식의 관계, 부모(어른)에게 상처받은 아이들, 내 부모님과 내 어린 시절에 대해 생각해보는 계기가 되었다. 이것만으로도 나에게는 큰 수확이었다. 사태를 수습하는 첫걸음은 자신에게 무슨 일이 일어난 것인지를 이해하는 데 있다고 하지 않았던가.

나는 책을 읽으며 내 어린 시절에 있었던 일과 마주함으로써 부모님과의 관계(물론 부모님은 지금 아무런 죄책감도 갖고 있지 않고 그때 나에게 상처를 주었다는 사실조차 인지하고 있지 못한다 하더라도)를 개선하기 위한 첫발을 내디뎠다. 이제 나는 성장을 위해 때로는 과거로 돌아가야 한다는 것을 인정하게 되었다.

2) 김경숙, 『성인아이 문제와 독서치료』. 이 책을 읽고 어른아이의 개념과 독서치료의 효과, 진단과 치유를 위한 목록을 정리했다.
3) 이희경, 『마음속의 그림책』, 117쪽.
4) 니콜 파브르, 『상처받은 아이들』.
5) 이희경, 『마음속의 그림책』.
6) 수잔 포워드, 『흔들리는 부모들』.
7) <추적 60분> '명문대생, 그는 왜 부모를 살해했나'(KBS, 2000. 7. 23).

2) 선택과 지향

오늘 뜬금없이 "사람에게는 살면서 세 번의 기회가 온다는데 당신에게는 몇 번의 기회가 왔느냐"라는 질문을 받았다. 질문이 생뚱맞다 생각했지만 나는 곧 대답했다. 나에게는 아직 한 번의 기회도 오지 않은 것 같다고. 농담 반 진담 반으로 한 대답이었지만 곰곰이 생각해보면 나에게도 갈림길에서 선택해야 할 상황은 많았다. 그때마다 나는 어떤 선택을 했던가? 나는 어떠한 인생을 지향하고 있는 걸까?

> 내가 아버지 앞에 무릎을 꿇고 앉자 아버지는 무거운 목소리로 "네 소원이 무엇이냐?"고 내게 묻는 것이었다.
>
> 소원, 소원? 소원? 나는 목이 메었다. 너무나 많기에 없느니만 못한 소원. 나는 무엇이 되고 싶습니다, 라고 꼭 한 가지를 분명하게 얘기할 수 있는 사람은 복받은 사람임에 틀림없으리라. 아버지, 모든 것이 다 되고 싶습니다, 모든 것이 다 갖고 싶습니다, 이런 대답은 있을 수 없었다. 그러나 솔직히 말하면 무엇을 맡겨도 감당해낼 자신이 없다고 얘기했어야 할 것이었다.
>
> ―김승옥, 『환상수첩(幻想手帖)』 중에서

처음 대학에 입학했던 스무 살 때부터 지금 스물아홉까지 나는 전공을 두 번 바꾸었다. 경제학과를 그만두고 다시 대학에 입학해서 4년 공부를 하고 학부 졸업을 한 곳은 국어국문학과였다. 수학이 없는 곳이라 좋았다. 하지만 눈에 보이지도 않는 것을 뭐하려고 이리 열심히 해야 하나라는 생각이 들게 만드는 곳이기도 했다.

남들이 좋아하는 공부를 하나 자신이 좋아하는 공부를 하나 별 수 없다고 생각했다.

3) 관계

사실은 이야기했지만 진심은 누구에게도 말하지 않았다. 지난 몇 년을 진흙탕에서 뒹굴었다고 생각했다. 그런데 일어나서 돌아보니 진흙탕이 아니었다. 누구라도 진심으로 사랑하고 존경했더라면 좋았을 것이다. 이해하는 척하는 것이 아니라 정말로 이해하려고 노력할 것을.

4) 나

졸업 후 나는 우연찮은 기회로 일본에서 한국어를 가르치는 일을 했다. 이 또한 나의 선택이었다. 누군가가 띄워준 배로 낯선 강을 건너고 있다고 생각했지만 배에 올라탄 것은 결국 나였으니까. 이 배가 어딘가에 닿아서 새로운 사람들을 만나겠지 생각했다.

일 년 반의 일본 생활은 외로웠다. 매일 밤 맥주를 마시며 텔레비전을 보다가 고꾸라져 잠이 들었다. 누군가로부터 말 못 할 수모를 당하기도 했다. 이러다가 머리가 이상해지는 건 아닌지 걱정도 되었다. 배르벨 바르데츠키는 자신의 저서 『따귀 맞은 영혼』에서 "남의 사소한 비판 하나도 곧 자기 실존의 가치를 깎아내리는 것이 될 수 있습니다"라고 말한다. 그 말처럼 일본 생활에서 내 실존 가치는 타인에 의해 바닥을 쳤다. 견뎌내긴 했지만 결코 행복한 시간이 아니었다.

통찰에는 두 가지 차원이 있다. 지적 통찰의 차원과 정서적 통찰의 차원이다. 이런 구조에서 약자의 입장에 서 있는 사람은 분노를 풀기가 어렵다. 심리적으로 계속 당하고 있기 때문이다. 이럴 땐 '작아지지 말자'라고 스스로 격려해야 한다. 그리고 자기를 작아지게 하는 심리적 배경을 분석해야 한다. 상대가 '정말 거인인가'도 따져볼 일이다. 나를 작게 만드는 사람에게 나를 판단할 전권을 주지 말라. 나는 다른 사람의 평가에 관계없이

온 우주에 하나밖에 없는 소중한 존재다.[8]

이무석의 이 글을 그때도 알고 있었더라면 나는 내 자신을 그렇게 수치스럽게 여기지 않았을 것이다. 그리고 좀 더 내 자신에 집중하고 내 생활에 충실할 수 있었을 것이다.

하지만 당장 죽어도 좋다고 생각할 만큼 값진 사실을 배우기도 했다. 인간이란 다 다르다는 것, 그래서 상처를 입기도 하고 사랑을 하기도 하고 미워하기도 한다는 것이다. 가부키초의 호스트, 한국 술집의 얼음공주 같은 마마, 머리 좋은 이혼남, 머리 나쁜 오피스 레이디, 자격지심으로 똘똘 뭉친 편집증 환자, 제멋대로 큰 백수 계집애, 너무너무 착한 사람, 너무너무 이상한 사람……. 세상에는 단 하나뿐인 '나'가 넘쳐난다.

5) 몸뚱이 같은 공부

나는 지금 문헌정보학을 공부하고 있다. 또다시 낯선 곳에서 낯선 것을 배우고 있다. 이제는 몸뚱이 같은 공부를 하고 싶었기 때문이다. 나에게 문헌정보학이란 허공에 한쪽 다리를 걸치고 있는 것처럼 실체가 희미한 학문이 아니라 내 눈 앞에 보이는 사람의 몸뚱이 같은 학문이다. 언젠가 이 선택을 후회하게 될 날이 올지도 모른다. 하지만 지금은 이루어놓은 것이 없으므로 포기할 것도 없다.

지금 이 자리에서 최선을 다하며 살다 보면 내 선택이 옳았는지 잘못되었는지를 판단할 수 있는 날이 올 것이다.

> 어떤 것이든 당신의 결정과 판단이 옳다고 확신한다면, 그리고 실수와
> 실패를 두려워하지 않고 그것으로부터 배울 준비가 되어 있다면 당신의

8) 이무석, 『(나를 행복하게 하는) 친밀함』.

미래는 많은 가능성을 향해 열려 있을 것이다. 그러니 당신 자신을 믿고 세상을 향한 발걸음을 힘차게 내디더라. 왜냐하면 당신은 언제나 옳으니까.[9]

6) 그리고 사랑

그리고 마지막으로 나에게는 사랑이 지금보다 조금 더 필요하다는 걸 깨달았다. 감정은 차고 넘치지만 표현은 많이 부족하다. 삶에 대한 고민과 성찰만큼 중요한 일은 지금 내 옆에 있는 사람과 뺨을 비비고 한껏 팔을 벌려 그 사람을 꽉 껴안는 것이다. 죽음이 닥쳤을 때 가장 후회되는 일도 표현하지 못한 사랑이지 않을까. 『아름다운 죽음을 위한 안내서』[10]의 말기암 환자들도, 『모리와 함께한 화요일』[11]의 모리 교수도 마지막까지 사랑을 놓치지 않으려 애썼다.

사랑은 관계이자 용기다. 잃어버릴까봐, "마음의 문을 열면 보호막을 잃게 되어"[12] 상처 입고 실망할까봐 관계 맺기를 두려워하는 사람들이 많다. 나는 책 속의 사례를 통해 그 과정에서 다치더라도 사랑을 하기 위해 자신을 변화시킨 사람들을 만나게 되었고 박수를 쳐주고 싶을 정도로 가슴이 뭉클해졌다. 그들이 내가 잘할 수 없는 일을 했기 때문이기도 했고 나도 할 수 있을 거라는 생각이 들었기 때문이기도 했다. 책을 읽은 후 타인과 솔직한 소통을 하는 것을 내 사랑에 대한 1차적 목표로 정하고 노력하고 있는 중이다.

---

9) 김혜남, 『서른살이 심리학에게 묻다』, 311쪽.

10) 최화숙, 『아름다운 죽음을 위한 안내서』.

11) 미치 앨봄, 『모리와 함께한 화요일』(1998).

12) 배르벨 바르데츠키, 『따귀 맞은 영혼』.

4. 손에 쥐어진 몇 가지 아포리즘

1) 옳은 길과 쉬운 길

당신은 자신을 아주 안일하게 대충 사는 사람으로 취급합니다. 깔끔한 남자, 쉽게 사는 사람, 하지만 그렇게 쉽게 가다가는 도달할 곳이 지옥밖에 더 있겠습니까? 조지, 당신은 언제나 쉬운 탈출구만을 찾아다닙니다. 옳은 길이 아니라 쉬운 길 말입니다. 옳은 길과 쉬운 길 가운데 하나를 선택하라면 당신은 언제나 쉬운 탈출구를 찾기 위해 무슨 일도 마다하지 않을 것입니다. 자기 영혼을 파는 일이든 아들의 목숨을 희생하는 일이든 말입니다.[13]

인생은 무엇보다 행복해야 하지만 그렇다고 행복한 인생, 만족스러운 인생을 위해 쉬운 길만 골라 가야 하는 것은 아니다. 내 앞에 옳은 길과 쉬운 길, 두 갈래 길이 놓인 상황에 처했을 때 나는 너무도 당연하게 쉬운 길만 택해왔다. 쉬운 길이 알고 보니 어려운 길이었다면 되돌아가 더 쉬운 길을 택하려 했을 것이다. 지금까지의 나는 그랬던 것이 아닐까. 스캇 펙의 『거짓의 사람들』, 『아직도 가야 할 길』 두 권의 책을 통해 인생에 대한 무책임함, 나의 게으른 생활 습관에 대한 위기의식과 마주할 수 있었다. 앞으로는 쉬운 길이 아니라 옳은 길, 의미 있는 길, 애초에 가고자 했던 길을 가야 할 것이다.

2) 인생은 멈추지 않고, 슬픔도 그칠 때가 온다[14]

나에게는 기쁜 순간보다 슬픈 순간이 많다. 하지만 내가 기뻐하는 순간에

---

13) 스캇 펙, 『거짓의 사람들』(2003), 41쪽.
14) 수잔 포워드, 『흔들리는 부모들』.

도 내가 슬퍼하는 순간에도 인생은 멈추지 않고 흘러간다. 지금 기쁨을 느끼는 이 순간도 금세 이미 과거의 것이 되어버린다. 나는 책을 좋아하는 편이지만 지금까지 치유서를 즐겨 읽지는 않았다. 내가 늘 읽었던 책은 어디서 시작하든 대개 슬픔으로 끝났다. 하지만 이번 학기에 치유서 계통의 책을 읽으면서 책을 통해 마음을 정화할 수 있다는 사실을 알게 되었다. 책이 내 마음의 상처를 아물게 하고 내 인생의 희망을 마련해줄 수도 있구나 싶어 놀라기도 했다. 책을 덮으면 책 속의 활자를 뛰어넘어 다른 세상이 나타났다. 내 인생이 밝아졌다는 느낌이 들었다. 말로는 제대로 표현할 수 없지만 예전의 책읽기 패턴과는 다른 새로운 경험이었다. 내가 심심할 때 좋은 벗이 되어주었지만 대안을 제시해주지는 못했던 독서라는 행위가 업그레이드된 것 같아 한 권을 끝낼 때마다 무척 기뻤다. 책들이 내 슬픔을 그치게 해주었다.

3) 삶은 복잡하다[15]

인생은 기본적으로 고통스럽다.[16] 그리고 단순하지 않다. 그럴수록 얽힌 실타래를 풀듯이 조심스럽게 그리고 끊임없이 노력을 기울여야 할 것이다. 인생은 제각각 다른 모습을 하고 있다. 그리고 그 길을 헤쳐 나가는 것도 각자가 맡은 몫이다.

5. 나가며: 마음을 닫지 않기 위하여

독서치료 모임을 가지면서 책을 처음 읽는 사람처럼 낯선 책을 낯선 방법

---

15) 스캇 펙, 『끝나지 않은 여행』, 김영범 옮김(열음사, 2003).
16) 스캇 펙, 『아직도 가야 할 길』(2007).

으로 읽었다. 그리고 짧게나마 감상을 쓰고 다른 사람들과 이야기를 했다. 이른바 치유적 책읽기, 치유적 글쓰기, 치유적 말하기를 한 셈이다. 책을 읽지 않았더라면 그냥 덮어두고 평생 들춰보지 않았을지도 모를 상처를 들춰내기도 했다. 이 과정을 통해 치유받기도 했고 구체적이진 않지만 희망을 얻기도 했다. 귀중한 경험을 헛되게 만들지 않기 위해 이런 식으로 책을 읽어나가고 싶다. 그리고 읽기만 하는 것과 읽은 후 서로의 느낌을 나누는 것에는 큰 차이가 있다는 걸 확실히 알게 되었기 때문에 함께 읽고 이야기를 나눌 사람도 찾고 싶다. 어서, 이 마음이 식기 전에.

아직도 가야 할 길

구길녀

1. 만남

대학에 들어오기 전까지 나는 공부를 잘하는 모범생이었으나 장래에 대한 희망이나 목표 같은 것은 특별히 없었다. 주변의 권유로 사범대학에 응시했으나 떨어지고 2지망이던 당시의 도서관학과에 진학하게 되었다. 모든 게 어리둥절했던 그해 봄날 교수님을 만났다. 자료와 사람과 도서관에 대한 교수님의 깊은 열정이 우리에게 스며들었다. 시작은 막연했으나 지금까지 사서로서의 나의 삶은 확실했다. 모두 다 교수님 덕분이다. 공공도서관 현장에서 살아갈 수 있도록 해주셨으며 P대가 어쩌고 하면서 무시하던 사람들 속에서도 우리에게 당당할 수 있는 자신감을 주셨다. 이제는 그 사람들이 P대라서 인정을 해준다. 작게는 개인적인 나의 삶이, 크게는 도서관 현장이 교수님과의 만남으로 인해 성장했다고 믿는다.

이십 년이 훨씬 지나 다시 맞은 봄날, 치유서로 교수님을 새롭게 만났다. 이전에도 독서치료에 대한 정보를 많이 접하고는 있었지만 어쩐지 직접 접할 기회는 생기지 않았다. 아니, 망설이고 있었다. 나 자신의 상처도 만만치 않은데 다른 사람의 상처까지 보듬을 엄두가 나지 않았으며 그 과정을 거쳤다는 사람들도 변화되지 않은 것처럼 보였기 때문이다. 독서치료의 시작은 이십 년 전처럼 막연했지만 내 속의 변화는 맹렬했다.

세상을 살면서 만나는 모든 것에는 인연이 있다고 생각한다. 심지어 꽃이나 나무와의 만남에도 인연이 있다고 나는 믿는다. 교수님과의 만남은 나에게 특별한 행운이었다. 처음엔 사서로서의 삶을 살 수 있도록 이끌어주셨고 이번엔 마음의 눈을 뜨게 해주셨다. '왜 진작 하지 않았을까' 하는 후회까지 덤으로 주셨다. 늘 나의 마음을 무겁게 했던 건 살아오면서 툭툭 던져진 돌덩이가 아니라 내 안에 이미 쌓여 있던 상처였음을 깨달았다. 이제 나는 오래전부터 내 마음속에 있던 상처받은 어린아이와 만났다.

2. 상처

나는 위로는 오빠가 한 명, 언니가 둘인 집의 막내로 태어나서 자랐다. 엄마는 나를 가졌을 때 아들 태몽을 꾸어서 아들인 줄 알고 나를 낳았다며 딸인 줄 알았다면 지웠을 거라고 하셨다. 그러니 태어났을 때는 그다지 환영받지 못했다. 하지만 나는 오빠나 언니보다 공부를 잘했으며 생김새도 밉상이 아니었기에 천덕꾸러기 신세에서 벗어나 주변 사람들의 귀여움을 많이 받았다. 지금은 여든이 훨씬 넘어 치매에 걸린 아버지는 젊은 시절 외항선을 타셨다. 엄마는 따뜻하고 헌신적인 분이지만 지금도 자주 아버지와 다툰다. 아마 서운한 게 많았던 모양이다. 열다섯이나 나이 차이가 나는데다가 어쩌다 손님처럼 왔다가는 남편을 두었으니 그리 행복하지는 않았으리라.

어렸을 때 찍은 가족사진에서는 좀 좋아 보이는 옷을 입고 있는 걸 보면 형편이 넉넉하지는 않았지만 그렇다고 어렵지도 않았던 것 같다. 다만 아버지는 늘 곁에 없었다. 잠결에 목소리가 들리는가 싶었지만 아침에 눈 떠보면 안 계셨다. 어쩌다 아버지의 모습을 볼 때면 서먹해서 엄마 뒤로 숨기도 했다. 나는 부산에서 태어나고 자랐는데 수영동, 광안동 등 바다가 가까운 동네에서 주로 살았다. 아직도 마음을 따뜻하게 하는 추억이 하나 있는데 해질 무렵 아버지가 나를 업고 해변을 거닐던 기억이다. 노래도 불러주셨던 것 같다. 그 생각을 하면 지금도 가슴이 먹먹하다.

아버지는 아내인 엄마보다도 자식들을 더 사랑하셨던 것 같다. 지금에야 알게 되었지만 거기에는 나름 이유가 있었다. 열 살 전후로 혈혈단신 만주로 건너간 아버지는 중국에서 삶의 터전을 마련했는데 어떤 이유로 한국에 오게 되었으며 주변의 권유로 딱 한 번 만나고 엄마와 결혼하게 되었다고 한다. 중국에 아마 연인이 있었을 거라고 한다. 얼마 전 엄마가 아버지의 일기장 같은 것을 가져와서 거기에 한자로 적힌 이름이 뭐냐고 물으셨다. 여자 이름 이었다. "온갖 병수발 다하며 육십 평생 살았던 나는 뭐냐?" 이렇게 말씀하시는 엄마를 보며 가슴이 아팠다. 나이가 들었다고 상처마저 늙지는 않는 것이 리라.

내가 고1쯤 되었을까. 아버지는 재생불량성 빈혈이라는 진단을 받고 배에서 내리셨다. 불치병이라고 의사도 포기했지만 엄마는 포기하지 않았다. 거의 이틀에 한 번씩 피주사를 맞아야 했고 좋다는 민간요법은 모두 다 써보았다. 엄마의 정성이 통했는지 아버지는 기적적으로 완치되셨다. 의사도 드문 일이라고 했다. 그 일의 여파로 가산을 정리하고 부모님은 시골로 내려갔으며 대학 2학년이던 나는 시집간 언니 집에 얹혀 지내게 되었다. 부잣집 아들 이지만 인색했던 형부는 나를 별로 따뜻하게 대하지 않았다. 난방도 되지 않는 추운 방에서 한겨울을 보냈다. 그때는 내 인생도 겨울이었다. 대학 공부 도 잘될 리 없었다. 함께 어울려 지내는 친구도 연인도 있었지만 나는 누구한 테도 그런 사실을 말하지 않았다. 대학을 졸업한 그해 운 좋게도 공공도서관 현장에서 근무할 수 있게 되었다. 그 무렵 오랫동안 사귀던 사람과 헤어지고 지금의 남편을 만났다. 그때 나는 너무 힘들었기에 그만큼 남편에게 의지했 다. 5년쯤 만나다 결혼했는데 맏며느릿감이 아니라는 이유로 시부모님들이 반대를 해서 그 사이 한 번 헤어진 적이 있었다. 나의 존재가 먼지처럼 가벼워져서 견딜 수 없던 날들을 보내야 했다. 그러다 남편을 다시 만나 결혼에 이르렀다. 남편은 이성적이며 책임감 있는 사람이었으나 다정한 사람은 아니었다. 우린 자주 다투었으며 내가 행복하지 못한 것은 남편 때문이라고 생각했다. 치유서를 만나기 전까지는 그렇게 살았다.

3. 치유

사람들은 내게 "네가 무슨 걱정이 있어?"라고들 말한다. 걱정? 걱정이 아니라 우울함이리라. 나는 항상 무언가 비어 있는 듯 허전했다. 친구들과 함께 있을 때도 외로웠으며 남편이 곁에 있어도 남 같았고 첫 아이를 얻었을 때는 우울증에 시달렸다. 감기를 앓듯 나의 내면은 늘 아팠으나 겉으로는 씩씩하고 명랑했다. 아픔은 세월과 함께 다 흘러갔으리라 생각했다.

대학 시절 공부에 열중하지 못했던 걸 후회하면서 진작부터 대학원 과정에 진학하려 했지만 여러 가지 사정이 여의치 않아 미루고 있다가 작년에 대학원에 진학했고 이번 학기에 독서치료를 만나게 되었다. 교수님을 만난다는 사실과 강의에 대한 기대로 나는 첫 시간부터 설레었다. 나는 책읽기를 그다지 즐기는 편은 아니다. 특히 소설은 잘 읽지 않는다. 꿈이 다 잘려나가 비교적 현실적이라서 그런지 작가가 만들어놓은 비현실적 세계에 도무지 몰입이 되지 않기 때문이다. 이번 수업을 통해 나는 치유서로 아홉 권의 책을 읽었는데 내게는 말 그대로 '체험서'였다. 한 주에 한 권씩 책 읽는 부담이 전혀 없지는 않았지만 교수님이 지정해주시는 책에 대한 기대와 호기심으로 나 자신도 놀랄 정도로 책 속으로 몰입되었다.

이무석의 『30년 만의 휴식』이 마음속의 어린아이를 발견하게 했다면 김형경의 『천 개의 공감』은 내 마음속의 어린아이와 마주할 수 있게 해주었다. 이 책을 읽는 동안 내내 눈물이 났다. 그것은 사랑받고 싶어 하는 내 유년기의 불쌍한 어린아이에 대한 애도였다. 아버지와의 애착관계가 형성되지 않아 외롭고 불안했던 내면의 아이가 직면했던 현실의 냉정한 삶을 돌아보면서 나는 내가 한없이 측은해졌다. 어쩌면 내가 나여서 좋은 것이 그렇게 하나도 없었는지, 그런 불평으로 스스로를 얼마나 지겨워했는지. 그런데도 이만큼이라도 살아낸 게 대견스러웠다. 아버지에게 헌신적이던 엄마를 보면서 나는 저런 삶을 살지 않으리라 다짐했고 지금까지 나는 내가 자주적이고 강하다고 생각했다. 누구에게도 의존하지 않고 당당하게 살기, 겉으로 보기에는 그렇게 살았다고 생각한다. 그러나 이상하게 남편에게는 그러질 못했다. 나는 최선을 다한다고 하는데 그가 나에게 소홀하다고 생각되면 무시당한다고 느끼고 상처를 받았으며 그런 만큼 나도 남편에게 심하게 대했다. 누군가에게 도움받고 싶어 하는 마음의 반사작용과 의존성이 사랑이라는 이름으로 남편에게 향했던 것이리라. 그동안 배려하고 존중하는 대신 집착하고 의존했다는 사실을 느끼면서 그에게 진심으로 미안했다. 그도 상처받은 영혼일 텐데 말이다. 얼마 전 나는 처음으로 남편에게 내 어린 시절 아버지에 대한 마음을 이야기했다. 그는 잠자코 들어주었다.

스캇 펙 박사의 저서를 만난 건 이번 시간을 통한 또 다른 행운이었다. 『아직도 가야 할 길』은 한 주일 만에 읽어낼 책이 아니라 언제나 곁에 두어야 할 인생의 지침서라고 생각한다. 삶은 축복이면서 분명 고해다. 이 책은 그 복잡한 인생을 덜 고통스럽게 살 수 있도록 가르쳐준다. '훈련' 부분은 나의 생활을 돌아보게 했으며, '사랑' 부분은 사람과의 관계를 많이 생각하게 했다. 애착과 의존성은 한통속이며 그로 인해 고통받는다는 것을 거듭 가르쳐주었다. 내가 무엇이기에 아이, 남편, 친구, 동료들의 인간사를 좌지우지한단 말인가! 겸손함, 사랑……. 배울 것이 너무 많았다. '성장과 종교' 부분은 우리 인생의 성장에 종교가 어떤 영향을 미치는지 일깨워주었고, '은총' 부분은 영적인 성장에 대해 말하고 있다. 게으름을 극복하는 일, 자기 내면에서 논쟁을 벌이는 일, 성장하려는 의지와 훈련을 갖는 일, 사랑하는 일이 무엇인가를 깊이 생각하게 했다.

그의 또 다른 저서 『거짓의 사람들』은 인간의 본성을 건드리는 책이었다. 흥미진진해서 단숨에 읽어 내려갔다. 이 책에서는 확실히 나쁜 사람은 존재한다고 단언하면서 이는 도덕적인 잣대가 아니라 과학적으로 증명되어야 하는 병이라고 말하고 있다. 그 구절을 보자 떠오르는 사람들이 있었다. 책에서 말하는 그대로다. 그런 사람들은 가식과 위장으로 무장하고 권위에 굴복하며 약한 사람들에게 책임을 전가하면서 남을 괴롭히기까지 한다. 나는 그들을 미워하면서도 애매한 도덕심으로 그러면 안 되지 정도로만 생각했는데 이 책을 읽자 속이 후련해졌다. 든든한 후원자를 얻은 것 같았다. 가식과 위선으로 무장한 사람들, 거짓의 사람들. 그들의 악은 다음 세대로 전해진다고 한다. 그런 면에서 그들은 미움의 대상이 아니라 책에서 말한 대로 동정의 대상이다.

스캇 펙의 책에서도 아이들을 어떻게 사랑해야 하는지 알려주고 있지만 이희경의 『마음속의 그림책』과 이훈구의 『미안하다고 말하기가 그렇게 어려웠나요』, 수잔 포워드의 『흔들리는 부모들』도 아이들과의 관계에 대해 많이 생각하게 만들었다. 아무렇지도 않게 뱉은 말이나 행동이 아이들에게 혹 상처가 되지 않았는지 걱정되기도 했다. 나는 내 아이들이 자주적이고 성실하며 남에게 봉사하는 삶을 살았으면 했다. 그래서 어릴 때부터 좀 엄하게 다루었다. 유독 큰아이에게 더 심하게 대했는데 그동안 유순하게 잘 따르던 아이가 사춘기가 되면서 나와 부딪히는 일이 잦아졌다. 나는 혼란스러웠으며 지금까지 내 마음대로 움직여주던 아이였기에 큰아이에 대해 더욱 실망했다. 내 기대와는 달리 수동적이며 이기적인 모습을 자주 보였기에 더욱 그랬다. 치유서를 읽으며 내게 일어난 가장 큰 변화는 남편과 아이에 대한 생각의 변화라고 할 수 있다. 기다려주고 한걸음 물러서서 그들을 바라볼 수 있게 되었다. 생각해보면 큰아이에게는 미안한 일이 많다. 따뜻하게 안아준 적이 별로 없다. 함께 있지 못하는 시간이 많은 대신 넘치는 사랑으로 보살펴주어야 하는데 버릇없이 자란다고 내 멋대로 생각하면서 아이를 지배하고 통제하려 했으며 매를 들기도 했다. 사랑이라는 미명하에 아이의 마음을 헤아리기보다는 내 기분을 중시했던 것이다. 내 편의대로 하거나 너무 많이 간섭했음을 깊이 반성했다. 아이들의 마음속에 자라지 않는 어린아이를 키우게 하고 싶지는 않다. 기본적으로 안정된 정서를 가지고 자기 스스로를 존중하면서 당당한 어른으로 성장할 수 있도록 변함없는 관심과 사랑을 주리라. 그것이 이번 생에서 아이들과 만난 내 몫의 인연이라고 생각한다.

이 과정에서 마지막으로 선택된 책, 최화숙의 『아름다운 죽음을 위한 안내서』는 슬프지만 삶을 성찰할 수 있는 좋은 계기가 되었다. "우리는 죽는 날까지 사는 방법을 배워야 한다. 동시에 죽는 법도 배워야 한다"라는 스캇 펙의 말은 분명 맞는 말이다. 잘 살아야 잘 죽을 수 있다고 한다. 나와 내 가족, 나와 인연이 있었던 모든 사람을 위해 '슬픈 죽음' 대신 '아름다운 죽음'을 준비하며 살아가리라 다짐했다.

4. 아직도 가야 할 길

독서치료 과정이 끝났다. 여행을 다녀온 기분이다. 나를 찾아 떠나는 여행. 나는 책을 읽는 동안 누구에게도 신경 쓰지 않고 전적으로 나에게만 몰입하면서 나 자신을 깊이 체험했다. 보이지 않아 그 존재조차 생각할 수 없었던 마음속의 어린아이를 찾았으며 이제 그 아이를 나의 내면이 아니라 내 앞에 마주서게 했다. 그 아이는 이제 떠날 때가 됐다. 다시 돌아올 수도 있겠지만 나는 그러지 않길 바란다. 그것은 끝없는 훈련이 필요한 일이자 내게 남겨진 과제이기도 하다. 짧은 시간이었지만 나의 변화는 무척이나 컸다. 무엇보다 큰 변화는 남편과 아이들에 대한 나의 태도다. 나 자신이 성장했음을 느낀다. 이제 어른의 눈으로 그들을 보게 된 것이다. 내가 변하니 그들도 달라지기 시작했다.

삶이 내 뒤통수를 치는 어느 봄날이면 나는 출근하던 차를 돌려 동백섬에 가기도 했다. 동백꽃이 피기도 하고 지기도 하는 자리에서 오래도록 바다를 바라보았다. 그때는 꽃과 바다가 내게 위안이 되었다. 이제는 그렇게 헤매지 않고 가야 할 길을 찾았다. 치유서가 나의 내면을 지켜줄 것이다. 든든한 버팀목을 얻은 셈이다.

견딜 수 없는 시간도 분명 지나간다. 고통은 자기 몫을 해낸 뒤 때가 되면 사라지지만 고통이 지나간 자리엔 상처가 대신해서 내면을 아프게 한다. 그 상처를 들여다보면 가족으로 인한 경우가 많다. 미풍양속이나 효라는 전통으로 인해 상처받는 사람도 많다. 또한 가장 약한 입장에 있는 사람이 가장 큰 상처를 받는데 이는 대부분 아이들이다. 그리고 그들이 자라서 성인이 되면 다시 자신의 아이들에게 상처를 주는 대물림이 이어진다. 누군가이 고리를 끊어야 한다. 그 역할을 치유서가 해주리라 믿는다. 그 치유서를 만날 수 있는 곳, 그곳이 바로 공공도서관이다. 누구나 조금씩 내면의 상처를 안고 살아간다. 다만 어떻게 반응하느냐가 다를 뿐이다. 그러한 사람들을 가장 쉽게 만날 수 있는 장소 또한 공공도서관이 아닐까 생각한다. 공적인 영역으로서 공공도서관이 해야 할 일을 다시 한 번 생각하게 만든다. 지금 많은 공공도서관에서는 독서치료와 관련한 나름의 프로그램을 마련하고 있으며 별도의 공간을 만들어서 사람들에게 치유서를 제공해주고 있다. 이런 분위기는 점점 확산되는 추세다. 마음의 양식인 책을 통해 마음의 치료까지 할 수 있다면 사서 또한 직업적 성장을 이루어낼 수 있을 것이다. '상처 주는 사회'에서 '치유하는 사회'로, 그렇게 건강한 사회로 나아가기 위한 디딤돌로서의 역할을 공공도서관이 할 수 있지 않을까 한다.

나는 책을 통해 마음의 치유를 어느 정도 체험했다고 생각한다. 다른 사람도 충분히 가능성이 있다. 나는 공공도서관 사서이기에 나의 체험은 여기서 끝나지 않을 것이다. 나는 읽을 수 있는 순간까지 계속 책을 읽을 것이고 사람들에게도 나의 체험을 전해줄 것이다. 나는 마음이 아픈 사람들을 치유서로 인도하는 조용한 안내자가 되리라 다짐한다. 이는 내가 체험으로 지나온 길이자 앞으로도 가야 할 길이다.

지은이 소개

김정근　jgunkim@pusan.ac.kr

도미니칸 대학교, 컬럼비아 대학교, 토론토 대학교에서 문헌정보학과 교육학을 전공,
석사와 박사 학위를 받았다. 부산대학교 도서관장과 대학원장을 지냈으며, 현재 같은
대학의 문헌정보학과 명예교수이자 '책읽기를 통한 정신치료 연구실'의 지도교수로
활동 중이다. 지은 책으로는『독서치료 사례 연구』,『체험적 독서치료』가 있다.

김경숙　ksokim@pusan.ac.kr

부산대학교에서 문헌정보학을 공부했다. 같은 대학원에서 박사과정을 수료했고, 독
서치료 활동을 통하여 사서의 영역을 넓히고 있다. 현재 부산대학교 도서관 사서이며,
같은 대학교 평생교육원 독서치료사 과정의 책임강사로 활동 중이다. 지은 책으로는
『성인아이 문제와 독서치료』가 있다.

김은엽   eunyeop@gimhae.go.kr

부산대학교 문헌정보학과에서 공부해 학사와 석사 학위를 받았다. 현재 김해 장유도
서관 사서이며, 지역의 학교에서 학생들을 대상으로 독서치료 모임을 운영하는 한편
독서치료 칼럼니스트로도 활동 중이다. 지은 책으로는 『독서치료 사례 연구』가 있다.

책읽기를 통한 정신치료 연구실(책정연)   july75@pusan.ac.kr

부산대학교에 위치하고 있는 독서치료 연구모임이다. 도서관을 기반으로 하는 체험
형 독서치료 프로그램 개발에 진력하고 있다.

한울아카데미 1143
독서가 마음의 병을 치유한다 체험형 독서치료 이야기

ⓒ 김정근·김경숙·김은엽, 2009

지은이 ∣ 김정근·김경숙·김은엽 외
펴낸이 ∣ 김종수
펴낸곳 ∣ 한울엠플러스(주)

초판 1쇄 발행 ∣ 2009년 6월 29일
초판 3쇄 발행 ∣ 2017년 11월 15일

주소 ∣ 10881 경기도 파주시 광인사길 153 한울시소빌딩 3층
전화 ∣ 031-955-0655
팩스 ∣ 031-955-0656
홈페이지 ∣ www.hanulmplus.kr
등록 ∣ 제406-2015-000143호

Printed in Korea.
ISBN 978-89-460-5143-0 93020(양장)
    978-89-460-6402-7 93020(반양장)

• 가격은 겉표지에 표시되어 있습니다.